L'Écho des cœurs lointains

DE LA MÊME AUTEURE

Le Chardon et le Tartan, Libre Expression, 1997

Le Talisman, Libre Expression, 1997

Le Voyage, Libre Expression, 1998

Les Tambours de l'automne, Libre Expression, 1998

La Croix de feu, partie 1, Libre Expression, 2002

La Croix de feu, partie 2, Libre Expression, 2002

Un tourbillon de neige et de cendres, partie I, Libre Expression, 2006

Un tourbillon de neige et de cendres, partie II, Libre Expression, 2006

Une affaire privée, Lord John, tome 1, Libre Expression, 2008

La Confrérie de l'épée, Lord John, tome 2, Libre Expression, 2008

L'Écho des cœurs lointains, partie I : *Le prix de l'indépendance*, Libre Expression, 2010

DIANA GABALDON

L'Écho des cœurs lointains

PARTIE 2
LES FILS DE LA LIBERTÉ

ROMAN

Traduit de l'anglais (États-Unis)
par Philippe Safavi

Catalogage avant publication de Bibliothèque et Archives nationales du Québec et Bibliothèque et Archives Canada

Gabaldon, Diana

L'écho des cœurs lointains

Traduction de : An echo in the bone.
Suite de : Un tourbillon de neige et de cendres.
L'ouvrage complet comprendra 2 v.
Sommaire: ptie 1. Le prix de l'indépendance -- ptie 2. Les fils de la liberté.
ISBN 978-2-7648-0505-3 (v. 1)
ISBN 978-2-7648-0535-0 (v. 2)
I. Safavi, Philippe. II. Titre. III. Titre: Le prix de l'indépendance. IV. Titre: Les fils de la liberté.
PS3557.A22E2414 2010 813'.54 C2010-942219-8

Traduction française : Philippe Safavi
Révision linguistique : Annie Goulet
Correction d'épreuves : Corinne Danheux
Couverture : Nik Keevil, www.keevildesign.co.uk
Grille graphique intérieure : Axel Pérez de León
Mise en pages : Louise Durocher
Photo de l'auteure : Barbara Schnell

Les Éditions Libre Expression
Groupe Librex inc.
Une compagnie de Quebecor Media
La Tourelle
1055, boul. René-Lévesque Est
Bureau 800
Montréal (Québec) H2L 4S5
Tél. : 514 849-5259
Téléc. : 514 849-1388
www.edlibreexpression.com

Dépôt légal – Bibliothèque et Archives nationales du Québec et Bibliothèque et Archives Canada, 2011

ISBN : 978-2-7648-0535-0

Distribution au Canada
Messageries ADP
2315, rue de la Province
Longueuil (Québec) J4G 1G4
Tél. : 450 640-1234
Sans frais : 1 800 771-3022
www.messageries-adp.com

Un tourbillon de neige et de cendres

Tome 6

Résumé

Partie 1

En 1772, à l'aube de la Révolution américaine, le brûlot de la rébellion flambe déjà : à Boston, des cadavres gisent dans les rues, et dans l'arrière-pays de la Caroline du Nord, des cabanes s'embrasent dans les ténèbres de la forêt. Au-dessus de la maison de Fraser's Ridge, où vivent Jamie et sa famille, une ombre grandit…

Partie 2

Claire et Jamie s'efforcent de leur mieux de protéger leurs terres et leurs gens. Il ne leur reste que quatre ans avant la parution de leur nécrologie dans une gazette locale, quatre ans pour louvoyer entre la politique et l'histoire et tenter de changer le cours de leur destin. Pour une fois, Jamie Fraser espère que sa famille s'est trompée au sujet de l'avenir.

Cinquième partie

VERS LE PRÉCIPICE

42

La croisée des chemins

William prit congé des Hunter à un carrefour anonyme quelque part dans la colonie du New Jersey. Il était préférable de ne pas les accompagner au-delà. Leurs questions sur la position des forces continentales étaient accueillies avec de plus en plus d'hostilité, ce qui signifiait qu'ils n'en étaient plus très loin. Ni les sympathisants des rebelles ni les loyalistes craignant les représailles d'une armée à leur porte ne souhaitaient renseigner de mystérieux voyageurs qui pouvaient bien être des espions, ou pire.

Les quakers s'en sortiraient mieux sans lui. Ils étaient si exactement ce qu'ils paraissaient être, et la détermination de Denzell à servir comme médecin était à la fois si simple et admirable que, s'ils étaient seuls, les gens les aideraient plus volontiers. Du moins, ils répondraient plus facilement à leurs questions. En revanche, avec William…

Au début de leur voyage, il lui avait suffi de déclarer qu'il était un ami des Hunter. Les gens étaient intrigués par le petit groupe, mais pas suspicieux. Cependant, à mesure qu'ils s'enfonçaient dans le New Jersey, l'agitation devenait tangible. Des fermes avaient été pillées par des expéditions de ravitaillement. Celles-ci pouvaient être organisées par des Hessiens de l'armée de Howe, voulant attirer Washington hors de sa cachette dans les montagnes de Watchung, comme par des troupes continentales cherchant désespérément de la nourriture.

Les fermiers, qui en temps normal auraient chaleureusement accueilli des voyageurs inconnus pour les nouvelles qu'ils pouvaient transmettre, les repoussaient désormais avec leurs mousquets et leurs insultes. Il était de plus en plus difficile de s'approvisionner. La présence de Rachel leur permettait parfois d'approcher suffisamment les autochtones pour leur offrir de l'argent. La petite réserve de pièces de William leur fut fort utile. Denzell avait placé le gros du produit de la vente de leur maison dans une banque à Philadelphie afin d'assurer l'avenir de sa sœur. Quant aux billets émis par le Congrès américain, personne n'en voulait.

William pouvait difficilement se faire passer pour un quaker. Sa taille et son allure mettaient les gens mal à l'aise tout autant que son silence car, se souvenant du triste sort du capitaine Nathan Hale, il refusait de prétendre vouloir s'enrôler dans l'armée continentale ou de poser des questions qui pourraient plus tard permettre de l'accuser d'espionnage.

Il n'avait pas discuté de leur séparation avec les Hunter, et ces derniers avaient soigneusement évité de l'interroger sur ses projets. Néanmoins, tous savaient que le moment était venu. Il le perçut dans l'air à son réveil. Quand Rachel lui tendit un morceau de pain pour le petit déjeuner, sa main effleura la sienne, et il se retint de justesse de s'y attarder. Elle le sentit et releva des yeux surpris vers lui. Ce matin-là, ils étaient plus verts que marron. Il aurait volontiers envoyé la sagesse au diable pour l'embrasser (il pensait qu'elle ne s'y objecterait pas) si son frère n'avait surgi au même moment d'entre les buissons, reboutonnant sa braguette.

Il choisit le lieu, tout à coup. Repousser l'échéance ne servait à rien et mieux valait ne pas trop réfléchir. Il arrêta son cheval au milieu d'un carrefour, surprenant Denzell, qui tira trop brusquement sur ses rênes et fit regimber sa jument.

— C'est ici que je vous abandonne, annonça William plus sèchement qu'il ne l'avait voulu. Je continue vers le nord alors que vous devriez vous diriger vers l'est, où vous rencontrerez tôt ou tard des représentants de l'armée de Washington…

Il hésita, mais ils devaient être mis en garde. D'après ce que leur avaient dit des fermiers, Howe avait envoyé des troupes dans la région.

— ... Si vous tombez sur des troupes britanniques ou des mercenaires hessiens... Vous parlez allemand ?

— Non, répondit Denzell, juste un peu de français.

— C'est parfait. La plupart des officiers hessiens le parlent couramment. Si ce n'est pas le cas et que les Hessiens vous donnent du fil à retordre, dites-leur : *Ich verlange, euren Vorgesetzten zu sehen ; ich bin mit seinem Freund bekannt.* Cela veut dire : « Je demande à voir votre officier. Je connais son ami. » Dites la même chose si vous rencontrez des troupes britanniques.

Il ajouta un peu sottement :

— En anglais, bien sûr.

Cela fit sourire Denzell.

— Je te remercie, mais s'ils nous conduisent à leur officier et que celui-ci nous demande le nom de cet ami théorique ?

— Cela n'aura guère d'importance. Une fois devant un officier, vous serez en sécurité, mais vous pouvez répondre Harold Grey, duc de Pardloe, colonel du quarante-sixième régiment d'infanterie.

Contrairement à son père, oncle Hal ne connaissait pas tout le monde, mais tout le monde dans l'armée le connaissait, ne fût-ce que de réputation.

William vit Denzell remuer les lèvres, mémorisant le nom.

Rachel l'observait attentivement sous le bord affaissé de son chapeau. Elle redressa ce dernier pour le regarder dans le blanc des yeux.

— Et qui est cet Harold pour toi, ami William ?

Il hésita à nouveau mais, après tout, cela n'avait plus d'importance. Il ne reverrait jamais les Hunter. Même s'il savait que les quakers ne se laissaient pas impressionner par les rangs et les titres, il se redressa fièrement sur sa selle.

— Un parent.

Il fouilla dans sa poche et en extirpa la petite bourse que lui avait donnée Murray.

— Prenez ça, vous en aurez besoin.

Denzell la repoussa d'un geste de la main.

— Nous avons ce qu'il faut.

— Moi aussi, insista William.

Il la lança à Rachel, qui la saisit au vol par réflexe. Elle paraissait aussi surprise par sa propre réaction que par le geste de William. Ce dernier lui sourit, le cœur gros.

— Bonne chance, lança-t-il sur un ton bourru.

Il fit tourner son cheval et s'éloigna au petit trot sans se retourner.

*

Denzell le regarda s'éloigner et glissa à sa sœur :

— Tu sais que c'est un soldat britannique ? Probablement un déserteur.

— Et alors ?

— La violence accompagne ce genre d'homme. Tu le sais. Rester trop longtemps en sa compagnie est dangereux, non seulement physiquement mais aussi pour ton âme.

Rachel resta silencieuse un long moment, contemplant la route déserte. Les arbres résonnaient du bourdonnement des insectes. Puis elle fit tourner sa mule et déclara sur un ton calme :

— Denzell Hunter, tu ne serais pas un hypocrite ? Il a sauvé ma vie et la tienne. Tu aurais préféré lui tenir la main devant mon cadavre coupé en morceaux dans cet endroit affreux ?

— Non, répondit son frère aussi calmement. Je remercie Dieu qu'il ait été là pour te sauver. Je pèche peut-être en préférant ta vie au salut de l'âme de ce jeune homme, mais je ne suis pas assez hypocrite pour ne pas le reconnaître.

Elle fit une moue narquoise, ôta son chapeau et l'agita devant elle pour chasser un nuage d'insectes.

— Je suis honorée. Mais pour ce qui est du danger de fréquenter des hommes violents… n'es-tu pas en train de me conduire auprès d'une armée pour nous enrôler ?

Il émit un petit rire contrit.

— Bien vu. Tu as peut-être raison et je suis un hypocrite. Mais, Rachel… (il se pencha et saisit la bride de sa mule pour l'empêcher de se détourner)… tu sais que je ferai tout pour qu'il ne t'arrive aucun mal. Tu n'as qu'un mot à dire et je trouverai une famille d'Amis pour t'accueillir. Tu seras à l'abri. Je sais que le Seigneur m'a parlé, et je dois obéir à ma conscience.

Elle le dévisagea longuement.

— Qui te dit que le Seigneur ne m'a pas parlé, à moi aussi ?

Les yeux de Denzell s'illuminèrent derrière ses lunettes.

— Vraiment ? J'en suis très heureux pour toi. Que t'a-t-il dit ?

— Il m'a dit : « Empêche ta tête de lard de frère de commettre un suicide ou tu auras des comptes à me rendre. »

Elle lui tapa sur les doigts pour lui faire lâcher sa bride.

— Si nous devons rejoindre l'armée, Denny, ne perdons plus de temps. Allons-y.

Elle donna un violent coup de talons dans les côtes de sa mule, qui sursauta et partit à fond de train sur la route, arrachant un cri de surprise à sa cavalière.

*

William chevaucha quelques minutes le dos bien droit, exhibant l'élégance de sa monte. Une fois que la route eut décrit un virage et qu'il fut hors de vue, il ralentit et se détendit légèrement. Il était navré de quitter les Hunter, mais ses pensées le portaient déjà vers l'avenir.

Burgoyne. Il l'avait déjà rencontré une fois, dans un théâtre où il avait assisté à une pièce écrite par le général en personne. Il ne se souvenait pas de la trame narrative, car il avait été trop occupé à flirter du regard avec une jeune fille occupant la loge voisine, mais il était ensuite allé avec son père féliciter le fringant dramaturge grisé par le triomphe et le champagne.

À Londres, ils le surnommaient « Gentleman Johnny ». La haute société londonienne se l'arrachait en dépit du fait que sa femme avait dû fuir en France quelques années plus tôt pour échapper à une arrestation pour dettes. Cela étant, c'était un délit tellement courant que personne ne vous en tenait rigueur.

Ce qui surprenait le plus William, c'était que son oncle Hal semblait apprécier John Burgoyne. Oncle Hal n'avait guère de patience pour le théâtre, et encore moins pour les dramaturges, même si, chose surprenante, il possédait dans sa bibliothèque les œuvres complètes d'Aphra Behn. Lord John lui avait confié un jour, dans le plus grand secret, que son frère Hal avait été autrefois passionnément attaché à Mme Behn après la mort de sa première épouse et avant son mariage avec tante Minnie.

Son père lui avait expliqué :

— C'est que, vois-tu, Mme Behn étant morte, il ne risquait rien.

Ne voulant pas paraître ignare, William avait hoché la tête d'un air entendu, même s'il ne voyait pas du tout ce que son père entendait par là.

Il avait depuis longtemps cessé de chercher à comprendre son oncle. Sa grand-mère Benedicta était sans doute la seule à pouvoir le faire. Le fait de penser à oncle Hal lui rappela soudain son cousin Henry, et sa gorge se noua.

Adam avait dû apprendre la nouvelle, lui aussi, mais il ne pouvait rien faire pour son frère. Pas plus que lui, que le devoir appelait au nord. Cependant, son père et oncle Hal avaient sûrement un plan…

Son cheval redressa brusquement la tête et s'ébroua. Un homme se tenait sur le bord de la route, lui faisant signe en levant le bras.

William ralentit et scruta le sous-bois au cas où il aurait des complices tapis derrière les arbres, prêts à détrousser l'innocent voyageur. Le bas-côté était assez dégagé, et la première ligne de troncs était trop dense et touffue pour que quelqu'un s'y cache. Il s'arrêta à une distance respectueuse de l'inconnu, un vieil homme au visage sillonné de rides et aux cheveux d'un blanc pur tressés dans la nuque. Il s'appuyait sur un grand bâton.

— Je vous souhaite le bonjour, monsieur, déclara William.

— Moi pareillement, jeune homme.

Ce devait être un gentleman, car il avait fière allure ; ses vêtements étaient de qualité et il avait un bon cheval, que William apercevait à présent, entravé et paissant non loin de là. Il se détendit légèrement.

— Où allez-vous ainsi, monsieur ? demanda-t-il poliment.

Le vieillard haussa les épaules.

— Cela dépend un peu de ce que vous m'apprendrez, jeune homme.

À son accent, William sut qu'il était écossais.

— Je suis à la recherche d'un homme nommé Ian Murray. Il me semble que vous le connaissez.

William fut déconcerté. Comment le savait-il ? S'il connaissait Murray, peut-être ce dernier lui avait-il parlé de lui... Il répondit prudemment :

— Je le connais en effet, mais je ne sais pas où il se trouve.

— Ah non ?

L'homme le dévisageait avec une insistance déplacée. Ce vieux bouc le prenait-il pour un menteur ?

— Non, répéta-t-il fermement. Je l'ai rencontré dans le Great Dismal il y a de cela quelques semaines, en compagnie de Mohawks. J'ignore où il est parti depuis.

— Des Mohawks... répéta l'homme, songeur.

William vit son regard s'arrêter sur la griffe d'ours accrochée à son cou.

— C'est un Mohawk qui vous a donné cette babiole ?

William se raidit, n'appréciant guère la connotation péjorative du terme.

— M. Murray me l'a apportée, de la part d'un ami.

— Un ami... répéta le vieil homme.

La manière dont il étudiait son visage commençait à mettre William sérieusement mal à l'aise.

— Comment vous appelez-vous, jeune homme ?

— Je ne vois pas en quoi cela vous concerne, monsieur. Bonne journée !

Lorsque l'homme vit William rassembler ses rênes, ses traits se durcirent et sa main se crispa sur le pommeau de sa canne. Juste avant de lui tourner le dos, William eut le temps de remarquer qu'il lui manquait deux doigts. Il crut un instant qu'il allait monter en selle à son tour et tenter de le rattraper mais, quand il se retourna, le vieillard était toujours debout sur le bas-côté, l'observant s'éloigner.

Cela ne changeait plus grand-chose mais, afin d'attirer le moins d'attention possible, William jugea préférable de glisser la griffe d'ours sous sa chemise, où elle se balança à l'abri des regards aux côtés de son rosaire.

43

Compte à rebours

Fort Ticonderoga, 18 juin 1777

Chers Bree et Roger,

Plus que vingt-trois jours. J'espère que nous pourrons partir à la date prévue. Ian a quitté le fort il y a un mois pour « régler une affaire personnelle » mais a promis d'être de retour avant la fin de la période d'engagement de Jamie dans la milice. Lui-même n'a pas voulu s'enrôler, s'étant plutôt porté volontaire pour des expéditions de ravitaillement. Techniquement, il n'a donc pas abandonné son poste ; de toute façon, le commandant du fort n'est plus en position de faire quoi que ce soit contre les déserteurs, hormis pendre ceux qui seraient assez stupides pour revenir, ce qui n'arrive jamais. Je ne sais pas trop ce que mijote Ian, mais j'ai bon espoir que ce sera bénéfique pour lui.

En parlant de commandant, nous venons d'en changer. Branle-bas de combat dans le fort ! Le colonel Wayne nous a quittés il y a quelques semaines, sans doute dégoulinant de soulagement autant que de transpiration, mais nous y avons gagné en échelons. Notre nouveau commandant n'est rien de moins qu'un général de brigade : Arthur St. Clair, un Écossais cordial et très séduisant dont le charme est encore accentué par l'écharpe rose qu'il porte pour les grandes occasions. (L'un des avantages d'appartenir à une armée provisoire, c'est que, apparemment, chacun dessine son propre uniforme. On est loin des vieilles tenues régimentaires guindées de l'armée de Sa Majesté.)

Le général St. Clair est arrivé accompagné de pas moins de trois autres généraux d'un grade inférieur, dont un Français (selon Jamie, le général Fermoy est un peu douteux, militairement parlant) et d'environ trois mille nouvelles recrues. Cela a considérablement remonté le moral de tout le monde (même si ce n'est pas sans poser quelques problèmes de logistique en termes de latrines ; il y a des queues interminables le matin, et nous souffrons d'une sérieuse pénurie de pots de chambre). À son arrivée, St. Clair a prononcé un beau discours, assurant à tous que, désormais, le fort ne pourrait plus être repris. Votre père, qui se trouvait près de lui, a marmonné quelque chose en gaélique dans sa barbe. Je sais que le général est né à Thurso, mais il a fait mine de ne pas comprendre.

La construction du pont entre le fort et le mont Independence se poursuit… et le mont Defiance continue de nous narguer de l'autre côté du lac. Jamie a demandé à M. Marsden de s'y rendre en barque, de grimper au sommet et d'y installer une cible, un carré de bois de trois pieds de côté, peint en blanc, là où elle serait clairement visible depuis les batteries du fort. Il a ensuite invité le général Fermoy (qui, lui, ne porte pas d'écharpe rose bien qu'il soit français) à essayer l'un des nouveaux fusils confisqués dans la cale du Teal (votre père a eu la bonne idée d'en mettre quelques-uns de côté avant de livrer patriotiquement le reste à l'armée américaine). Fermoy et lui ont fait voler la cible en éclats, une prouesse simple dont la signification n'a pas échappé à St. Clair, qui assistait à la démonstration. Je crois que le général sera presque aussi soulagé que moi quand la période d'engagement de Jamie sera terminée.

Les nouveaux arrivages ont entraîné un surcroît de travail. La plupart des nouvelles recrues sont raisonnablement en bonne santé, ce qui tient du miracle, mais il y a toujours les petits accidents, les maladies vénériennes, la fièvre estivale… au point que le major Thacher (le médecin en chef), accepte de fermer l'œil quand je bande discrètement une plaie, à condition qu'il ne me voie pas approcher d'un instrument tranchant. Heureusement, j'ai un petit couteau sur moi pour percer les abcès.

Depuis le départ de Ian, je commence également à manquer de simples. Il me rapportait toujours des herbes de ses expéditions. Il est devenu trop dangereux de s'aventurer hors du fort à moins d'être en grand nombre. Deux hommes partis chasser il y a quelques jours ont été retrouvés assassinés et scalpés.

À défaut de produits médicinaux, j'ai acquis ma propre déterreuse de cadavres en la personne de Mme Raven, originaire du New Hampshire et épouse d'un officier de milice. Elle est relativement jeune (dans la petite trentaine) mais n'a jamais eu d'enfants et a donc de l'énergie affective à revendre. Rien ne l'excite plus que les malades et les mourants, même si je ne doute pas qu'elle se prenne pour l'incarnation même de la compassion. Elle se repaît de détails sordides, ce qui m'horripile un peu, mais, d'un autre côté, c'est une assistante compétente; à savoir, elle évite à tout prix de tourner de l'œil, de peur de rater quelque chose quand je réduis une fracture ouverte ou ampute un orteil gangréneux (rapidement, avant que le major Thacher ou son sbire, le lieutenant Stactoe, ne me voient). Certes, elle a tendance à se répandre en gémissements et en pleurs en serrant son buste assez plat quand elle décrit ses aventures aux autres après coup (elle est entrée dans un état de transe dont j'ai bien cru qu'elle ne reviendrait jamais quand on nous a amené les cadavres des hommes scalpés). Cela dit, une aide est une aide, et je ne vais pas cracher dans la soupe.

À l'autre extrémité du spectre de la compétence médicale, le dernier afflux de nouvelles recrues incluait un jeune médecin quaker, Denzell Hunter, et sa sœur Rachel. Je ne lui ai pas encore parlé personnellement mais, d'après ce que j'ai pu constater, ce Hunter est un vrai médecin. Il semble même posséder de vagues notions de la théorie des microbes, ayant été formé par John Hunter, un grand bonhomme de la médecine. (Savez-vous comment John Hunter a découvert comment se transmettait la gonorrhée? Il s'est incisé la verge avec un scalpel enduit de pus prélevé sur un malade et a trouvé les résultats profondément gratifiants, selon Denny Hunter, qui a narré cette intéressante expérience à ton père en bandant son pouce, écrasé entre deux troncs d'arbres. Pas d'inquiétude, il n'est pas cassé, juste sérieusement contusionné). J'aimerais voir la tête de Mme Raven si elle apprend cette histoire, mais je suppose que la bienséance empêchera le jeune docteur Hunter de la lui raconter.

J'espère que vous n'oubliez pas les rappels de vaccins des enfants.

Avec tout mon amour,

Maman

⁎

Brianna avait refermé le livre, mais sa main ne cessait de revenir vers la couverture, comme si elle souhaitait l'ouvrir à nouveau, au cas où le texte aurait changé.

— Vingt-trois jours après le 18 juin, ça donne quoi ?

Elle aurait dû être capable de faire le compte mentalement – d'ordinaire, la réponse lui serait venue au quart de tour –, mais sa nervosité empêchait son cerveau de calculer.

Roger prit un air concentré et fredonna :

— *Trente jours ont novembre, avril, juin et septembre...* Juin n'a que trente jours, donc ça fait dix du 18 au 30, plus dix... on arrive au 10 juillet.

— Oh, Seigneur...

Elle l'avait lu trois fois, regarder à nouveau n'y changerait rien. Elle rouvrit quand même le livre à la page du portrait de John Burgoyne peint par sir Joshua Reynolds. C'était un bel homme en uniforme, une main sur la garde de son épée, se tenant fièrement devant un ciel d'orage. Sur la page d'en face était écrit noir sur blanc :

Le 6 juillet, le général Burgoyne attaqua le fort Ticonderoga avec huit mille soldats de l'armée régulière, plusieurs régiments allemands placés sous le commandement du baron Von Riedesel et des troupes indiennes.

⁎

William eut moins de difficultés à trouver le général Burgoyne et son armée que les Hunter les troupes du général

Washington. Évidemment, le général Burgoyne ne faisait rien pour se cacher.

C'était un camp d'une taille considérable. Des rangs ordonnés de tentes blanches recouvraient trois champs et s'enfonçaient sous les arbres. En approchant de la tente du commandant pour faire son rapport, il remarqua une pile de bouteilles vides qui lui arrivait presque à hauteur de genou. N'ayant jamais entendu dire que le général était un ivrogne, il présuma qu'il était simplement hospitalier et aimait la compagnie. C'était plutôt bon signe, pour un commandant.

Un soldat ramassait en bâillant les sceaux en plomb et les laissait tomber dans une bassine, sans doute pour les faire fondre et fabriquer des munitions. Il lança à William un regard endormi et vaguement interrogateur.

— Je suis venu faire mon rapport au général Burgoyne, déclara William en bombant le torse.

Le soldat le contempla des pieds à la tête, son regard s'attardant longuement sur son visage au point que William se demanda s'il s'était convenablement rasé. Puis il rota avant de déclarer :

— Dîner avec le brigadier et le colonel Saint-Léger hier soir. Revenez cet après-midi. En attendant…

Il se redressa lentement, grimaçant comme si le mouvement lui faisait mal au crâne, et pointa un doigt.

— La tente du mess est par-là.

44

Amis

Fort Ticonderoga, 22 juin 1777

À ma grande surprise, je trouvai le capitaine Stebbings assis. Le teint blême, dégoulinant de sueur et oscillant légèrement comme un pendule, mais néanmoins assis. M. Dick papillonnait autour de lui avec la tendre anxiété d'une poule à qui il ne reste plus qu'un poussin.

Je lui souris.

— Je vois que vous vous sentez mieux, capitaine. Vous serez bientôt capable de gambader !

— J'ai… marché, ânonna-t-il. J'ai… cru mourir.

— Pardon ?

— Il a *marché* ! m'assura M. Dick. À mon bras, mais il a marché quand même !

Il était partagé entre la fierté et la consternation.

M'agenouillant, j'écoutai son cœur et ses poumons à travers le stéthoscope en bois que Jamie m'avait confectionné. Il avait un pouls digne d'un bolide de course à huit cylindres, et j'entendais beaucoup de gargouillis et de sifflements, mais rien de terriblement alarmant.

— Félicitations, capitaine ! dis-je en me relevant.

Il avait toujours une mine affreuse, mais sa respiration commençait à ralentir.

— Vous ne mourrez probablement pas aujourd'hui. Qu'est-ce qui a provoqué en vous cet élan d'enthousiasme ?

— Mon… maître d'équi… d'équipage.

— Joe Ormiston, clarifia M. Dick. Son pied pue. Le capitaine a voulu le voir.

— Le pied de M. Ormiston pue ?

Cela déclencha toutes sortes de sonnettes d'alarme. Qu'une plaie dégage une odeur si forte qu'on la sentait aux alentours ne présageait rien de bon. J'allais m'éloigner, mais Stebbings me rattrapa par la jupe.

— Soi… soignez-le.

Il dévoila ses dents tachées dans un semblant de sourire.

— C'est… un ordre. Madame.

— À vos ordres, capitaine ! rétorquai-je.

Je partis vers le bâtiment hospitalier, où la majorité des malades et des blessés étaient hébergés.

— Madame Fraser, que se passe-t-il ?

Mme Raven venait de sortir de l'intendance. Elle était grande et mince, avec des cheveux bruns qui s'échappaient perpétuellement de son bonnet, comme en ce moment.

— Je ne le sais pas encore, répondis-je sans m'arrêter. Mais ce pourrait être grave.

— Oh ! fit-elle (en se retenant d'ajouter « chouette ! »).

Elle coinça son panier sous un bras et hâta le pas pour me rejoindre, déterminée à faire le bien.

Les prisonniers britanniques invalides étaient logés avec les malades américains dans un long bâtiment en pierre éclairé par d'étroites fenêtres sans vitres. Il y régnait donc un froid glacial ou une chaleur étouffante, selon le temps. C'était le milieu de l'après-midi, et la journée était lourde et humide. En entrant, j'eus l'impression qu'on venait de me jeter au visage une serviette chaude et mouillée. Une serviette chaude, mouillée et *sale*.

Je n'eus aucun mal à trouver M. Ormiston : il y avait un attroupement autour de son lit. Le lieutenant Stactoe s'y trouvait (ce qui était mauvais signe), débattant avec le docteur Hunter (ce qui était plutôt rassurant), ainsi que d'autres médecins, chacun y allant de son opinion.

Il n'était pas besoin de regarder le patient pour savoir de quoi ils parlaient. Le pied de M. Ormiston avait certainement empiré, et ils avaient décidé d'amputer. La question était de savoir à quel niveau et qui s'en chargerait.

Mme Raven resta légèrement en retrait, intimidée par les médecins.

— Vous croyez vraiment que...

Je ne l'écoutai pas. Certaines situations nécessitaient qu'on y réfléchisse, celle-ci n'en faisait pas partie. Il fallait agir, et vite. Je pris une profonde inspiration et me frayai un passage entre deux médecins de milice. J'adressai un sourire au jeune médecin quaker.

— Bonjour, docteur Hunter.

Afin de ne pas paraître grossière, j'ajoutai :

— ... et lieutenant Stactoe.

Je m'agenouillai près du malade, essuyai mes mains moites sur mes jupes et pris la sienne.

— Comment vous sentez-vous, monsieur Ormiston ? Le capitaine Stebbings m'a demandé de m'occuper de votre pied.

— Il a *quoi* ? s'étrangla Stactoe. Franchement, madame Fraser, que croyez-vous pouvoir...

— Merci, madame, l'interrompit Ormiston. Le capitaine m'a dit qu'il vous enverrait. Je disais justement à ces messieurs qu'ils n'avaient pas à s'inquiéter pour moi, que j'étais sûr que vous sauriez quoi faire.

Ça a dû leur faire très plaisir, pensai-je avec ironie. Je serrai sa main. Son pouls était rapide et léger mais régulier. En revanche, sa peau était brûlante. Je ne fus pas surprise de voir les traînées rouges d'une septicémie partir de son pied broyé et remonter le long de sa jambe.

Ils avaient ôté ses bandages. M. Dick avait dit vrai : il puait.

— Oh mon Dieu ! souffla Mme Raven derrière moi.

La gangrène s'était installée. Comme si l'odeur et la nécrose des tissus ne suffisaient pas, ses orteils noircissaient déjà. Je ne pouvais même pas en vouloir au lieutenant Stactoe. Compte tenu de l'état du pied et des traitements disponibles, je n'aurais sans doute pas pu le sauver non plus.

— Vous conviendrez, je pense, que l'amputation est inévitable ; n'est-ce pas, madame Fraser ? demanda Stactoe avec sarcasme. Qu'en dites-vous, en tant que médecin du patient ?

Il avait déjà préparé ses instruments sur une serviette. Ils étaient convenablement entretenus et propres, mais pas stérilisés.

— En effet. Je suis sincèrement navrée, monsieur Ormiston, mais il a raison. En outre, vous vous sentirez nettement mieux une fois votre pied parti. Madame Raven, pourriez-vous aller me chercher une casserole d'eau bouillante ?

Je me tournai vers Denzell Hunter, qui tenait l'autre main du patient, comptant son pouls.

— Vous n'êtes pas d'accord, docteur Hunter ?

— Si. Nous n'étions pas en désaccord sur la nécessité d'une amputation mais sur son degré. Pourquoi de l'eau bouillante, amie… Fraser ?

— Appelez-moi Claire. Pour stériliser les instruments et prévenir les infections postopératoires. Enfin, dans la mesure du possible.

Stactoe émit un son de dédain que je fis semblant de ne pas entendre, demandant à Hunter :

— Que préconisez-vous, docteur ?

— Denzell, répondit-il avec un léger sourire. L'ami Stactoe voudrait amputer sous le genou…

— Absolument ! s'exclama le lieutenant. Je voudrais préserver l'articulation du genou, et il n'y a aucune raison de couper plus haut !

— Je suis plutôt d'accord avec lui, admis-je. Pas vous ?

Denzell Hunter repoussa ses lunettes plus haut sur son nez.

— Nous devons pratiquer une amputation au milieu du fémur. Cet homme souffre d'un anévrisme poplité. Cela signifie…

— Oui, je sais ce que cela signifie.

J'étais déjà en train de palper la partie postérieure du genou. M. Ormiston se mit à glousser de rire, puis s'interrompit brusquement, rougissant de honte. Je lui souris.

— Désolée, monsieur Ormiston. Je ne vous chatouillerai plus.

Je n'en avais plus besoin. L'anévrisme était palpable ; je sentais ses pulsations au bout de mes doigts. Il formait une grosse boule dure juste dans le creux du genou. Il devait y être depuis un bon moment déjà ; c'était incroyable qu'il n'ait pas éclaté au cours de la bataille navale ou lors du pénible portage jusqu'à Ticonderoga. Dans un bloc opératoire moderne, il aurait sans doute été possible de le soigner et de pratiquer l'amputation plus bas, mais... pas ici.

— Vous avez raison, ami Denzell. Dès que Mme Raven sera revenue avec l'eau bouillante, nous pourrons...

Les hommes ne m'écoutaient pas, étant tous en train de fixer un point derrière moi. En me retournant, je vis Guinea Dick vêtu d'un simple pagne en raison de la chaleur et ruisselant de sueur, tous ses tatouages exhibés. Il marchait vers nous en tenant cérémonieusement une bouteille en verre noir.

— Le cap'taine t'envoie du grog, Joe, annonça-t-il à M. Ormiston.

— Ah ! Que Dieu bénisse notre bon vieux capitaine ! s'exclama le patient.

Il prit la bouteille, la déboucha d'un coup de dents et but au goulot avec une application déterminée.

Un bruit d'éclaboussures nous annonça le retour de Mme Raven. Une bouilloire était suspendue au-dessus de pratiquement tous les feux, si bien qu'il n'était pas difficile de se procurer de l'eau bouillante. Elle avait également pensé – que le ciel la bénisse – à apporter un seau d'eau froide pour que je puisse me laver les mains sans me brûler.

Je saisis l'un des couteaux d'amputation à lame courte et m'apprêtais à le plonger dans l'eau chaude quand il me fut arraché des mains par le lieutenant Stactoe, hors de lui.

— Mais que faites-vous donc, madame ? C'est ma meilleure lame !

— Bien oui, répondis-je. C'est bien pourquoi je compte l'utiliser.

Stactoe était un petit homme aux cheveux gris coupés ras. Il mesurait une bonne tête de moins que moi, ce dont je me rendis compte en me relevant pour le fixer dans le blanc des yeux. Son teint rougit encore d'un ton ou deux.

— Vous allez dénaturer la trempe du métal en le plongeant dans l'eau bouillante !

— Pas du tout, l'eau bouillante stérilisera la lame, rétorquai-je en m'efforçant de garder mon calme. Je n'opérerai pas cet homme avec un instrument sale.

Une lueur de satisfaction brilla au fond de ses yeux, et il serra son couteau contre son cœur.

— Dans ce cas, vous feriez mieux de laisser faire ceux qui le peuvent.

Guinea Dick, qui suivait la conversation avec intérêt, se pencha alors et reprit le couteau des mains de Stactoe. Il déclara calmement :

— Le cap'taine a dit qu'elle s'occupera de Joe. Elle s'occupera de Joe.

Devant un tel affront à son rang, Stactoe ouvrit grand une bouche horrifiée puis se jeta sur Dick, cherchant à récupérer son instrument. Dick, dont les réflexes avaient été affûtés par les guerres tribales et des années à bord de vaisseaux de la marine, brandit la lame devant lui dans l'intention patente de lui trancher la tête. Il y serait sûrement parvenu si Denzell Hunter, qui avait lui aussi de bons réflexes, ne s'était jeté vers son bras. Il rata son coup mais percuta le grand Guinéen, qui fut projeté contre Stactoe. Dans le corps à corps qui s'ensuivit, les deux hommes titubèrent un instant avant de s'effondrer sur le lit de camp d'Ormiston, emportant dans leur chute le lit, le patient et sa bouteille de rhum, l'eau bouillante, Denzell Hunter et tous les instruments, qui se répandirent sur les dalles dans un fracas qui fit cesser tous les autres bruits dans le bâtiment.

— Oooooh ! fit Mme Raven, délicieusement choquée.

Cette petite saynète dépassait toutes ses attentes.

— Denny ! s'exclama une voix choquée derrière moi. Qu'es-tu en train de faire ?

Denzell, à quatre pattes, tâtonnait autour de lui à la recherche de ses lunettes. Il répondit dignement :

— Je… j'assiste l'amie Claire dans son travail.

Rachel Hunter ramassa les lunettes, qui avaient glissé sur les dalles, et les remit fermement sur le nez de son frère tout en observant d'un œil méfiant le lieutenant Stactoe, lequel se relevait lentement, un peu à la manière d'une montgolfière, gonflé de rage.

Il pointa un doigt tremblant vers Dick.

— Vous ! Je vous ferai pendre pour avoir agressé un officier. Et vous, monsieur… (il dirigea son index accusateur vers Denzell Hunter)… je vous ferai passer en cour martiale et vous briserai ! Quant à vous, *madame*…

Il cracha ce dernier mot puis s'interrompit un instant, ne trouvant rien de suffisamment terrible avec quoi me menacer.

— … je demanderai à votre mari de vous battre !

— Viens donc me chatouiller, ma belle !

En baissant les yeux, je vis M. Ormiston me lorgnant avec concupiscence. Il n'avait pas lâché sa bouteille dans la pagaille et avait continué de boire. Le teint rougeaud, il tentait vainement d'attraper le bas de ma jupe.

Le lieutenant Stactoe émit un son indiquant que sa coupe était pleine et avait même largement débordé. Il rassembla hâtivement ses instruments éparpillés sur le sol puis sortit d'un pas énergique, hérissé de couteaux et de scies, laissant tomber quelques objets dans son sillage.

— Tu as besoin de moi, sœur ?

Denzell Hunter s'était relevé et redressait le lit de camp.

— Moi, non, mais Mme Brown, si, répondit Rachel sur un ton un peu sec. Elle dit que le moment est venu et te veut à son chevet. Maintenant.

Il poussa un soupir et se tourna vers moi.

— Mme Brown est une hystérique, dans le sens littéral du terme. Elle ne devrait pas accoucher avant un bon mois, mais elle souffre régulièrement de fausses contractions.

— Je la connais, dis-je en réprimant un sourire. Je préfère que ça tombe sur vous que sur moi.

Outre le fait d'être hystérique, Mme Brown était également l'épouse d'un officier de milice et considérait à ce titre l'assistance d'une simple sage-femme indigne de son rang. Ayant appris que Denzell Hunter avait travaillé avec le docteur John Hunter – le frère de l'accoucheur de la reine ! –, elle n'avait plus besoin de moi.

Denzell interrogea sa sœur sur un ton résigné :

— Elle ne saigne pas et n'a pas perdu les eaux ?

Guinea Dick, pas le moins du monde perturbé par le récent conflit, avait refait le lit. Il s'accroupit, souleva les deux cents livres de M. Ormiston comme s'il s'agissait d'un sac de plumes et le déposa doucement sur sa couche, toujours accroché à sa bouteille de rhum.

— Je crois qu'il est prêt, annonça-t-il.

Le patient avait les yeux fermés et murmurait d'un air ravi :

— Encore un peu plus bas, ma poule, oui, comme ça, c'est ça…

Le regard impuissant de Denzell alla de M. Ormiston, à sa sœur puis à moi.

— Je vais devoir aller auprès de Mme Brown bien que ce ne soit rien d'urgent. Tu peux attendre un peu, amie Claire ? Je reviendrai pratiquer l'amputation.

Dick le fusilla du regard.

— C'est elle qui coupe.

— Oui, je couperai, le rassurai-je en nouant mes cheveux contre ma nuque. Mais la question est de savoir avec quoi ? Auriez-vous des instruments que je pourrais emprunter, docteur Hunt… euh… ami Denzell ?

Il se frotta le front, réfléchissant.

— J'ai une scie acceptable. Tu peux la faire bouillir si tu le souhaites, mais la lame n'est pas très épaisse. Veux-tu que j'envoie Rachel demander aux autres chirurgiens s'ils accepteraient de nous en prêter une ?

Le visage de Rachel se referma, et je devinai que le docteur Hunter n'était pas très apprécié de ses collègues.

J'examinai la jambe robuste de M. Ormiston, estimant l'épaisseur de la chair à traverser, puis sortis mon couteau de la fente de ma jupe. C'était un outil excellent et résistant. Jamie me l'avait affûté récemment. Une lame incurvée aurait été préférable, mais la mienne me paraissait suffisamment longue.

— Non, ne vous donnez pas cette peine, je pense que celle-ci fera l'affaire. Cela vous ennuierait-il d'aller chercher la scie de votre frère, mademoiselle... euh... Rachel ? Et, madame Raven, j'ai bien peur que nous n'ayons plus d'eau chaude, voulez-vous...

— Mais certainement !

Elle saisit sa casserole et s'éloigna en trottant, donnant involontairement un coup de pied dans un des instruments oubliés de Stactoe.

Un certain nombre de gens avaient suivi, fascinés, le drame du pied de M. Ormiston. Maintenant que le lieutenant n'était plus là, ils commençaient à s'approcher, lançant des regards nerveux vers Guinea Dick, qui leur souriait cordialement.

Je demandai à Denzell :

— Mme Brown peut-elle attendre un quart d'heure ? J'aurais besoin de quelqu'un sachant ce qu'il fait pour soutenir la jambe pendant que je coupe. M. Dick pourra immobiliser le patient.

— Un quart d'heure ?

— À dire vrai, si je ne rencontre pas de difficultés, l'amputation prendra moins d'une minute, mais il me faut un peu de temps pour préparer l'intervention. En outre, j'aurais besoin de votre aide pour ligaturer les vaisseaux sectionnés. Au fait, où est passée la bouteille de rhum ?

Denzell écarquilla des yeux choqués mais m'indiqua néanmoins M. Ormiston. Il s'était endormi et ronflait copieusement, serrant la bouteille contre lui.

— Je n'ai pas l'intention de me soûler, le rassurai-je.

Je libérai la bouteille et versai un peu de rhum sur un linge propre avec lequel je nettoyai la cuisse velue de M. Ormiston. Heureusement, le lieutenant avait oublié son bocal de sutures, et l'instrument contre lequel avait trébuché Mme Raven était une érigne. Elle me servirait à retenir les extrémités des artères, ces dernières ayant une fâcheuse tendance à se rétracter à l'intérieur de la chair une fois sectionnées, sans cesser de cracher du sang.

Denzell paraissait un peu décontenancé mais toujours partant.

— Ah… fit-il. Je vois. Puis-je… aider ?

— Puis-je vous emprunter votre ceinture pour faire un garrot ?

— Oui, bien sûr.

Il la dégrafa aussitôt, l'air intéressé.

— On dirait que ce n'est pas ta première amputation, amie Claire.

— Hélas, non !

Je me penchai sur M. Ormiston pour vérifier sa respiration, qui était stertoreuse, mais non laborieuse. Il avait sifflé près de la moitié de la bouteille en quelques minutes. Une telle dose aurait probablement tué quelqu'un de moins habitué au rhum qu'un marin britannique, mais ses signes vitaux étaient relativement satisfaisants, sa fièvre nonobstant. L'ivresse ne valait pas une bonne anesthésie : il était sonné mais pas inconscient, et il se réveillerait certainement dès que je commencerais à couper. Cependant, elle diminuait l'appréhension et atténuerait la douleur immédiate. Je me demandai si je pourrais un jour fabriquer à nouveau de l'éther.

Deux ou trois petites tables au fond de la longue salle étaient chargées de bandages et de tissu ouaté. Je triai les plus propres d'entre eux et revins auprès du lit du patient au moment où Mme Raven arrivait en soufflant avec un seau d'eau, le visage anxieux, craignant d'avoir raté quelque chose. Quelques instants plus tard, Rachel apparut, également essoufflée, avec la scie de son frère.

Je nouai une toile à sac autour de ma taille en guise de tablier. La transpiration me ruisselait dans le dos, gouttant dans la raie de mes fesses. Je me confectionnai un turban avec un bandage pour éviter que la sueur me coule dans les yeux.

— Voulez-vous bien nettoyer la lame de la scie avec de l'alcool, ami Denzell ? Et enlevez ces taches, là, près du manche. Si vous pouviez faire de même avec mon couteau et l'érigne…

Perplexe, il s'exécuta docilement sous les murmures captivés des témoins, qui n'avaient jamais assisté à des préparatifs aussi saugrenus. Heureusement, la présence terrifiante de M. Dick les empêchait de trop s'approcher.

Denzell me fit un signe de tête vers lui et chuchota :

— Crois-tu que le lieutenant compte vraiment faire pendre notre ami ici présent ? Ou… le peut-il ?

— Oh, je suis sûre que rien ne lui ferait plus plaisir, mais je doute qu'il le puisse. M. Dick est un prisonnier britannique. Peut-il vous traîner devant une cour martiale ?

Il ne parut pas perturbé par cette perspective.

— Je suppose qu'il le peut. Après tout, je me suis engagé.

— Vraiment ?

Cela me paraissait étrange mais, tout compte fait, ce n'était pas le premier quaker que je croisais sur un champ de bataille.

— En effet, mais l'armée ne dispose pas de suffisamment de médecins pour se permettre d'en pendre un. En outre, être dégradé n'affectera pas mes connaissances.

Il me sourit joyeusement avant de poursuivre :

— Tu n'as aucun grade, si je ne m'abuse, et pourtant je suis sûr que tu t'en sortiras très bien.

— Avec l'aide de Dieu, soupirai-je.

— Avec l'aide de Dieu, répéta-t-il.

Il me tendit le couteau encore chaud d'avoir été immergé dans l'eau bouillante.

Je me tournai vers les spectateurs.

— Vous devriez reculer un peu. Vous risquez d'être éclaboussés.

Mme Raven frémit d'excitation.

— Oh, Seigneur, Seigneur, comme tout cela est parfaitement épouvantable !

45

Trois flèches

Mottville, Pennsylvanie, 10 juin 1777

Grey s'assit brusquement dans son lit, manquant de se fracasser le crâne contre la poutre basse au-dessus de lui. Son cœur battait à tout rompre ; son cou et ses tempes étaient moites de transpiration. L'espace d'un instant, il n'eut aucune idée d'où il se trouvait.

— La troisième flèche ! s'exclama-t-il.

Il secoua la tête, essayant de faire correspondre ces mots avec le rêve extraordinairement pénétrant dont il venait d'émerger.

Était-ce un rêve, un souvenir ou une combinaison des deux ? Il se trouvait dans le grand salon des *Trois Flèches*, admirant le remarquable George Stubbs accroché à droite de la cheminée baroque. Les murs étaient tapissés de tableaux du sol au plafond, les œuvres se côtoyant indépendamment de leur sujet et de leur qualité.

Était-ce réellement ainsi dans la réalité ? Il se souvenait vaguement d'un décor surchargé au point d'en être oppressant, mais y avait-il eu autant de tableaux, des portraits vous observant d'en haut, d'en bas, de tous côtés ?

Dans son rêve, le baron Amandine se tenait à sa droite, le frôlant de l'épaule. Le baron lui parlait d'une des toiles, mais Grey ne se souvenait pas de ce qu'il disait ; il commentait probablement la technique du peintre.

Sur sa gauche se tenait Cécile Beauchamp, la sœur du baron, son épaule nue effleurant également la sienne. Elle avait les cheveux poudrés et portait un parfum au jasmin ; le baron, lui, une eau de Cologne sauvage à la bergamote et à la civette. Dans la chaleur étouffante de la pièce, les deux fragrances capiteuses se mêlaient à l'odeur âcre de cendres chaudes de l'âtre, ce qui l'écœurait légèrement (comment pouvait-on sentir des odeurs dans les rêves ?). Une main s'était posée sur sa fesse, la pinçant avec familiarité, puis l'avait caressée lascivement. Il ignorait à qui elle appartenait.

Cela n'avait pas fait partie du rêve.

Il se renfonça lentement dans son oreiller, les yeux fermés, essayant de rappeler les images de son esprit endormi. Le rêve s'était ensuite mué en une scène érotique : des lèvres s'étaient refermées sur sa chair très réceptive. De fait, c'était cette sensation qui l'avait réveillé. Il ignorait également à qui appartenait la bouche. Le docteur Franklin s'était lui aussi trouvé dans le rêve. Grey se souvenait de ses fesses blanches, légèrement tombantes mais toujours fermes, tandis que l'Américain marchait devant lui dans un couloir, ses longs cheveux gris se balançant sur son dos osseux, les bourrelets de graisse autour de sa taille se trémoussant. Il discutait nonchalamment des tableaux devant lesquels ils passaient. C'était un souvenir vif, chargé d'émotion. Il n'avait tout de même pas… non, pas avec Franklin, même en rêve. Mais cela avait un rapport avec les peintures…

Il tenta de visualiser les toiles mais ne pouvait plus distinguer ce qui appartenait à ses souvenirs de ce qui relevait du rêve. Il y avait des paysages… une prétendue vue d'Égypte bien que son auteur n'ait visiblement jamais quitté la côte bretonne. Les inévitables portraits de famille…

— Oui !

Il se redressa à nouveau et, cette fois, se cogna vraiment contre la poutre, suffisamment fort pour voir des étoiles et lâcher un gémissement de douleur.

— Oncle John ?

La voix surprise de Dottie s'éleva du lit voisin. Un bruissement de vêtements sur le sol indiqua que sa femme de chambre s'était également réveillée.

— Que se passe-t-il ?

— Rien, rien. Rendors-toi.

Il posa les pieds au sol.

— J'ai juste besoin… d'aller au petit coin.

— Ah.

On marmonna près du plancher, ce qui provoqua un « Chut ! » agacé de la part de Dottie. Lord John trouva la porte de la chambre à tâtons, puis s'orienta vers l'escalier grâce à la lueur du feu dans la salle principale de l'auberge.

L'air au-dehors était frais et pur, chargé d'une senteur qu'il ne reconnut pas mais qui titilla sa mémoire. Il était apaisant d'oublier un instant son rêve entêtant et de s'immerger dans ce souvenir purement sensoriel. Il lui rappelait de longues chevauchées en Virginie, les routes boueuses, les feuilles fraîches, la sensation d'un cheval sous lui, la détente d'un fusil, le sang chaud d'un cerf coulant sur sa main… Et, bien sûr, la chasse en compagnie de William.

La proximité de son environnement sauvage l'envahit, cette sensation puissante et si étrange propre à l'Amérique, celle de quelque chose attendant entre les arbres, ni hostile ni accueillant. Il avait tant aimé ces quelques années passées en Virginie, loin des intrigues de l'Europe, des mondanités permanentes de Londres. Il les avait surtout appréciées pour l'intimité qui s'était nouée entre son fils et lui au milieu de la nature.

Il n'avait pas encore vu de lucioles depuis son arrivée. Il regarda dans les hautes herbes en marchant, mais il était probablement trop tard. Elles sortaient surtout à la tombée du soir. Il avait hâte d'en montrer à Dottie. William avait été enchanté en en apercevant pour la première fois ; il en avait attrapé et s'était exclamé de ravissement en les voyant illuminer le creux de sa paume. Chaque été, il avait accueilli leur retour avec joie.

S'étant soulagé la vessie et sentant son esprit apaisé, du moins provisoirement, il s'assit sur le billot dans la cour, rechignant à retrouver le remugle de la chambre.

Où était Henry ? Où dormait-il cette nuit ? Dans un cachot ? Non, il n'en existait pas dans les colonies. Même les maisons communes étaient remarquablement confortables et aérées. Peut-être son neveu était-il enfermé dans une geôle, une grange, une cave… Pour autant qu'ils sachent, il avait survécu à l'hiver en dépit de ce qui semblait être une blessure grave. Il avait de l'argent. Peut-être avait-il pu négocier un meilleur logement, les soins d'un médecin…

Ils finiraient bien par le retrouver. Ils n'étaient plus qu'à deux jours de Philadelphie. Il avait les lettres d'introduction que lui avait fournies Franklin. Franklin, toujours lui ! Maudit vieillard avec ses bains de soleil ! Néanmoins, Grey l'avait rejoint un jour dans le solarium, par curiosité, et avait trouvé étrangement agréable, bien qu'un peu troublant, d'être assis nu comme un ver dans une pièce si élégamment meublée, avec des plantes en pot dans les coins, des tableaux sur…

Non, non, non ! Il n'y avait pas de tableaux dans le solarium des *Trois Flèches*…

La revoilà… la queue de ce rêve fuyant, pointant de dessous une pierre en se tortillant, le narguant. Il ferma les yeux, remplit ses poumons des parfums de la nuit d'été et s'efforça de faire le vide dans son esprit.

Trois flèches. Qui est la troisième ? Les mots de la lettre de Hal s'inscrivirent sur ses paupières closes. Habitué à la pensée tortueuse de son frère, il n'y avait pas prêté beaucoup d'attention sur le coup. Sa question avait dû s'immiscer dans son subconscient pour émerger au milieu de la nuit des profondeurs d'un rêve absurde. Pourquoi ?

Il frotta délicatement le sommet de son crâne endolori par le choc contre la poutre. Ses doigts glissèrent plus bas, touchant l'endroit où la femme de James Fraser avait obturé le trou de sa trépanation avec une pièce de six pence aplatie. Elle avait habilement recousu la peau par-dessus et ses cheveux avaient repoussé, mais il pouvait toujours sentir la petite courbe dure sous-jacente. Il y pensait rarement, sauf en plein hiver, quand le métal refroidissait, provoquant parfois des migraines et lui faisant couler le nez.

Il avait fait froid, très froid, lors de son séjour aux *Trois Flèches*. Cette pensée flottait dans sa tête tel un papillon de nuit.

On entendait des bruits derrière l'auberge. Des sabots sur la terre battue, des murmures. Il s'immobilisa.

La lune était en train de redescendre dans le ciel. Il était tard, mais l'aube ne poindrait pas avant quelques heures. Que pouvait-on faire dehors à cette heure, hormis se livrer à quelque activité douteuse ? Le genre d'activité à laquelle il ne tenait pas à assister, et encore moins à être vu y assistant.

Des hommes approchaient. Il ne pouvait bouger sans attirer l'attention. Il retint son souffle.

Trois individus, silencieux, déterminés, à cheval, l'un d'eux traînant une mule chargée. Ils ne passèrent qu'à quelques pas de lui. Il ne bougea pas et, si les chevaux sentirent sa présence, ils ne perçurent aucune menace. Ils s'engagèrent sur la route menant à Philadelphie. Pourquoi une telle discrétion ? En arrivant en Caroline du Nord l'année précédente, il avait déjà remarqué un changement dans la population : une excitation morbide, un malaise flottant dans l'air. Cette fois-ci, c'était encore plus prononcé. Il s'en était rendu compte dès qu'ils avaient débarqué.

Les gens étaient sur leurs gardes, ne sachant plus à qui se fier ; ils ne faisaient confiance à personne.

Cette idée de confiance lui fit aussitôt penser à Percy Wainwright. *S'il y a bien une personne au monde de qui je me méfie…*

Soudain, cela lui vint. L'image de Percy, avec ses grands yeux sombres et son sourire, son pouce se promenant sur la surface de son verre à vin comme s'il caressait le sexe de Grey, déclarant nonchalamment : « J'ai épousé l'une des sœurs du baron Amandine… »

« L'une des sœurs… » Le rêve se cristallisa dans son esprit, le froid émanant des pierres des *Trois Flèches* si vif qu'il en frissonna. Il sentit la chaleur des deux corps lascifs et avides se pressant de chaque côté de lui. Et, sur un mur, parmi la profusion de toiles, un petit tableau représentant trois enfants, un garçon et deux filles, posant avec un chien, la façade des *Trois Flèches* reconnaissable derrière eux.

La seconde sœur. La « troisième flèche » que Hal, avec son sens infaillible pour déceler les bizarreries, avait remarquée sans jamais la voir.

Les Beauchamp étaient une famille aristocratique et ancienne, et, comme souvent dans ces familles, ils parlaient beaucoup de leur clan. Au cours de son séjour, il avait eu vent des faits et gestes de cousins, d'oncles, de tantes, de parents éloignés… mais jamais d'une seconde sœur.

Peut-être était-elle morte en bas âge ; cela arrivait communément. Mais, dans ce cas, pourquoi Percy aurait-il dit… ?

Sa tête commençait à lui faire mal. Avec un profond soupir, il se leva et rentra à l'auberge. Il ne savait ni où ni quand, mais il allait devoir discuter à nouveau avec Percy. Il fut consterné de constater que cette perspective ne l'inquiétait nullement.

———◆———

46

Les lignes Ley

Brianna s'arrêta dans la salle d'observation des poissons. Ce n'était pas encore la saison de reproduction, où, lui avait-on raconté, les grands saumons se bousculaient dans les cascades des bassins pour remonter le barrage de Pitlochry. Néanmoins, de temps à autre, un éclat d'argent vous aveuglait, un grand poisson luttant contre le courant avant de bondir dans le tube qui le mènerait à la prochaine passe de l'échelle à saumons. La salle elle-même était un petit réduit blanc dont la vitre était à moitié envahie d'algues. Brianna s'y était arrêtée pour rassembler ses idées – ou plutôt pour effacer certaines d'entre elles – avant de pénétrer dans le barrage.

Il était ridicule de s'inquiéter pour un événement qui s'était déjà produit. Elle savait que ses parents allaient bien. Du moins, rectifia-t-elle, qu'ils étaient sortis vivants de la prise de Ticonderoga. Il restait un bon nombre de lettres.

Elle pouvait à tout moment décider de les lire toutes et de savoir. C'était l'aspect le plus absurde de la situation. Les lettres étaient merveilleuses mais, parallèlement, elle était consciente que même la plus complète ne pouvait tout dire. Selon le livre de Roger, le général Burgoyne avait quitté le Canada début juin, marchant vers le sud pour rejoindre les troupes du général Howe, coupant pratiquement la colonie en deux. Le 6 juillet 1777, il s'était arrêté pour attaquer le fort Ticonderoga. Que…

— *Coimhead air sin !* lança une voix derrière elle.

Elle fit un bond en découvrant Rob Cameron qui agitait le doigt vers la vitre de l'observatoire. Elle se retourna juste à temps pour apercevoir un immense poisson argenté, le dos saupoudré de taches noires, faire un puissant bond à contre-courant avant de disparaître dans la cascade.

Le regard émerveillé, il s'exclama :

— *Nach e sin an rud as bréagha a chunnaic thu riamh ?* « N'est-ce pas la plus belle chose que vous ayez jamais vue ? »

— *Cha mhór !* répondit-elle.

Elle était sur ses gardes mais ne put s'empêcher de sourire.

— Ah ! Vous parlez donc bien le *gàidhlig* ! Mon cousin me l'avait dit, mais je ne l'avais pas cru, à cause de votre accent guindé de Boston.

Il prononça la phrase en pinçant les lèvres, imitant ce qu'il pensait être un accent bostonien. Brianna se retint de lever les yeux au ciel. Il poursuivit :

— Pourtant, quand vous parlez en gaélique, vous prononcez différemment. Votre accent ressemble alors à celui qu'on entend dans les îles… à Barra, ou encore à Uist.

— Mon père était écossais. Je le tiens de lui.

Il la regarda différemment, comme si elle était une nouvelle espèce de poisson se balançant au bout de sa ligne.

— Ah oui ? Il est du coin ? Comment s'appelle-t-il ?

— James Fraser.

Elle ne prenait aucun risque en lui révélant son identité ; il y en avait des dizaines dans la région.

— Il… euh… il n'est plus là.

— Ah, c'est dommage, dit-il sincèrement en effleurant brièvement son bras. J'ai perdu mon père l'année dernière. C'est dur, hein ?

— Oui, répondit-elle simplement.

Elle le contourna pour sortir, mais il lui emboîta le pas.

— Vous avez des enfants, m'a dit Roger.

Il la vit sursauter et sourit.

— Je l'ai rencontré lors d'une tenue de notre loge maçonnique. C'est un homme sympathique.

— En effet, dit-elle, méfiante.

Elle se demanda pourquoi Roger ne lui avait pas parlé de cette rencontre. Apparemment, ils avaient discuté suffisamment longuement pour que Rob apprenne qu'il était son mari et qu'ils avaient des enfants. Le jeune homme s'étira et renversa la tête en arrière.

— Aaaah… il fait trop beau pour rester enfermé dans le barrage. J'aimerais être sur l'eau.

Il fit un signe vers le torrent, où une demi-douzaine de pêcheurs en cuissarde se tenait dans le courant avec la concentration prédatrice de hérons.

— Vous pratiquez la pêche à la mouche, Roger et vous ?

— Moi oui. Vous êtes donc un moucheur ?

Le souvenir de sa canne ployant dans sa main tandis qu'elle lançait sa ligne chatouilla le bout de ses doigts.

— J'ai un permis pour pêcher dans la forêt de Rothiemurchus.

Il paraissait fier, comme s'il s'agissait d'un privilège rare, et elle le gratifia d'un hochement de tête approbateur. Il lui lança un regard de biais, ses yeux caramel pétillant.

— Si jamais ça vous dit de venir un jour avec votre canne, vous n'avez qu'un mot à dire, patron.

Il lui adressa un sourire insouciant et charmant, puis la devança en sifflotant pour entrer dans le bureau du barrage.

*

Une ligne Ley est un alignement de deux sites géographiques d'intérêt, généralement des monuments anciens ou des mégalithes. Il existe un certain nombre de théories les concernant, et elles suscitent de nombreuses controverses ; certains affirment qu'il s'agit d'un phénomène naturel, d'autres considèrent qu'elles ne sont qu'un artefact.

Je veux dire par là que si vous choisissez n'importe quels deux sites représentant un intérêt pour l'homme, il y a probablement un chemin qui mène de l'un à l'autre. Il existe par exemple une grande route reliant Londres à Édimbourg, parce que les gens veulent pouvoir aller d'une ville à l'autre ; ce n'est donc pas ce qu'on appelle une ligne Ley. On désigne plutôt par là un chemin ancien qui mène, disons, d'un menhir à une vieille abbaye, elle-même probablement construite sur le site d'un culte beaucoup plus ancien.

Dans la mesure où il existe peu de preuves objectives concernant ces lignes, on raconte à leur sujet un peu tout et n'importe quoi. Certains pensent qu'elles ont une signification magique ou mystique. Je ne vois rien qui justifie cette théorie, pas plus que votre mère, qui est une scientifique. D'un autre côté, la science changeant d'avis de temps à autre, ce qui apparaît comme de la magie peut avoir une explication scientifique (NB : insérer une note sur Claire et la cueillette de plantes).

Cependant, parmi toutes les théories, il en est une qui semble avoir une base scientifique possible. À l'époque où vous lirez ceci, vous saurez sans doute ce qu'est un sourcier. Dès que l'occasion s'en présentera, je vous emmènerai faire un tour avec l'un d'entre eux. Juste au cas où vous l'ignoreriez, un sourcier est une personne qui détecte la présence d'eau, ou parfois d'un métal, sous terre ; par exemple, un minerai dans une mine. Certains utilisent une baguette en forme de Y, une tige métallique ou un autre objet pour « deviner » la présence de l'eau. D'autres la « sentent » simplement. On ignore la véritable base de cette aptitude. Selon votre mère, le rasoir d'Occam dirait que ces gens reconnaissent simplement une formation géologique susceptible d'abriter une source souterraine. Pour ma part, ayant vu de nombreux sourciers à l'œuvre, je suis persuadé qu'il y a autre chose, surtout au vu des théories dont je vous parle ici.

L'une des théories sur la rhabdomancie (l'art de déceler les sources) veut que l'eau et le métal possèdent un courant magnétique auquel le sourcier est sensible. D'après votre mère, la première partie est vraie. En outre, il existe des faisceaux de forces magnétiques dans la croûte terrestre, circulant dans des directions opposées sur toute la planète. Ces forces sont décelables par des mesures objectives mais ne sont pas forcément permanentes. De fait, la terre subit parfois des renversements de ces forces magnétiques, les pôles changeant de place (tous les énièmes millions d'années, m'assure votre mère. Elle ne sait pas exactement à quelle fréquence). Personne ne sait pourquoi mais, comme d'habitude, on soupçonne les taches solaires.

Autre détail intéressant : on a démontré que les pigeons voyageurs (et probablement d'autres espèces d'oiseaux) sentaient ces lignes magnétiques et s'en servaient pour s'orienter. Toutefois, personne n'a encore compris comment ils faisaient.

Votre mère et moi soupçonnons (et j'insiste sur le fait que ce n'est qu'une supposition) que ces lignes Ley existent bel et bien, que ce sont des lignes de forces géomagnétiques et que, là où elles se croisent ou convergent, cette force magnétique est… différente, faute d'un meilleur terme. Nous pensons que ces convergences, du moins certaines d'entre elles, pourraient être des lieux où des personnes sensibles à ces forces (comme les pigeons, sans doute) peuvent passer d'un temps à un autre (il s'agirait de votre mère, de vous deux, Jem et Mandy, et de moi). Si, toi qui lis ceci, tu n'es pas encore né au moment où je l'écris (un de mes petits-enfants, peut-être ?), j'ignore si tu possèdes cette sensibilité, cette aptitude ou je ne sais comment l'appeler, mais je t'assure qu'elle est réelle. D'après ta grand-mère, il s'agirait d'un trait génétique, comme le fait de pouvoir rouler sa langue. Si tu ne l'as pas, il est impossible de t'expliquer comment faire, même si tu peux l'observer chez quelqu'un qui possède ce trait. Si tu l'as, je ne sais pas si je dois m'excuser ou te féliciter. Après tout, ce n'est pas pire que les autres caractéristiques que les parents transmettent à leurs enfants, comme les dents de travers ou la myopie. Quoi qu'il en soit, sois assuré que nous ne l'avons pas fait exprès.

Désolé, Jemmy et Mandy, je digresse. L'idée de base est la suivante : l'aptitude à voyager dans le temps pourrait dépendre d'une sensibilité génétique à ces… convergences ? vortex ? Ces lignes Ley.

Du fait de la particularité géologique des îles britanniques, on trouve ici de nombreuses lignes Ley ainsi qu'un grand nombre de sites archéologiques qui y semblent liés. Votre mère et moi avons l'intention de repérer, pour autant que nous puissions le faire sans danger (et ne vous y trompez pas, c'est très dangereux), ceux de ces sites qui pourraient être des portails.

De toute évidence, il n'y a aucun moyen de vérifier si un site spécifique est bien un portail ou pas.*

Certains sites semblent « ouverts » à des dates correspondant aux fêtes du soleil et du feu de l'ancien monde (du moins sont-ils plus ouverts qu'à d'autres périodes). Si cette hypothèse est vraie, cela pourrait avoir un rapport avec la force gravitationnelle du Soleil et de la Lune. Cela paraît une explication raisonnable dans la mesure où il est prouvé que ces deux corps célestes influent sur le comportement de la Terre par l'intermédiaire du climat, des marées, etc. Pourquoi pas également de vortex temporels, après tout ?

** Notes*

1) Votre mère vient de me faire un long exposé dont je n'ai retenu que les mots « théorie du champ unifié ». Apparemment, il s'agit de quelque chose qui n'existe pas encore mais, si c'était le cas, cela expliquerait toutes sortes de phénomènes, notamment le fait qu'une convergence de lignes géomagnétiques est capable d'affecter le temps là où elle se produit. Personnellement, tout ce que j'ai compris de cette explication, c'est que le temps et l'espace sont parfois la même chose et que la gravité joue un rôle là-dedans. Comme tout ce qui concerne ce phénomène, cela me laisse perplexe.

2)…

— Jusque-là, c'est compréhensible ? demanda Roger.

— Pour autant qu'il y ait quelque chose à comprendre dans toute cette histoire, oui.

En dépit du malaise qu'elle ressentait chaque fois qu'ils abordaient le sujet, Brianna ne put réprimer un sourire. Roger paraissait si sérieux. Il avait une tache d'encre sur la joue et tout un côté de sa tête était ébouriffé.

— La pédagogie doit couler dans ton sang.

Elle sortit un mouchoir de sa poche, le lécha comme une mère chatte et lui frotta le visage.

— Tu sais qu'il existe une merveilleuse invention qu'on appelle le feutre ?

Roger ferma les yeux, se laissant nettoyer.

— Je les déteste. En outre, le stylo à encre est un grand luxe comparé à la plume.

— C'est vrai, papa avait toujours l'air de sortir d'une explosion dans une fabrique d'encre après avoir rédigé son courrier.

Son regard revint sur la page, et elle sourit en lisant la première note.

— Mon explication tient debout ? demanda Roger.

— Dans la mesure où tu t'adresses à des enfants, oui. Que comptes-tu mettre dans la seconde note ?

— Ah, ça…

Il se cala contre son dossier en croisant les doigts, l'air mal à l'aise. Il n'en fallait pas plus pour éveiller les soupçons de Brianna.

— Oui, « ça ». Y a-t-il une « première pièce à conviction » qui entre dans cette note ?

— Euh… oui, répondit-il à contrecœur. Les cahiers de Geillis Duncan. Le livre de Mme Graham sera la « seconde pièce à conviction ». La note 4 concernera les explications de ta mère sur les superstitions liées aux semailles.

Sentant ses genoux mollir, Brianna s'assit brusquement.

— Tu es sûr que c'est une bonne idée ?

Elle ignorait où se trouvaient les cahiers de Geillis et ne voulait pas le savoir. Le petit livre que leur avait donné Fiona Graham, la petite-fille de Mme Graham, était à l'abri dans un coffre de la Royal Bank of Scotland à Édimbourg.

— Non, je ne le suis pas, répondit franchement Roger. D'un autre côté, nous ne pouvons pas savoir quel âge auront les enfants quand ils le liront. Ce qui me rappelle… nous devrions prendre des dispositions au cas où il nous arriverait quelque chose avant qu'ils soient assez grands pour qu'on leur raconte… tout.

Bree eut l'impression qu'un glaçon glissait le long de son dos. Pourtant, il avait raison. Ils pouvaient mourir dans un accident de voiture comme les parents de Claire. Ou Lallybroch pouvait brûler…

— Enfin… ça m'étonnerait que cette maison-ci puisse être réduite en cendres.

Elle regardait la fenêtre derrière Roger, enchâssée dans un mur d'une cinquantaine de centimètres d'épaisseur. Cela le fit sourire.

— Oui, j'en doute aussi. Mais les cahiers de Geillis, eux, pourraient brûler. Je pensais les relire pour en extraire les informations principales. Elle avait beaucoup à dire sur les cercles de pierres en activité, ce qui est utile. Pour le reste…

— Ça me donne la chair de poule.

— Oui, j'allais dire que c'était comme de voir quelqu'un sombrer lentement dans la folie sous vos yeux.

Il lui reprit la liasse de feuilles et la tapota sur le coin du bureau.

— Ce doit être une déformation d'historien. Ça me dérange de supprimer la source d'un renseignement.

Elle fit une moue cynique, indiquant par là que, pour elle, Geillis Duncan était avant tout une source d'ennuis. Néanmoins…

— Tu as raison, dit-elle à contrecœur. Tu pourrais peut-être en faire un résumé et juste mentionner où trouver les cahiers originaux au cas où quelqu'un serait vraiment curieux.

— Ce n'est pas une mauvaise idée.

Il rangea les feuilles dans son calepin et se leva.

— J'irai les chercher. Peut-être quand l'école sera finie. Je pourrais emmener Jem et lui montrer la ville. Il est assez grand pour faire toute la Royal Mile à pied, et il va adorer le château.

— Ne l'emmène pas au donjon !

Il se mit à rire.

— Comment, tu ne trouves pas éducatif de voir des personnages en cire subissant les pires tortures ? C'est historique, après tout.

— Justement, ce serait nettement moins horrible si ça ne l'était pas.

Le regard de Brianna s'arrêta soudain sur la pendule murale.

— Roger ! Tu n'es pas censé donner ton cours de gaélique à quatorze heures à l'école ?

Il lança un regard horrifié à la pendule, attrapa la pile de livres et de papiers sur son bureau et bondit hors de la pièce en déversant un flot de jurons gaéliques des plus éloquents.

Elle sortit dans le couloir pour le voir embrasser Mandy avant de foncer vers la porte.

Mandy se tint sur le seuil, agitant la main avec ardeur.

— Au 'evoir, papa ! Veux de la glace !

Brianna la souleva dans ses bras.

— S'il oublie d'en rapporter, nous irons en acheter au village plus tard, promit-elle.

Sa fille dans les bras, elle regarda la vieille Morris orange de Roger crachoter, s'étrangler, trembloter puis démarrer en lâchant un petit pet de fumée bleue. Elle nota mentalement de lui acheter de nouvelles bougies. Mandy se blottit contre elle, murmurant une des phrases en gaélique de Roger parmi les plus pittoresques. Brianna baissa la tête et huma le parfum doux de shampoing pour bébé. Ce devait être l'allusion à Geillis Duncan qui la mettait si mal à l'aise. Elle était bien morte mais, après tout… elle était l'aïeule de Roger. Peut-être que la capacité à voyager à travers les pierres n'était pas la seule caractéristique à avoir été transmise par le sang.

Ces traits se diluaient sûrement au fil du temps. Par exemple, Roger n'avait rien en commun avec William Buccleigh MacKenzie, le fils que Geillis avait eu avec Dougal MacKenzie et l'homme responsable de la pendaison de Roger.

— Fils de sorcière, marmonna-t-elle entre ses dents. J'espère que tu pourris en enfer.

— On dit pas des g'os mots, maman, la réprimanda Mandy.

*

Cela se passa mieux qu'il l'avait espéré. La salle de classe était pleine à craquer. Outre les enfants, il y avait des parents, et même quelques grands-parents. Il eut un moment de vertige. Ce n'était ni de la panique ni le trac, mais cette sensation de regarder dans un gouffre dont on n'aperçoit pas le fond. Il l'avait souvent ressentie à l'époque où il chantait devant public. Il prit une grande inspiration, posa sa pile de livres sur le bureau, sourit à l'assistance et lança :

— *Feasgar math !*

Il n'en fallut pas plus. Prononcer ou chanter les premiers mots était comme agripper un fil électrique ; un courant se créait entre lui et le public, et les paroles suivantes semblaient surgir de nulle part, se déversant hors de lui comme l'eau à travers l'une des turbines géantes de Brianna.

Après une brève introduction, il commença par les jurons gaéliques, conscient que c'était ce qui intéressait plus que tout la plupart des enfants. Quelques parents froncèrent les sourcils, mais les grands-parents esquissèrent des sourires entendus.

— En *gàidhlig*, nous n'avons pas de gros mots comme ceux que l'on connaît en anglais. Désolé, Jimmy.

Il sourit à un garçon aux cheveux filasses et à l'air bagarreur assis au deuxième rang. Ce ne pouvait être que la petite teigne qui avait dit à Jem qu'il irait en enfer. Quand les rires se turent, il reprit :

— Ce qui ne signifie pas qu'on ne peut pas dire à quelqu'un tout le mal qu'on pense de lui mais, en gaélique, l'insulte est un art.

Une vague de rire secoua les plus âgés dans la salle, et plusieurs des enfants se retournèrent, sidérés, vers leurs grands-parents.

— Pour vous citer un exemple, j'ai entendu un jour un fermier dire à sa truie qui était entrée dans la fosse à purin qu'il espérait que ses intestins exploseraient dans son ventre et qu'elle finirait dévorée par les corbeaux.

Les enfants émirent un « oh ! » impressionné. Il poursuivit avec des versions soigneusement édulcorées des imprécations les plus créatives qu'il avait entendues de son beau-père. Il était inutile de leur préciser que, en dépit de l'absence de gros mots, il était toujours possible de traiter une femme de « fille de chienne » quand on voulait la blesser. Si les gamins voulaient savoir ce que Jem avait réellement dit à Mlle Glendenning, ils n'avaient qu'à le lui demander. Si ce n'était déjà fait.

Il passa ensuite à une description sérieuse mais brève du Gaeltacht, cette région de l'Écosse où, traditionnellement, on parlait le gaélique, puis il raconta quelques anecdotes de son adolescence, alors qu'il apprenait la langue sur les harenguiers dans la baie du Minch. Il inclut l'intégralité du discours d'un certain capitaine Taylor, adressé le poing brandi à la mer, aux cieux, à l'équipage et aux crustacés après qu'une tempête eut décimé son coin à homards préféré et disséminé tous ses casiers. L'assistance fut pliée en deux et plusieurs vieux, hilares, échangèrent des messes basses, ayant manifestement vécu des expériences similaires.

— Mais le *gàidhlig* est avant tout une langue, reprit-il. Il sert principalement à communiquer. Combien d'entre vous ont déjà entendu des chants de travail ? Notamment des chants de foulage ?

Il y eut des murmures d'intérêt. Certains en connaissaient, d'autres non. Il expliqua ce qu'était un chant de foulage :

— Les femmes travaillaient toutes ensemble, tirant, foulant et battant l'épais tissu de laine pour resserrer les chaînes et le rendre imperméable. Dans le temps, les gens n'avaient pas d'imperméables ni de bottes en caoutchouc, et ils travaillaient à l'extérieur la nuit comme le jour, par tous les temps, s'occupant de leur bétail ou de leurs champs.

Sa voix s'était suffisamment réchauffée à présent. Il ouvrit son classeur, choisit un bref chant de foulage, leur chanta le premier couplet et le refrain, puis les invita à chanter avec lui. Ils le suivirent pendant quatre couplets. Quand il sentit la tension dans sa gorge devenir audible, il s'arrêta.

— Ma grand-mère chantait ce chant, lâcha soudain une femme.

Tous les regards se tournèrent vers elle, la faisant virer au rouge pivoine.

— Votre grand-mère est-elle encore en vie ? lui demanda Roger. Dans ce cas, vous devriez lui demander de vous l'enseigner, puis apprenez-le à vos enfants. Ce genre de tradition ne devrait pas se perdre, vous ne trouvez pas ?

Encouragé par les murmures d'assentiment, il saisit son vieux livre de cantiques.

— On peut encore entendre une autre forme de ces anciens chants de travail le dimanche dans des églises sur les îles. À Stornaway, par exemple. C'est une manière de chanter les psaumes qui remonte à une époque où peu de gens possédaient des livres et où bon nombre des membres de la congrégation ne savaient pas lire. Il y avait un premier chantre dont la tâche consistait à chanter le psaume, verset par verset, et les fidèles répétaient en chœur. Je tiens ce livre (il brandit le psautier écorné) de mon père, le révérend Wakefield ; certains d'entre vous se souviennent peut-être de lui. Avant cela, il avait appartenu à un autre homme d'église, le révérend Alexander Carmichael...

Il leur raconta comment, au XIXe siècle, le révérend Carmichael avait sillonné les Highlands et les îles écossaises, parlant aux habitants, leur demandant de lui chanter leurs chants et de lui expliquer leurs coutumes, collectionnant les « hymnes, bénédictions et incantations » de la tradition orale, qu'il publia ensuite dans un grand ouvrage d'érudition comptant de nombreux tomes intitulé *Carmina Gadelica*.

Roger avait justement apporté un des volumes du *Gadelica* et le fit circuler dans la classe, ainsi qu'un cahier dans lequel il avait recopié une sélection de chants de travail. Pendant ce temps, il leur lut l'une des bénédictions pour la nouvelle lune, la bénédiction pour la rumination, un charme contre l'indigestion, le poème du scarabée et certains passages du « Discours des oiseaux ».

Columba sortit de bonne heure
Par un doux matin :
Il vit un cygne blanc,
« Guile, guile »

Plus loin sur la grève,
« Guile, guile »,
Chantant un chant funèbre,
« Guile, guile ».

Un cygne blanc, blessé, blessé,
Un cygne blanc, meurtri, meurtri,
Le cygne blanc à la double vue
« Guile, guile »
Le cygne blanc aux deux malédictions
« Guile, guile »
La vie et la mort,
« Guile, guile »
« Guile, guile ».

Pourquoi donc voyages-tu,
Cygne endeuillé ?
Lui dit le bon Columba,
« Guile, guile »,
D'Erin j'ai nagé,
« Guile, guile »,
À Fiann j'ai été blessé,
« Guile, guile »,
« Guile, guile ».

Cygne blanc d'Erin,
Je suis l'ami des souffrants,
Que l'œil du Christ se pose sur ta blessure,
« Guile, guile »,
L'œil de l'affection et de la miséricorde,
« Guile, guile »,
L'œil de la bonté et de l'amour,
« Guile, guile »,
Qu'il soigne tous tes maux,
« Guile, guile »,
« Guile, guile ».

Cygne d'Erin,
D'aucun mal tu ne souffriras,
« Guile, guile »,
Que tes plaies se referment,
« Guile, guile ».

Dame des vagues,
« Guile, guile »,
Dame de la grève,
« Guile, guile »,
Dame de la mélodie,
« Guile, guile ».

Au Christ la gloire,
« Guile, guile »,
Au Fils de la Vierge,
« Guile, guile »,
Au grand roi des cieux,
« Guile, guile »,
Que ton chant soit pour lui,
« Guile, guile »,
Chante pour lui,
« Guile, guile »,
« Guile, guile ».

Les cris du cygne lui blessaient la gorge, de la douce complainte de la bête blessée à son cri ultime. Sa voix se brisa sur le dernier, mais ce n'en fut pas moins un triomphe. Il fut salué par un tonnerre d'applaudissements.

Entre la douleur et l'émotion, il fut incapable d'émettre le moindre son pendant quelques minutes. Il se contenta de saluer son auditoire, de sourire, de saluer à nouveau, puis de donner en silence sa pile de livres et de dossiers à Jimmy Glassock pour qu'il les fasse circuler dans les rangs tandis que les gens se pressaient pour le féliciter.

— C'était génial ! s'exclama une voix vaguement familière.

En se retournant, il vit Rob Cameron lui tendre la main, les yeux brillants d'enthousiasme. Sa surprise dut se lire sur son visage, car Rob lui indiqua le petit garçon à ses côtés : Bobby Hurragh, que Roger connaissait du chœur. Un soprano à la voix pure et déchirante mais qui pouvait se muer en véritable petit démon dès qu'on le quittait des yeux.

Rob le tenait fermement par la main, ce qui n'échappa pas à Roger.

— J'ai amené mon petit neveu Bobby. Ma sœur n'a pas pu se libérer de son travail aujourd'hui. Elle est veuve.

— Merci, croassa Roger.

Cameron lui écrasa à nouveau la main puis dut céder la place au prochain admirateur.

Parmi la foule se trouvait une dame d'âge mûr qu'il ne connaissait pas mais qui, elle, l'avait reconnu.

— Nous vous avons entendu, mon mari et moi, aux jeux d'Inverness, déclara-t-elle avec un accent distingué. Mais, à cette époque-là, vous portiez le nom de votre père, n'est-ce pas ?

— En effet. Vous avez des petits-enfants dans cette école ?

Il indiqua la masse bourdonnante de gamins se bousculant autour d'une vieille dame qui, rosissant de plaisir, leur expliquait la prononciation de certains mots étranges dans le livre de contes.

Cependant, la femme devant lui refusa de se laisser distraire, fixant la cicatrice sur sa gorge.

— Oui, répondit-elle vaguement. Que vous est-il arrivé ? C'est définitif ?

— Un accident. Et oui, ça l'est, il n'y a rien à faire.

Une lueur de tristesse traversa son regard.

— Quel dommage. Vous aviez une si belle voix ! Je suis navrée.

— Merci, répondit-il faute de mieux.

À son soulagement, elle s'éloigna, le laissant recevoir les louanges de ceux qui ne l'avaient jamais entendu chanter… avant.

Plus tard, il remercia Lionel Menzies, qui se tenait près de la porte pour saluer les parents. Il était aussi radieux que le Monsieur Loyal d'un cirque prospère.

Menzies lui serra chaleureusement la main.

— C'était formidable ! Encore mieux que je ne l'espérais. Dites-moi, vous accepterez de remettre ça, hein ?

— Encore ?

Roger se mit à rire puis fut interrompu par une quinte de toux.

— J'ai à peine survécu à cette séance-ci !

— Bah ! Un bon petit verre vous apaisera la gorge. Venez donc boire un coup avec moi au pub.

Roger s'apprêtait à refuser, mais Menzies paraissait tellement ravi qu'il changea d'avis. Le fait était qu'il suait à grosses gouttes (se donner en spectacle faisait toujours grimper sa température de plusieurs degrés) et avait plus soif que s'il venait de traverser le désert de Gobi.

— Bien. Mais juste un.

Alors qu'ils traversaient le parking, une petite camionnette bleue cabossée s'arrêta à leur hauteur et Rob Cameron se pencha par la fenêtre, les appelant.

— Alors, Rob, ça t'a plu ? lui demanda Menzies.

— Tout à fait ! répondit Cameron avec un enthousiasme sincère. Deux choses : Roger, je voulais vous demander si je pourrais consulter certaines de vos vieilles chansons. Siegfried MacLeod m'a montré celles que vous avez compilées pour lui.

Légèrement pris de court, Roger fut néanmoins flatté.

— Oui, bien sûr. J'ignorais que vous étiez un amateur.

— J'adore tous ces vieux trucs, répondit Cameron, soudain sérieux. Non, sincèrement, ça m'intéresserait beaucoup.

— D'accord. Passez à la maison. Le week-end prochain, peut-être ?

Rob sourit et les salua d'un geste de la main.

— Hé ! l'arrêta Menzies. Tu as dit « deux choses ».

— Ah oui !

Rob saisit un objet posé sur la banquette entre son neveu et lui.

— C'était parmi les cahiers en gaélique que vous avez fait circuler. Il m'a semblé qu'il était là par erreur, alors je l'ai sorti de la pile. Vous écrivez un roman ?

Il leur montra le calepin noir intitulé *Le guide du voyageur…* Le cœur de Roger manqua de s'arrêter. Il saisit le cahier en silence, remerciant Rob d'un signe de tête.

Ce dernier embraya en première et lança sur un ton désinvolte :

— J'aimerais bien le lire quand vous l'aurez terminé. J'adore la science-fiction.

La camionnette démarra puis s'arrêta et fit marche arrière.

— Au fait, ajouta-t-il, Brianna m'a dit que vous aviez une sorte de vieux fort sur la propriété…

Roger acquiesça en se raclant la gorge.

— J'ai un ami archéologue. Ça vous ennuierait s'il venait y jeter un coup d'œil, un de ces jours ?

— Non, répondit Roger d'une voix éraillée. Non, pas de problème. Merci.

Rob lui adressa un sourire enjoué puis repassa en première.

— De rien, l'ami !

47

Du haut de son perchoir

L'ami archéologue de Rob, Michael Callahan, était un quinquagénaire jovial aux cheveux sablonneux clairsemés. Son visage maintes fois brûlé par le soleil était un patchwork de plaques brunes et de taches rose vif. Il fureta parmi les pierres tombées de la vieille chapelle un long moment, l'air fasciné, puis demanda à Roger la permission de creuser une tranchée le long de l'un des murs restants.

Rob, Brianna et les enfants vinrent brièvement les observer mais, les fouilles archéologiques n'ayant rien d'un spectacle captivant, Jem et Mandy ne tardèrent pas à se lasser, et ils redescendirent préparer le déjeuner, laissant Roger et Mike à leur trou.

Au bout d'un moment, Callahan déclara à Roger :

— Je peux me passer de vous si vous avez autre chose à faire.

Il y avait toujours autre chose à faire sur une ferme, même petite, mais Roger fit non de la tête.

— Ça m'intéresse. À moins que je ne vous dérange ?

— Pas du tout. Dans ce cas, venez donc m'aider à soulever cette pierre.

Callahan travaillait tout en sifflotant, marmonnant de temps à autre. La plupart du temps, il ne faisait aucun commentaire sur ce qu'il observait, appelait parfois Roger pour l'aider à déblayer un coin ou à soulever une pierre tandis qu'il regardait en dessous à l'aide d'une torche. Le reste du temps, Roger était assis sur le mur, écoutant le vent.

Le sommet de la colline était habité par cette paix singulière des endroits sauvages, une paix où flottait en permanence la sensation de mouvements furtifs. Cela le surprit. D'ordinaire, on n'avait cette impression que dans des lieux où l'homme n'avait jamais vécu ; or, à en juger par la profondeur de la tranchée creusée par Callahan et les petits sifflements et exclamations qu'il émettait tel un ouistiti, cette colline avait dû connaître une activité humaine intense.

Brianna leur apporta des sandwichs et de la limonade puis s'assit sur le mur aux côtés de Roger. Remarquant que la camionnette bleue n'était plus dans la cour, ce dernier lui demanda :

— Rob est rentré chez lui ?

— Il est parti faire quelques courses. Il a dit que Mike semblait en avoir encore pour un bon bout de temps.

Elle lança un regard vers Callahan, dont on apercevait uniquement les fesses pointant hors d'un buisson sous lequel il creusait.

— C'est fort probable, dit Roger en souriant.

Il se pencha vers elle et l'embrassa. Elle émit un petit bruit de contentement puis s'écarta, gardant sa main dans la sienne.

— Rob m'a parlé des vieilles chansons que tu as recopiées pour Sandy MacLeod. Tu lui as dit qu'il pouvait les voir ?

— Ah oui, j'avais oublié. Si je ne suis pas redescendu à son retour, tu peux les lui montrer. Les originaux sont dans le dernier tiroir de mon classeur, dans un dossier intitulé *Cèolas*.

Elle acquiesça puis repartit. Il l'observa descendre le sentier caillouteux d'un pas aussi sûr que celui d'une biche ; sa queue de cheval qui se balançait dans son dos en avait d'ailleurs la couleur.

À mesure que s'écoulait l'après-midi, il sombra dans une sorte de transe, ses pensées errant paresseusement ; il se déplaçait lentement chaque fois que Callahan l'appelait à l'aide, n'échangeant avec lui que les mots les plus indispensables. L'archéologue semblait pareillement ailleurs.

La brume matinale s'était épaissie et les ombres fraîches entre les pierres s'étaient effacées avec la lumière. L'air était chargé d'humidité, se condensant sur sa peau. Il avait presque l'impression que les pierres allaient se lever autour de lui, reprenant leur place initiale.

Il y avait des allées et venues autour de la maison en contrebas, des portes claquant ; Brianna suspendait le linge ; les enfants et plusieurs amis de Jem venus de la ferme voisine pour passer la nuit se poursuivaient dans la cour et les dépendances en jouant à un jeu bruyant. Leurs cris perçants de balbuzards s'élevaient dans l'air. Le camion de Farm & Household se gara devant la maison, sans doute venu livrer la pompe du séparateur de crème. Brianna guida le chauffeur vers la grange, ce dernier ne pouvant voir où il allait tant le carton dans ses bras était grand.

Vers cinq heures, une forte brise se leva et la brume commença à se dissiper. Comme s'il s'agissait d'un signal l'extirpant de ses rêveries, l'archéologue se redressa, se tint un moment immobile en observant quelque chose, puis hocha la tête.

Il émergea de sa fosse et s'étira en gémissant.

— Ce pourrait être un site ancien, déclara-t-il, mais la structure ne l'est pas. Elle a probablement été construite il y a deux siècles, bien qu'on ait utilisé des pierres beaucoup plus vieilles, peut-être provenant d'un édifice antérieur.

Il sourit à Roger.

— On est économe, dans les Highlands. La semaine dernière, j'ai vu une grange dont les fondations avaient été bâties avec des pierres de l'époque des Pictes et le sol avec des briques récupérées dans des toilettes publiques à Dornoch.

Il se tourna vers l'est et mit sa main en visière.

— Les Anciens choisissaient toujours des sites en hauteur. Qu'ils fussent à construire un fort ou un lieu de culte, ils aimaient être perchés.

— Les Anciens ? Lesquels ?

Callahan perçut la pointe d'inquiétude dans sa voix et se mit à rire.

— Je ne sais pas. Les Pictes, peut-être… Tout ce que nous savons d'eux, nous le tenons de quelques pièces de maçonnerie écroulées ici et là. Ce pourrait être des peuples plus anciens encore. On trouve parfois des fragments d'objets façonnés par la main de l'homme sans pouvoir les attribuer à aucune culture connue. Prenez les mégalithes, par exemple : personne ne sait qui a dressé ces pierres ni pourquoi.

— Pouvez-vous me dire de quel type, militaire ou religieux, était ce site ?

— Pas d'après ce qu'il reste en surface. Peut-être qu'en fouillant le sol dessous… Mais, pour être honnête, je n'en vois pas l'utilité. Il existe des centaines de sites comme celui-ci, perchés sur des collines dans toutes les îles britanniques comme en Bretagne. Bon nombre celtiques, certains de l'âge de fer, d'autres beaucoup plus anciens.

Il saisit la tête de statue et la caressa affectueusement.

— Cette dame est beaucoup plus récente ; peut-être du XIIIe ou XIVe siècle. Elle pourrait être la sainte patronne de la famille, transmise au fil des générations.

Il déposa un petit baiser sur le crâne de pierre puis le tendit à Roger.

— Tout ce que je peux vous dire pour avoir vu bon nombre de lieux comme celui-ci, c'est que si la structure moderne est une chapelle, elle a probablement été construite sur un autre lieu de culte. Ce n'est pas scientifique, juste le fond de ma pensée. Les gens des Highlands ont des idées fixes. Ils peuvent construire une nouvelle grange tous les deux ou trois cents ans mais choisissent presque toujours de la bâtir exactement là où se trouvait l'ancienne.

Roger se mit à rire.

— C'est vrai. Notre grange est d'époque, construite en même temps que la maison, au début du XVIIIe siècle. Mais quand j'ai soulevé les dalles pour installer un nouveau tuyau d'écoulement j'ai trouvé les vestiges d'une ferme antérieure.

— Au début du XVIIIe ? Dans ce cas, vous n'aurez pas besoin de refaire la toiture avant un autre siècle.

Il était presque 18 heures, mais il faisait encore plein jour. La brume s'était entièrement dissipée, comme par magie, cédant la place à un soleil pâle. Roger traça du pouce une petite croix sur le front de la statue puis la plaça délicatement dans la niche qui semblait avoir été faite pour elle. Ils avaient terminé, mais ni l'un ni l'autre ne semblait prêt à rentrer, chacun trouvant la compagnie de l'autre réconfortante, partageant l'enchantement de ce lieu haut perché.

Plus bas, il aperçut la camionnette de Rob Cameron garée devant la porte. Rob était assis sur le perron à l'arrière de la maison, Mandy, Jem et les amis de Jem regroupés autour de lui, apparemment absorbés par la lecture du livre que tenait l'adulte. Que fabriquait-il donc ?

Callahan, qui était en train de regarder vers le nord, se retourna soudain.

— Je rêve ou j'entends chanter ?

Au même moment, Roger l'entendit à son tour. Une voix masculine douce et grave, à peine audible, mais cela lui suffit pour reconnaître l'air de *Crimond*.

Il sentit la jalousie se resserrer comme un étau sur sa gorge, lui coupant le souffle.

La jalousie est cruelle comme le sépulcre ; ses ardeurs sont des ardeurs de feu.

Il ferma les yeux un instant et inspira profondément. Puis, cherchant un peu, il puisa la première partie de la citation hors de sa mémoire : *L'amour est fort comme la mort.*

Il sentit l'étouffement se dissiper et sa raison revenir. Naturellement, Rob Cameron savait chanter. Il appartenait à un chœur d'hommes. Il était logique qu'après avoir vu les arrangements musicaux rudimentaires de vieux chants que Roger avait recopiés, il ait voulu les chanter. Les enfants étaient attirés par la musique ; surtout les siens.

— Vous connaissez Rob depuis longtemps ? demanda-t-il.

— Rob ? Ça doit faire une quinzaine d'années… Non, disons plutôt une vingtaine. Il était bénévole sur des fouilles que j'organisais sur Shapinsay, une des Orcades. Ce n'était encore qu'un adolescent.

Il lui lança un regard malicieux avant de demander :

— Pourquoi ?

— Il travaille avec ma femme à la centrale hydroélectrique. Je le connais à peine. Nous nous sommes rencontrés récemment ; nous appartenons à la même loge maçonnique.

— Ah.

Callahan contempla un moment en silence la scène en contrebas puis déclara, sans regarder Roger :

— Il était marié à une Française. Ils ont divorcé il y a deux ans et elle a emmené leur fils en France. Ça n'a pas été facile pour lui.

Cela expliquait sans doute l'attachement de Rob à la famille de sa sœur veuve et le plaisir qu'il éprouvait en compagnie de Jem et de Mandy. Il se sentit respirer plus librement.

Comme si ce bref échange concluait leur journée, ils ramassèrent les restes de leur repas et le sac à dos de Callahan, puis descendirent lentement.

Il y avait deux verres à vin sur le comptoir.

— Que se passe-t-il ? On fête quelque chose ? demanda-t-il.

— Oui. D'abord, les enfants vont bientôt aller se coucher.

— Ah, ils ont été si éprouvants que ça ?

Il se sentit légèrement coupable d'avoir passé la journée dans la fraîcheur paisible de la vieille chapelle avec Callahan au lieu de s'occuper de la petite horde de chenapans.

— Disons plutôt très énergiques.

Elle lança un regard suspicieux vers la porte du couloir par où l'on entendait rugir la télévision du grand salon.

— J'espère qu'ils seront trop épuisés pour passer la nuit à sauter sur les lits. Ils ont avalé suffisamment de pizza pour plonger six hommes adultes dans le coma pendant une semaine.

Il se mit à rire. Il avait lui-même englouti la quasi-totalité d'une grande pizza au pepperoni et se sentait sombrer dans une douce torpeur.

— Quoi d'autre ?

— Ce qu'on fête d'autre ? Eh bien, pour ma part…

Elle minauda.

— Oui ? l'encouragea-t-il.

— J'ai fini ma période d'essai et mon contrat est confirmé. Ils ne peuvent plus me virer, même si je porte du parfum au boulot. Quant à toi…

Elle ouvrit un tiroir et plaça une enveloppe devant lui.

— … tu es formellement invité par le conseil d'administration des établissements scolaires à répéter ton triomphe *gàidhlig* dans cinq écoles le mois prochain.

Il resta un moment interdit puis se sentit envahi par une chaleur dont il ne put identifier la source. Il se rendit compte qu'il rougissait.

— Vraiment ?

— Tu me crois capable de te faire une blague de ce genre ?

Sans attendre sa réponse, elle versa le vin et lui tendit son verre. Ils trinquèrent cérémonieusement.

— À nous ! lança-t-il en forçant son accent écossais. On est les meilleurs !

— Et s'il y en a jamais eu de meilleurs, renchérit-elle en l'imitant, ils sont tous morts.

*

Une fois les enfants dans leur chambre, il y eut un joyeux vacarme à l'étage, mais une brève apparition de Roger en bonhomme Sept Heures y mit rapidement un terme. Le calme revint, les enfants se racontant des histoires entre deux gloussements étouffés.

— Ils sont en train de raconter des blagues cochonnes ? demanda Brianna quand Roger fut redescendu.

— Probablement. Tu crois que je devrais faire descendre Mandy ?

— Non, je suis sûre qu'elle dort déjà. Quand bien même elle les entendrait, les blagues de garçons de neuf ans ne la traumatiseront pas. Elle n'est pas assez grande pour se souvenir des chutes.

Roger prit le verre qu'elle lui avait à nouveau rempli et but une longue gorgée de vin, savourant son arôme de cassis et de thé noir.

— Quel âge avait Jem quand il a enfin appris à raconter des histoires drôles ? Tu te souviens comme il retenait les blagues sans en comprendre le sens ?

Elle imitait à merveille Jem quand il était tellement excité qu'il en balbutiait.

— Quelle est la différence entre un bouton et… et… euh… une… une chaussette ? Un BUFFLE ! AH ! AH ! AH ! AH ! AH !

Roger se tordit de rire.

— Qu'est-ce qui te fait rire autant ?

Ses paupières commençaient à s'alourdir et ses lèvres étaient tachées de rouge.

— Ce doit être la manière dont tu la racontes, répondit-il en levant son verre. Santé !

— *Slàinte !*

Il ferma les yeux, inspirant le vin autant qu'il le buvait. Il commençait à avoir l'agréable illusion de sentir le corps de sa femme, bien qu'elle fût assise à quelques mètres. Elle semblait irradier de la chaleur par lentes pulsations régulières.

— Comment appelle-t-on déjà cette manière de détecter des étoiles lointaines ?

— Un télescope. Tu ne peux pas déjà être ivre à ce point après avoir bu une demi-bouteille de vin, aussi bon soit-il !

— Non, ce n'est pas ce que je voulais dire. Il y a un terme pour ça… la signature thermique, ce n'est pas ça ?

Elle ferma un œil, réfléchissant.

— Peut-être. Pourquoi ?

— Tu en as une.

Elle baissa les yeux et se contempla.

— Non, j'en ai deux. Oui, assurément deux.

Ni lui ni elle n'étaient vraiment ivres, mais ils passaient un moment délicieux.

— Une signature thermique, répéta-t-il.

Il tendit le bras et prit sa main. Elle était nettement plus chaude que la sienne ; il était presque sûr de pouvoir sentir battre son cœur au bout de ses doigts, lentement.

— Je pourrais te repérer au milieu d'une foule les yeux fermés. Tu rayonnes dans le noir.

Elle posa son verre et vint s'agenouiller entre ses genoux, leur corps ne se touchant pas tout à fait. Elle rayonnait vraiment. En fermant les yeux, il devinait sa forme sous son chemisier blanc.

Il vida le fond de son verre d'un trait.

— Excellent vin ! Où tu l'as acheté ?

— C'est un cadeau de Rob, pour te remercier de l'avoir laissé copier les chansons.

— Il est sympa, ce type.

Sur le moment, il le pensa vraiment.

Brianna saisit la bouteille et la vida dans le verre de Roger. Puis elle s'assit sur ses talons et le fixa avec des yeux de chouette.

— Hé, tu me dois quelque chose.

— Absolument, répondit-il si sérieusement qu'elle pouffa de rire.

— L'autre jour, tu m'as dit que si je rapportais mon casque à la maison tu m'expliquerais pourquoi tu soufflais dans une bouteille de champagne.

— Ah.

Il réfléchit un instant… Il y avait un risque réel qu'elle lui fracasse la bouteille sur le crâne s'il le lui disait mais, d'un autre côté, un marché avait été conclu. En outre, le souvenir de l'avoir vue nue uniquement coiffée de son casque de chantier, irradiant sa chaleur dans toutes les directions, valait bien la peine de jeter sa prudence aux orties.

— J'essayais de reproduire le ton exact des sons que tu émets quand on fait l'amour et que tu es sur le point de… euh… c'est quelque chose entre un grondement et un râle très profond.

Elle écarquilla les yeux et entrouvrit la bouche. Le bout de sa langue était rouge sombre.

— Je crois que c'est un *fa* sous le *do* du milieu, ajouta-t-il précipitamment.

— Tu plaisantes ?

— Pas du tout.

Il posa le bord de son verre contre les lèvres de Brianna et l'inclina doucement. Elle ferma les yeux et but. Il lissa ses cheveux derrière son oreille, ses doigts glissant lentement le long de son cou. Il observa les mouvements de déglutition de sa gorge, suivant la ligne de sa clavicule du bout de l'index.

— Tu te réchauffes, chuchota-t-elle sans rouvrir les yeux. C'est le second principe de la thermodynamique.

— C'est-à-dire ?

— Un système isolé atteint l'équilibre lorsque son entropie devient maximale.

— Tu m'en diras tant.

— Parfaitement. C'est pourquoi quand deux corps sont en contact, le plus chaud cède de sa chaleur au plus froid jusqu'à ce qu'ils aient la même température.

— Je me disais bien qu'il y avait une raison.

Tous les bruits à l'étage avaient cessé. Sa voix lui parut forte même s'il chuchotait.

Elle rouvrit subitement les yeux à quelques centimètres des siens. Son souffle parfumé au cassis était aussi chaud que sa peau. La bouteille tomba sur la moquette du petit salon avec un bruit étouffé.

— Tu veux essayer d'atteindre un *mi* bémol ?

48

Henry

14 juin 1777

Il avait interdit à Dottie de l'accompagner, ne sachant pas trop ce qu'il trouverait. En fait, ce fut une surprise. L'adresse qu'on lui avait indiquée se trouvait dans une rue modeste de Germantown, mais la maison était coquette et bien entretenue.

Il frappa à la porte et fut accueilli par une jeune Africaine au visage charmant portant une jolie robe imprimée. Elle écarquilla les yeux en le voyant. Il avait jugé préférable de ne pas se présenter en uniforme même si l'on apercevait des Britanniques en tenue militaire ici et là dans les rues – des prisonniers en liberté conditionnelle, peut-être, ou des soldats portant des communications officielles. Il avait donc mis un costume vert bouteille, avec son meilleur gilet en soie dorée et brodé de superbes papillons. Il sourit et elle lui sourit en retour.

— Je peux vous aider, monsieur ?

— Votre maître est-il chez lui ?

Elle se mit à rire doucement.

— Dieu vous bénisse, monsieur. Je n'ai pas de maître, cette maison est la mienne.

Il resta un instant pantois.

— Euh… j'ai dû me tromper d'adresse. Je cherche un capitaine anglais, le vicomte Asher, Henry Grey. Un prisonnier de guerre ?

Elle le fixa d'un regard neutre quelques secondes, puis son visage s'illumina à nouveau, son large sourire dévoilant deux molaires en or au fond de sa bouche.

— Henry ! Pourquoi ne pas l'avoir dit plus tôt ! Entrez, entrez donc !

Avant qu'il n'ait pu poser sa canne, elle l'entraîna à l'intérieur, dans un escalier étroit puis dans une petite chambre proprette où il découvrit son neveu étendu torse nu sur le lit. Un petit homme au nez crochu tout vêtu de noir était en train de lui palper le ventre. Ce dernier était sillonné de vilaines cicatrices violacées.

Grey se pencha par-dessus l'homme en noir et agita la main.

— Pardon. Comment vas-tu Henry ?

Henry, qui était en train de fixer le plafond d'un air crispé, baissa les yeux vers lui, le regarda sans comprendre, puis se redressa brusquement. Son mouvement lui arracha un cri de douleur et une exclamation de protestation au petit homme en noir.

— Oh, mon Dieu, mon Dieu, mon Dieu ! gémit Henry en se tenant le ventre.

Grey le prit par les épaules, essayant de le forcer à se rallonger.

— Je suis navré, mon petit Henry. Je ne voulais pas...

— Mais qui êtes-vous donc, monsieur ? s'exclama l'homme au nez crochu.

Il s'était relevé et fixait Grey en serrant les poings.

— Son oncle. Et vous, monsieur, qui êtes-vous ? Son médecin ?

Le petit homme se redressa dignement.

— Non, monsieur. Je suis sourcier. Joseph Hunnicutt, rhabdomancien professionnel.

Henry se tordait toujours de douleur, le visage déformé par une grimace. Il haletait mais semblait se recomposer lentement. Grey toucha son dos nu. Sa peau était chaude et moite, mais il ne paraissait pas fiévreux.

— Je suis désolé, Henry. Tu survivras ?

Henry parvint à esquisser un sourire.

— Ça… ira. Donne-moi juste… une… minute.

La maîtresse de maison se tenait près de la porte, surveillant Grey.

— Ce monsieur dit qu'il est votre oncle, Henry. Est-ce vrai ?

Henry acquiesça.

— Lord John… Grey. Mon oncle… puis-je te… présenter Mme… Mercy Wood… cock ?

Grey s'inclina respectueusement, se sentant légèrement ridicule.

— Votre serviteur, madame.

Il adressa également une courbette au sourcier.

— … Et le vôtre, monsieur Hunnicutt.

Il se redressa et se tourna vers son neveu.

— Puis-je te demander pourquoi un sourcier te tripote le ventre, Henry ?

M. Hunnicutt, qui mesurait une tête de moins que lui, leva son nez crochu.

— Je cherche les fragments de métal qui font tant souffrir ce pauvre jeune homme.

— C'est moi qui l'ai appelé, monsieur… je veux dire, milord, expliqua Mme Woodcock.

Elle s'était avancée dans la chambre et le regardait d'un air légèrement contrit.

— Les médecins ne trouvent rien, et je craignais qu'ils finissent par le tuer.

Henry commençait à retrouver son souffle, et Grey l'aida à s'étendre. Il était pâle et en nage.

— Je ne supporterai pas qu'ils me charcutent à nouveau, dit-il en fermant brièvement les yeux. Je n'en peux plus.

Son ventre étant à nouveau exposé, Grey eut tout le loisir de l'examiner. Il pouvait voir les plaies froncées de deux entrées de balles et les cicatrices plus longues et plus propres laissées par les chirurgiens ayant fouillé l'abdomen à leur recherche. Elles étaient au nombre de trois. Grey avait les mêmes sur le côté gauche du torse. Il redressa la tête vers Mme Woodcock.

— Est-il vraiment nécessaire de les extraire ? S'il a survécu jusqu'ici, elles sont peut-être logées dans un endroit où…

— Il ne mange plus, l'interrompit-elle. Il ne peut rien avaler d'autre que de la soupe, et encore, pas beaucoup. Il n'avait plus que la peau sur les os quand ils me l'ont amené. Et, comme vous pouvez le voir, il ne s'est pas vraiment remis depuis.

Le fait était. Henry tenait plus de sa mère que de son père, étant légèrement plus trapu que lui et ayant généralement le teint rose. À présent, on voyait ses côtes, et son ventre était si creusé qu'on apercevait les os de ses hanches saillant sous le drap en lin. Son visage était de la même couleur que le drap en question, mis à part les cernes violacés sous ses yeux.

— Je vois, dit lentement Grey. Avez-vous pu localiser quelque chose, monsieur Hunnicutt ?

— Oui, je crois bien.

Le sourcier se pencha sur Henry et posa délicatement un long index sur l'abdomen du jeune homme.

— J'en ai trouvé une, au moins. Pour l'autre, je ne suis pas encore sûr.

— Je vous l'avais dit, Mercy, ça ne sert à rien.

Henry fermait toujours les yeux. Il leva une main vers Mme Woodcock, qui la prit avec un naturel qui fit tiquer Grey.

— Même s'il était sûr, je ne veux pas d'une autre opération. Je préfère mourir.

En dépit de sa faiblesse, il parlait avec une conviction absolue. Grey reconnut là l'opiniâtreté familiale.

Le joli visage de Mme Woodcock était soucieux. Elle sentit le regard de Grey sur elle et se tourna vers lui. Il ne changea pas d'expression et elle releva le menton, soutenant son regard avec, dans le sien, une lueur intense. Elle ne lâcha pas la main d'Henry.

Ah ! Je vois, pensa-t-il. *C'est comme ça, hein ?*

Il toussota et Henry rouvrit les yeux.

— Quoi qu'il en soit, mon petit Henry, tu m'obligerais en évitant de mourir avant que je ne t'aie amené ta sœur pour qu'elle te fasse ses adieux.

49

Quelques réserves

Les Indiens l'inquiétaient. Le général Burgoyne les trouvait merveilleux, mais Burgoyne était un dramaturge.

Dans sa lettre à son père, il écrivit lentement, cherchant à donner forme à ses réserves sur le papier :

Ce n'est pas que je le prenne pour un fantaisiste ni que je le soupçonne de ne pas comprendre la nature des Indiens avec lesquels il traite. Il la comprend parfaitement. Cependant, je me souviens d'une discussion avec M. Garrick, à Londres. Il parlait du dramaturge comme d'un dieu qui dirigeait les actions de ses personnages, exerçant sur eux un contrôle absolu. M. Cowley n'était pas de cet avis, et arguait qu'il était illusoire de présumer que le créateur pouvait contrôler ses créations, que de tenter de le faire sans connaître leur vraie nature était voué à l'échec.

Il s'interrompit et mordilla le bout de sa plume. Il sentait qu'il approchait du cœur du problème sans toutefois l'avoir touché.

Je crois que le général Burgoyne ne mesure pas vraiment l'indépendance d'esprit et le véritable objectif des…

Non, ce n'était pas ça. Il tira un trait sur la ligne et replongea sa plume dans l'encrier. Il retourna sa phrase dans sa tête, la rejeta, en formula une autre qui ne lui convint pas non plus, puis abandonna toute tentative d'éloquence pour simplement décharger son esprit. Il était tard ; il avait parcouru une trentaine de kilomètres à pied et était fatigué.

Il croit pouvoir se servir des Indiens comme d'un outil, et je pense qu'il se trompe.

Il contempla sa phrase un moment. Elle lui parut un peu abrupte, mais il ne trouvait rien de mieux et le temps pressait : le dernier bout de sa chandelle était presque consumé. En se disant qu'après tout, son père connaissait les Indiens (et probablement le général Burgoyne) bien mieux que lui, il signa rapidement, sabla, sécha, cacheta sa lettre puis s'effondra sur son lit et sombra dans un sommeil sans rêve.

Toutefois, son malaise concernant les Indiens continua à le hanter. Il n'avait rien contre eux, loin de là. Il appréciait leur compagnie, chassait parfois avec plusieurs d'entre eux ou passait des soirées agréables à boire de la bière et à échanger des histoires autour d'un feu.

Un soir qu'ils rentraient d'un dîner particulièrement bien arrosé donné par le général pour les officiers de son état-major, il déclara à Balcarres :

— Le problème, c'est qu'ils ne lisent pas la Bible.

— Qui ça ? Attends un peu !

Le major Alexander Lindsay, sixième comte de Balcarres, tendit une main devant lui pour éviter un arbre puis, s'appuyant dessus pour conserver l'équilibre, déboutonna maladroitement sa braguette.

— Les Indiens.

Il faisait sombre, mais William vit Sandy fermer lentement un œil afin de concentrer l'autre sur lui. La présence de dames au dîner l'avait rendu particulièrement convivial et joyeux, et les convives s'étaient un peu laissés aller.

Balcarres acheva d'uriner puis poussa un long soupir de soulagement.

— Non, c'est vrai, répondit-il.

Il semblait disposé à en rester là, mais William, dont les pensées étaient un peu plus confuses qu'à l'accoutumée, considéra qu'il s'était mal exprimé. Oscillant légèrement, il reprit :

— Je veux dire... Tu sais, le centurion dans la Bible... Il dit à son soldat : « Va », et le soldat va. Si tu dis à un Indien « Va », peut-être bien qu'il ira, mais peut-être aussi qu'il n'ira pas. Ça dépend de ce dont il a envie.

Balcarres était tout occupé à reboutonner sa braguette, une opération apparemment ardue.

— Je veux dire... insista William. Ils n'obéissent pas aux ordres.

— Ah, c'est le moins qu'on puisse dire !

— Tu donnes des ordres à tes Indiens, toi ?

Balcarres dirigeait un régiment d'infanterie légère mais commandait également un vaste groupe de rangers dont bon nombre étaient indiens. D'ailleurs, il lui arrivait fréquemment de s'habiller comme eux. Sans attendre sa réponse, William conclut :

— Oui, mais, d'un autre côté, tu es écossais.

Balcarres était enfin parvenu à se reboutonner et se tenait au milieu de l'allée, observant William.

— T'es vraiment soûl, Willie.

Ce n'était pas une accusation. Il parlait avec le ton satisfait de celui qui vient de faire une déduction utile.

— C'est vrai. Mais, demain matin, je serai sobre, et toi, tu seras toujours écossais.

Ils se tordirent de rire et reprirent leur chemin en titubant légèrement, se répétant la boutade et se cognant l'un contre l'autre. Le hasard fit qu'ils arrivèrent d'abord devant la tente de William, et celui-ci invita son compagnon à prendre un dernier verre de négus avant de se coucher.

— Ça soul... age les brûlures d'estomac et aide à dormir, dit-il en manquant de tomber la tête la première dans son coffre tandis qu'il y cherchait la bouteille et des verres.

Balcarres parvint non sans peine à allumer la bougie et la tint en clignant des yeux, ébloui par sa lumière. Il sirota lentement le négus, fermant les yeux pour mieux le savourer. Il les rouvrit soudain.

— Quel rapport entre le fait d'être écossais et celui de lire la Bible ? Tu me traites de païen ? Ma grand-mère est écossaise et la lit tous les jours. Moi-même je l'ai lue… en partie.

Il finit son verre d'une traite.

William le dévisageait en fronçant les sourcils, se demandant de quoi il parlait.

— Ah ! fit-il enfin. Je ne te parlais pas de la Bible mais des Indiens. Têtus comme des cochons. Les Écossais non plus, quand on leur dit : « Va ! », ils ne vont pas, enfin pas forcément. Je me demandais si c'était pour ça qu'ils t'écoutaient.

Il y eut un silence, puis il ajouta :

— Tes Indiens.

Balcarres fut pris d'un fou rire. Quand il fut calmé, il secoua la tête.

— C'est comme… tu connais un cheval ?

— Je connais un tas de chevaux. Lequel ?

Balcarres recracha un peu de vin sur son menton, puis s'essuya sur le revers de sa main.

— Un cheval, répéta-t-il. Il n'en fait qu'à sa tête. Tu dois guetter ce qu'il va faire puis lui ordonner de le faire, si bien qu'il croit que c'est toi qui en as eu l'idée. La prochaine fois que tu lui demanderas quelque chose, il y a de fortes chances qu'il t'obéisse.

— Ah… en effet.

Ils burent un moment en silence, méditant sur la profondeur de cette observation. Puis Balcarres s'arracha à la contemplation du fond de son verre et demanda gravement :

— À ton avis, laquelle a les plus beaux nichons : Mme Lind ou la baronne ?

50

L'exode

Fort Ticonderoga, 27 juin 1777

Mme Raven me préoccupait. Je la trouvais à l'aube attendant devant les casernes, paraissant avoir dormi tout habillée, les yeux cernés mais brillants d'intensité. Elle me talonnait toute la journée, parlant sans cesse, et sa conversation, généralement centrée sur les patients que nous voyions et les aléas de la vie quotidienne dans un fort, commençait à dériver hors des confins étroits du présent.

Au début, ce ne fut que d'occasionnelles réminiscences de ses jeunes années à Boston. Elle avait d'abord été mariée à un pêcheur et élevait deux chèvres dont elle vendait le lait dans les rues. L'écouter parler de ses bêtes, Patsy et Petunia, ne m'ennuyait pas. J'avais moi-même rencontré quelques biques mémorables, sans parler d'un bouc nommé Hiram dont j'avais réparé la patte cassée.

Ce n'était pas que ses remarques sur son premier mari ne m'intéressaient pas ; elles étaient au contraire trop intéressantes. Dès qu'il était à terre, feu M. Evans devenait un soudard violent – jusque-là rien d'inhabituel – qui avait une fâcheuse tendance à couper les oreilles et le nez de ceux qui ne lui revenaient pas, ce qui était déjà plus singulier.

— Il clouait les oreilles sur le linteau de la bergerie, raconta-t-elle comme si elle parlait de son petit déjeuner. Très haut pour que mes chèvres ne puissent les attraper. Elles se ratatinaient au soleil, vous savez, comme des champignons séchés.

— Ah.

Je me retins de lui dire qu'il aurait suffi de les fumer pour éviter ce problème. J'ignorais si Ian portait toujours l'oreille d'un avocat dans son *sporran*, mais j'étais convaincue qu'il n'aurait guère apprécié la fascination morbide que ce trophée aurait éveillée chez Mme Raven. Dès qu'elle apparaissait, Jamie et lui s'éclipsaient comme si elle avait la lèpre.

— On dit que les Indiens découpent leurs prisonniers en morceaux, petit à petit, me confia-t-elle comme si elle partageait un secret. D'abord les doigts, une phalange après l'autre…

— C'est révoltant. Vous voulez bien aller au dispensaire me chercher un sac de tissu ouaté ?

Elle partit docilement, comme toujours, mais il me sembla l'entendre continuer à marmonner en s'éloignant. Au fil des jours, à mesure que la tension montait dans le fort, je devins convaincue qu'elle parlait toute seule.

Ses digressions devinrent plus longues… et plus délirantes. Elle passait désormais du passé lointain de son enfance idéalisée dans le Maryland à un futur tout aussi lointain, où nous avions tous été massacrés par les Britanniques ou capturés par les Indiens, avec des conséquences allant du viol au démembrement, ces deux procédures étant réalisées simultanément. Je tentai de lui expliquer que la plupart des hommes n'avaient ni la concentration nécessaire ni une coordination motrice suffisante pour accomplir une telle prouesse. Elle était encore capable de se concentrer sur ce qu'il y avait sous son nez, mais pas longtemps.

— Tu ne pourrais pas en parler à son mari ? demandai-je à Jamie.

Il venait juste de rentrer et de me raconter qu'il l'avait vue tournant en rond autour de la grande citerne près du terrain de manœuvres en comptant inlassablement dans sa barbe.

— Tu crois qu'il n'a pas remarqué que sa femme est en train de devenir folle ? Si c'est le cas, je doute qu'il apprécie qu'on le lui dise. Et, s'il s'en est rendu compte, que veux-tu qu'il fasse ?

Effectivement, on ne pouvait pas faire grand-chose, mis à part la surveiller et tenter d'apaiser ses fantasmes les plus épouvantables... ou du moins éviter qu'elle n'en parle aux patients les plus impressionnables.

Toutefois, à mesure que les jours passaient, les excentricités de Mme Raven ne paraissaient guère plus prononcées que les angoisses de la plupart des habitants du fort, notamment les femmes. Elles ne pouvaient rien faire d'autre que s'occuper des enfants, laver le linge (au bord du lac sous bonne garde ou en petits groupes autour des chaudrons fumants) et attendre.

Les bois n'étaient plus sûrs. La découverte macabre des deux sentinelles égorgées et scalpées avait fortement impressionné Mme Raven, évidemment, mais m'avait ébranlée également. Je ne pouvais plus éprouver de plaisir en contemplant les étendues infinies de verdure depuis les batteries. La vigueur même de la forêt semblait une menace. Je voulais quand même du linge propre, mais tous les poils de mon corps étaient hérissés chaque fois que je sortais du fort.

— Encore treize jours.

Je passai un pouce le long du chambranle de la porte de notre sanctuaire. Chaque nuit avant de se coucher, Jamie y taillait une encoche correspondant à un jour de sa période d'enrôlement.

— Tu taillais aussi des encoches quand tu étais en prison ?

Il réfléchit.

— Pas au fort William ni à la Bastille. À Ardsmuir, oui, même si nous n'avions pas de sentence et pas de jours à décompter. Il était important de se raccrocher à quelque chose, même si ce n'était qu'aux jours de la semaine.

Il vint se placer près de moi et contempla les encoches dans le bois. Il déclara doucement :

— J'aurais bien été tenté de filer d'ici si Ian était de retour.

L'idée m'avait maintes fois traversé l'esprit, et je savais qu'il y pensait aussi. Il était de plus en plus évident que le fort ne pourrait repousser une attaque de l'ampleur annoncée. Les éclaireurs rentraient de plus en plus fréquemment rapporter l'avancée des troupes de Burgoyne et, bien qu'ils soient immédiatement entraînés dans le bureau du commandant et expédiés hors du fort aussi rapidement, une heure après leur passage, tout le monde savait ce qu'ils avaient eu à dire... peu de choses, mais ce peu était alarmant. Pourtant, Arthur St. Clair ne pouvait se résoudre à ordonner l'évacuation du fort.

— Il craint de ternir sa réputation, m'expliqua Jamie sur un ton calme qui trahissait sa colère. Il ne peut supporter qu'on dise qu'il a perdu Ticonderoga.

— Mais il le perdra quand même, c'est inévitable.

— Certes, mais être vaincu après s'être battu contre des forces supérieures est honorable. Abandonner les lieux à l'ennemi sans opposer de résistance ? Il ne peut l'accepter. Pourtant, ce n'est pas un mauvais bougre. J'irai lui parler à nouveau. Nous essaierons tous de lui faire entendre raison.

« Tous » désignait les officiers de milice qui pouvaient se permettre de dire le fond de leur pensée. Ceux de l'armée régulière partageaient leur avis, mais la discipline leur interdisait de parler franchement à St. Clair.

Je ne pensais pas non plus que ce dernier fût un homme mauvais, ni stupide. Il savait – devait savoir – quel serait le prix d'un affrontement. Et celui d'une reddition.

Jamie poursuivit :

— Il attend Whitcomb en espérant qu'il lui annoncera que Burgoyne ne dispose pas d'une artillerie digne de ce nom.

Le fort pouvait effectivement résister à un siège. Les provisions et le fourrage étaient parvenus en abondance de la campagne environnante. Ticonderoga possédait encore quelques pièces d'artillerie, le petit fort en bois sur le mont Independence, ainsi qu'une bonne garnison bien équipée en mousquets et en poudre. En revanche, il ne résisterait pas à une canonnade depuis le mont Defiance. Jamie y était grimpé et m'avait dit que l'intérieur du fort était clairement visible depuis le sommet, et donc vulnérable à un tir d'enfilade.

— Il ne s'imagine tout de même pas que Burgoyne arrive les mains vides ? m'exaspérai-je.

— Non, mais tant qu'il ne sait pas vraiment, il estime ne pas avoir à prendre de décision. Jusqu'à présent, aucun de ses éclaireurs ne lui a rapporté des informations précises.

Je soupirai et essuyai la sueur sur ma gorge.

— Je ne peux pas dormir ici, déclarai-je. C'est l'enfer !

Cela le prit par surprise et le fit rire.

— Oh, tu peux bien ricaner ! m'énervai-je. Demain, tu dormiras au frais sous une tente.

La moitié de la garnison devait s'installer dans des tentes devant le fort afin d'être plus manœuvrable au cas où Burgoyne approcherait.

Les Britanniques arrivaient. Nous ignorions simplement où et combien ils étaient, et l'importance de leur armement.

C'était ce qu'était parti vérifier Benjamin Whitcomb. Âgé d'une trentaine d'années, c'était un grand maigre au visage grêlé, un des *long hunters*, comme on les appelait : des hommes capables de survivre des semaines seuls dans les bois. Ces êtres n'étaient guère sociables et pouvaient se passer de la civilisation, mais ils étaient précieux. Whitcomb était le meilleur des éclaireurs de St. Clair. Il était parti avec cinq hommes espionner les forces de Burgoyne. J'espérais qu'ils reviendraient avant que la période d'enrôlement de Jamie ne s'achève. Jamie avait autant hâte que moi de décamper, mais nous ne pouvions pas partir sans Ian.

Nous étions sur le palier quand Jamie s'arrêta brusquement et retourna dans la chambre.

— Qu'as-tu oublié ? demandai-je.

Il était en train de fouiller dans le petit coffre contenant nos quelques habits.

— Mon kilt. Si je dois aller parler à St. Clair, autant y mettre les formes.

Je l'aidai à s'habiller, le brossai et tressai ses cheveux. Il n'avait pas de veste convenable mais, au moins, son linge était propre et, même en chemise, il avait fière allure.

— Je ne t'avais pas vu en kilt depuis des semaines, dis-je en l'admirant. Je suis sûre que tu impressionneras le général, même sans ton écharpe rose.

Il déposa un baiser sur mon front.

— Cela ne servira à rien, mais je m'en voudrais de ne pas avoir essayé.

Je l'accompagnai, traversant le terrain de manœuvre en direction de la maison de St. Clair. Des cumulonimbus se rassemblaient au-dessus du lac, leur masse gris anthracite se détachant contre le ciel éclatant. Une odeur d'ozone flottait dans l'air. Cela me parut un présage approprié.

Bientôt. Tout disait « bientôt ». Les rapports fragmentaires et les rumeurs qui volaient dans le fort tels des pigeons, l'air suffocant, les occasionnelles détonations de canon (des tirs d'entraînement, nous l'espérions) provenant d'une position éloignée baptisée le « vieux front français ».

Chacun était sur les nerfs, incapable de trouver le sommeil à moins d'être ivre. Je ne l'étais pas et étais donc passablement agitée. Jamie était parti depuis plus de deux heures et je trépignais d'impatience. Non pas que j'eusse hâte de savoir ce que St. Clair répondrait aux miliciens mais, entre la chaleur et la fatigue, nous n'avions pas fait l'amour depuis plus d'une semaine, et je commençais à craindre que nous n'en ayons bientôt plus le temps. Si nous devions nous battre ou prendre la fuite dans les jours à venir, Dieu seul savait quand nous aurions à nouveau un peu d'intimité.

J'arpentais le terrain de manœuvre en surveillant la maison du général quand enfin je le vis sortir. Je me dirigeai vers lui, marchant lentement afin de laisser le temps aux autres officiers sortis avec lui de prendre congé. Ils se tinrent un moment regroupés. Leurs épaules affaissées et leur mine furieuse m'indiquèrent que, comme l'avait prédit Jamie, leurs efforts avaient été vains.

Il se détacha lentement d'eux, s'éloignant les mains croisées dans le dos et la tête baissée, l'air méditatif. Je m'approchai par-derrière et glissai mon bras autour du sien. Surpris, il me sourit.

— Tu ne dors pas encore, *Sassenach* ? Quelque chose ne va pas ?

— Non, il m'a semblé que c'était le soir idéal pour une promenade dans un jardin.

— Un jardin ?

— Le jardin du commandant, pour être exacte.

Je tapotai ma poche.

— J'ai la clef.

Il y avait plusieurs petits jardins à l'intérieur du fort, des potagers pour la plupart. Le jardin d'agrément situé derrière les quartiers du commandant avait été dessiné par des Français de nombreuses années plus tôt et, bien qu'il ait été négligé depuis et soit envahi de mauvaises herbes, il présentait un avantage particulier : il était entouré d'un haut mur, avec une porte que l'on pouvait verrouiller. Plus tôt dans la journée, j'avais subtilisé la clef au cuisinier du général St. Clair venu me consulter pour un mal de gorge. Je comptais la lui rendre le lendemain quand j'irais prendre de ses nouvelles.

La porte se trouvait au fond du jardin, hors de vue. Nous nous glissâmes discrètement dans l'allée qui longeait le mur pendant que le garde devant la maison du commandant était occupé à bavarder avec un passant. Je refermai rapidement la porte derrière nous, la verrouillai, remis la clef dans ma poche et me suspendis au cou de Jamie.

Il m'embrassa longuement puis redressa la tête.

— Je vais peut-être avoir besoin d'un peu d'aide.

— Pas de problème, l'assurai-je.

Je posai une main sur son genou nu et caressai de mon pouce les poils frisés de sa jambe.

— Tu penses à quel genre d'aide ?

Je remontai mes doigts le long de sa cuisse sous son kilt, sentant ses muscles se tendre et se relâcher. À ma surprise, il arrêta ma main en la saisissant à travers l'étoffe.

— Je croyais que tu voulais de l'aide ?

— Caresse-toi, *a nighean*, dit-il doucement.

J'étais légèrement déconcertée, d'autant plus que nous nous trouvions dans un jardin en friche à quelques mètres d'une allée très fréquentée par les miliciens en quête d'un coin calme où se soûler. Néanmoins… je m'adossai au mur et remontai mes jupes au-dessus de mes genoux. Je caressai lentement l'intérieur de ma cuisse, qui était, je devais le reconnaître, très douce. Mon autre main suivit la ligne de mon corset, remontant jusqu'en haut, là où mes seins étaient comprimés par le fin coton moite.

Les paupières de Jamie étaient lourdes. Il était à demi ivre de fatigue mais devenait de plus en plus alerte. Tripotant d'un air songeur le lacet qui retenait l'encolure de ma chemise, je susurrai :

— Tu connais le dicton *sauce bonne pour l'oie est bonne pour le jars* ?

— Quoi ?

Ma question l'avait résolument extirpé de sa torpeur. Il était bien éveillé cette fois, ses yeux injectés de sang grands ouverts.

— Tu m'as entendue.

— Tu veux que je… que je…

— Oui.

— Je ne peux pas faire ça ! Pas devant toi !

— Si je peux le faire devant toi, la moindre des choses serait de me rendre la pareille. Naturellement, si tu préfères que j'arrête…

Je lâchai lentement le lacet et posai ma main sur mon sein, mon pouce allant et venant sur ma peau tel un métronome. Je sentais mes tétons gonflés et durs. Ils devaient être visibles à travers le tissu, même dans la pénombre.

Je l'entendis déglutir.

Je souris, saisis l'ourlet de ma jupe, la remontai légèrement puis attendis, arquant un sourcil.

Comme hypnotisé, il saisit l'ourlet de son kilt.

— Ça, c'est un bon garçon, l'encourageai-je.

Posant un pied contre le mur, je laissai retomber ma jupe en dénudant une cuisse et glissai une main entre mes jambes.

Jamie marmonna quelque chose en gaélique. Je n'aurais su dire s'il s'agissait d'une observation sur ce qu'il s'apprêtait à voir ou s'il recommandait son âme à Dieu. Quoi qu'il en soit, il souleva son kilt. En voyant son état d'excitation, je déclarai :

— Tu vois, tu n'avais pas vraiment besoin d'aide.

Il émit un petit son m'enjoignant de continuer, ce que je fis. Au bout d'un moment, je lui demandai, fascinée :

— À quoi penses-tu ?

— À rien.

— Faux, je le vois à ta tête.

— Tu ne veux pas le savoir.

Ses pommettes luisaient de transpiration et ses yeux n'étaient plus que des fentes.

— Si… à moins que… si tu penses à une autre, tu as raison, je préfère ne pas le savoir.

Il rouvrit les yeux et regarda droit entre mes jambes tremblantes. Il ne s'arrêta pas.

— Oh, haletai-je. Quand… quand tu parleras à nouveau, j'aimerais vraiment le savoir.

Il continua à me fixer d'une manière qui me fit penser à un loup lorgnant un mouton bien gras. Je remuai un peu contre le mur et chassai un nuage de moucherons devant mes yeux. Il avait le souffle court. Je sentais l'odeur de sa sueur, musquée et âcre.

Il agita l'index de sa main libre dans ma direction.

— Toi… viens ici.

— Je…

— Tout de suite.

Je me détachai du mur et fis deux pas vers lui. Avant que je n'aie pu dire quoi que ce soit, son kilt vola et une grande main brûlante m'agrippa la nuque. L'instant suivant, j'étais étendue dans les hautes herbes et le tabac sauvage, Jamie solidement planté en moi. Il plaqua une main sur ma bouche, ce qui était aussi bien, car j'entendais vaguement des voix approchant sur l'allée de l'autre côté du mur. Il chuchota dans mon oreille :

— Quand on joue avec le feu…

Il me clouait au sol tel un papillon, me retenant fermement les poignets, m'empêchant de bouger, mais j'arrivais à me trémousser sous lui, glissante et désespérée. Il s'abaissa très lentement jusqu'à reposer de tout son poids sur moi.

— Tu veux savoir ce que je pensais, hein ? souffla-t-il dans mon oreille.

— Mmm !

— Je vais te le dire, *a nighean*, mais…

Il s'interrompit pour me lécher un lobe.

— Nnng !

Sa main se resserra sur ma bouche. Les voix étaient désormais suffisamment proches pour qu'on puisse entendre ce qu'elles disaient. C'était un groupe de jeunes miliciens à moitié ivres et à la recherche de putains. Les dents de Jamie se refermèrent délicatement sur mon oreille, qu'il commença à mordiller avec application, son souffle chaud me chatouillant. Je gigotai de plus belle, mais il ne bougea pas d'un millimètre.

Il appliqua le même traitement à mon autre oreille jusqu'à ce que les voix soient hors de portée d'ouïe, puis déposa un baiser sur le bout de mon nez et enleva enfin sa main de sur ma bouche.

— Où en étais-je ? Ah oui, tu voulais savoir à quoi je pensais.

— J'ai… j'ai changé d'avis, haletai-je.

Je suffoquais, autant du poids sur ma poitrine que de désir, tous deux considérables.

— C'est toi qui as commencé, *Sassenach*… mais j'irai jusqu'au bout.

Il posa ses lèvres sur mon oreille mouillée et me chuchota exactement ce à quoi il avait pensé. Il ne bougea pas d'un pouce, hormis pour me plaquer à nouveau une main sur la bouche quand je me mis à l'insulter.

Chaque muscle de mon corps tressaillait comme un ruban élastique. Dans un même mouvement, il se redressa et glissa à nouveau en moi, d'abord lentement, puis avec un profond coup de rein.

Quand je pus voir et entendre à nouveau, je le vis rire, toujours en équilibre au-dessus de moi.

— Tu voudrais que je t'achève, hein, *Sassenach* ?

— Tu...

Je ne trouvai pas les mots. Toutefois, je pouvais moi aussi jouer à ce petit jeu. Il ne bougeait plus, d'une part pour me torturer, d'autre part parce que au moindre mouvement il succomberait au plaisir. Je bandai mes muscles glissants autour de lui, lentement, doucement, puis trois fois en succession rapide. Il émit un long râle et se lâcha, tressaillant et gémissant, ses palpitations déclenchant un écho au plus profond de ma chair. Il s'abaissa très lentement, soupirant comme une vessie se dégonflant, puis resta allongé à mes côtés, respirant paisiblement les yeux fermés.

Je caressai ses cheveux et il sourit sans rouvrir les yeux. Il inspira profondément et tout son corps se détendit, s'enfonçant dans la terre.

— Cette fois, tu as le droit de dormir. Et, la prochaine fois, maudit Écossais, je te dirai à quoi *moi* j'ai pensé.

Il rit en silence.

— Tu te souviens de la première fois que je t'ai embrassée, *Sassenach* ?

Je restai étendue un long moment, sentant la transpiration sécher sur ma peau et la masse rassurante de son corps endormi contre moi, avant de me souvenir enfin :

J'ai dit que j'étais vierge, pas que j'étais un moine. Si j'ai besoin d'aide... je la demanderai.

*

Ian Murray fut extirpé d'un sommeil sans rêve par la sonnerie d'un clairon. Rollo, étendu à ses côtés, bondit aussitôt sur ses pattes avec un « wouf ! » surpris et chercha une menace autour d'eux, tous ses poils hérissés.

Ian se releva à son tour, une main sur son couteau, l'autre sur son chien.

— Chut !

L'animal se détendit légèrement mais continua d'émettre un grognement sourd à peine perceptible pour une oreille humaine. Ian sentait sa vibration sous sa paume.

Maintenant qu'il était réveillé, il les entendait clairement. Un frémissement souterrain parcourait la forêt, aussi enfoui et vibrant que le grondement de Rollo. Des hommes, beaucoup d'hommes. Un camp commençait à s'éveiller. Il n'était pas très loin. Comment n'avait-il rien détecté la nuit précédente ? Il huma l'air, mais le vent soufflait dans le mauvais sens. Aucune odeur de fumée. En revanche, il la voyait à présent : de fines volutes grises s'élevant dans le ciel pâle de l'aube. Un grand nombre de feux de camp. Un très grand camp.

Il enroula sa couverture tout en écoutant. Quelques secondes plus tard, ne laissant aucune trace derrière lui, il avait disparu dans le sous-bois, sa couverture attachée dans son dos et son fusil à la main, le grand chien sur ses talons.

51

Les Anglais arrivent

Three Mile Point, colonie de New York, 3 juillet 1777

La tache de transpiration entre les larges épaules du brigadier général Fraser avait la forme de l'île de Man sur la carte de sa vieille salle d'étude dans la maison où il avait grandi. La redingote du lieutenant Greenleaf, elle, était entièrement imbibée de sueur, presque noire. Seules ses manches élimées étaient encore rouges.

La veste de William était honteusement neuve et éclatante mais pesait lourdement sur ses épaules, lui collant au corps. Sa chemise était trempée. Quand il l'avait enfilée quelques heures plus tôt, elle était toute raide, sa transpiration salée des derniers jours s'étant cristallisée dans la trame. Néanmoins, dès que le soleil se levait, une nouvelle vague de sueur la ramollissait.

En examinant la colline que le brigadier se proposait d'escalader, il avait espéré trouver un peu de fraîcheur à son sommet, mais l'épuisement de l'ascension avait annulé tous les bienfaits de l'altitude. Quand ils avaient quitté le camp juste après l'aube, l'air était si délicieusement frais qu'il avait eu envie de courir nu dans les bois tel un Indien, de pêcher des poissons dans le lac, d'en frire une demi-douzaine dans la farine de maïs et de les manger pour son petit déjeuner.

Ils se trouvaient à Three Mile Point, à environ cinq kilomètres au sud du fort Ticonderoga. Le brigadier Fraser, conduisant une avant-garde, avait fait stationner là ses troupes et décidé de grimper sur une hauteur avec le lieutenant Greenleaf, un ingénieur, afin d'étudier le terrain avant de poursuivre leur route.

William avait été affecté au détachement du brigadier une semaine plus tôt et en était ravi. Fraser était un commandant aussi aimable et sociable que le général Burgoyne, mais d'une manière différente. Cela dit, William aurait été content même sous le commandement d'un vrai Tartare : il se trouvait en première ligne ; rien d'autre n'avait d'importance.

Il transportait l'équipement de l'ingénieur, ainsi que plusieurs gourdes et l'écritoire du brigadier. Il aida à installer le trépied et les instruments de mesure, tint les règles puis, quand le travail fut fini et toutes les données enregistrées, le brigadier s'entretint longuement avec l'ingénieur et le renvoya au camp.

Le brigadier ne semblait pas disposé à rentrer sur-le-champ, s'attardant, descendant lentement en savourant la légère brise, puis il s'assit sur un rocher et déboucha sa gourde avec un soupir de plaisir.

— Venez donc vous asseoir ici, William, lui dit-il en tapotant la pierre à ses côtés.

Ils restèrent assis en silence, écoutant les bruits de la forêt. Puis le brigadier déclara soudain :

— Je connais votre père.

Il lui adressa un sourire charmant.

— Tout le monde doit vous dire ça.

— Euh… effectivement, admit William. Si on ne le connaît pas, on connaît mon oncle.

Fraser se mit à rire.

— Vous avez des antécédents familiaux lourds à porter. Mais je suis sûr que vous vous en acquittez noblement.

William ne sut quoi répondre. Le brigadier lui tendit sa gourde. L'eau était si chaude qu'il ne la sentit même pas passer dans son gosier, mais elle étanchait au moins sa soif.

— Nous avons fait la campagne des plaines d'Abraham ensemble, votre père et moi. Vous a-t-il déjà raconté cette fameuse nuit ?

— Brièvement.

William se demanda s'il était condamné à rencontrer tous les soldats ayant participé à cette bataille aux côtés de James Wolfe.

— Nous avons descendu le Saint-Laurent pendant la nuit. Nous étions tous terrifiés, surtout moi.

Il contempla le lac d'un air songeur.

— Quel fleuve ! Le général Burgoyne m'a dit que vous aviez été au Canada. Vous l'avez vu ?

— À peine, général. J'ai voyagé principalement par voie de terre jusqu'à Québec et suis rentré en descendant le Richelieu. Mais mon père m'en a parlé, me disant que c'était un fleuve noble.

— Vous a-t-il raconté que j'ai bien failli lui broyer la main ? Il était assis près de moi dans le bateau. Quand je me suis levé pour appeler la sentinelle française, espérant que ma voix ne se briserait pas, il m'a saisi la main pour que je ne tombe pas. J'étais tellement nerveux. J'ai senti ses os craquer mais ne m'en suis vraiment rendu compte que quand je l'ai lâché et l'ai entendu gémir.

William vit le regard du brigadier se poser sur ses mains et une petite ride creuser son grand front. Ce n'était pas de la perplexité, simplement l'expression d'un homme essayant inconsciemment de faire correspondre son souvenir à ce qu'il voyait. Son père avait de longues mains élégantes avec des os fins. Les siennes étaient longues mais larges, des mains de brute.

— Il… lord John… est mon beau-père, balbutia-t-il.

Il se demanda ce qui l'avait poussé à le dire et se sentit rougir.

— Ah ? fit simplement le brigadier.

Heureusement, leurs efforts et la chaleur leur avaient empourpré le teint à tous les deux, si bien que son embarras passa inaperçu. Fraser se débarrassa de sa veste, ouvrit son gilet et l'agita pour s'éventer. Il fit signe à William qu'il pouvait en faire autant.

Ils discutèrent ensuite de diverses batailles, celles auxquelles le brigadier avait participé, celles dont William avait entendu parler. Il devint peu à peu évident que Fraser le jaugeait, évaluant son expérience et son comportement. William était douloureusement conscient que la première n'était guère mirobolante. Le brigadier savait-il ce qui s'était passé lors de la bataille de Long Island ? Les histoires se propageaient vite dans l'armée.

Il y eut une pause dans la conversation, et ils restèrent assis en silence, en bras de chemise, écoutant le bruissement des arbres au-dessus de leur tête. William aurait aimé dire quelque chose pour sa défense mais ne savait pas comment aborder la question élégamment. Cependant, s'il n'expliquait pas ce qui s'était passé… En fait, il n'y avait aucune bonne explication. Il s'était comporté comme un nigaud, point.

Le brigadier reprit subitement la conversation.

— Le général Burgoyne m'a vanté votre intelligence et votre audace, William. Il a ajouté que vous n'aviez pas encore eu l'occasion de montrer vos talents pour le commandement.

— Ah… euh… non, en effet, général.

Fraser sourit.

— Il va donc falloir y remédier, ne pensez-vous pas ?

Il se releva et s'étira en gémissant. Puis il renfila sa veste.

— Vous dînerez avec moi ce soir. Nous en discuterons avec sir Francis.

52

Conflagration

Fort Ticonderoga, 1er juillet 1777

Whitcomb était rentré, avec plusieurs scalps de Britanniques selon la rumeur. L'ayant rencontré ainsi que plusieurs autres *long hunters*, j'étais plutôt disposée à le croire. Ils n'étaient pas les seuls dans le fort à se vêtir de tenues en cuir brut et en homespun effiloché, ni à n'avoir que la peau sur les os. Mais ils étaient les seuls à avoir des regards de bêtes sauvages.

Le lendemain, Jamie fut convoqué dans la maison du commandant et n'en ressortit qu'à la nuit tombée.

Un homme chantait devant l'un des feux allumés dans la cour près des quartiers de St. Clair. Je m'assis sur un fût de porc salé et l'écoutai, puis j'aperçus Jamie passant de l'autre côté des flammes, se dirigeant vers notre bâtiment. Je me relevai rapidement et le rejoignis.

— Viens, me dit-il à voix basse.

Il m'entraîna vers le jardin du commandant. Il n'y avait aucune trace de nos ébats de la veille, même si j'étais toujours extrêmement consciente de son corps, de la tension qui l'habitait et des battements de son cœur. Ce n'était pas bon signe.

— Que s'est-il passé ? chuchotai-je.

— Whitcomb a capturé un soldat de l'armée régulière. Il refuse de parler, naturellement, mais St. Clair a eu la bonne idée de placer Andy Tracy dans sa cellule, se faisant passer pour un espion britannique.

— Très malin de sa part ! approuvai-je.

Le lieutenant Andrew Hodges Tracy était un Irlandais disert et charmant, ainsi qu'un fieffé menteur... Si quelqu'un pouvait soutirer des informations à un homme sans recourir à la violence, c'était bien lui.

— Il a pu lui tirer les vers du nez ?

— Oui. Nous avons également recueilli trois déserteurs, des Allemands. St. Clair m'a demandé de les interroger.

Ce qu'il avait fait. Les informations fournies par les déserteurs auraient été suspectes si elles n'avaient été corroborées par celles qu'on avait soutirées au prisonnier britannique. St. Clair avait enfin les renseignements solides qu'il attendait depuis trois semaines.

Le général Carleton était resté au Canada avec une force réduite. C'était bien Burgoyne, à la tête d'une grande armée d'invasion, qui marchait sur le fort. Il était secondé par le général Von Riedesel, lui-même à la tête de sept régiments du Brunswick, de quatre compagnies de dragons et d'un bataillon d'infanterie légère. Son avant-garde n'était plus qu'à quatre jours de marche.

— Aïe !

— Comme tu dis, admit-il. Il y a pire : les premières lignes de Burgoyne sont dirigées par le brigadier Simon Fraser.

— Un parent à toi ?

C'était une question purement rhétorique ; avec un nom pareil, il l'était forcément.

— Oui, un petit-cousin, je crois. Et un excellent combattant.

— Le contraire m'eût étonnée. C'est toutes les mauvaises nouvelles ?

— Non. D'après les déserteurs, les troupes de Burgoyne manquent d'approvisionnement. Les dragons sont à pied, faute de pouvoir trouver des chevaux frais. À moins qu'ils ne les aient mangés.

La nuit était chaude et lourde, mais j'avais la chair de poule. En touchant le bras de Jamie, je constatai qu'il avait lui aussi tous ses poils hérissés. *Il va rêver de Culloden cette nuit*, pensai-je soudain.

— J'aurais cru que c'était plutôt une bonne nouvelle, émis-je. En quoi est-elle mauvaise ?

Il prit ma main et entrelaça mes doigts avec les siens.

— Ils n'ont pas suffisamment de provisions pour monter un siège. Ils n'ont pas d'autre choix que de nous assaillir et, apparemment, ils ont tous les moyens de le faire.

⁕

Trois jours plus tard, les premiers guetteurs britanniques furent aperçus sur le mont Defiance.

⁕

Le lendemain, nous pouvions clairement apercevoir depuis le fort les débuts de la construction d'un poste d'artillerie sur le mont Defiance. Tout le monde les vit. Arthur St. Clair, s'inclinant enfin devant l'évidence, ordonna l'évacuation du fort Ticonderoga.

Le gros de la garnison devait se déplacer jusqu'au mont Independence, emportant les provisions les plus utiles et les pièces d'artillerie. Une partie du bétail devait être abattue, le reste conduit dans les bois. Plusieurs unités de miliciens traverseraient la forêt jusqu'à la route d'Hubbardton, où elles attendraient en tant que renforts. Les femmes, les enfants et les invalides descendraient le lac en bateau, encadrés par une garde légère. Tout commença dans le calme. Chacun reçut l'instruction d'apporter tout ce qui flottait au bord du lac à la nuit tombée. Les hommes se rassemblèrent et vérifièrent leur équipement. L'ordre fut donné de détruire systématiquement tout ce qui ne pouvait être transporté.

C'était la procédure habituelle afin que l'ennemi ne puisse utiliser les ressources du fort. Dans notre cas, la question était d'autant plus importante que nous savions que l'armée de Burgoyne était à court de provisions. La priver des équipements de Ticonderoga pourrait l'arrêter, ou du moins la ralentir, car ses soldats devraient s'approvisionner dans la nature environnante en attendant d'être ravitaillés depuis le Canada.

Les préparatifs, le chargement, l'abattage du bétail et la destruction devaient se faire clandestinement, au nez et à la barbe des Britanniques. S'ils comprenaient que la retraite était imminente, ils nous tomberaient dessus tels des vautours, attaquant la garnison dès qu'elle sortirait du fort.

Presque tous les après-midi, d'immenses cumulonimbus s'accumulaient au-dessus du lac, des bouillonnements noirs et vertigineux chargés d'électricité qui crevaient parfois pendant la nuit, déversant des trombes d'eau sur le lac, les hauteurs, les avant-postes et le fort. Parfois, ils se contentaient de passer en grondant.

Ce soir-là, le ciel, bas et menaçant, était veiné de fulgurations. Des éclairs de chaleur palpitaient au cœur des nuages, les faisant crépiter dans des bribes de conversation muette. De temps à autre, une foudre bleu-blanc tombait avec un craquement assourdissant qui nous faisait tous sursauter.

Nous avions peu de choses à emporter, ce qui était aussi bien, car le temps manquait. Tout en travaillant, j'entendais un remue-ménage dans les casernes : des gens cherchant des objets perdus ; des mères appelant leurs enfants ; des bruits de pas de course dans les escaliers en bois.

Au-dehors, les moutons, surpris qu'on les sorte de leur enclos, bêlaient frénétiquement. Il y eut soudain des cris et des mugissements paniqués quand une vache tenta de se faire la belle. Une puissante odeur de sang frais flottait dans l'air.

J'avais déjà vu la garnison passée en revue et savais combien d'hommes la composaient. Mais de voir trois à quatre mille personnes se bousculant, tentant d'accomplir des tâches inhabituelles en un temps record, était comme d'observer une fourmilière renversée d'un coup de pied. Je me frayai un passage dans la cohue, serrant contre moi un sac à farine rempli de vêtements, de mes quelques fournitures médicales et d'un grand morceau de jambon offert par un patient reconnaissant et enveloppé dans mon jupon de rechange.

Je devais prendre place dans l'une des embarcations du fort avec un groupe d'invalides, mais il n'était pas question que je parte sans avoir vu Jamie.

Ma gorge était nouée depuis si longtemps que je pouvais à peine parler. Être mariée à un homme très grand avait ses avantages : il était toujours aisé de le repérer au milieu d'une foule. Je l'aperçus au bout de quelques instants se tenant sur l'une des batteries en demi-lune. Il était entouré de plusieurs de ses miliciens, tous regardant au pied du rempart. Je devinai que les bateaux étaient en train d'être préparés en contrebas. C'était encourageant.

Une fois grimpée sur le bord de la batterie, je regardai à mon tour et trouvai la vision nettement moins encourageante. La rive au pied du fort ressemblait au retour d'une flotte de pêche particulièrement désastreuse. Ce n'était pas les embarcations qui manquaient. Il y en avait de toutes sortes : des canoës, des barques, des doris et des radeaux rudimentaires. Certaines avaient été traînées sur la grève, d'autres dérivaient sans personne à bord. Lors d'un bref éclair, j'aperçus des têtes dans l'eau ; des hommes et des garçons tentaient de les récupérer à la nage. Afin de ne pas trahir notre plan de retraite, peu de lumière avait été faite sur la berge, mais ici et là, une torche révélait des disputes et des rixes. Au-delà des halos de lumière, le sol semblait onduler dans l'obscurité telle une carcasse grouillante de vers.

Jamie serrait la main de M. Anderson, un des hommes du *Teal* devenu *de facto* son caporal.

— Que Dieu vous accompagne, dit-il.

M. Anderson acquiesça et s'éloigna en entraînant avec lui un petit groupe de miliciens. En passant devant moi, plusieurs d'entre eux me saluèrent d'un signe de tête, leur visage invisible dans l'ombre de leur chapeau.

— Où vont-ils ? demandai-je à Jamie.

— Vers Hubbardton, répondit-il sans quitter la rive des yeux. Je leur ai dit qu'ils étaient libres de choisir mais que, s'ils partaient, ils feraient mieux de se dépêcher.

Il m'indiqua du menton la forme voûtée du mont Defiance. On apercevait la lueur de feux de camp près du sommet.

— S'ils ne se rendent pas compte de ce qui est en train de se passer, c'est qu'ils sont vraiment incompétents. À la place de Simon Fraser, j'attaquerais avant les premières lueurs de l'aube.

— Tu ne pars pas avec tes hommes ?

Une petite lueur d'espoir s'alluma en moi.

La batterie n'était éclairée que par les torches de l'escalier et les feux dans la cour du fort. Cela suffisait pour que je distingue son visage. Il avait l'air sombre, mais il y avait une impatience dans la crispation de sa mâchoire. J'y reconnus le masque du soldat prêt à s'élancer dans la bataille.

— Non, répondit-il. Je pars avec toi. Tu ne crois pas que je vais te laisser errer seule dans la nature avec une bande d'invalides et de demeurés ! Même si cela signifie de monter dans un bateau.

Je lui pris la main, riant malgré moi.

— Ce n'est pas très charitable, mais ce n'est pas tout à fait faux non plus, surtout si tu veux parler de Mme Raven. Tu l'as vue récemment ?

Il fit non de la tête. Le vent avait dénoué le lacet de ses cheveux. Il le tint entre ses dents et lissa sa chevelure en une épaisse queue de cheval.

Il y eut une exclamation de surprise un peu plus loin sur la batterie. Jamie et moi nous retournâmes en même temps. Le mont Independence était en flammes.

— AU FEU ! AU FEU !

En entendant les cris, les habitants du fort, déjà énervés et anxieux, jaillirent des casernes telles des compagnies de cailles affolées. L'incendie se situait juste sous le sommet de la colline, là où le général Fermoy avait établi un avant-poste avec ses hommes. Une langue de feu s'élevait, stable comme la flamme d'une chandelle. Puis une rafale de vent l'aplatit.

Elle resta tassée un moment comme si quelqu'un avait baissé le gaz d'une cuisinière, puis grandit brusquement en une conflagration qui illumina la colline. Se détachant sur un fond flamboyant, des centaines de silhouettes abattaient des tentes et chargeaient des bagages.

— Les quartiers de Fermoy sont en flammes, dit un soldat incrédule près de moi. C'est bien ça, hein ?

— Oui, répondit Jamie. Et si nous pouvons voir la retraite d'ici, les guetteurs de Burgoyne la voient aussi.

Là-dessus, aussi simplement que ça, la déroute commença.

Si j'avais encore douté de l'existence de la télépathie, ce qui suivit aurait effacé mes réserves. Déjà affolés par les atermoiements de St. Clair et le tam-tam constant des rumeurs, les soldats perdirent leur sang-froid. Dès que le feu se déclara sur le mont Independence, la conviction que les dragons britanniques et les Indiens allaient fondre sur nous se propagea sans qu'aucune parole n'ait besoin d'être échangée. La panique étendit ses grandes ailes noires sur le fort, et la confusion au bord du lac dégénéra en chaos sous nos yeux.

Une voix essoufflée s'éleva derrière moi :

— Une guinée d'or que ce connard de Français a mis le feu lui-même.

— C'est fort possible, maugréa Jamie. J'espère seulement qu'il est parti en fumée avec son avant-poste.

Un terrible éclair illumina le fort et des cris retentirent de toutes parts, presque aussitôt étouffés par le grondement assourdissant du tonnerre. En dépit du fait que nous avions essuyé des orages de cette intensité pratiquement tous les jours, la moitié des habitants fut convaincue que la colère de Dieu s'abattait sur nous. Ceux dont l'esprit était plus profane redoublèrent de panique, car les unités de miliciens des lignes extérieures qui battaient en retraite étaient éclairées comme en plein jour. Un beau spectacle pour les Britanniques installés sur le mont Defiance.

Je criai dans l'oreille de Jamie :

— Il faut que j'aille chercher mes malades. Va récupérer nos affaires dans la caserne !

Il fit non de la tête. Un autre éclair illumina ses cheveux par-derrière, lui donnant l'allure d'un démon. Il m'agrippa fermement le bras.

— Je ne te quitte pas. Nous risquons de ne pas nous retrouver.

— Mais…

Je m'interrompis en lançant un regard autour de moi. Il avait raison. Il y avait des milliers de gens courant, se bousculant ou restant simplement figés sur place, ne sachant pas quoi faire. Si nous étions séparés, il risquait de ne plus me trouver, et l'idée d'errer seule dans la forêt infestée d'Indiens sanguinaires et de soldats anglais aux portes du fort…

— Viens, lui dis-je. Faisons vite.

L'atmosphère à l'intérieur du bâtiment hospitalier était moins frénétique, principalement parce que la plupart des patients se déplaçaient difficilement. Ils n'en étaient pas moins agités, n'ayant pu glaner que des fragments d'informations des gens qui passaient devant eux en courant. Ceux qui avaient des familles étaient tout simplement traînés hors du bâtiment, ayant à peine le temps d'attraper leurs vêtements. Ceux qui n'en avaient pas se tenaient dans l'espace entre les lits, essayant tant bien que mal d'enfiler leur culotte, ou titubaient en direction de la sortie.

Le capitaine Stebbings, lui, était tranquillement allongé sur son lit, les mains croisées sur sa poitrine, observant le chaos avec intérêt. Une mèche de jonc brûlait sur le mur au-dessus de lui.

Il m'accueillit joyeusement.

— Madame Fraser ! Je suppose que je serai bientôt de nouveau un homme libre. J'espère que l'armée apporte de quoi manger. Je crois qu'on peut tirer un trait sur le dîner de ce soir.

Je ne pus réprimer un sourire.

— En effet. Vous prendrez soins des autres prisonniers britanniques, n'est-ce pas ? Le général St. Clair les laisse ici.

Il parut légèrement offensé.

— Ce sont mes hommes !

— Oui, c'est vrai.

Guinea Dick, presque invisible dans la pénombre, était accroupi contre le mur en pierre près du lit du capitaine. Il tenait une lourde canne, sans doute pour repousser les éventuels pillards. M. Ormiston était assis sur son lit, pâle mais excité, tripotant le bandage de son moignon.

— Ils arrivent vraiment, hein, madame ? Les Anglais ?

— Oui. Prenez soin de votre plaie et gardez-la propre. Elle cicatrise bien, mais évitez d'appuyer dessus pendant au moins quatre semaines, et attendez deux bons mois avant de vous faire faire une jambe en bois. Et surtout, ne laissez pas les médecins vous saigner… vous allez avoir besoin de toutes vos forces.

Il acquiesça, même si je savais qu'il serait le premier dans la queue dès qu'un médecin britannique se présenterait avec une lancette. Il croyait profondément en les vertus de la saignée, et je n'étais parvenue à le contenter qu'un peu en lui appliquant des sangsues.

Je serrai sa main et m'apprêtai à me tourner quand il me retint.

— Un instant, m'dame.

Il me lâcha, glissa une main sous son col et en sortit un lacet. Je le distinguais à peine mais, quand il le glissa dans ma paume, je sentis un petit disque en métal portant encore la chaleur de son corps.

— Si vous voyez ce petit gars, Abram, je vous serais reconnaissant de le lui donner. C'est mon porte-bonheur. Il ne m'a pas quitté depuis trente-deux ans. Dites-lui qu'il le protégera en cas de danger.

Jamie se tenait derrière moi dans l'obscurité, irradiant d'impatience et de nervosité. Il avait rassemblé autour de lui un petit groupe d'invalides, tous serrant quelques biens saisis au hasard. Je pouvais entendre la voix haut perchée de Mme Raven au loin, poussant des lamentations. Il me sembla qu'elle criait mon nom. Je baissai la tête et glissai le talisman autour de mon cou.

— Je le lui dirai, monsieur Ormiston. Merci.

*

Quelqu'un avait mis le feu à l'élégant pont de Jeduthan Baldwin. Une pile d'ordures fumait à une extrémité, et je vis des ombres noires courir sur la travée. Elles étaient armées de ciseaux de charpentier et de pieds-de-biche, arrachaient les planches et les jetaient à l'eau.

Jamie avançait dans la foule à coups d'épaule, moi derrière lui et notre petite procession de femmes, d'enfants et d'invalides sur mes talons tels des oisons cacardant d'agitation.

— Fraser ! Colonel Fraser !

En me retournant, j'aperçus Jonah – ou Bill – Marsden courant vers nous.

— Je viens avec vous, haleta-t-il. Vous aurez besoin de quelqu'un qui sache tenir une barre.

L'hésitation de Jamie ne dura qu'une fraction de seconde. Il acquiesça et indiqua la grève du menton.

— Allez-y, vite. J'amène le groupe le plus rapidement possible.

M. Marsden disparut dans l'obscurité. L'épaisse fumée me faisait tousser.

— Où est le reste de tes hommes ? demandai-je à Jamie.

— Évanouis dans la nature.

Des cris hystériques nous parvinrent depuis les Vieilles Lignes françaises. Ils se répandirent tel un feu de paille dans la forêt et jusqu'à la rive du lac, les gens hurlant que les Anglais arrivaient. La panique agitait ses ailes. Elle était si puissante que je sentis un cri monter dans ma gorge. Je le ravalai et sentis une colère irrationnelle m'envahir, me distançant de tous ces sots derrière moi qui hurlaient et se seraient éparpillés s'ils en avaient été capables. Nous étions à présent près de la rive. La bousculade était à son comble. Les gens s'entassaient pêle-mêle dans les embarcations, les faisant chavirer.

Je ne *pensais* pas que les Britanniques fussent sur le point d'attaquer mais ne pouvais en être sûre. Je savais que le fort Ticonderoga avait été le siège de plus d'une bataille… Mais quand serait la prochaine ? Allions-nous la vivre ce soir ? Dans l'ignorance, j'étais poussée par un sentiment d'urgence vers le lac tout en soutenant M. Wellman. Le malheureux avait contracté les oreillons de son fils et, par conséquent, marchait avec la plus grande difficulté.

M. Marsden – que Dieu le bénisse ! – avait dégoté un grand canoë qu'il avait éloigné de la grève afin qu'il ne soit pas pris d'assaut. En voyant Jamie approcher, il revint accoster et nous parvînmes à y entasser dix-huit personnes, y compris les Wellman et Mme Raven, pâle et le regard absent telle Ophélie.

Jamie lança un regard derrière lui vers le fort. Les grandes portes étaient ouvertes et l'on apercevait la lueur des grands feux dans la cour. Puis il leva les yeux vers la batterie où nous nous étions tenus un peu plus tôt.

— Quatre hommes gardent un canon dirigé vers le pont. Des volontaires. Ils ont accepté de rester. Les Britanniques, ou du moins certains d'entre eux, l'emprunteront certainement. Ils feront tout sauter puis s'enfuiront, s'ils le peuvent.

Il se retourna et, voûtant les épaules, enfonça profondément sa pagaie dans l'eau noire.

53

Mont Independence

Milieu de l'après-midi, 6 juillet 1777

Les troupes du brigadier général Fraser avançaient vers le petit fort en rondins de bois au sommet de la colline, celle que les Américains avaient ironiquement baptisée « Indépendance ». William, qui dirigeait l'un des premiers groupes, ordonna à ses hommes de fixer leur baïonnette. Il régnait un profond silence, interrompu uniquement par des craquements de branches, le bruit de bottes dans l'épais tapis de feuilles, le claquement d'une boîte de cartouches contre la crosse d'un mousquet. Était-ce un silence menaçant ?

Les Américains savaient sûrement qu'ils arrivaient. Les rebelles étaient-ils tapis en embuscade, prêts à leur tirer dessus depuis les fortifications rudimentaires mais solides qu'il apercevait entre les arbres ?

Lorsqu'ils furent parvenus à deux cents mètres du sommet, il fit signe à ses hommes de s'arrêter, espérant détecter un signe de la présence de défenseurs, si défenseurs il y avait. Sa compagnie obéit, mais il y avait d'autres soldats derrière eux, poussant et passant entre ses hommes, impatients de prendre le fort d'assaut.

Tout en sachant que le son de sa voix autant que sa redingote rouge ferait de lui une cible facile, il cria :

— Halte !

Certains soldats s'arrêtèrent mais furent aussitôt bousculés par ceux qui avançaient derrière eux. Au bout de quelques secondes, le sommet de la colline ne fut plus qu'une masse grouillante d'uniformes rouges. Ses hommes ne pouvaient plus rester immobiles : ils risquaient d'être piétinés. Si les défenseurs avaient voulu ouvrir le feu, ils ne pouvaient rêver d'une meilleure occasion. Pourtant, ils ne bronchaient toujours pas.

— Chargez ! hurla William en levant un bras.

Les hommes jaillirent d'entre les arbres dans une charge héroïque, pointant leurs baïonnettes.

Les portes du fort étaient entrouvertes, et les soldats se ruèrent à l'intérieur, au mépris du danger... pourtant, il ne se passa rien. Quand William entra avec ses hommes, il découvrit l'endroit désert. Non seulement abandonné mais évacué précipitamment.

Les biens personnels des rebelles étaient éparpillés partout comme s'ils les avaient laissés tomber dans leur fuite. Il n'y avait pas que des objets lourds tels que des ustensiles de cuisine, mais aussi des vêtements, des livres, des couvertures... même de l'argent. Plus important encore, les fuyards ne s'étaient même pas donné la peine de faire sauter les munitions et la poudre qui ne pouvaient être emportées ; il devait y en avoir plus de cent kilos dans des fûts entassés. Ils avaient également eu la prévenance de leur laisser des provisions.

— Pourquoi n'ont-ils pas foutu le feu ?

Derrière lui, le lieutenant Hammond n'en revenait pas. Il contemplait bouche bée les casernes équipées de lits, de draps, de pots de chambre... Les conquérants n'avaient plus qu'à s'y installer.

— Allez savoir ! marmonna William.

Il bondit en avant en voyant un soldat sortir de l'une des chambres avec un châle en dentelle autour du cou et les bras chargés de chaussures.

— Hé, vous ! Pas de pillage ! Vous m'avez entendu ?

Le voleur laissa tomber son butin et prit ses jambes à son cou, des pans de dentelle battant au vent derrière lui.

Malheureusement, il n'était pas le seul à se servir, et William compris rapidement que Hammond et lui ne pourraient empêcher le saccage. Haussant la voix pour se faire entendre par-dessus le raffut croissant, il appela un enseigne et, saisissant l'écritoire du soldat, griffonna un message.

— Apportez ça au brigadier général Fraser. Faites vite !

*

Aube, 7 juillet 1777

— Je ne tolérerai pas ces débordements scandaleux !

Les traits du brigadier général Fraser étaient profondément creusés, tant par la colère que par la fatigue. La petite pendule de voyage sous sa tente indiquait cinq heures du matin, et William avait l'étrange sensation que sa propre tête flottait quelque part au-dessus de son épaule gauche.

— Saccages, vols, indiscipline… Cela ne passera pas ! Me suis-je bien fait entendre ?

Le petit groupe d'officiers épuisés acquiesça dans un concert de grognements. Ils avaient passé la nuit à tenter de ramener leurs troupes à un semblant d'ordre, les empêchant de commettre les pires excès, à inspecter les avant-postes abandonnés des Vieilles Lignes françaises, ainsi qu'à inventorier la manne providentielle de provisions de bouche et de munitions laissée pour eux par les défenseurs. Ils avaient trouvé quatre de ces derniers ivres morts près d'un canon chargé et braqué sur le pont en contrebas.

— Ces hommes, ceux que vous avez ramenés, vous les avez interrogés ?

— Non, général, répondit le capitaine Hayes en réprimant un bâillement. Ils sont toujours inconscients. D'après le médecin, ils ont tellement bu que c'est un miracle qu'ils soient encore en vie.

Hammond chuchota à William :

— Ils étaient morts de trouille après avoir attendu tout ce temps notre arrivée.

— Je dirais plutôt morts d'ennui, marmonna William.

Il croisa le regard noir du brigadier général et se redressa aussitôt.

— Bah ! Ils n'auront rien à nous apprendre que nous ne sachions déjà, conclut Fraser.

Il agita une main pour dissiper un nuage de fumée qui s'était glissé sous la tente, puis toussota. William huma discrètement l'air. Il était chargé d'une odeur exquise qui lui titilla l'estomac. Jambon ? Saucisse ?

— J'ai envoyé une dépêche au général Burgoyne pour lui annoncer que nous avions récupéré le fort Ticonderoga. Ainsi qu'au colonel Saint-Léger. Nous laisserons ici une petite garnison pour dresser l'inventaire et remettre un peu d'ordre mais, pour le reste d'entre nous… nous avons des rebelles à capturer, messieurs. Je ne peux vous offrir beaucoup de répit, mais il vous reste assez de temps pour prendre un bon petit déjeuner. Bon appétit !

54

Le retour de l'enfant sauvage

Nuit, 7 juillet 1777

Ian Murray entra dans le fort sans rencontrer la moindre difficulté. Ce n'étaient pas les rangers ni les Indiens qui manquaient. La plupart dormaient adossés aux bâtiments, bon nombre ivres, d'autres fouillaient dans les casernes abandonnées, se faisant parfois chasser par des soldats chargés de protéger le butin inattendu.

Il respira mieux en constatant qu'il n'y avait aucun signe de massacre. Cela avait été sa première angoisse mais, si les lieux étaient sens dessus dessous, il n'y avait ni sang ni odeur de poudre. Aucun coup de feu n'avait été échangé dans ce fort depuis plus d'un jour.

Pris d'une inspiration, il se dirigea vers le bâtiment hospitalier. Personne ne le gardait puisqu'il ne contenait rien d'intéressant. Les odeurs d'urine, d'excréments et de sang s'étaient atténuées ; la plupart des patients avaient été évacués. Il aperçut quelques personnes, dont un homme en veste verte, sans doute un médecin, entouré d'ordonnances. Des hommes approchaient en portant une civière, leurs bottes crissant contre la pierre tandis qu'ils négociaient la courbe de l'étroit escalier. Derrière se dressait la haute silhouette de Guinea Dick, un grand sourire de cannibale illuminant son visage.

Ian sourit à son tour. Le capitaine Stebbings devait être toujours en vie et M. Dick était désormais un homme libre.

Derrière lui arrivait M. Ormiston, avançant lentement sur une paire de béquilles et soutenu de chaque côté par des ordonnances attentionnées ; ces dernières paraissaient minuscules à côté du corpulent marin. Il pourrait donc annoncer à tante Claire qu'ils allaient tous bien ; elle serait soulagée.

Encore fallait-il qu'il la trouve. Il n'était pas trop inquiet. Oncle Jamie la protégerait contre vents et marées, ou la totalité de l'armée de Sa Majesté. Restait à savoir quand il les rejoindrait. Rollo et lui se déplaçaient beaucoup plus rapidement que les troupes ; ils les rattraperaient tôt ou tard.

Curieux de savoir qui d'autre était resté dans l'hôpital, il attendit caché derrière une porte mais ne vit personne. Les Hunter étaient-ils partis avec les troupes de St. Clair ? Il l'espérait, même sachant qu'ils auraient été plus en sécurité en restant sur place qu'en fuyant dans la vallée de l'Hudson avec les réfugiés de Ticonderoga. Comme ils étaient quakers, les Britanniques ne leur feraient probablement pas de mal, mais il aurait bien aimé revoir Rachel et aurait plus de chances de le faire si elle avait suivi son frère avec les rebelles.

En poursuivant son inspection des lieux, il devint convaincu de deux choses : les Hunter étaient partis ; l'évacuation du fort Ticonderoga s'était déroulée dans la panique. Quelqu'un avait mis le feu au pont, mais il n'avait que partiellement brûlé. Peut-être l'incendie avait-il été éteint par la pluie. Les berges étaient jonchées de débris, ce qui signifiait que beaucoup avaient pris la fuite par le lac. De là où il se trouvait, il apercevait deux grands vaisseaux sur les eaux calmes, tous deux battant pavillon britannique. Depuis son perchoir sur la batterie, il voyait les monts Independence et Defiance grouiller d'uniformes rouges et en ressentit étrangement une petite pointe de colère.

— Vous ne les garderez pas longtemps, marmonna-t-il entre ses dents.

Il avait parlé en gaélique, fort heureusement, car un soldat qui passait par là lui lança un regard surpris. Il détourna les yeux et redescendit dans le fort. Il n'avait plus rien à faire ici, personne à attendre. Il prendrait un repas chaud, quelques provisions, puis irait chercher Rollo et se remettrait en route. Il pouvait…

Un *BOUM* assourdissant le fit bondir. Sur sa droite, l'un des canons était pointé vers le pont. Juste derrière se tenait un Huron hébété. Il était ivre et chancelait.

Il y eut des cris au pied des remparts. Les soldats croyaient qu'on leur tirait dessus depuis le fort, bien que le boulet soit passé haut au-dessus de leurs têtes, atterrissant dans le lac sans faire de dégâts.

Le Huron gloussa de rire.

— Qu'as-tu fait ? lui demanda Ian.

Il s'était exprimé dans une langue algonquine que l'autre serait susceptible de parler, mais l'homme rit de plus belle. Il en avait les larmes aux yeux. Il agita un doigt vers un baquet non loin. Les défenseurs étaient partis si précipitamment qu'ils avaient laissé derrière eux un grand seau de mèches lentes.

— Boum ! dit le Huron.

Il lui indiqua une longue mèche allumée, sortie du baquet et abandonnée sur les pierres tel un serpent rougeoyant.

— Boum ! répéta-t-il en pointant le menton vers le canon.

Il riait si fort qu'il dut s'asseoir.

Des soldats accouraient vers la batterie en criant, faisant autant de raffut que ceux qui se trouvaient au pied du fort. C'était probablement un bon moment pour s'éclipser en douce.

55

La retraite

… Nous poursuivons les rebelles, dont bon nombre ont fui par le lac. Nos deux sloops sont à leurs trousses, mais j'ai également envoyé quatre compagnies au point de portage où je pense que nous avons de bonnes chances de les capturer.

Le brigadier général Simon Fraser
au major général J. Burgoyne.

*

William regrettait d'avoir accepté l'invitation du brigadier à partager son petit déjeuner. S'il s'était contenté de la maigre ration qui était le lot d'un lieutenant, il aurait eu faim mais l'esprit tranquille. Malheureusement pour lui, il s'était trouvé sur place, se goinfrant de saucisses frites, de toasts beurrés et de gruau de maïs au miel (le brigadier en raffolait), quand était arrivé le message du général Burgoyne. Il ignorait ce qu'il disait. Le brigadier l'avait lu tout en buvant son café, avait froncé les sourcils, puis avait demandé une plume et un encrier. Quand il eut fini de rédiger sa réponse, il releva les yeux vers lui avec un petit sourire.

— Que diriez-vous d'une petite chevauchée matinale, William ?

C'était ainsi qu'il s'était trouvé dans le quartier général de campagne du général Burgoyne quand les Indiens étaient entrés. L'un des soldats, un dénommé Wyandot, lui avait dit ne pas les connaître mais avait entendu parler de leur chef, « Lèvres de cuir ». Ce nom intriguait William. Peut-être était-ce un incorrigible bavard ?

Ils étaient cinq, sveltes, de jeunes vauriens avec des airs de loups. Il n'aurait su dire comment ils étaient vêtus ni quelles armes ils portaient ; toute son attention était concentrée sur la pique que l'un d'eux arborait. Elle était décorée de scalps. Des scalps frais... de Blancs. Une dérangeante odeur musquée de sang flottait dans l'air et des mouches bourdonnaient autour du groupe. Les restes du copieux petit déjeuner de William se coagulèrent en une boule dure juste sous ses côtes.

L'un des Indiens demanda, dans un anglais étonnamment mélodieux, où trouver le trésorier. C'était donc vrai. Le général Burgoyne avait lâché ses Indiens sur les rebelles, pour les traquer dans la forêt tels des chiens de chasse et semer la terreur.

Il ne voulait pas regarder les scalps mais ne pouvait s'en empêcher. Ses yeux suivaient les trophées sanglants qui se balançaient sur la pique au milieu d'un attroupement croissant de soldats intrigués, certains légèrement horrifiés, d'autres les acclamant. Bon sang, était-ce bien un scalp de *femme* ? Une longue masse de cheveux couleur miel, plus longs que ce qu'un homme aurait porté et brillants comme s'ils avaient reçu cent coups de brosse tous les soirs, comme ceux de sa cousine Dottie. De fait, ç'aurait pu être ceux-là si la couleur n'avait pas été légèrement plus sombre...

Il se détourna brusquement en espérant ne pas être malade. Au même moment, il entendit un cri. Il n'en avait encore jamais entendu d'aussi glaçant, autant chargé d'horreur et de douleur. Son sang se figea.

— Jane ! Jane !

David Jones, un lieutenant gallois qu'il connaissait vaguement, se frayait un passage dans la foule, repoussant les hommes à coups de coude et de poing. Il avançait vers les Indiens surpris, le visage tordu d'émotion.

— Merde ! souffla un soldat près de William. Sa fiancée s'appelle Jane. Ce ne peut quand même pas...

Jones bondit vers la pique et tenta d'attraper la chevelure blonde en hurlant « JANE ! » à pleins poumons. Déconcertés, les Indiens s'efforcèrent de maintenir leurs prises hors de sa portée. Le lieutenant se jeta sur l'un d'eux, le renversa à terre et le roua de coups avec toute la force de la démence.

Les hommes se bousculaient, certains tentant mollement de retenir Jones. Ils lançaient des regards effarés vers les Indiens, qui se serraient les uns contre les autres, une main sur leur tomahawk. En l'espace d'un instant, l'atmosphère de l'attroupement était passée de l'approbation à l'indignation, et les Indiens le sentaient.

Un officier que William ne connaissait pas s'avança, défia les Indiens d'un regard mauvais puis arracha le scalp blond de la pique. Il se tint un moment sans savoir quoi en faire. Les cheveux dans sa main paraissaient vivants, les boucles s'enroulant autour de ses doigts.

Les autres étaient enfin parvenus à séparer Jones de l'Indien et lui tapotaient le dos, cherchant à le convaincre de s'éloigner. Le jeune lieutenant se tint immobile, des larmes coulant sur ses joues et gouttant sous son menton. « Jane », articula-t-il en silence. Il tendit la main d'un air implorant, la paume vers le ciel, et l'officier y déposa délicatement le trophée macabre.

56

Les captifs

Le lieutenant Stactoe était tombé en arrêt devant l'un des cadavres. Il s'accroupit très lentement, son regard rivé sur quelque chose, puis, comme par réflexe, posa une main sur sa bouche.

— Je ne voulais pas regarder.

Il avait entendu mes pas et se retourna. La transpiration formait des rigoles le long de son cou et le col de sa chemise était trempé. D'une voix parfaitement neutre, il me demanda :

— À votre avis, il était encore en vie quand ils lui ont fait ça ?

À contrecœur, je regardai par-dessus son épaule.

— Oui.

— Ah.

Il contempla le corps encore un moment puis fit quelques pas sur le côté et vomit.

Je lui pris le bras et lui dis doucement :

— Peu importe. Il est mort à présent. Venez m'aider.

Un bon nombre d'embarcations s'étaient égarées et avaient été capturées avant d'atteindre l'autre rive du lac. Beaucoup d'autres fuyards avaient été surpris par les soldats britanniques au point de portage. Notre canoë et quelques autres étaient parvenus à s'échapper. Nous avions marché dans la forêt pendant un jour, une nuit et le plus clair d'un autre jour avant de rejoindre le gros des troupes ayant fui le fort par voie de terre. Je commençais à penser que ceux qui avaient été faits prisonniers étaient les chanceux.

J'ignorais depuis combien de temps le petit groupe que nous venions de découvrir avait été massacré par les Indiens. Les cadavres n'étaient pas frais.

*

Des sentinelles étaient postées la nuit. Ceux qui n'étaient pas de garde dormaient comme s'ils avaient été assommés à coups de gourdin, épuisés par la retraite, si l'on pouvait user d'un tel euphémisme pour une fuite en avant aussi pénible que douloureuse. Je me réveillai en sursaut à l'aube, après avoir rêvé d'arbres couverts de neige. Jamie était accroupi près de moi, une main sur mon bras.

— Tu ferais bien de venir, *a nighean*.

Mme Raven s'était tranché la gorge avec un canif.

Nous n'avions pas le temps de lui creuser une tombe. Je lui fermai les yeux, et nous empilâmes des pierres et des branches sur son corps avant de repartir en titubant vers l'ornière qui faisait office de route à travers la nature sauvage.

*

Nous commençâmes à les entendre alors que les ténèbres descendaient entre les arbres. De longs hululements. On aurait dit une meute de loups.

— Avancez ! Avancez ! Les Indiens ! aboya l'un des miliciens.

Comme invoqué par son ordre, un cri aigu à vous glacer le sang transperça la pénombre, et la colonne de fuyards fut prise de panique, les hommes lâchant leurs balluchons et se bousculant pour passer devant. Les réfugiés s'étaient mis à hurler à leur tour, mais leurs cris furent vite étouffés.

Jamie poussait les plus lents vers le sous-bois.

— Il faut sortir de la route. Ils ne savent peut-être pas encore où nous sommes.

Je n'en étais pas convaincue.

— Tu as préparé ton chant de mort, mon oncle ? chuchota Ian.

Il nous avait rattrapés la veille, et Jamie et lui m'encadraient. Nous étions tapis derrière un énorme tronc couché.

— Tu vas voir le chant de mort que je vais leur chanter ! marmonna Jamie.

— Tu ne sais pas chanter.

Je n'avais pas voulu plaisanter. J'étais si terrifiée que cela m'était sorti machinalement. De fait, cela ne le fit pas rire. Il était en train d'amorcer un de ses pistolets, qu'il glissa à nouveau sous sa ceinture.

— C'est vrai, dit-il. Mais ne t'inquiète pas, *a nighean*, je ne les laisserai pas te prendre. Pas vivante.

Je me tournai vers lui puis baissai les yeux vers son arme. Je n'aurais jamais cru possible d'avoir aussi peur.

C'était comme si ma colonne vertébrale s'était soudain brisée. Mes membres ne répondaient plus et mes entrailles s'étaient littéralement liquéfiées. À cet instant, je compris exactement ce qui avait poussé Mme Raven à se trancher la gorge.

Ian chuchota quelque chose à Jamie et s'éloigna, aussi discret qu'une ombre.

Il me vint soudain à l'esprit qu'en prenant le temps de m'abattre au cas où les Indiens nous attaqueraient, Jamie courait le risque d'être capturé vivant. J'étais trop terrorisée pour lui dire de ne pas le faire.

Je rassemblai mon courage et déglutis.

— Pars ! lui dis-je. Ils ne… ils ne s'en prendront probablement pas aux femmes.

Ma jupe était en lambeaux, tout comme ma veste. J'étais couverte de boue, de feuilles mortes et de petites piqûres sanglantes de moustique, mais j'étais encore identifiable en tant que femme.

— Il n'en est pas question, répondit-il brièvement.

— Oncle Jamie, chuchota Ian.

Sa voix provenait de l'obscurité.

— Quoi ?

— Ce ne sont pas des Indiens.

— *Quoi ?*

— C'est un soldat anglais, hurlant comme un Indien. Il essaie de nous rabattre.

Jamie jura. Il faisait presque noir autour de nous désormais. Je distinguais quelques formes vagues, sans doute celles de gens qui étaient avec nous. J'entendis un gémissement tout près mais ne vis personne.

Les cris retentirent à nouveau, venant de l'autre côté cette fois. S'il s'agissait d'un rabatteur, savait-il où nous étions ? Si oui, vers où voulait-il nous rabattre ? Je sentais l'indécision de Jamie. De quel côté partir ? Il hésita encore une seconde, peut-être deux, puis me prit le bras et m'entraîna plus profondément dans la forêt.

Au bout de quelques minutes, nous tombâmes sur un autre groupe de réfugiés. Ils s'étaient immobilisés, trop terrifiés pour bouger. Ils étaient blottis les uns contre les autres, les femmes serrant leurs enfants, une main pressée contre la bouche des plus petits.

— Laisse-les, glissa Jamie dans mon oreille.

Sa main se crispa sur mon bras. Je me tournai pour le suivre quand une autre main agrippa mon autre bras. Je poussai un cri, et tout le monde se mit à hurler en même temps. Soudain, la forêt autour de nous ne fut plus qu'une masse grouillante de gens courant et hurlant.

Le soldat (car c'était bien un soldat britannique ; de si près je pouvais voir les boutons de son uniforme et sentir sa cartouchière battre contre ma hanche) se pencha vers moi avec un sourire mauvais. Son haleine sentait le pourri.

— Ne bouge pas, ma belle. Tu n'iras plus nulle part à présent.

Mon cœur battait si fort qu'il me fallut une bonne minute avant de me rendre compte que la main qui serrait mon autre bras n'était plus là. Jamie avait disparu.

On nous ramena sur la route en un petit groupe compact, avançant lentement dans le noir. Aux premières lueurs du jour, ils nous laissèrent boire à une source puis nous reprîmes notre marche jusqu'au milieu de l'après-midi. À ce stade, même les bien portants étaient sur le point de tourner de l'œil.

Ils nous parquèrent dans un champ. La femme de fermier que j'étais eut un pincement au cœur en voyant le blé – à quelques semaines des récoltes – foulé aux pieds, les épis dorés déchiquetés et piétinés en une boue brune. À l'autre bout du champ, une cabane se dressait entre les arbres. Je vis une fillette sortir sur la véranda, plaquer une main sur sa bouche d'un air horrifié puis disparaître à l'intérieur.

Trois officiers britanniques traversèrent le champ en direction de la cabane, n'accordant pas un regard à la masse grouillante d'invalides, de femmes et d'enfants qui tournaient en rond sans savoir quoi faire. J'essuyai la sueur qui me coulait dans les yeux d'un coin de mon mouchoir, glissai à nouveau celui-ci dans mon corset puis me mis en quête d'un responsable.

Aucun de nos officiers ni de nos hommes valides ne semblait avoir été capturé. Il n'y avait eu que deux médecins accompagnant la retraite des malades, et je ne les avais pas aperçus depuis plusieurs jours. Soit. Je me dirigeai vers le soldat britannique le plus proche. Il surveillait le chaos en plissant les yeux, son mousquet à la main.

— Nous avons besoin d'eau, lui annonçai-je sans préambule. Il y a un ruisseau juste derrière ces arbres. Puis-je emmener quelques femmes avec moi pour aller chercher de l'eau pour les malades et les blessés ?

Il transpirait abondamment. La laine rouge de sa redingote était noire sous les aisselles et la poudre de riz de ses cheveux s'était encroûtée dans les rides de son front. Il grimaça, m'indiquant qu'il ne voulait rien avoir à faire avec moi. Je me plantai devant lui et le fixai. Il lança des regards autour de lui, cherchant quelqu'un vers qui m'envoyer, mais les trois autres officiers étaient entrés dans la cabane. Capitulant, il haussa les épaules.

— C'est bon, allez-y.

Puis il me tourna le dos, surveillant la route, où un nouveau convoi de prisonniers approchait.

Après un bref tour d'horizon, je rassemblai trois seaux et autant de femmes raisonnables, à savoir inquiètes sans être hystériques. Je les envoyai au ruisseau puis quadrillai le champ, établissant un rapide état des lieux. C'était autant pour refouler mon angoisse que parce qu'il n'y avait personne d'autre pour le faire.

Combien de temps nous garderaient-ils ici ? Si nous restions plus que quelques heures, il faudrait creuser des fosses sanitaires. Toutefois, les soldats ayant les mêmes besoins, je leur laissais ce soin. L'eau arrivait. Nous allions devoir nous relayer au ruisseau pendant quelque temps. Des abris… Je levai le nez vers le ciel. Il était brumeux de chaleur mais dégagé. Ceux qui tenaient sur leurs jambes aidaient déjà à déplacer les captifs gravement malades et blessés à l'ombre des arbres en lisière du champ.

Où est Jamie ? A-t-il pu s'échapper sain et sauf ?

Au-dessus du brouhaha des appels et des conversations anxieuses me parvenait parfois un grondement de tonnerre lointain. L'air lourd et humide me collait à la peau. Ils allaient devoir nous déplacer quelque part, dans la colonie la plus proche, mais cela prendrait sans doute plusieurs jours. Je n'avais pas la moindre idée d'où nous nous trouvions.

Avait-il été fait prisonnier lui aussi ? Si oui, l'emmèneraient-ils au même endroit que les invalides ?

Ils décideraient probablement de libérer les femmes, ne voulant pas les nourrir. D'un autre côté, les épouses refuseraient de quitter leurs hommes malades, du moins la plupart d'entre elles, préférant partager le peu de rations qu'on leur donnerait.

Je marchai lentement dans le champ, effectuant un triage mental. Cet homme sur la civière ne passerait pas la nuit ; j'entendais son râle à quelques pieds. Soudain, je perçus un mouvement près de la cabane.

La famille, deux femmes adultes, deux adolescentes, deux enfants et un bébé, quittait les lieux en emportant des paniers, des couvertures et tout ce qu'elle pouvait porter. L'un des officiers les accompagnait. Il les conduisit à l'autre bout du champ et s'adressa à l'un des gardes, l'instruisant sans doute de les laisser passer. L'une d'elles s'arrêta au bord de la route et se retourna pour lancer un dernier regard à sa maison ; un seul. Les autres poursuivirent leur chemin en fixant un point droit devant elles. Où étaient leurs hommes ?

Où sont les miens ?

Je m'arrêtai devant un homme récemment amputé d'une jambe. J'ignorais son nom mais reconnus son visage : c'était un charpentier, l'un des rares Noirs présents au fort Ticonderoga. Je lui souris et m'agenouillai devant lui. Ses bandages se défaisaient et son moignon suintait.

— Votre jambe mise à part, comment vous sentez-vous ?

Sa peau était gris pâle et moite de sueur, mais il parvint à esquisser un faible sourire.

— Ma main gauche ne me fait plus mal.

En guise de réponse, il la souleva et la laissa retomber lourdement comme une masse de plomb, n'ayant pas la force de la retenir.

— Laissez-moi arranger votre bandage. On vous apportera de l'eau dans quelques minutes.

— Tant mieux, dit-il en fermant les yeux. Ça me fera du bien.

Je glissai mes mains sous sa cuisse pour la soulever. L'extrémité du bandage était tordue comme une langue de serpent et raidie par le sang séché et l'onguent. Ce dernier, un mélange de graines de lin et de térébenthine, était pâteux et imprégné de sang et de lymphe. Malheureusement, je n'avais d'autre choix que de le réutiliser.

— Comment vous appelez-vous ?

Il respirait avec peine. Moi de même, la chaleur lourde me comprimait la poitrine comme un étau.

— Walter. Walter… Woodcock.

— Ravie de faire votre connaissance. Moi, c'est Claire Fraser.

— Je vous connais, murmura-t-il. Vous êtes la femme du grand rouquin. Il a pu s'échapper du fort ?

J'essuyai mon front sur mon épaule pour empêcher la sueur de me couler dans les yeux.

— Oui. Il s'en est sorti sain et sauf.

Mon Dieu, faites que ce soit vrai !

L'officier anglais retournait vers la cabine. Quand il passa à quelques pieds de moi, je relevai les yeux et me figeai.

Il était grand et mince avec de larges épaules. J'aurais reconnu n'importe où ces longs pas, cette grâce naturelle, ce port de tête arrogant. Il s'arrêta, fronça les sourcils puis se tourna pour contempler le champ jonché de malades. Son nez droit comme une lame de couteau était un poil trop long. Je fermai les yeux un instant, étourdie, pensant que j'hallucinais. Puis je les rouvris en sachant que ce n'était pas le cas.

— William Ransom ? lâchai-je malgré moi.

Il sursauta et se tourna vers moi. Des yeux bleus, d'un bleu sombre ; ces yeux félins de Fraser, à présent plissés pour se protéger du soleil.

— Je… euh… vous demande pardon…

Qu'est-ce qu'il m'a pris de lui parler ? Cela avait été plus fort que moi. Mes mains pressaient la cuisse de Walter, maintenant son bandage en place. Je pouvais sentir son pouls fémoral sous mes doigts, aussi erratique que le mien.

— Nous nous connaissons, madame ?

— Oui, vous avez séjourné chez nous il y a quelques années. Un endroit appelé Fraser's Ridge.

Son expression changea aussitôt et son regard sur moi s'aiguisa.

— Ah ! mais oui, dit-il lentement. Je m'en souviens. Vous êtes madame Fraser, n'est-ce pas ?

Je pouvais voir ses méninges fonctionner. Il n'avait pas le don de Jamie de pouvoir cacher ses pensées, ou s'il l'avait, il ne s'en servait pas. En gentil garçon bien élevé, il était en train de se demander quelle était la réaction convenable à adopter dans une situation aussi délicate ; puis, après un bref regard par-dessus son épaule vers la cabane, si cette réaction entrait en conflit avec son devoir.

Il redressa les épaules, ayant pris sa décision, mais je ne lui laissai pas le temps de parler :

— Serait-il possible d'avoir plus de seaux pour transporter l'eau ? Et des bandages ?

La plupart des femmes avaient déjà déchiré leurs jupons pour cet usage. Bientôt, nous serions toutes à moitié nues.

Il baissa les yeux vers Walter puis regarda la route.

— Des seaux… oui. Il y a un médecin dans la division qui nous suit. Dès que j'aurai un instant, j'enverrai quelqu'un lui demander des bandages.

— Et de la nourriture ? renchéris-je.

Je n'avais avalé que quelques poignées de baies au cours des deux derniers jours. Je n'avais pas encore de crampes à l'estomac – que j'avais néanmoins inextricablement noué –, mais la tête commençait à me tourner. Nous étions tous dans le même état. Si on ne nous donnait pas à manger et un abri rapidement, la chaleur et la faiblesse achèveraient bon nombre des invalides.

Il hésita. Je vis son regard balayer le champ, estimant le nombre de personnes.

— Cela risque d'être… Notre convoi de ravitaillement est…

Puis il pinça les lèvres et secoua la tête.

— Je verrai ce que je peux faire. À votre service, madame.

Il s'inclina courtoisement et tourna les talons. Fascinée, je l'observai marcher vers la route. Il avait des cheveux sombres dont un rayon de soleil faisait jouer les reflets fauves au sommet de son crâne. Sa voix était devenue plus grave (forcément, il n'avait qu'une douzaine d'années la dernière fois que je l'avais vu), et l'étrangeté d'entendre Jamie parler avec un accent anglais distingué me donna envie de rire en dépit de notre situation précaire et de mon inquiétude. Avec un soupir, je repris mon travail.

Une heure après cette conversation, un soldat anglais arriva avec quatre seaux qu'il laissa tomber à mes pieds ;

sans un mot, il repartit aussitôt vers la route. Deux heures plus tard, une ordonnance trempée de sueur se présenta avec deux sacs en jute remplis de bandages. Je notai au passage qu'il s'était dirigé droit vers moi sans la moindre hésitation et me demandai comment William m'avait décrite.

J'acceptai les bandages avec gratitude.

— Merci. Vous… vous pensez qu'on nous donnera bientôt à manger ?

L'ordonnance examina le champ en grimaçant. Les invalides risquaient de devenir bientôt sa responsabilité. Puis il se tourna à nouveau vers moi, courtois en dépit de sa lassitude.

— J'en doute, madame. Le convoi de ravitaillement est deux jours derrière nous. Nos troupes vivent de ce qu'elles peuvent transporter dans leur paquetage et de ce qu'elles trouvent en chemin.

Il m'indiqua la route. De l'autre côté, j'apercevais des soldats britanniques montant le camp.

— Je suis navré, déclara-t-il.

Il allait repartir quand il se souvint de quelque chose et décrocha la gourde qu'il portait en bandoulière. Elle paraissait lourde et émettait un clapotis alléchant.

— Le lieutenant Ellesmere m'a demandé de vous donner ceci. Il a dit que vous paraissiez avoir chaud.

Le lieutenant Ellesmere… ce devait être William. Je le remerciai chaleureusement puis ne pus m'empêcher de lui demander :

— Comment avez-vous su qui j'étais ?

Il sourit légèrement.

— Le lieutenant a dit que vous étiez celle aux cheveux bouclés sans bonnet qui donnait des ordres à tout le monde comme un sergent-major.

Trois hommes moururent avant le coucher du soleil. Walter Woodcock était toujours en vie mais en piteux état. Nous avions transporté autant d'hommes que nous pouvions sous les arbres en lisière du champ, et j'avais divisé les blessés graves en petits groupes. Chacun de ces derniers disposait d'un seau et de deux ou trois femmes ou blessés légers pour les aider. J'avais également fait creuser des latrines et séparé de mon mieux les malades contagieux de ceux dont la fièvre était due à leurs blessures ou au paludisme. Trois personnes souffraient de ce que j'espérais n'être qu'une pyrexie de chaleur, et un homme de ce que je craignais être une diphtérie. Je m'assis à côté de celui-ci, un jeune charron du New Jersey, vérifiant les muqueuses de sa gorge à intervalles réguliers et lui faisant boire autant d'eau qu'il pouvait en ingurgiter. Mais pas de ma gourde.

William Ransom – que Dieu le bénisse ! – l'avait remplie de cognac.

J'en bus une petite gorgée. J'en avais versé un peu dans le seau d'eau de chaque groupe mais en avais conservé pour mon propre usage. Ce n'était pas vraiment de l'égoïsme. Pour le moment, les malades étaient sous ma responsabilité, et je devais rester vaillante.

Je m'assis sur le sol et m'adossai à un chêne. J'avais mal de la plante des pieds aux genoux ; mon dos et mes côtes me faisaient grimacer à chaque mouvement, et je devais fermer les yeux de temps à autre pour calmer les étourdissements. Toutefois, j'étais enfin assise, immobile pour la première fois depuis ce qui me paraissait être des jours.

De l'autre côté de la route, les soldats cuisinaient leurs maigres rations. L'eau me monta à la bouche lorsque je sentis une odeur de viande cuite et de farine. Le petit garçon de Mme Wellman, la tête posée sur les genoux de sa mère, gémissait de faim. Elle lui caressait les cheveux machinalement, le regard fixé sur le corps de son mari, qui gisait non loin. Nous n'avions ni drap ni couverture pour lui confectionner un linceul, mais une âme charitable avait donné un mouchoir pour couvrir son visage. Les mouches s'en donnaient à cœur joie.

L'air s'était rafraîchi mais était encore chargé d'une menace de pluie ; le tonnerre grondait toujours au loin, et nous allions probablement nous prendre une belle saucée pendant la nuit. J'écartai de ma poitrine ma chemise imbibée de sueur. Elle n'aurait sans doute pas le temps de sécher avant la pluie. Je regardai avec envie le camp de l'autre côté de la route, avec ses rangs ordonnés de petites tentes et ses abris en branchages. Il y avait quelques tentes plus grandes pour les officiers, bien que plusieurs d'entre eux se soient installés dans la cabane réquisitionnée.

Il fallait que j'aille les voir, que j'implore les officiers de donner au moins à manger aux enfants. Lorsque l'ombre de ce grand pin atteindrait mon pied, j'irais. En attendant, je débouchai la gourde et bus une autre petite gorgée.

Un mouvement attira mon regard, et je relevai les yeux. La silhouette reconnaissable entre toutes du lieutenant Ransom avançait entre les tentes et traversa la route. De le voir me réchauffa un peu le cœur, même si cela ravivait mon inquiétude pour Jamie et me rappelait un peu trop Brianna. Au moins, elle était en sécurité, ainsi que Roger et les enfants. Jemmy et Amanda. Je me répétai leurs noms comme un refrain apaisant.

William avait dénoué sa cravate. Ses cheveux étaient en désordre et sa veste, tachée de sueur et de poussière. Visiblement, la traque des rebelles éprouvait également les Anglais.

Il lança un regard à la ronde, me repéra et marcha droit sur moi. Je me relevai péniblement, luttant contre la gravité tel un hippopotame se hissant hors d'une mare de boue.

J'étais enfin debout en train de remettre un peu d'ordre dans ma coiffure quand quelqu'un me donna une tape dans le dos. Je sursautai violemment mais, heureusement, ne criai pas.

— C'est moi, tante Claire, chuchota Ian. Venez avec moi… oh, merde !

William n'était plus qu'à dix pas de moi et, en relevant la tête, avait aperçu Ian. Il bondit en avant, m'agrippa le bras et me tira vers lui. Je poussai un petit cri étranglé, car Ian me retenait fermement par l'autre bras et tirait dans le sens inverse, cherchant à m'entraîner entre les arbres.

— Lâchez-la ! aboya William.

— Plutôt crever ! Lâchez-la, vous !

Le garçon de Mme Wellman s'était redressé et regardait la forêt en écarquillant les yeux.

— Maman ! Maman ! Les Indiens !

Les femmes près de nous se mirent à crier, et tout le monde s'écarta précipitamment de la lisière des bois, abandonnant les blessés à leur triste sort.

— Eh merde ! jura Ian en me lâchant soudain.

Du coup, je fus projetée contre William, qui passa un bras autour de ma taille et m'entraîna plus loin dans le champ.

— Vous allez lâcher ma tante ou quoi ? s'énerva Ian en s'avançant entre les arbres.

— Vous ! s'exclama William. Que faites... mais... peu importe. Votre tante, vous dites ? (Il baissa les yeux vers moi.) Vous êtes sa tante ? Attendez... mais oui, bien sûr que vous l'êtes.

— Je le suis, confirmai-je tout en tentant de repousser son bras. Lâchez-moi s'il vous plaît.

Son étreinte se relâcha légèrement, mais il ne me libéra pas. Il pointa le menton vers les bois et demanda à Ian :

— Combien êtes-vous ?

— S'il y en avait d'autres, vous seriez déjà mort. Il n'y a que moi. Donnez-la-moi.

— Je ne peux pas.

Toutefois, il y avait une note d'incertitude dans sa voix, et je le vis lancer un regard vers la cabane. Jusqu'à présent, personne n'était sorti, mais les sentinelles près de la route commençaient à s'agiter, se demandant ce qui se passait. Les autres prisonniers avaient cessé de s'agiter mais étaient à deux doigts de la panique, scrutant fébrilement les ombres entre les arbres.

Je donnai un coup sec sur le poignet de William, et il me lâcha enfin avant de reculer d'un pas. J'étais étourdie, entre autres par la très singulière sensation d'avoir été étreinte par un inconnu dont le corps m'était si familier. Il était plus svelte que Jamie mais...

— Vous me devez une vie, non ? demanda Ian. Eh bien, je veux la sienne.

William prit un air offusqué.

— Ce n'est pas une question de vie ou de mort. Vous ne croyez tout de même pas que nous tuons des femmes ?

— Non, je ne le crois pas, je le sais.

— Quoi ?

William paraissait surpris, mais ses joues rosirent légèrement.

— Parfaitement, l'assurai-je. Le général Howe a pendu trois femmes devant ses troupes réunies dans le New Jersey, à titre d'exemple.

William parut déconcerté.

— Mais... mais c'étaient des espionnes !

— Et je n'ai pas l'air d'une espionne ? Je suis flattée, mais je ne suis pas certaine que le général Burgoyne partagera votre opinion.

Naturellement, un nombre bien plus important de femmes avaient été tuées par l'armée britannique dans un cadre moins officiel, mais ce n'était sans doute pas le moment de dresser un bilan.

William se raidit.

— Le général Burgoyne est un gentleman. Moi de même.

— Parfait, dit Ian. Dans ce cas, regardez ailleurs pendant trente secondes et nous ne vous ennuierons plus.

J'ignorais s'il l'aurait fait ou pas. Au même moment, des cris d'Indiens retentirent de l'autre côté de la route. Aussitôt, d'autres cris de terreur se répandirent à travers le champ, et je plissai les lèvres pour ne pas m'y mettre à mon tour. Une langue de feu traversa le ciel lavande derrière l'une des grandes tentes d'officiers, suivie de deux autres. On aurait dit le Saint-Esprit descendant sur terre mais, avant que je ne puisse partager cette intéressante observation, Ian m'attrapa le bras et m'arracha pratiquement du sol. J'eus juste le temps de ramasser ma gourde au passage avant de me mettre à courir à toutes jambes entre les arbres. Ian me prit la gourde des mains, me traînant presque derrière lui dans sa hâte. Des coups de feu et des hurlements explosaient derrière nous, et tous les pores de ma peau étaient contractés par la peur.

— Par ici.

Je le suivais sans regarder où je mettais les pieds dans la pénombre, trébuchant et me tordant les chevilles tandis que nous nous précipitions dans le sous-bois, nous attendant à recevoir une balle dans le dos à tout moment.

Je m'imaginais déjà blessée, capturée à nouveau, puis en proie aux infections et à la septicémie avant de connaître une lente et douloureuse agonie, mais non sans avoir préalablement assisté à la capture et à l'exécution de Ian et de Jamie (j'avais reconnu aisément la source des cris d'Indiens et des flèches enflammées).

Ce ne fut que lorsque nous ralentîmes enfin (j'avais un tel point de côté que je pouvais à peine respirer) que je pus enfin penser à autre chose. Aux malades et aux blessés que j'avais laissés derrière moi. Au jeune charron avec sa gorge rouge vif. Walter Woodcock, oscillant au bord du gouffre.

Tu n'aurais pu leur offrir que ta main à tenir, me répétai-je tout en boitant derrière Ian. C'était vrai, je le savais. Je savais également qu'une main dans le noir donnait au moribond quelque chose à quoi se raccrocher quand il sentait battre au-dessus de lui les ailes de l'ange noir. Parfois, cela suffisait ; parfois pas. Les souffrances de ceux qui étaient restés captifs me pesaient telle une ancre, et je ne savais plus si les rigoles qui coulaient sur mon visage étaient de la sueur ou des larmes.

Il faisait noir à présent. Des nuages cachaient la lune, ne laissant percer que quelques éclats de lueur blanche. Ian ralentit encore pour me laisser le rattraper puis prit mon bras pour m'aider à franchir des pierres de gué.

— C'est encore loin ? haletai-je.

— Pas trop, répondit Jamie près de moi. Tu n'as rien, *Sassenach* ?

Mon cœur fit un bond violent puis se calma quand Jamie prit ma main et m'attira brièvement à lui. Mon soulagement était tel que je crus que mes os allaient se dissoudre dans ma chair.

— Non, répondis-je dans sa poitrine. Et toi ?

— Ça va.

Il passa une main sur ma tête et effleura ma joue.

— Tu peux marcher encore un peu ?

Je me redressai en oscillant légèrement. Il avait commencé à pleuvoir. De grosses gouttes s'écrasaient dans mes cheveux, froides sur mon crâne.

— Ian… tu peux me passer cette gourde ?

Il y eut un *pop* caractéristique, et il la déposa entre mes mains. Je l'inclinai très délicatement au-dessus de mes lèvres.

— C'est du cognac ? demanda Jamie, incrédule.

Je déglutis le plus lentement possible puis lui tendis la gourde. Il en restait quelques gorgées.

— Où l'as-tu trouvé ?

— Ton fils me l'a donné. Où allons-nous ?

Il y eut une longue pause dans le noir, puis un *glouglou* éloquent.

— Vers le sud, répondit-il enfin.

Il me prit la main et m'entraîna dans la forêt, la pluie chuchotant sur les feuilles autour de nous.

*

Trempés et grelottants, nous rejoignîmes l'unité de miliciens peu avant l'aube et faillîmes être abattus par une sentinelle. À ce stade, peu m'importait. Être morte me paraissait infiniment préférable à faire un pas de plus.

Ayant montré patte blanche, Jamie disparut un instant puis revint avec une couverture et trois beignets de maïs. Je humai le mien pendant quatre bonnes secondes, me délectant de cette ambroisie avant de la dévorer, puis m'enroulai dans une couverture et m'allongeai sous un arbre, où la terre détrempée et couverte de feuilles mortes était spongieuse à souhait.

Jamie s'accroupit près de moi.

— Je reviens dans quelques minutes, *Sassenach*. Ne va nulle part sans moi, d'accord ?

— Ne t'inquiète pas. Je ne crois pas que je pourrais bouger un autre muscle avant Noël.

Le sommeil m'entraînait inexorablement tel un sable mouvant.

Il rit doucement puis rabattit la couverture autour de mes épaules. La lumière de l'aube illuminait les sillons profonds que la nuit avait creusés dans son visage. Maintenant que nous avions atteint ce havre provisoire, sa large bouche restée comprimée trop longtemps s'était enfin détendue, lui donnant l'air étrangement jeune et vulnérable.

— Il te ressemble, chuchotai-je.

Sa main était toujours posée sur mon épaule. Il regardait vers le bas, ses longs cils cachant ses yeux.

— Je sais. Tu me parleras de lui plus tard, quand nous aurons le temps.

J'entendis ses pas sur le tapis de feuilles puis m'endormis, une prière pour Walter Woodcock inachevée dans ma tête.

57

Le jeu du déserteur

La putain grogna à travers le chiffon entre ses dents.

— C'est presque fini, murmurai-je.

Je lui caressai doucement le mollet pour la rassurer puis repris le débridement de sa vilaine plaie. Le cheval d'un officier l'avait piétinée lors de la ruée d'une foule assoiffée vers un ruisseau pendant la retraite. Je distinguais clairement l'empreinte noire des clous du fer à cheval dans la chair gonflée et violacée de son pied. Le bord du fer, usé et tranchant comme une lame, avait creusé une profonde entaille courant sur les métatarses et disparaissant entre le quatrième et le cinquième orteil.

J'avais cru devoir amputer le petit orteil, qui ne semblait plus tenir que par un lambeau de peau. Toutefois, en l'examinant plus attentivement, je m'étais rendu compte que tous les os étaient miraculeusement indemnes, pour autant que je pouvais le constater en l'absence de rayons X.

Le sabot du cheval avait enfoncé son pied dans la vase au bord du ruisseau. Cela avait sans doute évité aux os d'être broyés. Si je parvenais à contenir l'infection et n'avais pas à amputer, elle pourrait peut-être remarcher normalement un jour.

Avec un espoir prudent, je reposai mon scalpel et saisis une bouteille que j'avais apportée du fort et contenant, je l'espérais, un liquide avec de la pénicilline. J'avais également récupéré le fût optique du microscope du docteur Rawlings dans les vestiges de la Grande Maison et le trouvais fort utile pour démarrer les feux. Cependant, sans molette de réglage, oculaire ni miroir, il n'était guère utile pour identifier les microorganismes. Je savais que j'avais cultivé et filtré de la moisissure de pain mais, au-delà…

Je versai une bonne dose de liquide sur la plaie, que je venais de nettoyer. Il ne contenait pas d'alcool, mais comme la chair était à vif, la femme émit un son aigu à travers son chiffon et souffla par le nez telle une locomotive à vapeur. Le temps de préparer une compresse de camphre et de lavande puis de l'enrouler autour de son pied, elle était calmée, quoique encore toute rouge.

Je lui donnai une petite tape sur la jambe.

— Et voilà ! Ça devrait faire l'affaire.

J'allais ajouter « et gardez la plaie bien propre » mais me mordis la langue. Elle n'avait ni bas ni chaussures et, quand elle ne marchait pas toute la journée sur les cailloux, la poussière et dans les ruisseaux, elle vivait dans un camp crasseux rempli d'excréments, animaux et humains. La plante de ses pieds était dure comme de la corne et noire comme du charbon.

— Revenez me voir dans un jour ou deux, lui demandai-je (si elle le pouvait !), je changerai votre bandage (si je le pouvais !).

Je lançai un regard vers le havresac dans un coin, dans lequel ma réserve de médicaments diminuait à vue d'œil.

— Merci bien, m'dame.

La putain se releva et posa délicatement le pied par terre. À en juger par la peau de ses jambes et de ses pieds, elle était jeune, même si cela ne se voyait pas sur son visage. Son teint hâlé était fripé par la faim et la fatigue. Ses pommettes saillaient et sa bouche était tordue d'un côté où des dents manquaient. Peut-être avaient-elles pourri, à moins qu'elles n'aient été cassées par un client ou une collègue.

— Vous serez ici encore un bout de temps ? demanda-t-elle. J'ai une copine qui a… euh… des démangeaisons.

Je me relevai en gémissant.

— Je serai ici toute la nuit. Envoyez-la-moi, je verrai ce que je peux faire.

Notre groupe de miliciens en avait rejoint d'autres, formant un grand troupeau de troupes. Au fil des jours, nos rangs étaient gonflés par d'autres corps de rebelles, des fragments des armées des généraux Schuyler et Arnold, ces dernières marchant également vers le sud.

Nous avancions pendant la journée mais étions à présent suffisamment hors de danger pour dormir la nuit et, l'armée nous fournissant de temps en temps des provisions, je sentais mes forces revenir. D'ordinaire, il pleuvait pendant la nuit mais, ce matin, la pluie était venue à l'aube, et nous avions pataugé dans la boue durant des heures avant de trouver un abri.

Les troupes du général Arnold avaient dépouillé la ferme et brûlé la maison. Un côté de la grange était noirci de fumée, mais l'incendie s'était éteint avant que le bâtiment ne soit dévoré par les flammes.

Une rafale de vent s'engouffra à l'intérieur, soulevant la paille et la poussière et plaquant nos jupes contre nos jambes. La grange avait eu autrefois un plancher. Je voyais la trace des lattes enchâssée dans la terre molle. Les fourrageurs les avaient arrachées pour faire du feu mais, fort heureusement, abattre l'ensemble de la structure leur avait paru trop de travail.

Certains des réfugiés du fort Ticonderoga s'y étaient abrités eux aussi. Il y en aurait d'autres avant la nuit tombée. Une femme et ses deux petits enfants épuisés dormaient blottis les uns contre les autres près d'un mur. Son mari les avait installés ici avant de repartir chercher de quoi manger.

Priez pour que votre fuite ne tombe pas en hiver, ni un jour de sabbat.

Je raccompagnai la putain jusqu'à la porte puis me tins sur le seuil. Le soleil touchait presque la ligne d'horizon ; il devait nous rester une heure de lumière, mais la brise du crépuscule agitait déjà la cime des arbres ; le bruissement des jupes de la nuit qui approchait. Je frissonnai. Il faisait frais dans la grange pendant la nuit. D'un jour à l'autre, à notre réveil, nous découvririons du givre sur le sol.

— Tant pis, je mettrai une seconde paire de bas, murmurai-je pour moi-même.

La voix moralisatrice de ma conscience me fit observer qu'une vraie chrétienne aurait donné sa paire de bas supplémentaire à la prostituée.

— Tais-toi. J'aurai plein d'autres occasions d'être charitable plus tard.

Une bonne moitié des fuyards allaient jambes nues.

Je me demandai si je pourrais aider l'amie de la putain. Sa « démangeaison » pouvait aussi bien être un eczéma que la variole ou une gonorrhée (compte tenu de sa profession, une maladie vénérienne était très probable). À Boston, il aurait pu s'agir d'une simple candidose mais, étrangement, je n'en voyais jamais par ici, ce qui était peut-être dû à l'absence quasi universelle de sous-vêtements. Autant pour les progrès de la modernité !

Je lançai à nouveau un regard vers mon havresac, évaluant ce qu'il me restait et comment l'utiliser au mieux : un pot d'onguent à la gentiane, bon pour les écorchures et les plaies mineures ; quelques réserves d'herbes utiles pour les teintures et les compresses (de la lavande, du camphre, de la menthe poivrée, des graines de moutarde) ; la boîte d'écorce de quinquina que j'avais achetée à New Bern et que j'avais miraculeusement gardée. Cela me fit penser à Tom Christie, et je me signai avant de le chasser de mon esprit. Je ne pouvais rien pour lui et avais trop à faire ici. Il y avait également deux scalpels que j'avais pris sur le corps du lieutenant Stactoe (il avait été emporté par une fièvre sur la route) et mes ciseaux chirurgicaux en argent. Les aiguilles d'acupuncture en or auraient pu aider à traiter d'autres que Jamie, mais je ne savais les utiliser que contre le mal de mer.

J'entendais des voix, des groupes de fourrageurs marchant dans la forêt ; ici et là, quelqu'un lançait un nom, cherchant un parent ou un ami perdu en cours de route. Les réfugiés s'installaient pour la nuit.

Des brindilles craquèrent non loin et un homme surgit des bois. Je ne le reconnus pas. Il tenait un mousquet, et une poche de poudre était accrochée à sa ceinture. Il ne portait pas grand-chose d'autre. Il était pieds nus, et je fis aussitôt remarquer à ma conscience qu'ils étaient beaucoup trop grands pour mes bas.

Il me vit devant la porte et leva la main.

— C'est vous, la sorcière ?

— Oui.

J'avais abandonné tout espoir de me faire appeler médecin, ou même guérisseuse.

— J'ai croisé une putain qui avait un beau bandage au pied. Elle a dit qu'il y avait une sorcière dans la grange et qu'elle possédait des remèdes.

— Oui, répétai-je.

Je l'observai discrètement. Je ne voyais aucune plaie... il n'était pas souffrant. Cela se voyait à son teint et à sa démarche droite. Il venait peut-être pour une épouse, un enfant ou un camarade.

— Donne-les-moi, tout de suite, ordonna-t-il.

Tout en me souriant, il pointa son mousquet sur moi.

— Quoi ?

— Donne-moi tous tes remèdes.

Il pointa mon sac du bout de son canon avant d'ajouter :

— Je pourrais t'abattre et me servir, mais je ne veux pas gaspiller ma poudre.

Je restai figée à le regarder un bon moment.

— Qu'est-ce que vous voulez en faire ?

J'avais déjà été dévalisée une fois dans une salle d'urgences à Boston. C'était un jeune toxicomane, le regard vitreux et le front moite, armé d'un revolver. Je lui avais donné les produits sur-le-champ. Cette fois, je n'étais pas disposée à me laisser faire.

Il arma son mousquet. Avant même que j'aie eu le temps d'avoir peur, il y eut une détonation et une odeur de poudre s'éleva. L'homme parut très surpris, abaissa son arme, puis s'effondra à mes pieds.

— Tiens-moi ça, *Sassenach*.

Jamie déposa son pistolet encore fumant dans mes mains, attrapa le cadavre par les pieds et le traîna hors de la grange sous la pluie. Je plongeai dans mon havresac, en sortis ma seconde paire de bas et la laissai tomber sur les genoux de la jeune mère. Puis j'allai déposer l'arme et le sac contre le mur. J'étais consciente des regards de la femme et de ses enfants sur moi, puis les vis tourner brusquement la tête vers la porte. Jamie venait d'entrer, trempé, les traits tirés par la fatigue.

Il traversa la grange, vint s'asseoir près de moi, posa sa tête sur mes genoux et ferma les yeux.

— Merci, m'sieur, chuchota la mère.

Je crus d'abord qu'il s'était endormi, car il ne bougeait pas. Puis, après un moment, il répondit d'une voix tout aussi basse :

— Y a pas d'quoi, m'dame.

*

En arrivant au village suivant, j'eus la joie immense de retrouver les Hunter. Ils avaient été à bord de l'une des barques capturées pendant la traversée du lac mais étaient parvenus à s'échapper le plus simplement du monde, en s'éclipsant dans la forêt une fois la nuit tombée. Les soldats qui les avaient faits prisonniers ne s'étant pas donné le mal de compter leurs captifs, alors personne ne s'était rendu compte de leur disparition.

La situation générale tendait à s'améliorer quelque peu. La nourriture était plus abondante, et nous étions au sein de l'armée régulière des continentaux. Toutefois, celle de Burgoyne était toujours non loin derrière nous, et la fatigue de la retraite se faisait sentir chez tous. Les désertions étaient fréquentes, mais personne n'était en mesure de déterminer à quel point. L'organisation, la discipline et la structure militaire étaient en train d'être restaurées sous l'influence de l'armée, mais certains hommes pouvaient encore se fondre discrètement dans la nature.

Ce fut Jamie qui inventa le jeu du déserteur. Les déserteurs étaient bien accueillis dans le camp britannique. Ils étaient nourris, habillés et interrogés.

— Alors on leur donnera des informations, expliqua-t-il. Et il me paraît équitable qu'on en glane en échange.

Quand il présenta son plan aux officiers, de grands sourires apparurent sur les visages de ces derniers. Quelques jours plus tard, quelques « déserteurs » soigneusement choisis se faufilaient vers le camp ennemi et se présentaient devant des officiers britanniques, à qui ils débitaient des histoires minutieusement préparées. Après un bon dîner, ils s'éclipsaient à la première occasion pour revenir dans le camp américain, apportant des informations utiles sur les troupes qui nous pourchassaient.

De temps à autre, quand cela ne représentait pas trop de danger, Ian se rendait dans les camps indiens. Il ne jouait pas au jeu du déserteur ; il était trop reconnaissable. Je devinais que Jamie aurait aimé y participer lui aussi ; cela séduisait son sens du théâtre, ainsi que son goût prononcé pour l'aventure. Mais sa taille et son aspect frappant l'en empêchaient. Les déserteurs devaient avoir l'air d'hommes ordinaires qu'on avait peu de chances de reconnaître plus tard.

— Parce que, tôt ou tard, les Britanniques vont découvrir le pot aux roses. Ils ne sont pas idiots et risquent de prendre fort mal la plaisanterie.

Nous nous étions abrités pour la nuit dans une autre grange, celle-ci intacte et encore équipée de quelques balles de foin moisi, même si le bétail avait disparu depuis belle lurette. Nous étions seuls mais ne le resterions probablement pas longtemps. Notre charmant interlude dans le jardin du commandant me semblait appartenir à une autre vie. Je me calai contre Jamie et posai ma tête dans le creux de son épaule, me détendant dans sa chaleur solide.

— Tu crois qu'on pourrait…

Jamie s'interrompit brusquement, sa main se crispant sur ma cuisse. Un instant plus tard, j'entendis le bruit furtif qui l'avait alerté, et ma gorge se noua. Ce pouvait être un loup rôdant comme des Indiens embusqués. Le plus silencieusement possible, je glissai une main dans la fente de ma jupe à la recherche de mon couteau.

Non, ce n'était pas un animal. Une ombre passa devant la porte ouverte, haute comme un homme, avant de disparaître. Jamie exerça une pression sur ma cuisse, se leva et, sans un bruit, traversa la grange accroupi. L'espace d'un instant, je le perdis de vue dans l'obscurité puis, quelques secondes plus tard quand mes yeux furent accoutumés, je l'aperçus : une longue silhouette sombre plaquée contre le mur, juste à côté de la porte.

L'ombre à l'extérieur réapparut ; je distinguai une tête pâle se détachant contre le ciel nocturne. Je me relevai lentement, la peur faisant fourmiller ma peau. La porte n'était qu'entrebâillée. Devais-je me jeter à plat ventre et ramper jusqu'au mur afin de ne pas être vue ? Peut-être même qu'avec un peu de chance, je pourrais attraper l'intrus par les chevilles.

J'allais appliquer cette stratégie quand un murmure tremblant s'éleva dans le noir.

— Ami… ami James ?

Je laissai échapper le souffle que je retenais depuis un bon moment.

— Denzell ? C'est vous ?

— Claire !

Il bondit dans la grange avec soulagement, trébucha sur quelque chose et s'étala de tout son long.

— Ravi de vous savoir de retour, ami Hunter, déclara Jamie. Vous vous êtes fait mal ?

Il se retenait de rire.

— Non, non, je ne crois pas. Quoique… James, j'ai réussi !

Il y eut un silence.

— À quelle distance sont-ils, *a charaid* ? Et sont-ils en marche ?

— Non, grâce à Dieu !

Denzell s'affala à mes côtés. Il tremblait.

— Ils attendent d'être rejoints par leur convoi de ravitaillement. Ils craignent d'épuiser leurs réserves et peinent beaucoup à avancer. Il faut dire qu'on a mis les routes dans un tel état et que la pluie ne les aide pas !

Sa fierté était palpable.

— Combien de temps avant qu'ils se remettent en marche ?

— Un des sergents a dit deux ou trois jours. Je l'ai entendu recommander à ses soldats d'économiser leur farine et leur bière car ils n'en auraient plus d'ici l'arrivée du convoi.

Jamie poussa un soupir satisfait, et je sentis sa tension se relâcher légèrement. Moi-même, je fus envahie par une immense vague de gratitude. Nous aurions enfin le temps de dormir. J'avais commencé à me détendre et, à présent, je me sentais me liquéfier à tel point que j'entendis à peine les autres nouvelles que Denzell apportait. Jamie lui murmura des félicitations, lui donna une tape sur l'épaule puis sortit de la grange, sans doute pour transmettre les informations.

Denzell resta immobile, respirant bruyamment. Je rassemblai ce qui me restait de concentration et m'efforçai d'être aimable.

— Ils vous ont donné à manger, Denzell ?

— Oh !

Il fouilla dans sa poche.

— Je t'ai apporté ceci, amie Claire.

C'était une petite miche de pain, légèrement carbonisée aux entournures, mais je me mis aussitôt à saliver.

Je tentai de la repousser.

— Non, non, vous devriez…

— Ils m'ont nourri, insista-t-il. C'était une sorte de ragoût. J'ai mangé autant que j'ai pu. J'ai pris une autre miche pour ma sœur. Ils me les ont données, je ne les ai pas volées.

— Merci.

M'efforçant de rester maîtresse de moi, je déchirai la miche en deux et en glissai une moitié dans ma poche pour Jamie. Puis je fourrai l'autre dans ma bouche et la dévorai comme un loup déchiquetant une carcasse.

L'estomac de Denny émettait une série de borborygmes puissants, tout comme le mien.

— Vous avez dit que vous aviez mangé ! l'accusai-je.

— C'est vrai, mais j'ai un peu de mal à digérer le ragoût, dit-il avec un petit rire douloureux.

Il se pencha en avant et serra ses genoux contre son torse.

— Euh… tu n'aurais pas un peu d'orgeat ou de menthe poivrée, amie Claire ?

Il ne me restait pas grand-chose dans mon havresac, mais suffisamment de quoi le soulager. Je lui donnai une poignée de menthe. Il n'y avait pas d'eau chaude, mais il la mâcha puis la fit passer avec une rasade d'eau de ma gourde. Il but avidement, rota, puis se mit à respirer d'une manière qui m'indiqua exactement ce qui se passait. Je le guidai précipitamment vers un coin de la grange et lui tins la tête pendant qu'il vomissait, rejetant la menthe et le ragoût tout à la fois.

— Une intoxication alimentaire, demandai-je.

Je posai une main sur son front, mais il s'écarta et se laissa tomber sur une pile de foin, posant sa tête sur ses genoux.

— Il a dit qu'il me pendrait, murmura-t-il soudain.

— Qui ?

— L'officier anglais. Un capitaine Bradbury, je crois. Il a dit qu'il était convaincu que j'étais un espion et que, si je n'avouais pas tout, il me pendrait.

— Mais il ne l'a pas fait.

Je posai une main sur son bras. Il tremblait des pieds à la tête, et une goutte de sueur vacillait sous son menton, translucide dans la pénombre.

— Je lui ai dit… je lui ai dit qu'il le pouvait s'il le souhaitait. J'ai vraiment cru qu'il le ferait. Mais non.

Sa respiration devint laborieuse, et je compris qu'il pleurait.

Je passai un bras autour de ses épaules et le serrai contre moi, le réconfortant avec des petits mots. Au bout d'un moment, ses pleurs cessèrent. Il resta silencieux quelques minutes avant de reprendre doucement :

— Je croyais… que j'étais prêt à mourir. Que j'irais heureux vers le Seigneur quand il déciderait de m'appeler à Lui. J'ai honte d'avouer que ce n'est pas vrai. J'ai eu tellement peur !

Je pris une longue inspiration et me rassis près de lui.

— Je me suis toujours interrogée à propos des martyrs, déclarai-je. Nulle part il n'est dit qu'ils n'avaient pas peur.

Uniquement qu'ils étaient prêts à faire ce qu'ils ont fait en dépit des conséquences. Vous y êtes allé.

— Je n'ai jamais demandé à être un martyr.

Il paraissait si innocent que je faillis en rire.

— Je doute que la plupart d'entre eux l'aient demandé aussi. Dans le cas contraire, ce devait être des gens extrêmement agaçants. Il est tard, Denzell. Votre sœur doit s'inquiéter… et avoir faim.

*

Jamie ne revint que plus d'une heure plus tard. J'étais couchée dans le foin, mon châle étendu sur moi, mais je ne dormais pas. Il s'étendit contre moi et, avec un profond soupir, glissa un bras autour de ma taille.

Au bout d'un moment, m'efforçant de conserver une voix calme, je lui demandai :

— Pourquoi lui ?

Peine perdue : Jamie était extrêmement sensible aux intonations, à celles de tout le monde mais particulièrement aux miennes. Je le sentis redresser brusquement la tête, mais il attendit quelques instants pour répondre, nettement plus calmement que moi :

— Parce qu'il le voulait. Et parce que j'ai pensé qu'il s'en sortirait bien.

— « Qu'il s'en sortirait bien » ? Ce n'est pas un acteur ! Tu sais bien qu'il ne peut pas mentir. Il a dû balbutier et bégayer. C'est un miracle qu'ils l'aient cru, s'ils l'ont cru.

— Oh oui, ils l'ont cru. Tu penses qu'un vrai déserteur ne serait pas mort de trouille ? Je voulais qu'il y aille en transpirant à grosses gouttes et en bégayant. Si je lui avais donné un texte à apprendre, ils l'auraient abattu sur-le-champ.

À cette idée, je sentis la petite boule de pain dans mon ventre me remonter dans la gorge. Je pris quelques inspirations profondes, sentant une sueur froide m'envahir en imaginant le charmant Denny Hunter balbutiant sous le regard froid d'un officier britannique.

Au bout de quelques instants, je revins à la charge :

— Mais… il n'y avait personne d'autre pour le faire ? Ce n'est pas uniquement que Denny Hunter soit un ami, c'est aussi un médecin, et on a besoin de lui.

— Je viens de te dire que c'était lui qui l'avait demandé, *Sassenach*. Je ne lui ai rien demandé, j'ai même essayé de le dissuader pour les raisons que tu viens d'invoquer. Il n'a rien voulu entendre et m'a simplement demandé de veiller sur sa sœur au cas où il ne reviendrait pas.

— Mais qu'est-ce qui lui a donc pris ?

Jamie se rallongea dans la paille d'un air résigné.

— Il est quaker, *Sassenach*, mais c'est aussi un homme. S'il n'était pas du genre à se battre pour ce en quoi il croit, il serait resté dans son petit village à appliquer des cataplasmes et à veiller sur sa petite sœur.

Il tourna la tête vers moi.

— Tu voudrais que je reste à la maison, *Sassenach* ? Que je tourne le dos au combat ?

Mon agitation se mua en agacement.

— Un peu, oui ! Je préférerais mille fois ça ! Mais je sais bien que tu ne le pourrais pas, alors à quoi bon ?

Cela le fit rire et il prit ma main.

— Tu comprends, alors. Il en va de même pour Denzell Hunter. S'il est prêt à mettre sa vie en jeu, ma tâche est de veiller à ce que le jeu en vaille la chandelle.

Je tentai de reprendre ma main.

— Tu oublies que, dans ce genre de jeu, le gros lot est souvent une balle dans la tête. On ne t'a jamais appris que c'est toujours la banque qui l'emporte ?

Il ne me lâchait pas et caressait doucement le bout de mes doigts avec son pouce.

— C'est vrai, mais tu évalues tes chances, et c'est toi qui coupes le jeu de cartes, *Sassenach*. Et il ne s'agit pas que de hasard.

L'aube approchait et la lumière changeait ; les objets émergeaient peu à peu de l'obscurité et les ombres autour d'eux viraient du noir au gris, puis au bleu.

Son pouce glissa dans le creux de ma paume, et je refermai involontairement mes doigts autour. J'observai en silence ses traits se révéler peu à peu. Nous aurions dû dormir mais, d'ici peu, l'armée allait se réveiller…

— Je me demande pourquoi les femmes ne font pas la guerre.

Il posa sa main rugueuse sur ma joue.

— Vous n'êtes pas faites pour ça, *Sassenach*. Et puis, ce ne serait pas juste ; vous, les femmes, vous emportez tellement plus de choses partout où vous allez.

— Que veux-tu dire par là ?

Il hésita, semblant chercher ses mots.

— Quand un homme meurt… il part seul. Un homme en vaut un autre. Certes, une famille a besoin d'un homme pour la nourrir, la protéger. Mais n'importe quel homme honnête peut le faire. Une femme… (ses lèvres remuèrent sous mes doigts, un léger sourire)… une femme est une infinité de possibilités.

— Idiot, murmurai-je. Si tu t'imagines qu'un homme en vaut un autre…

Nous restâmes silencieux un long moment, observant la lumière croître.

— Combien de fois l'as-tu fait, *Sassenach* ? demanda-t-il soudain. Combien de fois, entre la nuit et l'aube, es-tu restée assise auprès d'un homme en tenant sa peur dans le creux de ta main ?

— Trop de fois.

Mais ce n'était pas vrai, et il le savait. Je perçus une pointe d'humour dans son souffle. Il retourna ma main et suivit de son pouce les monts et les vallées de ma paume, les articulations et les cals, la ligne de vie, la ligne de cœur, la masse lisse et charnue du mont de Vénus où la cicatrice en forme de « J » était encore visible, bien qu'à peine. Je l'avais tenu dans le creux de ma main pendant la meilleure partie de ma vie.

— Ça fait partie de mon travail, ajoutai-je en affectant le détachement.

— Tu crois que je n'ai pas peur quand je fais mon travail ?

— Oh si, je le sais, mais tu le fais quand même. Tu es un joueur invétéré… et le plus grand jeu de tous, c'est la vie, n'est-ce pas ? La tienne, mais peut-être aussi celle de quelqu'un d'autre.

— Oui, dit-il, songeur. Tu sais de quoi tu parles. Je ne suis pas tellement inquiet pour moi. Après tout, je me suis rendu utile ici et là. Mes enfants sont adultes, mes petits-enfants sont en bonne santé… c'est le plus important, non ?

— Oui.

Le soleil s'était levé. J'entendis un coq chanter au loin.

— J'ai donc moins peur qu'avant, reprit-il. Cela ne veut pas dire que j'aimerais mourir, bien sûr, mais je partirais avec moins de regrets. D'un autre côté, si j'ai moins peur pour moi, je suis plus réticent à tuer de jeunes hommes qui n'ont pas encore vécu leur vie.

Je devinai que c'était là sa seule justification pour avoir laissé Denny Hunter partir.

Je me redressai et extirpai les brins de foin de mes cheveux.

— Que comptes-tu faire ? Tu vas évaluer l'âge des hommes qui te tirent dessus ?

— Mmm… difficile, admit-il.

— J'espère sincèrement que tu ne vas pas te laisser abattre par le premier freluquet venu pour la seule raison qu'il n'a pas eu une vie aussi remplie que la tienne.

Il se redressa à son tour, l'air sérieux.

— Non, répondit-il. Je le tuerai. Mais cela me perturbera davantage.

58

Le jour de l'Indépendance

Philadelphie, 7 juillet 1777

Grey n'était encore jamais venu à Philadelphie. Mis à part ses chaussées exécrables, c'était une ville plutôt agréable. L'été avait orné les arbres d'immenses couronnes verdoyantes. Marchant dans les rues, il était saupoudré de fragments de feuilles, et la sève sur le sol rendait les semelles de ses bottes poisseuses. Peut-être l'air fébrile était-il responsable de l'état d'esprit d'Henry…

Il ne pouvait blâmer son neveu. Mme Woodcock était potelée à souhait, avec un ravissant visage et une nature chaleureuse. En outre, elle l'avait sauvé de la mort lorsque l'officier de la prison locale le lui avait amené, craignant que ce prisonnier potentiellement lucratif ne rendît l'âme avant d'avoir porté tous ses fruits. Cela créait un lien, même si lui-même n'avait jamais ressenti la moindre « tendresse » pour aucune des femmes qui l'avaient soigné. Sauf peut-être pour…

— Merde ! lâcha-t-il malgré lui.

L'homme en tenue de prêtre qu'il croisait lui lança un regard noir.

Il retourna une tasse mentale sur l'idée qui venait de bourdonner dans sa tête telle une mouche inquisitive. Incapable de se retenir, il la souleva légèrement et découvrit Claire Fraser en dessous. Il se détendit.

Certainement pas une « tendresse ». D'un autre côté, il aurait été bien en mal de définir ce qu'elle lui avait inspiré. Une sorte d'intimité très singulière, au moins. Ce devait être parce qu'elle était la femme de Jamie Fraser et connaissait ses sentiments pour lui. Il chassa Claire Fraser de son esprit et retourna à ses inquiétudes au sujet d'Henry.

Mme Woodcock était indéniablement charmante, tout comme elle était indéniablement trop attachée à Henry pour une femme mariée. Son époux était un rebelle, et Dieu sait quand il reviendrait ! Au moins, il n'y avait pas de danger qu'Henry l'épouse sur un coup de tête. Il imaginait le scandale si Henry ramenait à la maison la veuve d'un charpentier, au teint foncé de surcroît. Cela le fit sourire, et il se sentit soudain plus charitable à l'égard de Mme Woodcock. Après tout, elle avait sauvé la vie de son neveu.

Pour le moment. Hélas, cette pensée se remit à bourdonner avant qu'il n'ait eu le temps de retourner une tasse dessus. Il ne pouvait plus l'éviter, elle revenait sans cesse.

Il comprenait qu'Henry rechignât à subir une nouvelle opération. Sans compter qu'il était peut-être déjà trop faible pour la supporter. Pourtant, il ne pouvait rester dans son état actuel. Une fois que la maladie et la douleur auraient épuisé ce qu'il lui restait de vitalité, il péricliterait jusqu'à la mort. Même les attraits de Mme Woodcock ne pourraient plus le retenir.

Non, il fallait l'opérer, et vite. Lors de ses conversations avec le docteur Franklin, le vieil homme lui avait parlé d'un ami, le docteur Benjamin Rush, qu'il présentait comme un homme de médecine prodigieux. Il lui avait vivement recommandé de lui rendre visite s'il se trouvait un jour en ville et lui avait même donné une lettre d'introduction. C'était là que Grey se rendait à présent, en espérant que le docteur Rush serait un chirurgien expérimenté ou saurait lui recommander un collègue compétent. Qu'Henry le veuille ou non, l'intervention était inévitable. Il ne pouvait voyager dans son état, et Grey avait promis à Minnie et à son frère de leur ramener leur benjamin, s'il était encore en vie.

Son pied glissa sur un pavé boueux, et il manqua de s'étaler de tout son long. Il se rattrapa de justesse, se redressa et épousseta dignement sa veste sans prêter attention aux gloussements de deux laitières qui l'observaient.

Fichtre, elle est de retour. Claire Fraser. Pourquoi ?... Mais, bien sûr, à cause de ce qu'elle appelait l'« éther » ! Elle lui avait demandé de lui envoyer une bonbonne remplie d'une sorte d'acide et avait expliqué qu'elle comptait produire de l'éther. Non pas l'air pur des espaces célestes mais une substance chimique qui rendait les gens inconscients afin de les opérer... sans douleur.

Il s'arrêta net au milieu de la rue. Jamie lui avait parlé des expériences de sa femme, lui racontant l'incroyable intervention qu'elle avait pratiquée sur un jeune garçon rendu totalement insensible pendant qu'elle lui ouvrait le ventre, en extrayait un organe malade puis le recousait. Apparemment, l'enfant s'était ensuite porté comme un charme.

Il se remit à marcher lentement. Viendrait-elle ? Le voyage depuis Fraser's Ridge était pénible et dangereux. Toutefois, c'était l'été, et le temps était clément. Cela ne lui prendrait pas plus de deux semaines. Si elle descendait jusqu'à Wilmington, il la ferait venir à Philadelphie par le premier navire disponible. Il connaissait des gens dans la marine.

Combien de temps ? Combien de temps cela lui prendrait-il... si elle acceptait de venir ? Plus important encore, Henry disposait-il de ce temps ?

Il fut extirpé de ces pensées troublantes par un remue-ménage plus loin dans la rue. Plusieurs personnes, toutes ivres, à en juger par leur comportement, criaient, se bousculaient et agitaient des mouchoirs. Un jeune homme battait un tambour avec beaucoup d'enthousiasme – à défaut de talent – et deux enfants portaient une étrange banderole arborant des rayures rouges et blanches, mais pas d'inscription.

Il se plaqua contre un mur pour les laisser passer, mais ils s'arrêtèrent devant une maison juste en face de lui et restèrent sur place à crier des slogans en anglais et en allemand. Il saisit le mot « liberté », puis quelqu'un sonna la charge de la cavalerie dans une trompette, et les gens se mirent à scander : « Rush ! Rush ! Rush ! »

Seigneur, ce devait être la maison qu'il cherchait, celle du docteur Rush. La foule semblait d'humeur bon enfant. Elle ne devait donc pas avoir l'intention de traîner le médecin dans la rue pour l'enduire de goudron et de plumes ce qui, avait-il entendu dire, passait pour une forme de divertissement public dans les colonies. Il s'approcha prudemment d'une jeune femme et lui donna une tape sur l'épaule.

— Je vous demande pardon…

Il dut s'approcher encore et lui crier dans l'oreille pour se faire entendre. Elle fit volte-face en écarquillant les yeux puis vit les papillons sur son gilet et sourit. Il lui sourit en retour.

— Je cherche la maison du docteur Rush ! cria-t-il. C'est bien celle-ci ?

Un jeune homme à côté l'entendit et répondit :

— Oui, en effet. Vous avez affaire au docteur Rush ?

— J'ai une lettre d'introduction que m'a donnée le docteur Franklin, un ami comm…

Le visage du jeune homme se fendit d'un large sourire. Cependant, avant qu'il n'ait pu parler, la porte s'ouvrit et un homme sortit sur le perron. Âgé d'une trentaine d'années, il était mince et élégant. La foule rugit et l'homme, qui devait être le docteur Rush en personne, tendit les mains en avant pour la faire taire. Le vacarme cessa un instant et l'homme se pencha pour parler à quelqu'un dans l'assistance. Puis il rentra dans la maison et réapparut quelques instants plus tard avec son chapeau. Il descendit les marches sous les acclamations, et la foule se remit en marche, tambourinant et claironnant de plus belle. Le jeune homme près de Grey lui hurla dans l'oreille :

— Venez, il y aura de la bière gratis pour tout le monde !

C'est ainsi que lord John Grey se retrouva dans la salle d'une taverne prospère, célébrant le premier anniversaire de la publication de la Déclaration d'indépendance. Il y eut des discours politiques enflammés quoique peu éloquents au cours desquels Grey apprit que, non content d'être un riche et influent sympathisant de la rébellion, le docteur Rush était lui-même un important rebelle. De fait, ses nouveaux amis lui expliquèrent que Rush *et* le docteur Franklin avaient tous deux signé le document séditieux.

Le bruit se répandit que Grey était un ami de Franklin, ce qui lui valut de nombreuses acclamations, et il fut lentement promené dans la foule jusqu'à se trouver nez à nez avec Benjamin Rush.

Ce n'était pas la première fois qu'il voyait un criminel de si près, alors il garda son sang-froid. Le moment d'expliquer à Rush l'état de son neveu n'était sûrement pas venu, et il se contenta de serrer la main du jeune médecin et de lui parler de Franklin. Rush se montra très cordial et hurla par-dessus le brouhaha qu'il devait lui rendre visite dès qu'ils seraient tous les deux plus disponibles. Peut-être le lendemain matin ?

Grey s'empressa d'accepter et prit gracieusement congé. En jouant du coude vers la sortie, il espéra que la Couronne ne pendrait pas Rush avant qu'il ait eu le temps d'examiner Henry.

Un nouveau vacarme dans la rue interrompit momentanément les festivités. De grands cris précédèrent une pluie de projectiles lancés contre la façade du bâtiment. L'un d'eux, une grosse pierre boueuse, fracassa l'une des fenêtres à croisillons de la taverne, laissant entrer plus distinctement les insultes : « Traîtres ! Renégats ! »

— Vos gueules, les lèche-bottes ! hurla quelqu'un dans la salle.

D'autres poignées de boue et des pierres furent lancées, certaines entrant par la porte ouverte et la fenêtre brisée et accompagnées du cri patriotique : « Longue vie au roi ! »

— Châtrez la brute royale ! répondit le jeune homme qui avait parlé à Grey un peu plus tôt.

Puis, comme un seul homme, la moitié des occupants de la taverne se précipitèrent dans la rue, certains s'arrêtant au passage pour briser le pied d'un tabouret afin d'aider au débat politique qui allait s'ensuivre.

Grey craignit que Rush ne soit mis en charpie par les loyalistes au-dehors avant qu'il n'ait pu sauver Henry, mais le médecin et quelques autres, apparemment eux aussi d'éminents insurgés, se tinrent à l'écart de la rixe et, après s'être brièvement consultés, décidèrent de s'éclipser en passant par les cuisines.

Grey se retrouva seul en compagnie d'un homme de Norfolk nommé Paine. Mal nourri, mal fagoté, affublé d'un gros nez et doté d'une personnalité colorée, ce dernier avait des opinions très arrêtées sur la liberté et la démocratie. Il possédait également un remarquable répertoire d'épithètes concernant le roi. Trouvant la conversation laborieuse, d'autant qu'il ne pouvait exprimer aucune de ses propres opinions sur ces sujets, Grey s'excusa dans l'intention de suivre Rush et ses amis par la porte de derrière.

Dans la rue, la rixe suivit un bref crescendo puis se conclut par un finale prévisible : les loyalistes prirent la fuite. Les gens commençaient à rentrer dans la taverne, portés par une vague d'indignation vertueuse et d'autocongratulation. Parmi eux se trouvait un homme brun, mince et grand, qui, tournant la tête en pleine conversation, croisa le regard de Grey et se figea.

Grey marcha vers lui en espérant que les battements de son cœur ne couvraient pas les bruits s'éloignant dans la rue.

— Monsieur Beauchamp ? Pourrais-je avoir un moment en privé avec vous ?

Sans attendre sa réponse, il saisit Perseverance Wainwright par le poignet et la main dans ce qui pouvait paraître un salut cordial mais était en réalité une capture pure et simple.

*

Il ne pouvait amener Percy dans la maison qu'il avait louée pour Dottie et lui. Sa nièce ne l'aurait pas reconnu puisqu'elle n'était même pas née à l'époque où Percy avait disparu de sa vie, mais Grey réagissait avec ce même instinct qui l'aurait empêché de donner un serpent venimeux comme jouet à un petit enfant.

De son côté, Percy ne proposa pas d'emmener Grey dans ses quartiers. Sans doute ne voulait-il pas qu'il sache où il demeurait au cas où il déciderait de disparaître discrètement. Après un moment d'indécision (car il ne connaissait pas encore bien la ville), Grey accepta la proposition de Percy de se rendre dans le terrain communal baptisé Southeast Square. Tout en le guidant, Percy expliqua :

— C'est un cimetière de pauvres. Ils y enterrent les étrangers à la ville.

— L'endroit idéal !

Percy n'entendit pas ou préféra ne pas relever son sarcasme. Le terrain était assez éloigné, et ils parlèrent peu, les rues étant bondées. Ici et là, des banderoles rayées étaient suspendues aux fenêtres. Toutes comportaient un champ d'étoiles, mais il ne voyait jamais deux fois la même disposition, et les rayures variaient en taille et en couleurs, certaines étant rouges, bleues et blanches, d'autres uniquement rouges et blanches. Malgré l'atmosphère festive dans les rues, il y avait de la frénésie dans l'air ainsi qu'une sensation de danger. Philadelphie était peut-être la capitale des rebelles, mais ce n'était pas une place forte.

Le cimetière était plus calme, ce qui n'avait rien de surprenant. Il était également étonnamment agréable. Il n'y avait que quelques panneaux en bois ici et là, indiquant les rares détails connus sur les défunts gisant dessous. Personne n'avait de l'argent à dépenser pour offrir une pierre tombale à un inconnu, mais une âme charitable avait érigé une grande croix en bois sur un socle au centre du terrain. Sans se consulter, ils se dirigèrent vers elle en suivant le cours d'un petit ruisseau qui traversait le cimetière.

Grey se demanda si Percy n'avait pas choisi ce lieu pour se donner le temps de réfléchir en chemin. Lui-même avait pu cogiter, si bien que, lorsque Percy s'assit sur le bord du socle et se tourna vers lui, il ne s'embarrassa pas de formalités.

— Parle-moi de la seconde sœur du baron Amandine.

Percy cligna des yeux surpris puis sourit.

— Sincèrement, John, tu me sidères. Ce n'est pas Claude qui t'a parlé d'Amélie, j'en suis sûr.

Grey ne répondit pas. Il coinça ses mains sous ses aisselles et attendit. Percy réfléchit un instant puis haussa les épaules.

— Soit. C'était la sœur aînée de Claude. Mon épouse Cécile est la cadette.

— « C'était » ?répéta Grey. Elle est donc morte.

— Cela fait une quarantaine d'années. Pourquoi t'intéresses-tu tant à elle ?

Percy extirpa un mouchoir de sa manche et se tamponna les tempes. Il faisait chaud et ils avaient beaucoup marché. La chemise de Grey était moite.

— Où est-elle morte ?

— Dans un bordel à Paris.

En voyant Grey tiquer, il ajouta avec un sourire narquois :

— Puisque tu dois tout savoir, John, je suis à la recherche de son fils.

Grey le dévisagea longuement puis s'assit à ses côtés. La pierre grise du socle lui chauffa les fesses.

— Bien, dit-il au bout d'un moment. Aie l'amabilité de m'expliquer de quoi il retourne.

Percy lui lança un regard méfiant et amusé à la fois.

— Tu comprendras que je ne peux pas *tout* te dire, John. Au fait, j'ai cru comprendre que les secrétaires d'État britanniques se crêpaient le chignon pour savoir lequel d'entre eux entreprendrait une démarche concernant l'offre que je t'ai faite… et auprès de qui. Dois-je y voir ta patte ? Je t'en remercie.

— Ne change pas de sujet. Je ne te parle pas de l'offre que tu m'as faite (*Pas encore !*) mais d'Amélie Beauchamp et de son fils. Je ne vois pas en quoi ils sont liés à l'autre affaire. J'en déduis donc que c'est une question personnelle.

— Ça l'est.

Percy hésitait. Grey devinait ses méninges travaillant à toute allure dans le fond de son regard. Ses yeux étaient légèrement bouffis et cernés mais étaient toujours les mêmes, d'un marron clair et chaud, couleur d'un bon xérès. Il pianota des doigts sur la pierre, puis cessa et se tourna vers Grey d'un air décidé.

— Fort bien, espèce de bouledogue, si je ne te le dis pas, tu me suivras dans tout Philadelphie pour m'espionner.

C'était précisément ce que Grey avait eu l'intention de faire, mais il se garda de le lui dire, préférant l'encourager :

— Dis-moi ce que tu fais ici.

— Je recherche un imprimeur du nom de Fergus Fraser.

Grey fut pris de court, ne s'étant pas attendu à une réponse aussi directe.

— Qui est-ce ?

Percy leva une main et replia ses doigts l'un après l'autre en énumérant :

— *Primo*, il est le fils de James Fraser, un ex-jacobite notoire et un rebelle. *Secundo*, c'est un imprimeur, comme je viens de le dire, et, je le soupçonne, un rebelle comme son père. *Tertio*, j'ai de bonnes raisons de croire qu'il est le fils d'Amélie Beauchamp.

Des libellules bleu et rouge voletaient au-dessus du ruisseau. Grey eut l'impression que l'un de ces insectes venait de lui entrer dans une narine.

— Tu es en train de me dire que James Fraser a eu un fils illégitime avec une prostituée française ? Cette dernière se trouvant être issue d'une vieille famille de l'aristocratie ?

Il était plus que choqué mais parvint à conserver un ton léger qui fit rire Percy.

— Non. L'imprimeur est le fils *adoptif* de Fraser. Ce dernier l'a sorti d'un bordel parisien il y a plus de trente ans.

Percy essuya un filet de sueur qui lui coulait dans le cou. La chaleur faisait ressortir l'odeur de son eau de Cologne. Grey y distingua de l'ambre gris, de l'œillet, du piment et du musc.

— Comme je te le disais, Amélie était la sœur aînée de Claude. Adolescente, elle fut séduite par un homme beaucoup plus âgé, un aristocrate marié. Elle se retrouva enceinte. La procédure normale aurait été qu'on la marie rapidement avec un époux complaisant, mais la femme de son séducteur mourut subitement. Amélie décréta alors que, puisqu'il était désormais libre, il devait l'épouser.

— Il était disposé à le faire ?

— Non, mais le père d'Amélie l'était, lui. Il considérait sans doute qu'un tel mariage améliorerait la fortune de la famille ; le comte était très riche et, bien que ne s'intéressant pas à la politique, il occupait une position d'influence dans le monde.

Le vieux baron Amandine avait d'abord été disposé à étouffer l'affaire mais, commençant à entrevoir les possibilités de la situation, il se fit plus audacieux et proféra toutes sortes de menaces, d'une plainte au roi (contrairement à son fils, il fréquentait la cour) à un procès et à une demande d'excommunication auprès de l'Église.

— Il aurait vraiment pu le faire ?

En dépit de ses réserves sur la crédibilité de Percy, Grey était captivé.

— Il aurait pu au moins se plaindre au roi. Quoi qu'il en soit, il n'en eut jamais l'occasion. Amélie s'était évanouie dans la nature.

La jeune fille avait disparu de la maison au beau milieu de la nuit, emportant ses bijoux. On pensa d'abord qu'elle s'était enfuie chez son amant dans l'espoir qu'il finirait par l'épouser, mais le comte assura ne rien savoir. Personne ne l'avait vue quitter *Les Trois Flèches* ni pénétrer dans l'hôtel particulier parisien du comte de Saint-Germain.

— Et tu penses qu'elle aurait fini dans un bordel ? Comment ? Comment l'as-tu découvert ?

— J'ai trouvé son contrat de mariage.

— Quoi ?

— Un contrat de mariage entre Amélie Élise LeVigne Beauchamp et Robert Françoise Quesnay de Saint-Germain. Signé par les deux parties ainsi que par un prêtre. Il se trouvait dans la bibliothèque des *Trois Flèches*, à l'intérieur d'une bible. Claude et Cécile ne sont guère dévots, j'en ai peur.

— Et toi, si ?

Percy se mit à rire. Il savait que Grey connaissait fort bien ses vues sur la religion.

— Je m'ennuyais.

— La vie aux *Trois Flèches* doit effectivement être bien morose pour que tu te mettes à lire la Bible. Le sous-jardinier avait-il démissionné ?

— Qui ? Ah, Émile ! Non, mais il avait la grippe ce mois-là. Il pouvait à peine respirer par le nez, le pauvre.

Grey eut envie de rire à son tour mais se retint, et Percy enchaîna :

— En réalité, je ne la lisais pas. Après tout, je connais déjà par cœur toutes les damnations possibles et inimaginables. Je m'intéressais à sa couverture.

— Pourquoi, elle était incrustée de pierres précieuses ?

Percy lui lança un regard légèrement offusqué.

— Tout n'est pas une question d'argent, John, même pour ceux d'entre nous qui n'ont pas ta chance d'avoir hérité d'une fortune personnelle.

— Toutes mes excuses. Pourquoi cette bible, donc ?

— Tu ignores sans doute que je m'y connais assez en reliure. J'ai même exercé le métier de relieur pour gagner ma vie en Italie après que tu as si galamment sauvé ma peau. À ce propos, je te remercie.

Il fixa soudain Grey avec un tel sérieux que ce dernier baissa les yeux pour éviter de soutenir son regard.

— Je t'en prie, bougonna-t-il.

Il se pencha et cueillit délicatement du bout d'un ongle une petite chenille verte qui grimpait sur sa botte.

Percy poursuivit comme si de rien n'était :

— Quoi qu'il en soit, je suis tombé sur cet étrange document. J'avais déjà entendu parler du scandale familial, bien sûr, et j'ai tout de suite reconnu les noms.

— Tu en as parlé au baron actuel ?

— Oui. Au fait, qu'as-tu pensé de Claude ?

Percy avait toujours eu l'art de sauter du coq à l'âne, et Grey put constater qu'il n'avait rien perdu de sa mutabilité.

— Il joue mal aux cartes. En revanche, il a une fort belle voix… Il chante ?

— En effet, c'est un excellent baryton. Et tu as raison au sujet des cartes. Il sait garder un secret s'il en a envie, mais il ne sait pas mentir. Tu n'imagines pas à quel point une parfaite sincérité peut être puissante. J'en viens presque à me demander si le huitième commandement n'a pas du bon.

Marmonnant dans sa barbe, Grey cita Hamlet : « Il est plus honorable de violer que d'observer », puis toussota et implora Percy de continuer.

— Il ne savait rien du contrat de mariage, j'en suis convaincu. Il était abasourdi. Après avoir longuement hésité – tout le monde n'est pas « sanguinaire, hardi et résolu » comme toi, John –, il m'a autorisé à creuser un peu cette affaire.

Grey ignora le compliment implicite, si c'en était bien un, et déposa la chenille sur ce qui lui paraissait être un buisson comestible.

— Tu as donc cherché le prêtre, en conclut-il.

Percy éclata d'un rire sincère, et Grey réalisa avec une pointe d'angoisse que, s'il connaissait comment fonctionnait l'esprit de Percy, l'inverse était également vrai. Ils avaient conversé durant de longues années à travers le voile des manœuvres politiques et du secret. Naturellement, Percy avait toujours su à qui il avait affaire, contrairement à lui.

— En effet, je l'ai recherché. Il était mort, assassiné. Trucidé une nuit en pleine rue alors qu'il courait au chevet d'un malade pour lui administrer l'extrême-onction. Une triste affaire, en vérité. Cela s'est produit une semaine après la disparition d'Amélie.

Même s'il restait sur ses gardes, cette histoire excitait la curiosité professionnelle de Grey.

— La suite logique aurait été d'aller trouver le comte, déclara-t-il. Mais s'il était capable de faire assassiner un prêtre pour conserver ses secrets, il était dangereux de l'aborder directement. Par l'intermédiaire de ses domestiques, peut-être ?

Percy acquiesça, saluant au passage la perspicacité de Grey.

— Le comte n'était plus de ce monde… ou, du moins, il avait disparu. On raconte qu'il était sorcier. Il est officiellement mort une dizaine d'années après Amélie. J'ai cherché ses anciens domestiques et en ai retrouvé quelques-uns. Pour certaines personnes, tout est *effectivement* une question d'argent. L'aide cocher en fait partie. Deux jours après la disparition d'Amélie, il a livré un tapis dans un bordel rue du faubourg Saint-Denis. Un tapis très lourd qui sentait l'opium. Il a reconnu l'odeur, car il avait autrefois transporté une troupe d'acrobates chinois venus pour une fête dans l'hôtel particulier de son maître.

— Tu t'es donc rendu au bordel en question, où l'argent…

— On dit que l'eau est le solvant universel, mais c'est faux. Tu pourrais plonger un homme dans un tonneau rempli d'eau glacée pendant une semaine sans obtenir grand-chose, alors qu'avec une poignée de pièces d'or…

Grey nota mentalement l'adjectif « glacée » et fit signe à Percy de continuer.

— Il m'a fallu du temps, plusieurs visites, différentes tentatives… La mère maquerelle était une vraie professionnelle, ce qui signifie que celui qui avait payé sa prédécesseur s'était montré très généreux. Son portier, quoique assez âgé, avait eu la langue coupée à un très jeune âge, si bien qu'il ne pouvait m'aider. Naturellement, aucune des putains n'avait été là quand le fameux tapis avait été livré.

Il avait patiemment recherché les familles des jeunes prostituées, certains métiers se transmettant de mère en fille, et, après des mois d'efforts, avait retrouvé une vieille femme qui avait été employée dans le bordel à l'époque. Elle avait reconnu la miniature d'Amélie qu'il avait apportée des *Trois Flèches*.

La jeune fille avait effectivement été amenée dans l'établissement alors qu'elle était enceinte de plusieurs mois. Cela n'avait pas été gênant ; il y avait toujours des amateurs pour ce genre de choses. Quelque temps plus tard, elle avait accouché d'un fils. Elle avait survécu à ses couches mais était morte un an plus tard, emportée par une épidémie de grippe.

Percy soupira et s'essuya à nouveau avec son mouchoir.

— Tu n'imagines pas les difficultés pour retrouver un enfant né dans un bordel parisien une quarantaine d'années plus tôt, mon cher.

— Mais tu ne t'appelles pas Perseverance pour rien.

Percy se tourna brusquement vers lui.

— Sais-tu que tu es la seule personne au monde à connaître mon vrai prénom ?

À son regard, il était clair que c'était une personne de trop.

— Ne n'inquiète pas, ton secret est à l'abri avec moi, celui-ci, du moins. Qu'en est-il de Denys Randall-Isaacs ?

Sa stratégie fonctionna. Le visage de Percy miroita telle une flaque de mercure au soleil. Une fraction de seconde plus tard, il avait retrouvé son air impassible, mais il était trop tard.

Grey émit un petit rire sans humour puis se leva.

— Merci, Perseverance.

Là-dessus, il s'éloigna, marchant entre les tombes herbeuses d'indigents anonymes.

Cette nuit-là, une fois la maisonnée endormie, il prit sa plume pour rédiger des lettres à Arthur Norrington, à Harry Quarry et à son frère. Peu avant l'aube, il se mit également à écrire, pour la première fois depuis deux ans, à Jamie Fraser.

59

La bataille de Bennington

Camp du général Burgoyne, 11 septembre 1777

La fumée des champs brûlés flottait depuis des jours au-dessus du camp. Les Américains poursuivaient leur retraite, ne laissant dans leur sillage qu'une campagne dévastée.

William se trouvait avec Sandy Lindsay, discutant de la meilleure façon de cuisiner une dinde (un des éclaireurs de Lindsay venait d'en apporter une) quand arriva la lettre. Sans doute était-ce un effet de son imagination s'il eut l'impression qu'un silence de mort s'était soudain abattu sur le camp, que la terre s'était mise à trembler et que le voile du temple venait de se déchirer. Quoi qu'il en soit, il était clair qu'il s'était passé quelque chose.

Il y avait un changement dans l'air, une anomalie dans le rythme des conversations et des mouvements des hommes autour d'eux. Balcarres le sentit aussi. Il interrompit son examen de la dinde et regarda William en haussant les sourcils.

— Qu'est-ce qu'il y a ? lui demanda William.

— Je ne sais pas, mais ça ne me dit rien qui vaille.

Balcarres planta le volatile dans les mains de son ordonnance, coiffa son chapeau et se dirigea vers la tente de Burgoyne, William sur ses talons.

Ils trouvèrent le général blême de rage et les lèvres pincées. Ses officiers regroupés autour de lui échangeaient des messes basses d'un air affligé.

Le capitaine sir Francis Clerke, l'aide de camp de Burgoyne, se détacha du groupe et se dirigea vers la sortie de la tente, la tête baissée et le visage dans l'ombre. Balcarres le retint par le coude.

— Francis… que se passe-t-il ?

Le capitaine Clerke paraissait agité. Il lança un regard vers les officiers derrière lui puis entraîna Balcarres et William à l'écart, où on ne pouvait les entendre.

— C'est Howe. Il ne vient plus.

— Comment ça ? demanda William, ahuri. Il a décidé de rester à New York ?

— Non, il veut envahir la Pennsylvanie.

Clerke avait la mâchoire tellement crispée qu'on se demandait comment il parvenait encore à parler.

Balcarres lança un regard atterré vers l'entrée de la tente puis se tourna à nouveau vers Clerke.

— Mais…

— Exactement.

William commençait tout juste à entrevoir les vraies proportions du désastre. Le général Howe ne se contentait pas de faire la nique à Burgoyne en ignorant son plan, ce qui aurait déjà été un camouflet. En choisissant de marcher sur Philadelphie au lieu de remonter l'Hudson pour lui prêter main forte, il le laissait livré à lui-même, sans approvisionnement ni renforts.

Autrement dit, ils étaient désormais seuls, coupés de leurs convois de ravitaillement, avec le choix peu enviable de poursuivre les Américains à travers une campagne dépouillée de toutes ses ressources, ou de faire demi-tour et de rentrer au Canada la queue entre les jambes… traversant une campagne dépouillée de toutes ses ressources.

C'était ce que Balcarres était en train d'expliquer à sir Francis, qui secoua la tête en se passant une main lasse sur le visage.

— Je sais. Si vous voulez bien m'excuser, milords…

— Où allez-vous ? lui demanda William.

— En informer Mme Lind. Je crois que je ferais mieux de la prévenir.

Mme Lind était l'épouse du premier officier d'intendance. C'était également la maîtresse de Burgoyne.

*

Que Mme Lind ait exercé ses indéniables talents à bon escient ou que la faculté de récupération du général ait repris le dessus, le coup dur de la lettre de Howe fut rapidement oublié. Dans sa lettre hebdomadaire à lord John, William écrivit :

On pourra dire ce que l'on voudra sur lui, c'est un homme d'action qui sait prendre des décisions rapides. Nous avons repris notre traque du corps principal des insurgés, redoublant nos efforts. La plupart de nos chevaux ont été abandonnés, volés ou mangés. J'ai déjà usé les semelles d'une paire de bottes neuves.

Nous avons appris par un de nos éclaireurs que la ville de Bennington, qui ne se trouve pas très loin d'ici, sert de lieu de rassemblement aux intendants américains. Apparemment, la ville est peu défendue. Le général y envoie donc le colonel Baum, l'un des Hessiens, avec environ cinq cents hommes, afin de s'approprier ces fournitures dont nous avons tant besoin. Nous partons à l'aube.

William ne sut jamais si c'était à cause de sa conversation d'ivrogne avec Balcarres, mais il avait acquis la réputation d'être « bon avec les Indiens ». Que ce soit en raison de ce talent douteux ou du fait qu'il baragouinait un peu d'allemand, le matin du 12 août, il se retrouva chargé d'accompagner l'expédition de ravitaillement du colonel Baum. Celle-ci incluait un certain nombre de cavaliers du Brunswick désormais à pied, deux pièces de canon de trois et une centaine d'Indiens.

D'après les rapports, les Américains recevaient du bétail provenant de Nouvelle-Angleterre et parqué à Bennington, ainsi qu'un nombre considérable de carrioles remplies de maïs, de farine et d'autres denrées de première nécessité.

Par miracle, il ne pleuvait pas quand ils se mirent en route, ce qu'ils considérèrent comme de bon augure. La perspective de trouver de la nourriture renforçait leur optimisme. Les rations étaient réduites depuis ce qui leur paraissait une éternité, même si cela ne faisait qu'un peu plus d'une semaine. Cela dit, marcher des journées entières la faim au ventre faisait paraître le temps très long, William en savait quelque chose.

Bon nombre des Indiens avaient encore leur monture. Ils dépassèrent la colonne principale, prirent un peu d'avance pour repérer le terrain puis revinrent la guider, l'aidant à franchir ou à contourner les tronçons de route (à peine un sentier parfois) absorbés par la forêt ou inondés par les ruisseaux gorgés d'eau de pluie qui dévalaient les pentes. Bennington se trouvait au bord d'une rivière baptisée Walloomsac. Tout en marchant, William discuta avec l'un des lieutenants hessiens de la possibilité de charger les marchandises sur des radeaux afin de les transporter jusqu'à un point de ralliement en aval.

La discussion était purement rhétorique puisque ni l'un ni l'autre ne savait où allait la Walloomsac, ni si elle était navigable, mais elle leur donnait l'occasion de parler chacun la langue de l'autre et de passer le temps lors de cette longue et pénible marche.

Dans son allemand laborieux, William expliqua à l'*Oberleutnant* Gruenwald :

— Mon père a passé beaucoup de temps en Allemagne. Il est de la cuisine hanovrienne très friand.

Gruenwald, qui était originaire d'Hesse-Cassel, s'autorisa un léger sourire en coin à la mention d'Hanovre, mais se contenta d'observer que même un Hanovrien savait rôtir un bœuf, voire cuisiner quelques patates pour l'accompagner. Sa mère préparait un plat à base de porc et de pommes cuites dans le vin rouge et épicées à la noix de muscade et à la cannelle. Il avait l'eau à la bouche rien que d'en parler.

Son visage aussi ruisselait, mais de transpiration ; la sueur traçait des rigoles dans la poussière et mouillait le col de sa veste bleu ciel. Il ôta son haut casque de grenadier et s'essuya avec un immense mouchoir à pois.

— Je doute que de la cannelle nous trouvions aujourd'hui, lui répondit William. Un cochon, peut-être.

— Dans ce cas, che le ferai rôtir pour vous, l'assura Gruenwald. Quant aux pommes…

Il glissa une main sous sa tunique et en sortit une poignée de petites pommes sauvages, qu'il partagea avec William.

— Ch'en ai un demi-boisseau. Ch'ai aussi…

Il fut interrompu par de petits glapissements excités. Un Indien galopait le long de la colonne en sens inverse, tendant un bras derrière lui en montrant quelque chose.

— Rivière ! cria-t-il.

Cette annonce revigora les hommes épuisés. Les cavaliers, qui avaient tenu à porter leurs hautes bottes et leurs grandes épées en dépit du fait qu'ils étaient à pied, se redressèrent dans un cliquetis de métal.

Un autre cri leur parvint depuis les premières lignes.

— De la bouse de vache !

Les hommes se mirent à rire et acclamèrent la nouvelle en hâtant le pas. William vit le colonel Baum, qui, lui, avait un cheval, s'écarter de la colonne et attendre sur le bas-côté. Il se pencha pour parler aux officiers qui passaient devant lui. Son aide de camp pointa un doigt vers une petite colline non loin.

William se tourna vers Gruenwald.

— Que pensez-vous de…

Il s'interrompit en constatant que son compagnon le fixait d'un air ahuri, la bouche grande ouverte. La main de l'*Oberleutnant* retomba mollement le long de son flanc et son casque roula dans la poussière. Puis William vit un épais filet de sang couler lentement de sous les cheveux noirs de Gruenwald.

Après une demi-seconde d'incompréhension, il se mit à hurler !

— EMBUSCADE ! *Das ist ein Überfall !*

Des cris d'alarme se propagèrent le long de la colonne et des coups de feu retentirent dans la forêt. William attrapa Gruenwald par les aisselles et le tira à l'abri sous un groupe de pins. L'*Oberleutnant* était toujours vivant, bien que sa veste fût trempée de sueur et de sang. William s'assura que son pistolet était chargé et le lui mit dans la main avant de sortir le sien et de courir vers Baum, qui se tenait debout dans ses étriers, hurlant des instructions en allemand dans une voix haut perchée.

William, ne comprenant qu'un mot sur deux, regarda autour de lui, essayant de deviner les ordres du colonel aux réactions des Hessiens. Il aperçut un petit groupe d'éclaireurs courant sur la route dans leur direction et s'élança à leur rencontre.

— Saloperies de rebelles, haleta l'un d'eux. Ils arrivent.

Il tendit un bras derrière lui.

— Où ? Ils sont encore loin ?

Son excitation était à son comble, mais il s'efforça de rester immobile, de parler calmement et de respirer.

Ils étaient à près de trois milles, peut-être plus. Combien étaient-ils ? Peut-être deux cents, peut-être plus. Armés de mousquets mais sans artillerie.

— Très bien. Retournez les surveiller.

Il revint vers le colonel Baum en ayant l'étrange sensation que la surface de la route avait changé, comme s'il marchait sur du coton.

*

Avec précipitation mais efficacité, ils creusèrent des tranchées peu profondes puis s'y abritèrent derrière des barricades de troncs d'arbres. Les canons furent hissés sur la colline et pointés vers la route. Naturellement, les rebelles n'empruntèrent pas cette dernière, les assaillant de tous côtés.

La première vague comptait peut-être deux cents hommes. Comme ils couraient dans le dense sous-bois, ils étaient impossibles à compter. William tirait dès qu'il percevait un mouvement, sans grand espoir d'atteindre sa cible. La vague hésita, mais un moment seulement.

Une voix puissante s'éleva de quelque part derrière le front des rebelles :

— On les prend maintenant ou Molly Stark sera veuve ce soir !

— Quoi ?! s'exclama William.

L'exhortation incongrue fit son effet car, aussitôt, une quantité innombrable d'hommes jaillirent de derrière les arbres et fondirent sur les canons. Les servants prirent leurs jambes à leur cou, comme bon nombre de leurs camarades.

Les rebelles ne faisaient qu'une bouchée du reste. William s'était sombrement résigné à se battre de son mieux avant qu'ils ne l'atteignent quand deux Indiens dévalèrent la pente derrière lui, l'attrapèrent sous les aisselles, le hissèrent sur ses pieds et l'entraînèrent dans leur fuite.

Ce fut ainsi que le lieutenant Ellesmere se retrouva à nouveau dans le rôle de Cassandre, chargé d'expliquer la débâcle de Bennington au général Burgoyne. Des hommes tués, d'autres blessés, des pièces d'artillerie tombées aux mains de l'ennemi et pas l'ombre d'une vache rapportée au camp.

En rentrant lentement vers sa tente, il songea avec lassitude : *Et je n'ai toujours pas tué un seul rebelle !* Cela aurait sans doute dû être un regret, mais il n'en était pas sûr.

60

Le jeu du déserteur, deuxième round

Jamie se lavait dans la rivière, frottant la crasse et la sueur accumulées sur sa peau, quand il entendit d'étonnants jurons en français. Si les paroles étaient françaises, les sentiments exprimés ne l'étaient pas. Intrigué, il sortit de l'eau, se rhabilla et longea la berge jusqu'à ce qu'il découvre un jeune homme gesticulant comme un beau diable dans une tentative désespérée de se faire comprendre d'un groupe d'ouvriers perplexes. La moitié d'entre eux était allemande et l'autre, constituée d'Américains de Virginie. Jusqu'à présent, ses efforts pour communiquer avec eux en français n'étaient parvenus qu'à les divertir.

Jamie se présenta et offrit ses services d'interprète. C'est ainsi qu'il prit l'habitude de retrouver tous les jours le jeune ingénieur polonais, dont le nom imprononçable avait rapidement été abrégé en « Kos ».

Il trouvait Kos à la fois intelligent et d'un enthousiasme touchant. En outre, il s'intéressait aux fortifications que Kościuszko (il s'enorgueillissait de pouvoir le prononcer correctement) était en train de construire. De son côté, Kos était reconnaissant pour son aide linguistique ainsi que pour les observations et suggestions que Jamie pouvait lui apporter, en grande partie grâce à ses conversations avec Brianna.

Parler de vecteurs et de charges lui rappelait cruellement l'absence de sa fille, mais cela la rapprochait de lui également. Il se mit à passer de plus en plus de temps avec le jeune Polonais, apprenant des bribes de sa langue et lui permettant de s'exercer à ce qu'il croyait être de l'anglais.

— Qu'est-ce qui vous a amené ici ? lui demanda Jamie un jour.

En dépit de l'absence de solde, un nombre considérable d'officiers européens étaient venus s'enrôler dans l'armée continentale. Ils considéraient probablement que, même si les occasions de pillage étaient limitées, ils pourraient soutirer au Congrès des grades de généraux qu'ils troqueraient contre d'autres hautes fonctions une fois de retour chez eux. Certains de ces volontaires douteux étaient utiles, mais l'incompétence des autres faisait grogner dans les rangs. Après avoir rencontré Matthias Roche de Fermoy, Jamie était enclin à grogner lui aussi.

Kos ne faisait pas partie des incompétents, toutefois. Interrogé sur les raisons qui l'avaient amené en Amérique, il répondit franchement :

— Tout d'abord, l'argent. Mon frère hériter du manoir familial en Pologne, mais plus d'argent. Rien pour moi. Aucune fille me regarder sans argent. Pas de place dans armée polonaise, mais je sais construire choses. Je suis venu ici pour construire choses. Peut-être pour filles aussi. Filles avec bonne famille, beaucoup d'argent.

— Mon pauvre, rétorqua Jamie. Si tu es venu pour les filles et l'argent, tu t'es trompé d'armée.

Kos éclata de rire.

— J'ai dit d'abord l'argent. Je suis venu à Philadelphie, j'ai lu *la Déclaration*[1].

Il inclina respectueusement la tête et posa une main sur son cœur.

— Cette chose… cet écrit… m'a transporté.

Il avait été tellement transporté par les nobles sentiments exprimés dans le document qu'il s'était aussitôt mis en quête de son auteur. Bien que surpris par l'apparition soudaine de ce jeune Polonais enthousiaste dans son entourage, Thomas

---

1. En français dans le texte *(N.d.T.)*.

Jefferson l'avait accueilli chaleureusement, et les deux hommes avaient passé de longues heures profondément absorbés par leur conversation philosophique (en français), qui avait scellé leur nouvelle amitié.

— Un grand homme, assura Kos à Jamie.

Il se signa avant de recoiffer son chapeau et d'ajouter :

— Que Dieu le protège.

— Qu'il lui accorde la sagesse, ajouta Jamie.

Jamie se dit que Jefferson ne craignait sans doute pas grand-chose, n'étant pas soldat. Cela lui rappela soudain Benedict Arnold, et il en ressentit une pointe de malaise. Mais il n'y avait rien qu'il puisse – ou veuille – faire à ce sujet.

Kos écarta une longue mèche de cheveux filandreux de sa bouche et hocha la tête.

— Une femme, peut-être un jour, si Dieu veut. Mais ça… ce qu'on fait ici… est plus important que femme.

Ils se remirent au travail, mais leur conversation continua de turlupiner Jamie. Il convenait entièrement de ce que consacrer sa vie à un noble idéal était préférable à chercher la sécurité à tout prix. Toutefois, un objectif aussi pur n'était-il pas la prérogative d'un homme sans famille ? Il y avait là un paradoxe : un homme qui ne cherchait qu'à assurer sa propre sécurité était un pleutre ; un homme qui risquait la sécurité de sa famille était un lâche, sinon pire.

Cela l'entraîna dans d'autres cheminements de la pensée et d'autres paradoxes intéressants : les femmes empêchaient-elles l'évolution d'aspirations telles que la liberté et d'autres idéaux par crainte pour leur vie et celles de leurs enfants ? Ou, au contraire, les inspiraient-elles, ainsi que les prises de risques indispensables pour les atteindre, en fournissant ces choses pour lesquelles il valait la peine de se battre ? Pas seulement se battre pour les défendre mais pour s'élever, car un homme veut toujours plus pour ses enfants que ce qu'il aura jamais lui-même.

Il faudrait qu'il demande à Claire ce qu'elle en pensait. Il sourit d'avance en imaginant ses réponses, notamment sur le fait que les femmes, par leur nature, entravaient l'évolution sociale. Elle lui avait parlé de ses expériences pendant la Grande Guerre. Il ne pouvait la qualifier autrement même si elle lui avait raconté qu'il y en avait eu une autre, avant, qui portait cette dénomination. Elle faisait parfois des remarques peu flatteuses sur les « héros », mais uniquement quand Jamie s'était blessé. Elle savait très bien à quoi servaient les hommes.

Aurait-il été ici, si ce n'avait été pour elle ? Se battrait-il pour les idéaux de la révolution s'il n'avait eu l'assurance qu'elle serait victorieuse ? Il devait reconnaître qu'il n'y avait que les fous, les idéalistes et les êtres profondément désespérés pour se lancer dans pareille aventure. Un homme sain d'esprit sachant ce qu'était une armée aurait tourné le dos à l'appel, consterné. Lui-même était souvent atterré.

Mais oui, même seul, il serait venu. La vie d'un homme ne pouvait se résumer à assurer sa subsistance au jour le jour. L'objectif était noble, plus noble peut-être que n'en avaient conscience tous ceux qui se battaient pour lui. Et s'il devait mourir en le défendant… il quitterait au moins ce monde en sachant qu'il avait contribué à l'améliorer. Après tout, il ne laisserait pas sa femme sans défense, contrairement aux autres épouses. S'il lui arrivait quelque chose, Claire saurait où aller.

Il était de nouveau dans la rivière, faisant la planche et méditant, quand il entendit un bruit. C'était un halètement féminin, et il se redressa aussitôt, ses cheveux mouillés lui collant au visage. En les écartant, il vit Rachel Hunter se tenant sur la berge, les deux mains plaquées sur ses yeux et tremblant de tout son corps.

— Vous me cherchiez, Rachel ?

Tout en parlant, il se demandait où il avait abandonné ses vêtements. Elle tourna son visage dans sa direction sans cesser de cacher ses yeux.

— Ami James ! Ta femme m'a dit que je te trouverais ici. Je te demande pardon mais… je t'en supplie, viens tout de suite !

Sa voix se brisa et elle laissa retomber ses mains, laissant ses paupières closes.

— Mais que…

— C'est Denny ! Les Anglais l'ont pris !

Jamie sentit son sang se glacer.

— Où ? Quand ? demanda-t-il en enfilant ses culottes. C'est bon, vous pouvez regarder maintenant.

— Il est parti avec un autre homme, se faisant passer pour un déserteur.

Il se tenait sur la berge à ses côtés, tenant sa chemise. Il vit qu'elle tripotait fébrilement les lunettes de son frère dans la poche de son tablier.

— Je lui avais pourtant dit de ne pas recommencer !

— Moi aussi, maugréa Jamie. Vous en êtes sûre ?

Elle acquiesça, pâle comme un linge et roulant d'immenses yeux affolés. Elle ne pleurait pas ; pas encore.

— L'autre homme… il vient de rentrer au camp et est accouru pour me prévenir. Il… il a dit que c'était un coup de malchance. Ils ont été conduits devant un major. C'était le même qui avait menacé Denny de le faire pendre la dernière fois ! L'autre homme a pu s'enfuir, mais ils ont attrapé Denny et, cette fois… cette fois…

Elle arrivait à peine à reprendre son souffle. Il posa une main sur son bras pour la calmer.

— Pendant que je vais chercher Ian, allez trouver l'autre homme et envoyez-le à ma tente afin qu'il m'explique exactement où se trouve votre frère. Nous vous le ramènerons.

Il exerça une légère pression sur son bras pour la forcer à lever la tête vers lui, ce qu'elle fit ; mais elle était si distraite qu'elle parut à peine le voir.

— Ne vous inquiétez pas. Nous vous le ramènerons, répéta-t-il. Je vous le jure, sur le Christ et sa mère.

— Tu ne jureras point… Oh, et puis au diable ! lâcha-t-elle en plaquant une main sur ses lèvres.

Elle ferma les yeux, déglutit, puis les rouvrit et relâcha ses épaules.

— Merci, dit-elle enfin.

Jamie lança un regard vers le soleil bas. Les Britanniques préféraient-ils pendre les gens au coucher ou au lever du soleil ?

— Nous le ramènerons, dit-il une dernière fois, plus fermement.

Mort ou vif.

*

Le commandant du camp avait fait ériger une potence au centre du terrain. C'était une structure rudimentaire en bois brut et, à en juger par son état délabré, elle avait été démontée et déplacée à de multiples reprises. Néanmoins, l'effet était efficace et le nœud coulant donna la chair de poule à Jamie.

L'observant derrière un écran de jeunes chênes, il chuchota à son neveu :

— Nous avons joué au jeu du déserteur une fois de trop. Ou trois.

— Tu crois qu'elle a déjà servi ?

— Ils ne se donneraient pas autant de mal rien que pour impressionner les gens.

Lui-même était impressionné. Il se garda d'indiquer à Ian les traces au bas du poteau principal, où les pieds d'un supplicié (ou de suppliciés) avaient battu désespérément, arrachant des fragments d'écorce. Le gibet de fortune n'était pas assez haut pour que la chute brise la nuque du pendu ; celui-ci mourait lentement d'étranglement.

Il toucha sa propre gorge par réflexe, songeant à Roger Mac. Il se souvenait comme si c'était hier de sa douleur quand il l'avait descendu de la potence, le croyant mort. Le monde avait alors changé à jamais.

Il en irait de même pour Rachel Hunter. Ils n'étaient pas arrivés trop tard, c'était le principal. Il le dit à Ian, qui lui lança un regard surpris. Comment le savait-il ?

Jamie lui indiqua d'un signe de tête un promontoire rocheux un peu plus bas sur le versant de la colline. Couvert de mousse et de busserole, il pourrait les cacher. Ils se déplacèrent en silence, le dos voûté, accordant leurs pas aux rumeurs de la forêt. C'était le crépuscule, et le monde était rempli d'ombres. Ils n'en formaient que deux de plus.

Jamie savait qu'ils n'avaient pas pendu Denny Hunter pour avoir déjà assisté à des pendaisons. Les exécutions laissaient une tache dans l'air, marquant l'âme de ceux qui en avaient été témoins.

Le camp était tranquille. Non pas littéralement, car les soldats faisaient un raffut considérable, ce qui était aussi bien, mais ils avaient l'esprit tranquille. Il n'y avait ni impression d'oppression ni excitation morbide. Denny se trouvait ici vivant, ou il avait été conduit ailleurs. S'il était ici, où le gardaient-ils ?

Il était sûrement enfermé et surveillé. Ce n'était pas un camp permanent, il n'y avait pas de palissade. Néanmoins, il était grand, et il leur fallut un certain temps pour en faire le tour. Hunter pouvait également se trouver à découvert, attaché à un arbre ou à une carriole. Ils ne virent rien. Il devait donc être dans une tente.

Il y en avait quatre plus grandes que les autres, dont une abritait l'intendance. Elle avait été montée à l'écart, et il y avait un groupe de carrioles à côté. On voyait un flot constant d'hommes y entrer et en émerger avec des sacs de farine ou de haricots secs. Pas de quartiers de viande, bien qu'on sentît une odeur de lapin et d'écureuil cuits provenant de l'un des feux. Les déserteurs allemands avaient dit vrai : l'armée vivait tant bien que mal de ce qu'elle trouvait en chemin.

— Dans la tente du commandant ? chuchota Ian.

Celle-ci était facile à repérer, avec ses fanions et les groupes de soldats se tenant devant l'entrée.

— J'espère que non ! répondit Jamie.

Ils avaient dû conduire Denny devant le commandant pour qu'il y soit interrogé. Si ce dernier avait encore quelques doutes sur la bonne foi de Hunter, il l'avait peut-être gardé sous la main afin de le questionner encore.

En revanche, s'il avait déjà tranché (et Rachel en était convaincue), il ne l'aurait pas gardé auprès de lui. Il l'aurait envoyé quelque part sous bonne garde en attendant sa sentence. Sous bonne garde dans un lieu discret, même si le commandant britannique ne redoutait sans doute pas une tentative de sauvetage.

Il pointa le doigt vers les deux tentes restantes.

— Am stram gram, pic et pic et colégram…

Un soldat armé d'un mousquet se tenait plus ou moins entre les deux sans que l'on puisse deviner laquelle il gardait.

— Celle de droite, décida Jamie.

Ian se raidit, fixant les tentes.

— Non, l'autre.

Décelant une note étrange dans le ton de sa voix, Jamie lui lança un regard surpris puis examina à nouveau la tente de gauche.

Tout d'abord, il ressentit une vague confusion. Puis vint le choc.

Il faisait sombre, mais ils n'étaient plus qu'à une cinquantaine de mètres. Il ne pouvait se tromper. Il n'avait pas revu le garçon depuis ses douze ans mais avait mémorisé chaque instant passé en sa présence : la forme de son dos, de sa tête et de ses oreilles ; sa démarche, ses mouvements vifs et gracieux… *Ça, il le tient de sa mère*, pensa-t-il dans une sorte d'hébétude en voyant le jeune officier faire un geste de la main qui était du Geneva Dunsany tout craché. Les épaules frêles de l'enfant s'étaient élargies et épaissies en celles d'un homme. *Les miennes,* se dit-il avec une soudaine fierté qui le choqua presque autant que l'apparition soudaine de son fils. *Il a mes épaules.*

Aussi troublantes fussent-elles, ces pensées ne mirent qu'une seconde pour traverser son esprit et en sortir. Il inspira profondément et se reprit. Ian l'avait reconnu sur-le-champ. La ressemblance était-elle aussi criante pour un œil non averti ?

Peu importait, à présent. Le camp se préparait au dîner. Encore quelques minutes et tous seraient occupés à manger. Il valait mieux agir tout de suite, même s'il ne faisait pas encore tout à fait nuit.

Ian lui agrippa le poignet pour attirer son attention.

— Il faut que ce soit moi qui y aille. Tu veux faire diversion avant ou après ?

— Après.

Il y avait vaguement réfléchi tout le long du chemin, et la décision lui vint soudain comme si un autre l'avait prise pour lui.

— Le mieux serait de le sortir de là discrètement. Essaie et, si ça tourne mal, crie.

Ian acquiesça et, sans un mot de plus, s'éloigna entre les buissons en rampant sur le ventre. La fraîcheur du soir était apaisante après la chaleur du jour, mais Jamie avait les mains glacées. Il pressa ses paumes contre le petit pot à feu en terre cuite. Il l'avait porté depuis leur camp, l'alimentant en chemin de brindilles sèches. Il grésilla doucement en consumant un bout de noyer, sa fumée se perdant dans celles des feux de camp qui flottaient entre les arbres, chassant les moucherons et les moustiques.

Étonné de se trouver si fébrile (cela ne lui ressemblait guère), il toucha son *sporran* et vérifia que son flacon de térébenthine ne s'était pas débouché, tout en sachant que ce n'était pas le cas ; autrement, il l'aurait senti.

En changeant de position, il sentit les flèches bouger dans son carquois, faisant bruisser leurs ailerons en plumes. La tente du commandant faisait une cible facile. Si Ian criait, il pourrait l'enflammer en quelques secondes. Sinon…

Il remua à nouveau en balayant le sol du regard. Ce n'était pas les herbes sèches qui manquaient, mais elles brûleraient trop vite. Il voulait une flamme rapide mais grande.

Les soldats avaient déjà quadrillé les environs en quête de petit bois. Il aperçut néanmoins un chicot de sapin trop lourd pour être transporté. Les fourrageurs en avaient cassé les branches les plus basses, mais il en restait suffisamment. Elles étaient couvertes d'aiguilles sèches que le vent n'avait pas encore emportées. Il recula lentement jusqu'à pouvoir bouger librement sans être vu, puis rassembla des brassées entières d'herbes sèches, de fragments d'écorces… tout ce qui était inflammable.

Lancer des flèches enflammées sur la tente du commandant attirerait certes l'attention mais déclencherait instantanément une alerte. Les soldats jailliraient hors du camp tel un essaim de frelons, cherchant les responsables. En revanche, les feux d'herbes sèches étaient courants. Cela créerait une diversion mais, une fois l'incendie éteint, personne n'irait chercher plus loin.

En quelques minutes, tout était prêt. Il avait été tellement absorbé qu'il n'avait même pas lancé un nouveau regard vers son fils. Quand il revint à son poste, William était parti.

⁎

Les soldats étaient occupés à dîner. Leurs conversations enjouées et les bruits de repas couvraient les pas de Ian tandis qu'il contournait la tente de gauche. Si on le voyait, il parlerait en iroquois et se ferait passer pour un des éclaireurs indiens de Burgoyne venus transmettre des informations. Le temps qu'ils le conduisent devant le commandant, il aurait inventé quelques bons renseignements croustillants ou se mettrait à crier puis prendrait ses jambes à son cou pendant qu'ils étaient distraits par les flèches enflammées.

Cependant, cela n'aiderait pas Denny Hunter. Il y avait des sentinelles, mais lui et oncle Jamie les avaient observées suffisamment longtemps pour repérer le point mort où leur vision était obstruée par un arbre. En outre, il ne pourrait être vu derrière la tente, sauf si un homme se dirigeait vers la forêt pour se soulager et tombait sur lui.

Il y avait une ouverture au pied de la tente et, à l'intérieur, une chandelle brûlait. On voyait un halo de lumière derrière la toile, mais aucune ombre ne bougeait.

Ian se coucha à plat ventre et glissa une main dans l'ouverture, espérant que personne ne la piétinerait. S'il trouvait un lit de camp, il pourrait se glisser à l'intérieur et se cacher dessous. Si… quelque chose toucha sa main, et il se mordit la langue.

— Es-tu un ami ? chuchota la voix de Denny.

En relevant les yeux, Ian vit l'ombre du quaker se dessiner sur la toile, une vague forme accroupie.

— Oui, Denny, c'est moi, chuchota-t-il en retour. Ne faites pas de bruit et reculez.

Denny se déplaça dans un cliquetis métallique. *Merde ! ces bougres l'ont enchaîné*, pensa Ian. Il serra les dents et passa la tête à l'intérieur. Denny l'accueillit silencieusement, ses traits illuminés par l'espoir et la peur. Il lui montra ses pieds, qu'il avait entravés par des fers ; ils avaient donc vraiment l'intention de le pendre.

Ian étira le cou et lui chuchota à l'oreille.

— Je vais passer en premier. Couchez-vous ici, le plus près possible de l'ouverture. N'essayez pas de passer seul, je vais vous tirer.

Puis il le jucherait sur ses épaules comme un cerf mort et filerait vers la forêt en hurlant afin qu'oncle Jamie sache qu'il était temps d'entrer en action.

Il était impossible de déplacer un homme enchaîné sans bruit mais, avec un peu de chance, les cliquetis de cuillères dans les écuelles et le brouhaha des conversations couvriraient leur fuite. Il souleva le bord de la tente le plus haut possible et saisit fermement les épaules de Denny. Il était plus lourd qu'il n'en avait l'air, mais Ian parvint à sortir la moitié supérieure de son corps sans trop de mal. En nage, il tendit un bras pour lui attraper les chevilles et enrouler la chaîne autour de son poignet.

Il n'y eut aucun bruit, mais il redressa la tête avant même que son cerveau ne lui dise que quelqu'un se tenait derrière lui.

— Chut ! dit-il machinalement sans savoir s'il s'adressait à Denny ou au grand soldat qui venait de surgir des bois.

— Qu'est-ce que…

Le soldat n'acheva pas sa question. Il avança de trois pas et agrippa le poignet de Ian.

— Qui êtes-vous et que croyez-vous… Oh non ! Vous ! Mais d'où sortez-vous ?

William le dévisageait d'un air perplexe. Ian remercia le ciel que son autre poignet ait été enroulé autour de la chaîne de Denny, autrement il l'aurait déjà tué par réflexe. Il n'aurait pas voulu devoir expliquer *ça* à oncle Jamie.

La voix faible de Denny s'éleva de l'obscurité derrière Ian.

— Il est venu m'aider à m'enfuir, ami William. Je te serais reconnaissant si tu le laissais faire, mais je comprendrais que ton devoir t'en empêche.

William sursauta et lança des regards affolés autour de lui. Si les circonstances avaient été moins pressantes, Ian aurait ri des émotions – et elles étaient nombreuses – qui se succédèrent sur son visage en l'espace de quelques secondes. Puis William ferma les yeux, soupira et les rouvrit.

— Ne me dites rien. Je ne veux pas savoir.

Il s'accroupit et, avec l'aide de Ian, acheva d'extirper Denny de la tente. Ian se releva, prit une grande inspiration, mit ses mains en porte-voix et laissa échapper un long hululement. Après une brève pause, il recommença. William l'observa avec un mélange d'incompréhension et de colère. Puis Ian se baissa, plaça son épaule au milieu du ventre de Denny et le souleva, ne suscitant qu'un grognement surpris et un léger cliquetis de chaînes.

La main de William se referma sur l'avant-bras de Ian et sa tête, un ovale sombre dans la pénombre, fit un signe vers la forêt.

— Passez à gauche. Sur la droite, il y a les fosses des latrines. Deux sentinelles, à environ trois cents pieds du camp.

Il exerça une légère pression sur son bras puis le lâcha.

— Que Dieu te protège, ami William !

Ian était déjà en mouvement, et il ne sut pas si William avait entendu le chuchotement saccadé de Denny. Cela n'avait sans doute pas d'importance.

Quelques instants plus tard, il entendit crier « Au feu ! » dans le camp derrière lui.

61

Le fusil est le meilleur ami de l'homme

15 septembre 1777

Début septembre, nous rejoignîmes le corps principal de l'armée stationnée au bord de l'Hudson près du village de Saratoga. Le commandant du camp, Horatio Gates, accueillit avec plaisir la horde déguenillée des réfugiés et des miliciens. Pour une fois, les troupes étaient relativement bien approvisionnées. On nous donna des vêtements, des repas convenables et même, luxe rare, une petite tente en l'honneur du statut de colonel de milice de Jamie, même s'il n'avait plus d'hommes.

Connaissant Jamie, je me doutais que ce n'était là qu'une situation provisoire. Pour ma part, j'étais ravie d'avoir un vrai lit de camp sur lequel dormir, une table minuscule sur laquelle manger et de la nourriture à poser dessus assez régulièrement.

— Je t'ai apporté un cadeau, *Sassenach*.

Jamie déposa sa besace sur la table. Elle émit un bruit sourd fort plaisant et libéra des effluves de sang frais qui me firent aussitôt saliver.

— Qu'est-ce que c'est ? De la volaille ?

Ce n'était ni un canard ni une oie. Ces derniers dégageaient des odeurs caractéristiques : un musc de sécrétions huileuses, des plumes et des algues en décomposition. Des perdrix, peut-être, un coq de bruyère ou… Je me réjouis d'avance à l'idée de déguster une tourte au pigeon.

— Non, c'est un livre.

Il sortit un petit paquet enveloppé dans un vieux bout de toile cirée et le déposa fièrement entre mes mains.

— Un livre ? répétai-je.

Il acquiesça, m'enjoignant d'ouvrir mon présent.

— Oui, des mots imprimés sur du papier, tu t'en souviens ? Je sais que ça fait longtemps.

Je lui lançai un regard torve et, ignorant les grondements de mon estomac, déballai le paquet. C'était un petit exemplaire usé de *Vie et opinions de Tristram Shandy, gentilhomme* volume I. En dépit de ma déception d'avoir reçu de la littérature plutôt que de la nourriture, je fus contente. Cela faisait effectivement très longtemps que je n'avais pas mis la main sur un bon roman et, si je connaissais l'histoire de celui-ci, je ne l'avais jamais lu.

Je le retournai délicatement entre mes mains.

— Son précédent propriétaire devait y tenir.

Le dos était élimé et la reliure en cuir brillait d'usure. Il me vint soudain un doute.

— Jamie… tu ne l'as pas récupéré sur un cadavre, hein ?

Dépouiller les ennemis tombés au combat de leurs armes, de leur équipement et de leurs vêtements réutilisables n'était pas considéré comme du pillage. C'était une désagréable nécessité, mais tout de même…

Il secoua la tête tout en fouillant encore dans sa besace.

— Non, je l'ai trouvé au bord d'un ruisseau. Quelqu'un a dû le laisser tomber dans sa fuite.

Voilà qui était déjà mieux, même si j'étais certaine que celui qui l'avait perdu regrettait la disparition de son précieux compagnon. J'ouvris le livre au hasard et plissai des yeux. La typographie était minuscule.

— *Sassenach*…

— Hmm ?

En relevant la tête, je constatai que Jamie m'observait avec un mélange de compassion et d'amusement.

— Tu as besoin de lunettes, c'est ça ? Je ne m'en étais pas rendu compte.

Mon cœur fit un petit bond.

— Mais pas du tout. Je vois très clair !

— Vraiment ?

Il vint se placer près de moi et me prit le livre des mains. Il l'ouvrit au milieu et le tint devant moi.

— Lis ça.

Je me penchai en arrière et il approcha le livre.

— Arrête ! Comment veux-tu que je lise quelque chose d'aussi près !

Il l'écarta de mon visage.

— Dans ce cas, cesse de bouger. Et là, tu arrives à lire ?

— Non, répondis-je, agacée. Recule-le. Encore. Encore !

Je fus enfin obligée de reconnaître que je ne pouvais distinguer nettement les lettres qu'à une cinquantaine de centimètres de mon nez.

— Quand même, c'est écrit très petit ! plaidai-je, déconfite.

Je m'étais déjà rendu compte que ma vue n'était plus ce qu'elle avait été, mais d'être si brutalement confrontée à la preuve que je pouvais désormais rivaliser avec les taupes était assez déprimant.

Jamie lança un regard expert au texte.

— C'est du Calson en corps huit. L'interligne laisse à désirer et le blanc de fond n'est ni fait ni à faire. Quoi qu'il en soit…

Il referma le livre d'un coup sec et me dévisagea en arquant un sourcil.

— Tu as besoin de lunettes, *a nighean*, répéta-t-il doucement.

— Hmph !

Je lui repris le volume, l'ouvris et le lui présentai.

— Lis donc, toi. Si tu peux !

Surpris et sur ses gardes, il saisit le livre et regarda une page. Il éloigna légèrement sa main. Puis encore un peu. J'attendis, ressentant ce même mélange d'amusement et de compassion. Quand il tint finalement le livre à bout de bras, il lut :

— … *la vie d'un auteur, quoi qu'il en pût penser lui-même, était plus vouée à la* guerre *qu'à la* composition ; *comme pour tout autre militant, son succès devant l'épreuve dépendait moins de son esprit que de sa* Résistance.

Il referma le livre en pinçant les lèvres.

— Oui, bon… Au moins, je peux encore viser juste.

— Et je peux distinguer une herbe d'une autre à son parfum, ajoutai-je en riant. Heureusement, car je doute qu'il y ait un fabricant de lunettes de ce côté-ci de Philadelphie.

— J'en doute aussi mais, à Édimbourg, je connais l'homme qu'il te faut. Je t'en ferai faire une paire avec une monture en écaille pour tous les jours, et une autre en or pour le dimanche.

— Quoi, c'est pour me faire lire la Bible ?

— Non, c'est juste pour épater la galerie. Après tout…

Il saisit ma main, qui sentait l'aneth et la coriandre, et, la portant à sa bouche, suivit délicatement ma ligne de vie du bout de sa langue.

— … pour les choses les plus importantes, tu te sers avant tout du toucher, non ?

Nous fûmes interrompus par un toussotement devant l'entrée de la tente. Je me retournai et aperçus un homme grand et trapu comme un ours. Ses longs cheveux gris lui retombaient sur les épaules. Il avait un visage avenant, en dépit d'une cicatrice qui lui barrait la lèvre supérieure, avec des yeux doux mais perçants qui se posèrent immédiatement sur la besace sur la table.

Je me raidis légèrement. Il était strictement interdit de piller les fermes et, si Jamie avait tué des poules surprises en pleine nature, il ne pouvait le prouver. Or ce monsieur, bien qu'habillé en homespun et portant une chemise de chasse, avait indubitablement l'air autoritaire d'un officier.

Il salua Jamie d'un signe de tête puis lui tendit la main.

— Vous êtes bien le colonel Fraser ? Daniel Morgan.

Je reconnus le nom, même si tout ce que je savais sur ce Daniel Morgan (d'une note dans un des livres d'histoire de Brianna) était qu'il était un célèbre tireur d'élite. Cela ne m'était pas particulièrement utile. Tout le monde le savait, et il avait déclenché une certaine effervescence dans le camp lorsqu'il était arrivé avec un groupe d'hommes quelques semaines plus tôt.

Son regard se tourna vers moi, puis de nouveau vers la besace, d'où sortaient quelques petites plumes compromettantes.

— Avec votre permission, madame.

Sans attendre ma réponse, il saisit le sac et en sortit un poulet. Son cou retomba mollement, montrant un grand trou sanglant là où s'était trouvé un œil. Il fronça les lèvres et émit un petit sifflement admiratif.

— Vous l'avez fait exprès ? demanda-t-il à Jamie.

— Je vise toujours l'œil, répondit Jamie poliment. C'est pour ne pas abîmer la chair.

Le colonel Morgan sourit puis hocha la tête.

— Suivez-moi, monsieur Fraser. Et apportez votre fusil.

Ce soir-là, nous dînâmes devant le feu de Daniel Morgan. Ses hommes, le ventre rempli de ragoût au poulet, levèrent leur verre de bière en hululant pour saluer l'arrivée d'un nouveau membre dans leur corps d'élite. Je n'avais pu m'entretenir en privé avec Jamie depuis qu'il m'avait été enlevé par Morgan dans l'après-midi et me demandai ce qu'il pensait de cette apothéose. Cela dit, il semblait à son aise avec les tireurs d'élite, même si les regards qu'il lançait de temps à autre vers Morgan m'indiquaient qu'il n'avait pas encore arrêté sa décision.

Pour ma part, j'étais ravie. Les tireurs d'élite se battaient de loin, se tenant souvent hors de portée des mousquets. Ils étaient également très précieux, et les commandants rechignaient à les engager dans des corps à corps. Aucun soldat n'était à l'abri, mais certains postes connaissaient un taux de mortalité beaucoup plus élevé que d'autres. J'acceptais le fait que Jamie soit un joueur invétéré, mais je préférais nettement qu'il ait l'avantage.

Bon nombre des tireurs d'élite étaient des *long hunters* ; d'autres, ce qu'on appelait « des hommes venus de l'autre côté de la montagne ». La plupart n'étaient donc pas accompagnés d'épouses, mais il y en avait quand même quelques-unes. Je fis immédiatement connaissance avec elles en admirant le bébé d'une jeune mère. Une autre plus âgée se laissa lourdement tomber à mes côtés sur le tronc couché et me demanda :

— Vous ne seriez pas la guérisseuse ?

— Si. On m'appelle la « sorcière blanche ».

Cela les fit tiquer un peu, mais l'attrait de l'interdit était irrésistible. En outre, quel sort aurais-je pu leur jeter au milieu d'un camp militaire, entourée par leurs maris et leurs fils tous armés jusqu'aux dents ?

Quelques minutes plus tard, je leur donnais toutes sortes de conseils, de la façon de calmer les douleurs menstruelles à celle de traiter les coliques. Je surpris le regard amusé de Jamie devant ma popularité et lui adressai un petit signe discret avant de me tourner à nouveau vers mon public.

Les hommes continuèrent à boire, naturellement. Ils éclataient régulièrement d'un rire gras, puis se taisaient tandis que l'un d'eux racontait une histoire ; celle-ci finissait invariablement par une nouvelle vague d'hilarité, et le cycle se répétait. À un moment, l'atmosphère changea si abruptement que j'interrompis ma conférence sur l'érythème fessier des nourrissons et me retournai.

Daniel Morgan se relevait péniblement, et je perçus un suspens fébrile saisissant les hommes. Allait-il faire un discours de bienvenue pour Jamie ?

À mes côtés, Mme Graham marmonna entre ses dents :

— Seigneur, il va remettre ça !

Avant que je n'aie eu le temps de lui demander de quoi il retournait, il remit ça en effet.

Il avança en titubant au centre du groupe et se tint oscillant comme un vieil ours, ses longs cheveux gris flottant au vent et son regard fixé sur Jamie.

— J'ai quelque chose à vous montrer, monsieur Fraser.

Il avait parlé suffisamment fort pour faire taire les quelques femmes qui bavardaient encore, et tout le monde se tourna vers lui. Il saisit sa longue chemise en laine par le bord, la passa par-dessus sa tête et la laissa tomber au sol. Puis il ouvrit grand les bras telle une ballerine et pivota lentement.

Chacun retint son souffle même si, à en juger par l'observation de Mme Graham, la plupart d'entre eux l'avaient déjà vu. Son dos, de la taille jusqu'au cou, était zébré de cicatrices. Elles étaient anciennes mais si nombreuses qu'il ne restait pas un centimètre de peau sur son dos massif qui ne soit pas entaillé. Même moi, je fus impressionnée.

Il laissa tomber ses bras et se retourna.

— Ce sont les Britanniques qui ont fait ça. Ils m'ont donné quatre cent quatre-vingt-dix-neuf coups de fouet. Je les ai comptés.

L'assistance éclata de rire, et il sourit en ajoutant :

— Ils étaient censés m'en donner cinq cents, mais ils en ont oublié un. Je n'ai pas jugé bon de le leur signaler.

Les rires redoublèrent. De toute évidence, c'était un petit numéro bien rodé mais dont son public ne se lassait pas. Sous les hourras et les toasts, il revint s'asseoir près de Jamie, toujours torse nu, tenant sa chemise roulée en boule dans une main.

Jamie avait conservé un visage de marbre, mais j'avais vu ses épaules se détendre. Je savais qu'il avait pris sa décision au sujet de Daniel Morgan.

*

Jamie souleva le couvercle de ma petite marmite en fonte avec un mélange d'espoir et de prudence.

— Ce n'est rien qui se mange, l'informai-je.

Cette précision était inutile, car il éternuait déjà comme s'il avait inhalé des effluves de raifort. Il toussa et s'essuya les yeux en bougonnant :

— Encore heureux ! Bon sang, c'est encore pire que d'habitude, *Sassenach* ! Tu comptes empoisonner quelqu'un ?

— Oui, avec du *Plasmodium vivax*. Remets le couvercle, s'il te plaît.

Je préparais une décoction à base de quinquina et de houx pour traiter les cas de malaria.

— Et tu n'as vraiment rien à manger ? demanda-t-il d'une voix plaintive.

— Il suffit de le demander.

Je me penchai sur le seau recouvert d'un torchon à mes pieds et, triomphante, en sortis une tourte à la viande dorée à souhait et couverte de lardons brillants. Le visage de Jamie revêtit l'expression d'un Israélite face à la Terre promise. Il tendit les mains et reçut la tourte avec toute la révérence due à un objet précieux. Cette impression se volatilisa l'instant suivant quand il en prit une grande bouchée. Après quelques instants de mastication extatique, il demanda :

— Où l'as-tu dégotée ? Il y en a d'autres ?

— Oui. Une charmante prostituée du nom de Daisy les a préparées pour moi.

Il marqua un temps d'arrêt, examina la tourte d'un œil critique, y cherchant des traces de sa provenance, puis haussa les épaules et mordit à nouveau dedans.

— Est-il prudent de te demander ce que tu as fait pour qu'elle se montre si généreuse, *Sassenach* ?

— Pas pendant que tu es en train de manger. Au fait, as-tu vu Ian ?

— Non.

Sa réponse laconique n'était pas uniquement due à sa dégustation. Je sentis une note de malaise dans sa voix et relevai les yeux vers lui.

— Tu sais où il est ?

— Plus ou moins.

Il gardait les yeux fixés sur la tourte, ce qui confirma mes soupçons.

— Est-il prudent de te demander ce qu'il est en train de fabriquer ?

— Non.
— Oh, doux Jésus !

*

Ian Murray enduit minutieusement ses cheveux de graisse d'ours et y planta deux plumes de dindon. Il ôta sa chemise, la roula en boule puis la plaça avec son plaid élimé sous un tronc couché. Il ordonna à Rollo de les garder puis traversa un terrain dégagé en direction du camp britannique.

— Halte !

Il se tourna avec un air las vers la sentinelle qui venait de l'arrêter. Cette dernière, un garçon d'une quinzaine d'années, tenait un mousquet dont le canon tremblait. Ian espérait que ce jeune bleu n'allait pas tirer accidentellement.

— Éclaireur, expliqua-t-il succinctement.

Puis il passa devant l'adolescent sans un regard derrière lui, même s'il sentit un picotement désagréable entre ses omoplates. *Éclaireur !* Cela lui donna envie de rire. Après tout, ce n'était pas faux.

Il se promena dans le camp, attirant parfois des regards surpris mais brefs.

Le quartier général de Burgoyne était facile à trouver : une grande tente en toile verte se détachant tel un champignon vénéneux parmi les rangées ordonnées de petites tentes blanches des soldats. Il s'en trouvait assez loin et n'avait pas l'intention de s'en approcher pour le moment, mais il pouvait voir les allées et venues des officiers, des messagers… et d'un éclaireur occasionnel. Aucun de ces derniers n'était indien.

S'il croisait un des Hurons ou des Oneidas que Burgoyne employait pour harceler les continentaux, la situation deviendrait un peu plus délicate. Il ne doutait pas de pouvoir se faire passer pour un Mohawk auprès d'eux mais, s'ils n'étaient ni trop suspicieux ni trop impressionnés, il n'en tirerait pas grand-chose.

Sa promenade dans le camp lui apprit quelques détails intéressants : le moral était bas ; il y avait des tas d'ordures entre certaines tentes, et la plupart des blanchisseuses parmi les civiles suivant les troupes étaient assises dans l'herbe à boire du gin, leurs bouilloires vides et froides. Néanmoins, l'atmosphère générale, bien que sombre, était déterminée. Certains hommes jouaient aux dés et buvaient, mais un plus grand nombre faisaient fondre du plomb, fabriquaient des balles de mousquet, réparaient ou nettoyaient leurs armes.

La nourriture manquait. Il n'avait pas besoin de voir la longue file d'hommes attendant devant la tente du boulanger pour sentir la faim dans l'air. Personne ne le regarda ; tous avaient les yeux rivés sur les miches qui sortaient avant d'être coupées en deux pour être partagées. Des demi-rations. C'était bon signe.

Rien de cela n'avait d'importance. Quant aux effectifs et à l'armement, ils étaient désormais bien connus. Oncle Jamie, le colonel Morgan et le général Gates s'intéressaient aux réserves de poudre et de munitions, mais le parc d'artillerie et le magasin étaient bien gardés, et un éclaireur indien n'avait aucune raison d'aller y fouiner.

Un mouvement attira son regard, et il se tourna légèrement avant de redresser brusquement la tête ; il s'efforça de ne pas changer le rythme de ses pas. C'était l'Anglais qu'il avait sauvé du marais et qui l'avait aidé à libérer Denny ! Et…

Il refoula cette pensée. Il savait. Personne d'autre ne pouvait avoir cette tête. Mais le seul fait de le reconnaître en lui-même lui paraissait dangereux, et il craignit que cela se lise sur son visage.

Il s'efforça de respirer normalement et de marcher comme s'il n'avait aucun souci, puisqu'un Mohawk n'en aurait pas eu. Fichtre ! Il avait compté passer le reste de la journée avec certains des Indiens pour leur soutirer des renseignements avant de s'éclipser à la nuit tombée en passant à portée d'ouïe de la tente de Burgoyne. Si le jeune lieutenant rôdait dans les parages, cela serait plus difficile. La dernière des choses qu'il souhaitait était de se retrouver face à face avec lui.

— Hé !

L'appel pénétra sa chair comme une lance. Il reconnut la voix et savait qu'elle s'adressait à lui. Encore six pas, cinq, quatre, trois… Il parvint au bout d'une allée de tente puis tourna brusquement à droite.

— Hé !

La voix était plus proche, presque dans son dos. Il se mit à courir vers la forêt. Seuls deux soldats le virent. L'un d'eux se leva mais hésita, ne sachant trop quoi faire. Ian le poussa et plongea entre les arbres.

— C'est fichu ! bougonna-t-il en s'accroupissant derrière un buisson.

Le lieutenant était en train d'interroger l'homme qu'il avait bousculé. Ils se tournèrent tous deux vers la forêt, le soldat haussant les épaules d'un air impuissant.

Mince, le grand échalas venait vers lui ! Ian s'enfonça encore un peu plus dans la forêt. Il entendait l'Anglais derrière lui, qui faisait un vacarme de branchages tel un ours sortant de sa tanière au printemps. Il criait :

— Murray ! Murray, c'est vous ? Attendez-moi !

— Frère du loup, c'est toi ? demanda une autre voix en iroquois.

Ian jura en gaélique dans sa barbe et s'arrêta.

— Mais oui, c'est toi ! Qu'as-tu fait de ton démon loup ? Il s'est enfin fait dévorer par une bête plus féroce ?

Son vieil ami Glouton lui adressa un sourire radieux tout en réajustant son pagne après s'être soulagé.

— J'espère que c'est toi qui seras dévoré, répondit Ian à voix basse. Il faut que je file. Il y a un Anglais qui me suit.

Le visage de Glouton changea aussitôt sans pour autant qu'il se soit départi de son sourire. Il lui indiqua d'un signe de tête le début d'un sentier derrière lui. Puis ses traits s'affaissèrent brusquement, et il partit dans la direction d'où Ian était venu en titubant.

Ian eut juste le temps de disparaître quand William surgit dans la clairière. Il manqua de heurter Glouton, qui s'accrocha aux revers de sa redingote et plongea un regard vaporeux dans le sien.

— Whisky ? demanda-t-il.

— Je n'ai pas de whisky, répondit William, sec mais poli.

Il tenta de se dégager, mais Glouton était plus agile qu'il ne le paraissait ; sitôt qu'il lui ôtait une main d'un côté, elle se posait de l'autre. Pour ajouter à sa performance, Glouton commença à lui raconter – en iroquois – l'histoire de la fameuse chasse à laquelle il devait son nom, s'arrêtant périodiquement pour hurler « WHISKYYYY ! » et le serrer dans ses bras.

Ian ne s'attarda pas pour admirer la facilité du jeune Anglais avec les langues – elle était impressionnante. Il fila le plus rapidement possible, décrivant un grand détour par l'ouest. Il ne pouvait retraverser le camp. Il aurait pu se réfugier dans un des camps indiens, mais William risquait de tenter de l'y retrouver une fois qu'il se serait débarrassé de Glouton.

— Mais qu'est-ce qu'il me veut ? marmonna-t-il.

William savait forcément qu'il était dans le camp des continentaux après l'incident avec Denny Hunter et le jeu du déserteur. Pourtant, il n'avait pas donné l'alerte. Il avait plutôt eu l'air d'avoir envie de discuter.

Peut-être était-ce un piège. William était jeune, mais pas idiot. Il ne pouvait l'être avec un tel pè... Quoi qu'il en soit, il était bel et bien à ses trousses.

Les voix derrière lui se faisaient plus distantes. William avait peut-être reconnu Glouton, même s'il avait été presque moribond lorsqu'ils s'étaient rencontrés. Dans ce cas, il saurait que Glouton était son ami et détecterait la ruse. Peu importait, il était à présent profondément enfoncé dans la forêt. William ne le rattraperait jamais.

Il sentit une odeur de fumée et de viande fraîche et changea de cap, descendant un versant vers la berge d'un petit torrent. Il y avait là un camp mohawk ; il le reconnut aussitôt.

Il s'arrêta. L'odeur, la présence... il avait été irrémédiablement attiré comme un papillon de nuit vers une flamme. Cependant, il ne pouvait y aller. Pas pour le moment. Si William avait reconnu Glouton, le premier endroit où il chercherait Ian serait dans le camp mohawk. Si elle s'y trouvait ?

*

— Encore toi ? dit une voix désagréable en iroquois. Décidément, tu n'apprendras jamais.

En réalité, il avait appris. Ainsi qu'à frapper le premier. Il pivota sur ses talons, étirant son poing quelque part derrière son genou et le projetant en arc avec toute la puissance de son corps. Lorsque, tout jeune, il avait commencé à traîner seul dans Édimbourg, son oncle lui avait conseillé : « Cherche à frapper *à travers* le visage de ton adversaire. » Comme toujours, son oncle donnait d'excellents conseils.

Les articulations de ses doigts éclatèrent avec un craquement qui envoya une décharge bleutée tout le long de son bras et jusque dans son cou et sa mâchoire... mais Sun Elk vola de plusieurs mètres en arrière et s'écrasa contre un arbre.

Ian pantela en se massant la main, se souvenant un peu tard qu'oncle Jamie lui avait également conseillé : « Vise les parties molles, si tu peux. »

Peu importait, cela en avait valu la peine. Sun Elk gémissait, ses paupières papillonnant. Ian s'interrogeait sur l'opportunité de lui adresser quelques remarques désobligeantes avant de s'éloigner d'une démarche hautaine ou de lui envoyer un coup de pied dans les bourses avant qu'il n'ait pu se relever, mais William émergea d'entre les arbres.

Il dévisagea Ian, qui haletait comme s'il avait couru deux kilomètres, puis Sun Elk, qui s'était redressé à quatre pattes mais ne semblait pas parvenir à se mettre debout. Le sang gouttait de son visage sur le tapis de feuilles. *Floc, floc...*

— En aucun cas je ne souhaiterais m'immiscer dans une affaire privée, déclara courtoisement William. Mais j'aimerais m'entretenir quelques instants avec vous, monsieur Murray.

Sans attendre la réponse de Ian, il se tourna et repartit entre les arbres.

Ian le suivit, savourant au passage un dernier petit *floc* du sang de Sun Elk.

L'Anglais l'attendait adossé à un arbre. Il observait le camp mohawk près du torrent en contrebas. Une femme dépouillait la carcasse d'un cerf fraîchement tué, étalant les lambeaux de chair à sécher sur une structure en bois. Ce n'était pas « Travaille avec ses mains ».

Puis il fixa son regard bleu nuit sur Ian, lui procurant une étrange sensation. Comme Ian se sentait déjà bizarre, cela ne l'affecta pas outre mesure.

— Je ne vais pas vous demander ce que vous faisiez dans notre camp.

— Ah non ?

— Non. Je voulais vous remercier pour le cheval et l'argent, et vous demander si vous aviez revu Mlle Hunter depuis que vous avez eu l'obligeance de me confier à elle et à son frère.

— Oui, en effet.

Les articulations de sa main droite avaient déjà doublé de volume et commençaient à l'élancer. Il irait trouver Rachel pour qu'elle lui bande la main. Cette idée était si grisante qu'il en oublia que William attendait, avec une certaine impatience, qu'il développe sa réponse.

— Ah. Euh… les… euh… Hunter sont avec l'armée. *L'autre* armée. Le frère de Rachel est médecin militaire.

L'expression de William ne changea pas, à peine parut-il légèrement plus crispé. Ian avait déjà vu ce même glissement imperceptible sur les traits de son oncle et savait ce qu'il signifiait.

— Ici ? demanda William.

— Oui. Enfin, là-bas.

Ian inclina la tête en direction du camp des Américains.

— Je vois. Quand vous la verrez, présentez-lui mes hommages, si vous le voulez bien. Et à son frère aussi, bien sûr.

— Ah… d'accord.

Tiens tiens ! Ne te fais pas d'illusions, mon gars. Tu ne la verras pas en personne et elle ne veut rien avoir à faire avec un soldat, alors laisse tomber !

— Mais certainement, ajouta-t-il.

Il se rendit compte avec un temps de retard que le seul intérêt qu'il représentait aux yeux de William était son rôle de messager auprès de Rachel Hunter.

— Merci, dit William.

Il n'avait plus son regard d'acier et examinait Ian avec intérêt. Puis il hocha la tête en ajoutant :

— Une vie pour une vie, monsieur Murray. Nous sommes quittes. Ne me laissez pas vous surprendre, la prochaine fois. Je n'aurai peut-être pas le choix.

Il tourna les talons et s'éloigna. Le rouge de son uniforme resta longtemps visible entre les arbres.

62

Un homme juste

19 septembre 1777

Le soleil se leva, invisible, au son des tambours. Il y en avait des deux côtés. Nous pouvions entendre le réveil des Britanniques, tout comme ils entendaient sans doute le nôtre. Il y avait eu une brève escarmouche entre nos tireurs d'élite et des troupes britanniques deux jours plus tôt. Grâce au travail de Ian et d'autres éclaireurs, le général Gates connaissait parfaitement la taille et la disposition de l'armée de Burgoyne. Kościuszko avait choisi de bâtir une position défensive sur Bemis Heights. La berge de la rivière formait là une haute falaise escarpée, avec de nombreuses ravines descendant jusqu'au cours d'eau. Ses équipes avaient travaillé d'arrache-pied durant toute la semaine avec des pelles et des haches. Les Américains étaient prêts. Enfin, presque.

Naturellement, les femmes n'étaient pas admises dans les conseils des généraux. Mais comme Jamie y assistait, j'étais au courant de la dispute entre le général Gates, qui était aux commandes, et le général Arnold, qui estimait qu'il aurait dû l'être. Gates voulait camper sur Bemis Heights et attendre l'attaque des Britanniques ; Arnold défendait âprement l'opinion contraire, considérant que les Américains devaient attaquer les premiers, forçant les soldats britanniques à se battre dans les ravines densément boisées, détruisant leurs formations et les rendant vulnérables au feu des tireurs embusqués, quitte à se retrancher derrière les parapets et dans les tranchées de Bemis Heights si nécessaire.

Ian émergea brièvement du brouillard matinal pour prendre un morceau de pain grillé.

— Arnold l'a emporté, m'informa-t-il. Oncle Jamie est déjà parti avec les tireurs d'élite. Il m'a demandé de vous dire qu'il vous verrait ce soir et qu'en attendant…

Il se pencha sur moi et déposa une bise sur ma joue. Puis il me sourit d'un air effronté et disparut à nouveau.

Mon estomac était noué, autant par la peur que par l'excitation contagieuse autour de moi. Les Américains formaient une bande déguenillée et disparate, mais ils avaient eu le temps de se préparer. Ils savaient ce qui les attendait et quels étaient les enjeux. La bataille serait décisive pour la campagne du Nord. Soit Burgoyne serait victorieux et poursuivrait sa marche, coinçant l'armée de Washington près de Philadelphie entre ses forces et celles du général Howe, soit son armée d'invasion serait battue, auquel cas les troupes de Gates pourraient se déplacer vers le sud pour aller prêter main forte à Washington. Tous les hommes en étaient conscients, et le brouillard semblait galvanisé par leur impatience d'en découdre.

Selon la position du soleil, il était environ dix heures du matin quand le brouillard se dissipa enfin. Les tirs avaient commencé un peu plus tôt, de brèves explosions sporadiques au loin. Je devinais que c'était les hommes de Daniel Morgan qui tiraient sur les détachements. Jamie m'avait expliqué la veille qu'ils avaient pour mission de viser les officiers, les soldats portant des gorgerins en argent. Je n'avais pas fermé l'œil de la nuit, imaginant le lieutenant Ransom et la petite plaque en métal brillant sous sa gorge. Dans la poussière de la bataille, dans le brouillard… J'avais la gorge tellement nouée que je n'arrivais même plus à boire de l'eau.

Jamie, lui, avait dormi avec la concentration têtue du guerrier, mais il s'était réveillé au beau milieu de la nuit ; il tremblait, sa chemise trempée de sueur malgré la fraîcheur. Je ne lui avais pas demandé de quoi il avait rêvé. Je lui avais tendu une chemise sèche et l'avais forcé à se rallonger, sa tête sur mes genoux, lui caressant les cheveux jusqu'à ce qu'il ferme les yeux. Cependant, je doutais qu'il se soit rendormi.

Cette fois, les tirs étaient plus soutenus. Ils nous parvenaient par saccades, mais nous entendions des salves répétées. Il y avait des cris, vagues et lointains ; il était impossible de deviner qui criait quoi et à qui. Puis il y eut la détonation d'un canon britannique ; une explosion résonnante qui fit taire tout le monde dans le camp. Une pause, puis la vraie bataille éclata, et les tirs et les cris furent ponctués de coups de canon. Les femmes étaient blotties les unes contre les autres ou rassemblaient leurs affaires d'un air sombre, au cas où nous devrions prendre la fuite.

Vers midi, un silence relatif retomba sur le camp. Était-ce terminé ? Nous attendîmes. Au bout d'un moment, les enfants gémirent qu'ils avaient faim, et une sorte de normalité tendue reprit le dessus. Il ne se passait plus rien. Nous entendions des plaintes et des hommes blessés appelant à l'aide, mais on ne nous amena personne.

J'étais prête. Je disposais d'une petite carriole tirée par une mule. Elle était chargée de bandages et de matériel médical, ainsi que d'une tente, que je pourrais monter au cas où il me faudrait effectuer une opération chirurgicale sous la pluie. La mule entravée non loin paissait calmement, indifférente à la tension et au tumulte guerrier.

Vers le milieu de l'après-midi, les hostilités reprirent et, cette fois, les civils qui attendaient dans le camp et les carrioles de cuisine commencèrent à battre en retraite. Il y avait des échanges d'artillerie des deux côtés, assez fournis pour que les canonnades continues forment un grondement de tonnerre constant et que j'aperçoive un immense nuage de fumée noire s'élever des hauteurs. Il n'avait pas vraiment une forme de champignon, mais je ne pus m'empêcher de penser à Hiroshima et à Nagasaki. J'affûtai mon couteau et mes scalpels pour la énième fois.

Le soir approchait. Le soleil disparaissait à l'horizon, teintant la brume d'un orange terne et menaçant. Le vent se levait, venant de la rivière, soulevant le brouillard de terre et le faisant tournoyer en grosses volutes.

Des nuages de fumée noire s'attardaient dans les creux, se soulevant plus lentement que les lambeaux de brume et libérant une puanteur de poudre et de soufre appropriée dans un paysage qui, s'il ne ressemblait pas aux enfers, était néanmoins sinistre.

Ici et là, un espace se dégageait subitement, tel un rideau s'ouvrant sur les vestiges de la bataille. De petites silhouettes sombres se déplaçaient furtivement au loin, courant, s'arrêtant, s'accroupissant, redressant la tête comme des babouins à l'affût d'un léopard. C'étaient les civiles – les épouses et les filles à soldats – venues tels des corbeaux dépouiller les morts.

Il y avait aussi des enfants. Sous un buisson, un gamin de neuf ou dix ans était assis à califourchon sur le corps d'un soldat en uniforme rouge. Il souleva une lourde pierre et lui fracassa le visage. Je m'arrêtai, tétanisée par cette vision. Je le vis fouiller dans la bouche béante et sanglante et en arracher une dent. Il glissa son butin dans le sac qu'il portait en bandoulière, fouilla encore puis, ne trouvant aucune autre dent lâche, reprit sa pierre comme si de rien n'était et repartit en quête d'un autre cadavre.

Je sentis la bile me monter dans la gorge et hâtai le pas. La guerre, la mort et les blessures ne m'étaient pas étrangères, mais je ne m'étais encore jamais trouvée si près des combats. Je n'avais jamais arpenté un champ de bataille où les morts et les blessés gisaient encore.

Des appels à l'aide, des gémissements et des cris s'élevaient ici et là dans la brume, désincarnés. Je songeai avec un frisson aux histoires d'*ursige* dans les Highlands, les esprits damnés errant dans les vallons. Comme les héros de ces légendes, je ne m'arrêtai pas, continuant plutôt à escalader des éboulis et à glisser dans l'herbe mouillée.

J'avais vu des photographies de grands champs de bataille, ceux de la guerre de Sécession ou les plages de Normandie.

Ce paysage-ci ne leur ressemblait pas. Il n'y avait pas de terre retournée, pas d'amoncellements de corps. Tout était calme, hormis les voix des blessés un peu partout et de ceux qui appelaient, comme moi, un ami ou un mari perdu.

Des arbres avaient été arrachés par les canonnades. Dans la faible lumière, les corps semblaient eux aussi transformés en troncs couchés, de longues formes noires dans les hautes herbes, si ce n'était que certains d'entre eux bougeaient encore. Ici et là, une forme remuait faiblement, victime de la sorcellerie de la guerre, se débattant contre le sortilège de la mort.

Je m'arrêtai et criai le nom de Jamie dans la brume. Des voix me répondirent mais aucune n'était la sienne. Devant moi gisait un jeune homme, les bras grands ouverts, un air de stupéfaction sur le visage. Une mare de sang s'étalait sous son torse tel un grand halo. La partie inférieure de son corps se trouvait à deux mètres. Je marchai entre les morceaux, retroussant mes jupes et retenant ma respiration pour ne pas sentir la puissante odeur métallique du sang.

La lumière baissait rapidement, mais j'aperçus Jamie dès que je fus parvenue au sommet de la crête suivante. Il était étendu à plat ventre dans un creux, un bras replié sous lui. Le dos de sa veste bleue était presque noir de sueur. Il avait les jambes écartées et les pieds tordus.

Mon sang se figea ; je dévalai la pente vers lui, dérapant dans la boue et trébuchant contre les caillasses. Avant d'avoir pu le rejoindre, j'aperçus une silhouette jaillir d'un buisson et se précipiter sur lui. Elle tomba à genoux à ses côtés et, sans hésiter, lui attrapa les cheveux et lui tira la tête sur le côté. Un objet brillait dans sa main.

— Arrêtez ! hurlai-je. Lâchez-le tout de suite !

Surprise, la femme se tourna vers moi tandis que je courais les derniers mètres. Ses petits yeux injectés de sang me fixèrent au milieu d'un visage rond couvert de suie et de crasse.

— Dégage ! grogna-t-elle. Je l'ai trouvé la première.

L'objet dans sa main était un couteau, qu'elle pointa vers moi pour me tenir à distance. J'étais trop furieuse et trop inquiète pour avoir peur.

— Lâchez-le ! Si vous le touchez, je vous tue !

Je serrai les poings et dus avoir l'air d'une vraie furie car, impressionnée, elle lâcha les cheveux de Jamie.

— Il est à moi ! répéta-t-elle en pointant vers moi un menton pugnace. Va t'en chercher un autre.

Une autre forme surgit du brouillard et se matérialisa à ses côtés. C'était le garçon que j'avais vu un peu plus tôt, aussi dépenaillé et crasseux que celle que je devinai être sa mère. Il n'avait pas de couteau mais serrait un morceau de métal tranchant découpé dans une gamelle. Son bord était taché de rouille, ou de sang…

— Il est à nous, maman a dit, aboya-t-il. Va voir ailleurs ! File !

Sans attendre de voir si je m'exécutais, il enfourcha Jamie et commença à lui faire les poches.

— Il est encore en vie, maman. Je sens son cœur qui bat. Faut lui trancher la gorge, il n'est pas blessé assez gravement.

J'attrapai le gamin par le col et l'arrachai du corps de Jamie, lui faisant lâcher son arme. Il couina et se débattit, mais je lui envoyai un coup de genou dans l'arrière-train qui fit trembler toute sa colonne vertébrale. Puis je lui coinçai la gorge sous mon coude et lui tordis le poignet de mon autre main.

— Lâche-le !

Les yeux de la femme se plissèrent comme ceux d'une fouine et elle retroussa les lèvres, me montrant ses canines.

Je n'osais pas détacher mon regard d'elle pour examiner Jamie. Je pouvais cependant le voir du coin des yeux, la tête tournée sur le côté, sa gorge blanche exposée et vulnérable.

— Relevez-vous et reculez, ou je l'étrangle. Je vous jure que je le ferai !

Accroupie au-dessus de Jamie, son couteau à la main, la femme me jaugeait, essayant de deviner si j'irais jusqu'au bout de ma menace. J'en avais bien l'intention.

Le gamin se débattait et se tortillait, m'envoyant des coups de pied dans les tibias. Il était petit et maigrichon mais néanmoins costaud. C'était comme essayer de maîtriser une anguille. Je resserrai mon étau sur sa gorge. Il émit un gargouillis et cessa de gigoter. La puanteur de ses cheveux gras m'emplissait les narines.

La femme se releva lentement. Elle était beaucoup plus petite et menue que moi. Les os de ses bras maigres saillaient sous ses manches. Je n'aurais pu deviner son âge. Sous la crasse et la bouffissure de ses traits due à la malnutrition, elle pouvait avoir n'importe quel âge entre vingt et cinquante ans.

Elle indiqua le brouillard derrière elle.

— Mon homme est étendu là derrière, mort. Il n'a rien d'autre sur lui que son mousquet et, ça, son sergent va le lui reprendre.

Elle fixa un point vers la forêt lointaine où les troupes britanniques s'étaient retranchées.

— Je trouverai un autre homme bientôt mais, en attendant, j'ai des enfants à nourrir, deux autres en plus de celui-là.

Elle se passa la langue sur les lèvres puis tenta de m'amadouer :

— Tu es seule. Tu te débrouilleras plus facilement que moi. Laisse-moi celui-ci ; il y en a d'autres là-bas.

Elle pointa le menton vers la pente derrière moi où gisaient les morts et les blessés rebelles.

J'avais dû relâcher mon emprise en l'écoutant, car le gamin bondit soudain et se libéra. Il plongea par-dessus Jamie et roula aux pieds de sa mère.

Il se redressa et m'observa avec des yeux de rat, mauvais et attentifs. Il se pencha et tapota le sol autour de lui jusqu'à ce qu'il récupère son poignard improvisé.

— Tiens-la à distance, maman, dit-il d'une voix rauque. Je m'occupe de lui.

Du coin de l'œil, j'avais aperçu un éclat de métal à demi enfoui dans l'herbe.

— Attendez ! dis-je en reculant d'un pas. Ne le tuez pas !

Un pas sur le côté, un autre en arrière.

— Je m'en vais, je vous le laisse mais…

Je plongeai sur le côté et saisis la garde froide en métal.

J'avais déjà manié l'épée de Jamie. C'était une épée de cavalerie, plus longue et plus lourde que les autres, mais je le remarquai à peine. Je la brandis à deux mains et l'agitai devant moi en décrivant un arc qui fit vibrer l'air.

La mère et le fils firent un bond en arrière avec le même air abruti de surprise sur leur visage rond et crasseux.

— Allez-vous-en ! m'écriai-je.

Elle ouvrit grand la bouche mais ne répondit rien.

— Je suis navrée pour votre homme, repris-je. Mais celui-ci est le mien. Partez !

Elle tourna les talons et partit en me lançant des imprécations par-dessus son épaule. Le garçon s'éloigna à reculons sans me quitter des yeux, deux charbons ardents dans la pénombre. Si nos chemins se croisaient à nouveau, il me reconnaîtrait. Moi aussi.

Ils disparurent dans la brume et j'abaissai l'épée, dont le poids me parut soudain au-dessus de mes forces. Je la jetai dans l'herbe et me laissai tomber à genoux auprès de Jamie.

De mes doigts tremblants, je cherchai le pouls de sa gorge. Je lui tournai la tête et l'aperçus, battant juste sous sa mâchoire.

— Dieu merci ! murmurai-je. Oh, merci, mon Dieu !

Je le palpai brièvement, cherchant une blessure avant de le déplacer. Je ne pensais pas que ces charognards reviendraient. J'entendais un groupe d'hommes non loin sur la crête derrière moi. Un détachement de rebelles venu chercher les blessés.

Jamie avait une grande boursouflure au front, virant déjà au violet. Je ne voyais rien d'autre. Le garçon avait vu juste, il n'était pas grièvement blessé. Je le roulai sur le dos et vis sa main.

Les Highlanders avaient l'habitude de se battre en brandissant leur l'épée d'une main et en tenant dans l'autre une targe, ce petit bouclier en cuir. Jamie n'en avait pas.

La lame s'était enfoncée entre l'annulaire et le majeur de sa main droite, entamant la paume presque jusqu'au poignet.

Toutefois, en dépit de la profondeur et de la laideur de la plaie, il n'y avait pas beaucoup de sang. Sa main avait été recroquevillée sous lui, son poids la comprimant. Le devant de sa chemise était rouge, avec une tache plus sombre au niveau du cœur. Je la déchirai et palpai son torse pour m'assurer que le sang ne venait que de sa main. Sa poitrine était fraîche et humide car il avait été étendu dans l'herbe, mais elle était indemne.

— Tu… me chatouilles, dit-il d'une voix endormie.

Il tenta de repousser mes doigts de sa main gauche.

— Désolée.

J'étais tellement heureuse et soulagée de le voir vivant et conscient que je réprimai une envie de rire. Je glissai un bras sous ses épaules et l'aidai à s'asseoir. Il paraissait ivre. Il avait un œil enflé et mi-clos, et de l'herbe dans les cheveux. Il oscillait dangereusement.

— Comment te sens-tu ? lui demandai-je.

— J'ai mal au cœur.

Il se tourna sur le côté et vomit. Je lui essuyai la bouche puis commençai à lui bander la main.

— Quelqu'un sera là bientôt, l'assurai-je. On te portera jusqu'à la carriole et je m'occuperai de ta blessure.

Il gémit doucement quand je serrai son bandage.

— Mmph… Que s'est-il passé ?

Je m'interrompis et le regardai.

— Comment ça, « que s'est-il passé » ? C'est à moi que tu le demandes ?

Il me dévisagea patiemment de son œil valide.

— Je veux dire, comment s'est passée la bataille ? Je sais ce qui m'est arrivé, plus ou moins.

— Ça, je le sais aussi, rétorquai-je. Tu t'es fait découper en morceaux comme un porc qu'on mène à l'abattoir et tu as le crâne à moitié défoncé ! Tu as encore voulu jouer les héros, voilà ce qui t'est arrivé !

— Je n'ai pas…

Je ne le laissai pas finir, mon soulagement cédant rapidement le pas à la colère.

— Tu n'avais pas besoin d'aller à Ticonderoga ! Tu n'aurais jamais dû y aller ! Tu m'avais promis de te contenter d'écrire et d'imprimer des pamphlets ! De ne plus te battre à moins d'y être obligé. Or, tu n'étais pas obligé ! Mais il a fallu que tu y ailles quand même, espèce d'Écossais orgueilleux, obstiné et... et pompeux !

— Pompeux ?

— Tu sais très bien ce que je veux dire ! Tu aurais pu te faire tuer !

— Oui, convint-il. J'ai bien cru que ma dernière heure était arrivée quand j'ai vu le dragon fondre sur moi. J'ai crié et effrayé son cheval, qui a rué et m'a flanqué un coup de sabot en plein front.

— Ne change pas de sujet !

— Je croyais que le sujet était justement que j'avais frôlé la mort...

Il voulut arquer un sourcil ironique mais grimaça de douleur.

— Non, le sujet c'est ta connerie ! Ta saleté d'entêtement égoïste !

— Ah, ça.

— Oui, ça ! Tu... tu n'es qu'un salaud ! Comment peux-tu me faire ça ? Tu crois que je n'ai rien de mieux à faire que de courir après toi pour réparer les dégâts ?

À ce stade, j'étais carrément en train de hurler. Pour ne rien arranger à ma fureur, il se mit à sourire, son expression rendue encore plus canaille par sa paupière mi-close.

— Tu aurais fait une bonne poissonnière, *Sassenach*. Tu as la faconde pour ça.

— Ferme-la, espèce de...

— Ils vont t'entendre.

Il m'indiqua d'un signe de tête un groupe de soldats continentaux qui descendaient le versant dans notre direction.

— Je me fiche qu'on m'entende ! Si tu n'étais pas déjà blessé, je te... je te...

— Fais attention, *Sassenach*, m'interrompit-il sans cesser de sourire. Si tu me coupes d'autres morceaux, il faudra bien que tu les recolles ensuite.

— Ne me tente pas !

Je lançai un regard vers l'épée que j'avais laissé tomber. Il la vit également et tenta vainement de l'atteindre. Avec un soupir explosif, je me penchai au-dessus de lui, la saisis et plaçai la garde dans sa main. J'entendis les hommes plus haut crier et, me tournant, agitai les bras pour leur faire signe. Je l'entendis dire derrière moi :

— Quelqu'un qui t'écouterait en ce moment pourrait croire que tu ne me portes pas dans ton cœur, *Sassenach*.

Je fis volte-face. Son air effronté avait disparu, mais le sourire était toujours là.

— Tu as la langue venimeuse d'une mégère, mais tu fais un très charmant tableau quand tu manies l'épée, *Sassenach*.

J'ouvris la bouche, mais le torrent de mots qui s'était déversé avec une telle fluidité quelques instants plus tôt s'évapora comme les derniers lambeaux de la brume.

Il posa sa main valide sur mon bras.

— Pour le moment, *a nighean donn*... je te remercie de m'avoir sauvé la vie.

Je refermai la bouche. Les hommes nous avaient presque rejoints, leurs exclamations et leur bavardage étouffant les gémissements toujours plus faibles des blessés.

— De rien, répondis-je.

— Un vrai steak tartare, marmonnai-je entre mes dents.

Le voyant arquer un sourcil, je clarifiai :

— De la viande hachée menu.

— Oui. J'ai arrêté le coup d'épée avec ma main. Dommage que je n'aie pas eu de targe, je l'aurais fait dévier.

— En effet.

Ce n'était pas la pire des plaies que j'aie vues, et de loin, mais elle me retournait le cœur. Le bout de l'annulaire avait été sectionné de biais juste sous l'ongle. Le coup avait entaillé une bande de chair à l'intérieur du doigt et s'était enfoncé entre l'annulaire et le majeur. M'efforçant de parler calmement, j'expliquai :

— Tu as dû saisir la lame près de la garde, autrement tu aurais eu toute la moitié droite de la main arrachée.

— Mmph…

Il ne remuait pas tandis que je palpais et manipulais sa main, mais son visage luisait de transpiration, et il ne pouvait retenir quelques grognements de douleur.

— Excuse-moi, dis-je machinalement.

— Il n'y a pas de quoi, répondit-il, tout aussi machinalement.

Il ferma les yeux, les rouvrit, puis déclara :

— Coupe-le.

— Quoi ?

— Ce doigt, ampute-le, *Sassenach*.

— Mais je ne peux pas faire ça !

Tout en le disant, je savais qu'il avait raison. Au-delà de l'état du doigt lui-même, le tendon était sévèrement endommagé. Les chances qu'il puisse à nouveau le remuer un jour, sans parler de le remuer sans douleur, étaient infinitésimales.

— Il ne m'a pas servi à grand-chose au cours de ces vingt dernières années, et ça ne va pas s'arranger. Raide comme il est, je l'ai déjà brisé une demi-douzaine de fois. Il ne me gênera plus une fois qu'il ne sera plus là.

J'aurais voulu en discuter, mais le temps pressait. Les blessés commençaient à arriver de partout. Ils étaient tous miliciens, et non des soldats réguliers. S'il y avait eu un régiment dans les parages, un médecin militaire aurait pu les soigner, mais j'étais plus près.

— Qui a été un foutu héros le restera toute sa vie, bougonnai-je.

Je plaquai une compresse en tissu ouaté sur sa paume sanglante et enveloppai un bandage autour de sa main.

— Oui, il va falloir que je l'ampute, mais pas tout de suite. Cesse de remuer.

— Aïe ! gémit-il. Je t'ai dit que je n'étais pas un héros.

— Ce n'est pas faute d'essayer ! rétorquai-je avant de serrer le nœud du bandage avec mes dents. Je m'en occuperai quand j'aurai le temps.

Je lui saisis le poignet et plongeai sa main dans une bassine remplie d'eau et d'alcool.

Quand l'alcool traversa le tissu et entra en contact avec la chair à vif, Jamie devint blanc comme un linge et inspira entre ses dents. Je pointai un doigt péremptoire vers la couverture que j'avais étalée sur le sol, et il alla docilement s'allonger, se recroquevillant au pied de la carriole en serrant sa main contre son cœur.

Je me relevai et hésitai. Puis je m'agenouillai à nouveau et, écartant sa queue de cheval maculée de boue sèche et de fragments de feuilles mortes, je déposai un baiser dans sa nuque. Je vis sa joue se contracter quand il sourit, puis il se détendit.

Le bruit s'était répandu que la carriole médicale se trouvait dans le coin. Il y avait déjà un petit groupe d'hommes attendant mes soins. D'autres arrivaient, soutenus ou traînés par des camarades, comme attirés par ma lanterne. La soirée allait être longue.

Le colonel Everett m'avait promis deux assistants, mais Dieu seul savait où il était passé. Je pris le temps d'inspecter la petite foule qui se rassemblait autour de moi et choisis un jeune homme qui venait de déposer un camarade blessé au pied d'un arbre. Je le tirai par la manche.

— Vous. Vous avez peur du sang ?

Il resta perplexe un instant puis me sourit derrière un masque de boue et de suie. Mesurant à peu près ma taille, il était râblé, avec un visage qui aurait pu être qualifié de chérubin s'il n'avait été aussi crasseux.

— Uniquement si c'est le mien, m'dame, et, jusqu'à présent, Dieu soit loué, je n'en ai pas versé.

— Dans ce cas, venez avec moi. Vous êtes désormais assistant de triage.

— Assistant de quoi ? Hé, Harry ! cria-t-il à un ami. J'ai été promu ! La prochaine fois que tu écriras à ta mère, dis-lui bien que Lester n'est pas un bon à rien, finalement !

Puis il m'emboîta le pas, l'air ravi.

Son sourire disparut rapidement derrière un air de profonde concentration tandis que je le guidais parmi les blessés, lui indiquant les divers degrés de gravité.

— Ceux qui pissent le sang sont prioritaires, lui expliquai-je en lui fourrant une brassée de bandages en lin et un sac de tissu ouaté dans les bras. Donnez-leur-en. Dites à leurs amis de presser fort le tissu ouaté sur les plaies ou de placer un garrot autour du membre en amont de la blessure. Vous savez ce qu'est un garrot ?

— Oh oui, m'dame. J'en ai déjà mis à mon cousin Jess, qui s'était fait attaquer par une panthère, chez nous, en Caroline.

— Parfait. Ne perdez pas de temps à en placer vous-même à moins d'y être obligé. Laissez faire leurs camarades. Ensuite, ceux qui ont les os brisés. Ils peuvent attendre un peu. Faites-les mettre sous ce grand bouleau. Les plaies à la tête et les blessures internes qui ne saignent pas vont là-bas, près du châtaignier. S'ils peuvent bouger. Autrement, ce sera moi qui irai à eux.

Je décrivis un demi-cercle, examinant le terrain.

— Si vous trouvez un ou deux hommes valides, demandez-leur de monter la tente d'infirmerie. Il faut un endroit plat… Là-bas, ce sera parfait. Il en faudrait deux autres pour creuser une fosse d'aisance… Là-bas, il me semble.

— Oui, chef ! Pardon, je veux dire, m'dame !

Il inclina la tête et serra contre lui son sac de tissu ouaté.

— Je m'en occupe tout de suite. Cela dit, à votre place, je ne m'inquiéterais pas pour les latrines pour le moment. La plupart des garçons ont eu tellement la frousse qu'ils se sont déjà chié dessus.

Il inclina à nouveau la tête puis partit commencer sa ronde.

Il avait dit juste. Une vague odeur de fèces flottait dans l'air, comme toujours sur les champs de bataille, une note sourde sous la puanteur du sang et de la poudre.

Pendant que Lester triait les blessés, je me mis au travail avec mon coffre de remèdes, mon sac de sutures et un bol d'alcool posés à l'arrière de la carriole. J'avais retourné un tonnelet pour faire asseoir les patients, du moins ceux qui le pouvaient.

Les pires blessures avaient été infligées par des baïonnettes. Heureusement, il n'y avait pas eu de grenaille. Quant aux hommes touchés par des boulets de canon, ils avaient depuis longtemps atteint le stade où je ne pouvais plus rien pour eux. Tout en travaillant, j'écoutais d'une oreille distraite les conversations des soldats. L'un d'eux demanda à son voisin:

— T'as déjà vu une chose pareille? Ils étaient combien, ces bougres?

— J'en sais foutre rien. Pendant un moment, je ne voyais plus que du rouge partout. Puis un canon est parti tout à côté de moi, et je n'ai plus vu que du noir.

Il se frotta le visage. Les larmes de ses yeux piqués par la fumée avaient laissé de longues rigoles claires dans la suie qui le couvrait de la tête aux pieds.

Je lançai un regard vers la carriole mais ne pouvais voir ce qu'il y avait dessous. J'espérais que le choc et la fatigue avaient eu raison de Jamie et qu'il dormait en dépit de sa main, mais j'en doutais.

Bien que tous autour de moi fussent blessés d'une manière ou d'une autre, le moral était bon et l'ambiance générale, marquée par le soulagement et l'exultation. Plus bas dans la vallée, là où la brume persistait au-dessus de la rivière, j'entendais des cris de victoire et un vacarme chaotique de coups de feu et de roulements de tambours.

Une voix transperça le raffut; c'était celle d'un officier en uniforme perché sur un cheval bai.

— Quelqu'un a vu le grand rouquin qui a brisé la charge?

Il y eut des murmures et des échanges de regards, mais personne ne répondit. Le cavalier descendit de selle et, nouant ses rênes autour d'une branche, se dirigea vers moi en se faufilant entre les blessés. L'homme dont j'étais en train de recoudre la joue marmonna:

— Je ne sais pas qui c'était, mais il a des couilles de la taille d'un boulet de dix livres.

— Et une tête tout aussi dure, rétorquai-je.

— Hein ? me lança-t-il, surpris.

— Rien. Ne bougez pas, j'ai presque fini.

*

Ce fut une nuit d'horreur. Certains des blessés gisaient encore dans les ravines et les creux au milieu des morts. Les loups qui s'avancèrent en silence hors des bois ne faisaient pas de distinctions entre les deux, à en juger par les hurlements lointains.

L'aube pointait déjà quand je rentrai à la tente où se reposait Jamie. J'entrai silencieusement, mais il était déjà réveillé. Il était couché en chien de fusil face à l'entrée, sa main posée sur une couverture pliée.

Il me sourit faiblement et demanda d'une voix légèrement éraillée :

— La nuit a été dure, *Sassenach* ?

La brume qui s'infiltrait sous la tente était jaunie par la lumière de la lanterne.

— J'ai vu pire, répondis-je.

J'écartai les cheveux de son visage et l'examinai. Il était pâle mais ne transpirait pas trop. Ses traits étaient tirés par la douleur, mais sa peau était fraîche au toucher. Pas de trace de fièvre.

— Tu n'as pas fermé l'œil de la nuit, n'est-ce pas ? Comment te sens-tu ?

— Un peu effrayé et légèrement nauséeux, mais ça va mieux maintenant que tu es là.

Il m'adressa une petite grimace tendue qui était presque un sourire.

Je glissai une main sous sa mâchoire, cherchant le pouls dans sa gorge. Les battements de son cœur étaient réguliers. Je fus parcourue d'un frisson au souvenir de la pilleuse de cadavres.

— Tu es glacée, *Sassenach*. Tu dois être morte de fatigue, toi aussi. Dors un peu. Je peux encore attendre.

J'étais effectivement épuisée. L'adrénaline de la bataille et du travail de la nuit s'amenuisait rapidement. La fatigue rampait le long de ma colonne vertébrale et alourdissait mes articulations. Mais je savais aussi à quel point les longues heures d'attente l'avaient fait souffrir.

— Ça ne prendra pas beaucoup de temps. Il vaut mieux en finir une fois pour toutes ; ensuite, tu dormiras plus facilement.

Il acquiesça mais ne paraissait pas très rassuré pour autant. Je dépliai le petit plan de travail que j'avais apporté de la carriole et disposai mes instruments autour de moi. Puis je sortis mon précieux flacon de laudanum et versai un peu du liquide sombre et odorant dans une tasse, que je mis dans sa main gauche.

— Bois-le doucement.

Je vérifiai à nouveau que tout ce dont j'aurais besoin était à ma portée. J'avais envisagé de demander à Lester de m'assister, mais le pauvre dormait debout, oscillant sous les lanternes pâles de la tente où j'avais opéré les blessés. Je l'avais envoyé se trouver une couverture et un coin auprès d'un feu.

Un petit scalpel, fraîchement affûté. Un bocal rempli d'alcool et contenant des sutures enroulées telles de minuscules vipères, chacune enfilée dans une petite aiguille courbe. Un autre bocal avec des sutures sèches et cirées pour la compression artérielle. Un bouquet de sondes, leur pointe trempant dans l'alcool. Un forceps. Un rétracteur à long manche. Une érigne pour retenir les extrémités des artères sectionnées.

Les ciseaux chirurgicaux avec leurs courtes lames incurvées et leurs anneaux façonnés sur mesure pour ma main par l'orfèvre Stephen Moray. Enfin, presque sur mesure. Je les avais demandés sans fioritures afin qu'ils fussent plus faciles à nettoyer. Stephen avait effectivement opté pour une ligne épurée mais n'avait pu s'empêcher d'ajouter un détail décoratif. L'un des anneaux possédait une petite extension en crochet contre lequel je pouvais caler mon petit doigt afin d'exercer plus de pression. Elle formait une mince courbe lisse se terminant par un fin bourgeon entouré de feuilles délicates. Le contraste entre les épaisses lames menaçantes d'un côté et ce charmant ornement de l'autre me faisait toujours sourire quand je sortais mon instrument de sa boîte.

Des bandes de gaze de coton et de lin épais, des tampons de tissu ouaté, des pansements enduits de sang-de-dragon rouge qui les rendait adhésifs. Des flacons de quinquina, de pâte d'ail et d'achillée pour les onguents.

— Nous y sommes, dis-je avec satisfaction.

Comme je travaillais seule, il me fallait redoubler de vigilance. Si j'oubliais quelque chose, il n'y aurait personne pour aller me le chercher.

— Ça fait beaucoup de préparatifs pour un petit doigt de rien du tout.

En me retournant, je le découvris m'observant, redressé sur un coude, sa tasse de laudanum intacte.

— Tu ne pourrais pas me l'arracher d'un coup avec ton petit couteau puis refermer la plaie au fer rouge comme le font les médecins de régiment ?

— Si, je le pourrais, répliquai-je, acerbe. Heureusement pour toi, ce n'est pas nécessaire. Nous avons suffisamment de temps pour travailler proprement. C'est pourquoi je t'ai fait attendre.

— Mouais...

Il examina la rangée d'instruments étincelants sans grand enthousiasme. Il était clair qu'il aurait préféré que le problème soit résolu le plus rapidement possible. Je me rendis compte qu'à ses yeux, cela ressemblait à une lente torture ritualisée plutôt qu'à de la chirurgie sophistiquée.

— Je tiens à ce que tu conserves une main en état de fonctionner, lui expliquai-je. Pas d'infection, pas de moignon qui suppure, pas de mutilation bâclée et, je l'espère, pas de douleur une fois que la plaie aura cicatrisé.

Il parut surpris. Il n'en avait jamais parlé, mais j'étais consciente que sa main droite le gênait et que son annulaire raide lui faisait régulièrement mal depuis qu'il avait été écrasé dans la prison de Wentworth avant le soulèvement jacobite des Stuart.

Je lui indiquai la tasse dans sa main.

— Un accord est un accord. Bois.

Il porta la tasse à ses lèvres à contrecœur, ses narines frémissant devant l'odeur doucereuse. Il toucha le liquide brun du bout de la langue et fit la grimace.

— Il va me faire vomir.

— Il va te faire dormir.

— Je vais avoir d'horribles cauchemars.

— Tant que tu ne pourchasses pas des lapins dans tes rêves, ça ira.

Il rit malgré lui mais fit une dernière tentative.

— Ça a le même goût que la matière qu'on enlève en raclant les sabots d'un cheval.

— Quand as-tu léché le sabot d'un cheval pour la dernière fois ?

Je posai mes mains sur mes hanches et lui adressai un regard d'une noirceur intermédiaire, celui qui était efficace sur les bureaucrates mesquins et les officiers peu gradés.

Il poussa un soupir.

— Il le faut vraiment, hein ?

— Oui.

— Soit.

Après un dernier regard chargé de reproches, il fit une moue résignée, renversa la tête en arrière et but la tasse d'un trait.

Un frisson convulsif le parcourut, et il manqua de s'étrangler.

— Je t'avais dit de boire lentement ! Si tu vomis, je te ferai lécher par terre.

Compte tenu du fait que le sol était en terre et couvert d'herbes piétinées, c'était une menace en l'air. Néanmoins, il pinça les lèvres, ferma les yeux et s'allongea sur son oreiller en soufflant bruyamment. J'approchai un tabouret et m'assis à son chevet. Quelques minutes plus tard, je demandai :

— Comment te sens-tu ?

— Étourdi.

Il entrouvrit un œil et m'observa à travers une fente bleue.

— C'est comme si je tombais d'une falaise. C'est une sensation très désagréable.

— Essaie de penser à autre chose. À quelque chose d'agréable.

Il plissa le front quelques instants, puis se détendit.

— Lève-toi un instant, *Sassenach*.

Je m'exécutai en me demandant ce qu'il voulait. Il rouvrit les yeux et, de sa main valide, saisit fermement mes fesses.

— Voilà, dit-il. Je ne vois rien de plus agréable. Te peloter le cul me remet toujours d'aplomb.

Je me mis à rire et m'approchai de lui de sorte que ma cuisse touchât son front.

— Au moins, c'est un remède qui est toujours à portée de main.

Il referma les yeux sans me lâcher et inspira profondément. Les sillons de fatigue et de douleur sur son visage commencèrent à s'adoucir sous l'effet de la drogue.

Au bout d'une minute, je murmurai :

— Jamie, je suis navrée.

Il rouvrit les yeux, me sourit et exerça une pression sur mon postérieur.

— Ce n'est pas grave, dit-il.

Ses pupilles avaient commencé à rétrécir. Ses yeux étaient profonds et insondables comme la mer.

— Dis-moi, *Sassenach*… Si on t'amenait un homme et te disait que, si tu te tranchais le doigt, cet homme vivrait et que si tu refusais, il mourrait… tu le ferais ?

— Je… je ne sais pas, répondis-je, prise de court. Si je n'avais pas d'autre choix et que l'homme en question était bon… oui, je suppose que je le ferais. Ça ne me plairait pas mais… oui.

Il esquissa un sourire. Son expression était de plus en plus douce et rêveuse. Quelques instants plus tard, il reprit :

— Tu sais qu'un colonel est venu me trouver pendant que tu soignais les malades ? Le colonel Johnson, Micah Johnson.

— Non. Que voulait-il ?

Sa main sur ma fesse commençait à se relâcher. J'y plaquai la mienne pour la retenir.

— C'est sa compagnie qui a essuyé le gros des combats. Elle faisait partie des troupes de Morgan, embusquées de l'autre côté de la colline, sur la route de Britanniques. Si la charge s'était poursuivie, les hommes de Johnson auraient été décimés, et Dieu seul sait ce qui serait arrivé aux autres.

Son élocution commençait à être laborieuse. Il gardait les yeux fixés sur ma jupe.

— Tu leur as donc sauvé la vie, dis-je doucement. Combien d'hommes y a-t-il dans une compagnie ?

— Cinquante. Ils n'auraient peut-être pas tous été tués.

Sa main glissa et je la rattrapai. Je sentais son souffle chaud à travers mes jupons.

— Ça m'a fait penser à ce passage de la Bible, dit-il.

— Ah oui ? Lequel ?

— Quand Abraham négocie avec l'Éternel pour sauver les villes de la Plaine. Il lui dit : « Ne pardonneras-tu pas à la ville à cause des cinquante justes qui se trouvent au milieu d'elle ? » Puis il marchande avec Dieu, de cinquante, il passe à quarante-cinq, puis à trente, puis à vingt, puis à dix.

Ses paupières étaient mi-closes, sa voix paisible et détachée.

— Je n'ai pas eu le temps de me renseigner sur la valeur morale des hommes de cette compagnie. Mais tu ne penses pas qu'elle devait compter au moins dix justes, dix hommes bons ?

— Certainement.

— Ou cinq. Ou même un. Un seul suffirait.

— Je suis sûre qu'il y en avait au moins un.

— Ce garçon au visage tout rond qui t'a aidé avec les blessés… c'en est un ?

— Oui, absolument.

Il poussa un profond soupir.

— Alors dis-lui que je ne lui en veux pas pour mon doigt.

Je tins sa main valide pendant une minute encore. Il respirait lentement et profondément. Puis je le roulai doucement sur le dos et déposai sa main sur sa poitrine.

— Ordure, murmurai-je. Je savais bien que tu me ferais pleurer.

*

Le camp était tranquille, bénéficiant de ces derniers moments de paix avant le lever du soleil et le réveil des soldats. De temps à autre, j'entendais l'appel de la sentinelle ou les murmures de deux fourrageurs en route vers la forêt passant près de ma tente. Les feux n'étaient plus que des braises, mais j'avais allumé trois lanternes et les avais disposées afin qu'elles ne projettent aucune ombre.

J'avais posé une petite planche carrée en pin sur mes genoux comme plan de travail. Jamie était étendu sur le ventre, le visage tourné vers moi ; je pouvais ainsi surveiller la couleur de son teint. Il était profondément endormi et ne sourcilla même pas quand j'enfonçai la pointe acérée d'une sonde dans le dos de sa main. Tout était prêt.

Sa main était enflée et décolorée, la plaie formant une épaisse ligne noire sur la peau dorée. Je fermai les yeux un moment et, tenant son poignet, comptai son pouls. *Un et deux et trois et quatre…*

Il était rare que je prie consciemment avant une opération, mais je cherchais quelque chose… quelque chose que je n'aurais su décrire mais que je reconnaissais toujours : une certaine paix intérieure, un détachement de l'esprit qui m'offrait un équilibre sur cette ligne ténue qui séparait le caractère impitoyable de ce que je m'apprêtais à faire et la compassion pour ce corps à ma merci, un corps que je pouvais détruire en voulant le soigner.

Un et deux et trois et quatre…

Je m'aperçus que mon propre rythme cardiaque avait ralenti lui aussi. Le pouls au bout de mes doigts s'était synchronisé avec celui de Jamie. Si j'attendais un signe, celui-ci ferait l'affaire. *À la un, à la deux, à la trois… Partez !* Je saisis mon scalpel.

Une courte incision horizontale sur les articulations de l'annulaire et du majeur, puis une autre plus longue par-dessous, presque jusqu'au poignet. J'écartai la peau lâche délicatement du bout de mes ciseaux et la coinçai avec l'une des longues sondes en acier, la plantant dans le bois mou de la planche.

J'avais rempli un petit flacon atomiseur d'une solution d'eau distillée et d'alcool. Comme il était impossible d'obtenir des conditions stériles, j'en vaporisai mon champ d'opération et nettoyai le sang. Il n'y en avait pas beaucoup. Le vasoconstricteur que j'avais administré à Jamie faisait effet, mais cela ne durerait pas longtemps.

Je repoussai doucement les fibres musculaires qui étaient encore entières, exposai l'os et le tendon qui le recouvrait. Il lançait des éclats argentés qui contrastaient avec les couleurs vives de la chair. L'épée l'avait presque sectionné, s'arrêtant tout près des os carpiens. Je sectionnai les fibres restantes, et la main se mit à remuer par réflexe.

Déconcertée, je me mordis la lèvre et attendis ; Jamie, autrement, n'avait pas bougé. Quelque chose était différent pourtant : son corps était plus vivant que celui d'un homme sous éther ou Penthotal. Il n'était pas anesthésié, mais seulement engourdi par la drogue. Sa chair résistait ; ce n'était pas la flaccidité docile à laquelle j'avais été habituée dans les blocs opératoires de mon temps. Toutefois, on était loin des convulsions paniquées que j'avais dû affronter en opérant des patients sous ma tente de campagne.

J'écartai le tendon sectionné à l'aide du forceps. Ensuite venait le faisceau profond du nerf ulnaire, un délicat réseau de myéline blanche dont les branches s'étalaient pour disparaître dans la profondeur des tissus. Parfait, il se trouvait suffisamment proche du majeur pour que je puisse travailler sans risquer d'endommager le tronc principal du nerf.

On ne savait jamais à l'avance ce qu'on allait trouver. Les illustrations des manuels d'anatomie étaient une chose, mais tout chirurgien savait que chaque corps était unique. Un estomac se trouvait toujours plus ou moins où vous l'attendiez, mais les nerfs et vaisseaux sanguins qui l'alimentaient pouvaient se trouver n'importe où dans le voisinage, variant en taille et en nombre.

Désormais, je connaissais les secrets de sa main. Je voyais son mécanisme, les structures qui lui donnaient sa forme et ses mouvements. Il y avait le bel arc du troisième métacarpe et le délicat réseau de ses vaisseaux. Le sang perlait, lent et vif ; rouge profond dans la minuscule flaque au centre du champ ouvert ; écarlate là où il tachait l'os entaillé ; bleu royal dans la minuscule veine qui palpitait sous l'articulation ; noirâtre dans la croûte bordant la plaie originale, là où il avait coagulé.

J'avais su – sans me demander pourquoi – que le quatrième métacarpe était en miettes. La lame avait heurté le segment proximal de l'os et broyé sa petite extrémité près du centre de la main.

Je devrais donc l'extraire également. De toute manière, il me faudrait enlever tous les débris d'os afin qu'ils n'irritent pas les tissus adjacents. Extraire le métacarpe rapprocherait le majeur et l'auriculaire, rendant la main plus étroite et éliminant l'espace laissé par le doigt manquant.

Je tirai fort sur l'annulaire mutilé afin d'ouvrir les espaces articulaires, puis sectionnai le ligament du bout de mon scalpel. Les cartilages se séparèrent avec un petit *pop*, et Jamie émit un grognement, sa main se tordant sur la planche.

— Chut… murmurai-je en la tenant fermement. Chut, tout va bien. Je suis là, tout va bien.

Je ne pouvais rien pour les jeunes hommes agonisant sur le champ de bataille, mais ici, pour lui, je pouvais exercer ma magie en sachant que mon sortilège tiendrait. Jamie m'entendit à travers ses rêves opiacés. Il fronça les sourcils, marmonna quelque chose d'inintelligible puis soupira et se détendit, son poignet redevenant mou dans ma main.

Un coq chanta non loin. En relevant les yeux vers la paroi de la tente, je constatai qu'il faisait plus clair. Un léger vent d'aube s'infiltra par l'ouverture derrière moi, caressant ma nuque.

Détacher doucement le muscle sous-jacent. Nouer la petite artère digitale avec deux autres vaisseaux suffisamment grands. Sectionner les dernières fibres et fragments de peau retenant le doigt. Détacher celui-ci.

Le métacarpe me resta dans la main, blanc et nu comme une queue de rat.

J'avais fait un travail propre et net mais ressentis une brève pointe de tristesse en déposant le petit morceau de chair sur la planche. Je revis soudain Jamie tenant Jemmy à peine né, comptant un à un les petits doigts et orteils, son visage ravi et émerveillé. Son père aussi avait compté ses doigts.

— Tout va bien, chuchotai-je autant pour lui que pour moi-même. Tout va bien, ça cicatrisera.

Le reste fut rapide. J'ôtai les fragments d'os avec le forceps, débridai la plaie de mon mieux, enlevai les morceaux d'herbe, de terre et même un petit bout de tissu qui avaient été enfoncés dans la chair. Il ne me restait plus qu'à nettoyer les lèvres de la plaie, à couper la peau en excès et à suturer les incisions. J'appliquai une épaisse couche d'onguent à base d'ail, de feuilles de chêne blanc et d'alcool sur toute la main, l'enveloppai dans du tissu ouaté et de la gaze, puis dans un bandage serré en lin et fixé à l'aide de pansements adhésifs pour réduire le gonflement et encourager le majeur et l'auriculaire à se rapprocher.

Le soleil était presque levé. La lanterne au-dessus de ma tête semblait pâle. L'effort de concentration et la fumée des feux me brûlaient les yeux. Il y avait des voix à l'extérieur ; des officiers se déplaçaient parmi les hommes pour les réveiller et les préparer à affronter la journée… et l'ennemi.

Je posai la main de Jamie sur le lit près de son visage. Il était pâle mais pas exsangue, et ses lèvres étaient bien roses. Je plongeai mes instruments dans un bain d'eau et d'alcool, soudain trop épuisée pour les désinfecter convenablement. J'enveloppai le doigt amputé dans un bandage en lin sans trop savoir ce que je devais en faire, puis le laissai sur la table.

— Debout là-dedans ! Réveillez-vous !

Les cris rythmiques des sergents étaient ponctués de variantes humoristiques et des réponses crues des soldats extirpés de leur sommeil.

Je ne me donnai pas la peine de me déshabiller. S'il y avait des combats aujourd'hui, je serais contrainte de me lever bientôt. Mais pas Jamie. Je n'avais pas à m'inquiéter pour lui. Quoi qu'il arrive, il ne se battrait pas.

Je dénouai mes cheveux et les secouai en soupirant d'aise. Puis je m'allongeai sur le lit de camp à ses côtés, me blottissant contre lui. Il était étendu sur le ventre. Je voyais la petite bosse ronde de ses fesses musclées sous la couverture. Je posai ma main dessus et les pressai.

— Fais de beaux rêves, murmurai-je.

Puis je laissai la fatigue m'emporter.

63

Séparé à jamais de mes amis et de ma famille

Le lieutenant lord Ellesmere avait enfin tué un rebelle. Peut-être même plusieurs, bien qu'il ne fût pas sûr que ses tirs avaient atteint leur cible; certains étaient tombés mais n'étaient peut-être que blessés. En revanche, il était sûr à propos de celui qui avait attaqué le canon britannique avec un groupe d'autres insurgés. Il l'avait pratiquement fendu en deux d'un coup de son sabre de cavalerie. Il ressentait depuis un étrange engourdissement dans le bras et ne cessait d'ouvrir et de refermer sa main gauche pour s'assurer qu'elle fonctionnait encore.

Il n'y avait pas que son bras qui fût engourdi.

Les jours qui suivirent l'affrontement furent consacrés essentiellement à l'évacuation des blessés du champ de bataille, à l'enterrement des morts et à la récupération des forces de chacun. Ou de ce qu'il en restait. Les désertions allaient bon train; il y avait un flot constant de disparitions furtives. Un jour, ce fut toute une compagnie de soldats du Brunswick qui fit défection.

William assista à plusieurs enterrements, les traits figés, observant ces hommes et ces garçons qu'il savait être confiés à la terre. Les premiers jours, ils ne les avaient pas enfouis suffisamment, et ils durent écouter toute la nuit les hurlements et les grondements des loups se disputant les dépouilles qu'ils avaient déterrées. Le lendemain, ils enterrèrent à nouveau ce qu'il restait des corps, plus profondément.

La nuit, un feu brûlait tous les cent mètres tout autour du camp, car les tireurs américains s'approchaient dans l'obscurité, abattant les sentinelles.

Il régnait pendant la journée une chaleur accablante et les nuits étaient glacées. Personne ne pouvait se reposer. Burgoyne avait ordonné « qu'aucun soldat ne dorme sans ses habits », et William ne s'était pas changé depuis plus d'une semaine. Les hommes devaient être sur le qui-vive une heure avant l'aube, en armes, et le rester jusqu'à ce que le soleil ait dissipé la brume afin de s'assurer que cette dernière ne dissimulait pas des Américains prêts à attaquer.

Les rations quotidiennes de pain étaient réduites. La farine et le porc salé commençaient à manquer ; et les fournisseurs n'avaient plus de tabac ni d'eau-de-vie, au grand dam des troupes allemandes. Sur le plan positif, les défenses britanniques étaient parfaitement parées. Deux grandes redoutes avaient été construites, et un millier d'hommes avaient été envoyés abattre des arbres afin d'ouvrir un champ de tir à l'artillerie. Burgoyne avait annoncé que le général Clinton était attendu dans une dizaine de jours avec des renforts et, il fallait l'espérer, du ravitaillement. Ils n'avaient plus qu'à patienter.

L'*Oberleutnant* Gruenwald, qui avait miraculeusement survécu à sa blessure à Bennington, plaisanta :

— Les juifs ont moins attendu le messie que nous le général Clinton.

— Ha, ha, ha ! fit William.

*

Dans le camp américain, le moral était bon et les hommes, prêts à terminer ce qu'ils avaient commencé. Malheureusement, si les Britanniques souffraient d'une pénurie de provisions, les Américains manquaient de munitions et de poudre. Il en résultait une sorte de stase fébrile, les rebelles harcelant sans cesse la périphérie du camp ennemi sans faire de réels progrès.

Ian Murray s'ennuyait ferme. Aussi, lorsque au cours d'une expédition dans la forêt un compagnon marcha accidentellement sur une baïonnette dans le brouillard et s'ouvrit le pied, il décida que c'était là un excellent prétexte pour se rendre à la tente d'infirmerie, où Rachel Hunter assistait son frère.

Cette idée l'enthousiasma tellement que, distrait, il ne regarda pas où il mettait les pieds à son tour, plongea la tête la première dans une ravine et se heurta contre une pierre. C'est ainsi que les deux hommes rentrèrent au camp en boitant et en se soutenant l'un l'autre.

Il y avait du monde dans la tente. Ce n'était pas là qu'étaient traités ceux qui avaient été blessés durant la bataille, mais on y soignait les maux plus bénins. Ian ne s'était pas fendu le crâne, mais il voyait double, et il dut fermer un œil pour tenter d'apercevoir Rachel.

Quelqu'un derrière lui lança sur un ton approbateur :

— *Ho ro ! Mo nighean donn boidheach !*

L'espace d'un instant, il se demanda pourquoi son oncle flirtait si ouvertement avec sa tante pendant que celle-ci travaillait. Puis son esprit embrumé lui rappela que ce n'était pas la tente de Claire, et que cette dernière n'était pas là…

Une main devant un œil pour éviter qu'il tombe de son orbite, il se retourna lentement et vit un homme qui se tenait devant l'entrée.

Ce n'était pas oncle Jamie. Il soutenait lui aussi un ami estropié. Il avait le teint hâlé, des traits enjoués, un nez camus et des cheveux d'un blond roux qui se dégarnissaient au niveau des tempes. Il n'était pas grand mais solidement charpenté et se déplaçait comme un félin, même encombré de son ami. Pour une raison étrange, il lui rappelait Jamie.

Le rouquin et son compagnon portaient le kilt. *Des Highlanders,* se dit Ian, toujours aussi désorienté. Cela dit, il l'avait su dès l'instant où l'homme avait ouvert la bouche.

— *Có thu ?* demanda-t-il abruptement. « Qui êtes-vous ? »

En l'entendant parler en gaélique, l'homme sursauta. Il examina brièvement Ian des pieds à la tête, s'arrêtant sur sa tenue d'Iroquois, puis répondit poliment :

– *Is mise Seaumais Mac Choinnich à Boisdale. Có tha faigh-neachd?* « Je suis Hamish MacKenzie, de Boisdale. Qui le demande ? »

— Ian Murray.

Ian s'efforça de rassembler ses esprits épars. Ce nom lui semblait vaguement familier, mais cela n'avait rien d'étonnant. Il connaissait des centaines de MacKenzie. Conformément à cette manie bien écossaise de se chercher des parents communs entre inconnus, il essaya :

— Ma grand-mère était une MacKenzie. Ellen MacKenzie, de Leoch.

L'homme écarquilla les yeux.

— Ellen de Leoch ? La fille de celui qu'on appelait Jacob Ruaidh ?

Dans son excitation, il serra un peu trop son compagnon, qui poussa un petit cri aigu. Cela attira l'attention de la jeune femme qu'Hamish avait saluée un peu plus tôt en l'appelant « ô, belle jeune fille couleur de noisette ».

En la voyant accourir, Ian constata que le soleil l'avait hâlée au point que son teint était effectivement noisette ; quant à ses cheveux, qui sortaient de sous son bonnet, ils étaient couleur d'écale de noix. Cela le fit sourire. Elle s'en aperçut et le réprimanda :

— Si tu es capable de grimacer comme un singe, c'est que ta blessure ne doit pas être bien méchante. Pourquoi...

Elle s'interrompit, stupéfaite, en voyant Ian Murray happé par un Highlander en kilt qui le serra dans ses bras en pleurant de joie. Ian ne pleurait pas mais paraissait aux anges. Il se libéra délicatement en déclarant :

— Il faut que vous rencontriez mon oncle Jamie. Je crois que, là-bas, on l'appelait *Sheaumais Ruadh*.

Les yeux fermés, Jamie Fraser explorait prudemment la douleur dans sa main. Elle était vive, assez pour lui donner la nausée, mais aussi profonde et grinçante comme dans le cas d'un os brisé. Il avait l'impression qu'on lui enfonçait des aiguilles en acier jusque dans la moelle. Néanmoins, c'était indubitablement une douleur de cicatrisation.

Il aurait dû regarder sa main. Il fallait qu'il s'y habitue. Il lui avait déjà adressé un bref coup d'œil qui l'avait choqué au point qu'il en avait vomi. Il ne pouvait faire correspondre ce qu'il avait vu avec le souvenir encore très présent de ce à quoi sa main aurait dû ressembler.

Pourtant, il était déjà passé par là. Il s'était fait aux cicatrices et à la raideur. Mais il se souvenait encore de sa jeune main, si facile et si flexible, enroulée autour du manche d'une houe ou de la garde d'une épée. Serrant une plume… enfin, pas tout à fait. Il n'avait jamais manié la plume avec aisance, même avec des doigts lestes et indemnes.

Serait-il désormais capable d'écrire ? Intrigué, il tenta de fléchir la main. La douleur lui coupa le souffle mais… ses yeux étaient ouverts, fixés sur elle. La vue déconcertante de son auriculaire pressé contre son majeur lui noua le ventre, mais ses doigts remuaient. Cela faisait un mal de chien, mais ce n'était que de la douleur. Il n'y avait pas de gêne, pas d'entrave exercée par un doigt raide… Cela avait marché !

Il entendait encore la voix de Claire, émue mais assurée : « Je tiens à ce que tu conserves une main en état de fonctionner. »

Il sourit à nouveau. Il ne fallait jamais essayer de contredire cette femme sur une question médicale.

*

J'entrai dans la tente pour chercher mon petit cautère et trouvai Jamie assis sur le lit, fléchissant lentement sa main blessée et contemplant son doigt amputé posé sur une boîte à ses côtés. Je l'avais enveloppé en hâte dans un bandage. Il ressemblait à un ver momifié.

— Euh… commençai-je, gênée. Je… euh… vais t'en débarrasser.

— Comment ?

Il le toucha du bout de l'index et recula aussitôt la main comme si le doigt sectionné venait de bouger. Il émit un petit son nerveux qui n'était pas tout à fait un rire.

— En le brûlant ? proposai-je.

C'était l'usage avec les membres amputés sur les champs de bataille, même si je ne l'avais encore jamais fait. L'idée de construire un bûcher funéraire pour un doigt me parut soudain absurde, mais pas plus que celle de le jeter discrètement dans l'un des feux de cuisine en espérant que personne ne le remarquerait.

Jamie fit une moue dubitative. J'essayai autre chose :

— Sinon… on pourrait le fumer et tu le garderais en souvenir dans ton *sporran*. Comme Ian avec l'oreille de Neil Forbes. Il l'a toujours, tu le savais ?

Jamie commençait à retrouver ses couleurs.

— Oui, je sais, mais non, je n'en ai pas vraiment envie.

— Je pourrais le conserver dans de l'eau-de-vie.

Cette proposition lui arracha un soupçon de sourire.

— Je te parie à dix contre un qu'elle sera bue avant la tombée du soir, *Sassenach*.

Je le trouvai optimiste. Pour ma part, j'aurais plutôt parié à mille contre un. Je ne parvenais à préserver ma réserve d'alcool médicinal que parce qu'un ami de Ian, un Indien féroce, la gardait quand je ne l'utilisais pas et que je dormais avec le fût près de moi pendant la nuit.

— Dans ce cas, la seule option qui nous reste est de l'enterrer.

— Mmm.

J'en déduisis qu'il était d'accord, mais avec quelques réserves. Je levai les yeux vers lui.

— Quoi ?

— Eh bien… hésita-t-il. Quand le petit Fergus a perdu sa main… Jenny a proposé qu'on lui organise une petite cérémonie.

Je me mordis la lèvre.

— Oui, pourquoi pas ? Uniquement pour les intimes ou inviterons-nous tout le monde ?

Avant qu'il ait pu répondre, j'entendis Ian à l'extérieur. Il parlait à quelqu'un. L'instant suivant, le rabat de la tente se souleva et sa tête échevelée apparut. Il avait un œil au beurre noir et une grosse bosse sur le front mais paraissait radieux.

— Oncle Jamie ? J'ai quelqu'un à te présenter.

⁕

Peu après la troisième bouteille, Jamie demanda :

— Comment se fait-il que tu sois arrivé ici, *a charaid* ?

Nous avions fini de dîner depuis longtemps, et le feu mourait lentement. Hamish s'essuya les lèvres du revers de la main et lui tendit la bouteille.

— Ici ? Tu veux dire, ici au milieu de nulle part ? Ou ici, me battant contre le roi ?

Il le dévisagea d'un regard bleu direct, si semblable au sien que Jamie sourit en le reconnaissant.

— La seconde de ces questions répond-elle à la première ?

Ce fut au tour d'Hamish de sourire.

— Oui, sans doute. Tu as toujours été aussi vif qu'un colibri, *a Sheaumais*. De corps *et* d'esprit.

Constatant à mon expression que je n'avais peut-être pas l'esprit aussi rapide, il m'expliqua :

— Ce sont les troupes du roi qui ont tué mon oncle ; ce sont elles qui ont massacré tous les guerriers du clan, qui ont détruit nos terres, livré nos femmes et nos enfants à la famine, brûlé ma maison et m'ont envoyé en exil ; ce sont elles encore qui ont laissé la moitié des gens qui étaient avec moi mourir de froid, de faim et de fièvre.

Il parlait calmement, mais la passion brûlait au fond de son regard.

— J'avais onze ans quand ils sont venus au château et nous ont chassés. J'en avais douze quand ils m'ont fait prêter le serment d'allégeance au roi, déclarant que j'étais un homme. C'est vrai que, le temps d'arriver en Nouvelle-Écosse, j'en étais devenu un.

Il se tourna vers Jamie.

— Ils t'ont fait prêter serment, à toi aussi, *a Sheaumais* ?

— Oui, mais un serment prêté sous la contrainte ne lie pas un homme, et cela ne l'empêche pas de connaître son droit.

Hamish tendit la main et Jamie la serra, mais les deux hommes ne se regardèrent pas.

— Non, dit Hamish. Cela ne l'en empêche pas.

Peut-être pas, mais je savais qu'ils pensaient tous les deux à ce que disait ce serment : *Que je sois étendu dans une tombe non consacrée, séparé à jamais de mes amis et de ma famille.* Et tous les deux devaient se dire, tout comme moi, qu'il était fort probable que c'était là la fin que le destin leur réservait.

Ce serait sans doute aussi la mienne.

Je m'éclaircis la gorge. Songeant à tous ceux que j'avais rencontrés en Caroline du Nord et sachant qu'il en allait de même au Canada, je demandai :

— Mais les autres, les Highlanders qui sont loyalistes ?

Hamish regardait fixement le feu, ses traits profondément creusés par les ombres.

— Ah, les autres… Ils se sont battus courageusement, mais leur cœur a été détruit. Ils ne désirent plus que la paix. Hélas, la guerre ne vous laisse jamais tranquille, n'est-ce pas ?

Il se tourna vers moi et, l'espace d'un instant troublant, je vis à sa place Dougal MacKenzie, cet homme violent et impatient qui avait tant aimé la guerre. Sans attendre ma réponse, il poursuivit :

— La guerre les a à nouveau dénichés. Ils n'ont eu d'autre choix que de se battre. Mais tout le monde peut constater que l'armée continentale n'est qu'un ramassis de gueux pitoyables… ou l'était.

Il releva la tête et contempla les feux de camp, les tentes, la lueur des étoiles filtrée par un vaste voile de fumée, de poussière, d'odeurs de poudre et d'ordures.

— … Ils ont pensé que les rebelles seraient écrasés en un clin d'œil. Indépendamment de tout serment, quel fou se serait lancé dans une aventure aussi risquée ?

Un homme qui n'avait encore jamais eu l'occasion de se battre, pensai-je.

Il adressa à Jamie un petit sourire du coin des lèvres.

— Je suis moi-même surpris que nous n'ayons pas encore été écrasés. Pas toi, *a Sheaumais* ?

— Si. Je n'en reviens pas non plus. J'en suis aussi ravi, tout comme je suis ravi de te voir… *a Seaumais*.

Ils continuèrent à discuter une bonne partie de la nuit. Quand ils passèrent au gaélique, je me levai, posai une main sur l'épaule de Jamie en guise de bonne nuit, puis allai retrouver mes couvertures. Épuisée par le dur travail de la journée, je m'endormis presque aussitôt, bercée par le bruit de leur conversation, comme celui d'un bourdonnement d'abeilles dans la bruyère. La dernière vision que j'emportai dans mon sommeil fut celle du visage fasciné de Ian de l'autre côté du feu, écoutant parler de cette Écosse qui avait disparu alors même qu'il venait au monde.

64

Un visiteur

Une belle voix virile s'éleva derrière moi.

— Madame Fraser ?

En me retournant, je découvris un officier râblé se tenant sur le seuil de ma tente. Il était en gilet, sans veston, et portait un coffret sous un bras.

— Oui, c'est moi. En quoi puis-je vous aider ?

Il ne semblait pas souffrant. De fait, il paraissait en bien meilleure santé que la plupart des soldats. Son visage était hâlé, mais il avait des joues roses et rebondies. Il m'adressa un sourire charmant qui illumina son visage.

— J'espérais que nous pourrions effectuer une petite transaction, madame Fraser.

Il haussa ses sourcils broussailleux d'un air interrogateur, et je l'invitai d'un signe à entrer dans la tente.

— Tout dépend de ce que vous cherchez, déclarai-je. Si c'est du whisky, je ne peux rien pour vous, hélas !

Il y avait en réalité un tonnelet du précieux breuvage caché sous ma table, à côté d'un fût de mon alcool médicinal. Comme j'y faisais macérer des herbes, une puissante odeur flottait dans l'air. Il n'aurait pas été le premier à être alléché par ces effluves ; ils attiraient des soldats de tous grades comme des mouches.

Tout en lançant un regard intrigué vers la table derrière moi, où plusieurs grands bocaux contenaient ce que j'espérais être de la pénicilline, il répondit :

— Non, non. On m'a dit que vous possédiez un stock de quinquina. Est-ce vrai ?

— En effet. Je vous en prie, asseyez-vous. Vous souffrez de la malaria ?

Je lui indiquai le tabouret de mes patients. Le blanc de ses yeux était clair et il n'avait pas le teint jaune.

— Non, que Dieu soit loué pour sa miséricorde ! Il s'agit d'un gentleman… un de mes amis… qui en souffre terriblement, et notre médecin n'a plus d'herbe des jésuites. J'espérais que vous accepteriez… peut-être… de faire un troc ?

Il posa le coffret sur la table et ouvrit le couvercle. L'intérieur était divisé en petits compartiments et contenait un remarquable assortiment d'articles : du liseré en dentelle, des rubans en soie, une paire de peignes en écaille de tortue, une petite poche de sel, une poivrière, une tabatière en émail, une broche en étain en forme de lys, plusieurs bobines de soie à broder, un fagotin de bâtons de cannelle, plusieurs flacons contenant des herbes. Et une fiole dont l'étiquette disait…

— Du laudanum ! m'exclamai-je.

J'avais machinalement tendu la main vers elle et m'arrêtai, mais l'officier me fit signe que je pouvais. Je l'extirpai délicatement de sa niche, la débouchai et agitai prudemment le goulot à quelques centimètres de mon nez. Le parfum puissant et douceâtre de l'opium me chatouilla les narines tel un génie sortant de sa lampe. Je m'éclaircis la voix et remis le bouchon en liège.

Il m'observait avec intérêt.

— Je ne savais pas trop ce qui vous intéresserait. J'avais autrefois un magasin, voyez-vous. J'y vendais beaucoup de remèdes d'apothicaire, mais également des articles de luxe. Mon métier m'a appris qu'il fallait toujours donner aux dames le plus large éventail à partir duquel choisir. Elles ont souvent bien plus de discernement que nous autres, les hommes.

Je lui lançai un regard narquois, mais ce n'était pas de la flagornerie. Il me sourit à nouveau, et il m'apparut que c'était un de ces hommes rares, comme Jamie, qui aimaient vraiment les femmes, et non uniquement pour ce que l'on sait.

— Je crois que nous allons pouvoir faire affaire, répondis-je en souriant à mon tour. Je vais vous donner ce qu'il vous faut pour votre ami mais, juste pour savoir si nous pourrions faire d'autres échanges à l'avenir, avez-vous encore du laudanum ?

Son regard s'affûta. Il avait des yeux assez remarquables d'un gris pâle.

— Mais oui, répondit-il lentement. J'en ai même un bon stock. Vous... euh... en avez besoin régulièrement ?

Il devait sans doute se demander si j'étais une opiomane. Cela n'avait rien d'inhabituel dans les cercles où le laudanum était facile à se procurer.

— Non, ce n'est pas pour moi, le rassurai-je. Je n'en administre à ceux qui en ont besoin qu'avec la plus grande prudence. Néanmoins, soulager la douleur est l'une des choses les plus précieuses que je puisse offrir à ceux qui viennent me trouver. Dieu sait que je ne peux pas toujours leur offrir la guérison.

— Voilà une déclaration remarquable, madame. La plupart des gens de votre profession assurent tout pouvoir guérir.

— Que dit la comptine, déjà ? « Si les souhaits étaient des chevaux, les mendiants chevaucheraient au galop » ? Tout le monde veut guérir, et tout médecin digne de ce nom souhaite trouver le bon remède. Néanmoins, bien des maux sont au-delà des pouvoirs du médecin et, s'il n'est pas toujours bon de le dire au patient, il vaut mieux être conscient de ses propres limites.

Il inclina la tête.

— Vous le pensez vraiment ? Je ne parle pas uniquement du domaine médical mais en général, admettre ses limites ne revient-il pas à les établir ? En reconnaissant qu'un objectif convoité est inaccessible, ne s'empêche-t-on pas de l'atteindre parce qu'on ne met plus en œuvre tous les moyens pour y parvenir ?

Je clignai des yeux, prise de court.

— Euh… en effet, répondis-je lentement. Vu sous cet angle, j'aurais tendance à être d'accord avec vous. Après tout… (j'agitai une main vers l'entrée de la tente, indiquant l'armée tout autour de nous)… si nous ne croyions pas qu'il est possible d'accomplir des choses au-delà de toutes les attentes, mon mari et moi serions-nous ici ?

Il se mit à rire.

— Bravo, madame ! Oui, un observateur impartial qualifierait sans doute cette aventure de pure folie. Et il aurait probablement raison. Mais ils devront quand même nous vaincre. Nous ne capitulerons pas.

J'entendis des voix à l'extérieur. Jamie discutait avec quelqu'un. L'instant suivant, il entrait dans la tente.

— *Sassenach*, pourrais-tu venir jeter un coup…

Il s'interrompit brusquement en apercevant mon visiteur et, se raidissant, esquissa une courbette formelle.

— Général !

Je me tournai vers le visiteur, surprise. À la réaction de Jamie, il était clair qu'il s'agissait d'un homme important. Je l'avais catalogué parmi les capitaines, voire les majors. L'officier lui répondit d'un signe de tête courtois mais réservé.

— Colonel. Votre épouse et moi discutions de la philosophie de l'effort. Qu'en pensez-vous… l'homme sage doit-il connaître ses limites et l'audacieux les ignorer ? Et de quel bord vous situez-vous ?

Jamie me lança un regard perplexe, et je haussai discrètement les épaules. Puis il se tourna de nouveau vers le visiteur :

— En fait, j'ai entendu dire : « Un homme doit toujours viser ce qui est hors de sa portée. Sinon, à quoi sert le ciel ? »

L'officier le dévisagea un instant avec surprise puis éclata de rire.

— Votre épouse et vous faites la paire, monsieur ! Des gens comme je les aime ! C'est magnifique. Vous rappelez-vous où vous l'avez entendu ?

Il l'avait entendu de moi, à plusieurs reprises au fil des ans. Il se contenta de sourire.

— C'est d'un poète, il me semble. Mais je ne me souviens plus de son nom.

— Quoi qu'il en soit, c'est un sentiment parfaitement exprimé. Je vais de ce pas l'essayer sur Granny… bien que j'imagine qu'il va me regarder sans comprendre à travers ses bésicles puis recommencer à me tanner à propos du ravitaillement. Voilà bien un homme qui connaît ses limites ! Elles sont diablement basses, et il ne laisse personne les franchir. Non, le ciel n'est pas pour les hommes comme lui.

Il parlait avec humour, mais il y avait une nette tension dans sa voix. Son sourire disparut et une lueur de colère vive illumina ses yeux gris. J'étais troublée. « Granny » ne pouvait être que le général Gates, et cet homme devait être un membre mécontent du haut commandement. J'espérais que Robert Browning et moi ne venions pas d'entraîner Jamie dans de sales draps.

Je m'efforçai de prendre un ton léger.

— De toute manière, ils ne peuvent pas vous vaincre si vous refusez de capituler.

L'ombre sur son visage se dissipa, et il me sourit.

— Oh, ils ne me vaincront pas, madame Fraser. Faites-moi confiance !

— Je n'y manquerai pas. Attendez, je vais vous donner le quinquina, monsieur… euh…

J'hésitai, ne connaissant toujours pas son identité. Il s'en rendit compte et se frappa le front.

— Pardonnez-moi, madame Fraser. Que devez-vous penser d'un homme qui fait irruption chez vous en réclamant des médicaments et ne se donne même pas la peine de se présenter convenablement ?

Il saisit le petit paquet d'écorces que je lui tendais, puis retint ma main et la baisa délicatement.

— Major général Benedict Arnold. Pour vous servir, madame.

*

Jamie suivit des yeux le général qui s'éloignait avec un léger froncement de sourcils, puis il se tourna vers moi et son visage changea aussitôt.

— Tu te sens mal, *Sassenach*? On dirait que tu es sur le point de tourner de l'œil.

— Tu ne crois pas si bien dire, répondis-je en cherchant à tâtons le tabouret derrière moi.

Je me laissai tomber dessus et aperçus le nouveau flacon de laudanum posé sur la table. Je le saisis, trouvant son poids rassurant dans le creux de ma main.

— Je m'étais mentalement préparée à me retrouver tôt ou tard face à George Washington ou à Benjamin Franklin. Même à John Adams. Mais certainement pas à lui… et le pire, c'est que je l'ai trouvé sympathique.

Jamie était perplexe. Il lança un regard au flacon en se demandant visiblement si je n'y avais pas goûté.

— Pourquoi ne te serait-il pas sympathi… Ah ! Tu sais quelque chose à son sujet ?

— Oui, hélas. Je préférerais ne pas le savoir. Il n'a pas encore trahi… mais il le fera.

Jamie lança un regard par-dessus son épaule pour s'assurer qu'on ne pouvait nous entendre. Puis il s'assit sur le tabouret des patients et, prenant ma main, dit à voix basse :

— Raconte-moi.

Il y avait des limites à ce que je pouvais lui dire et, une fois de plus, je regrettais de ne pas avoir prêté plus d'attention aux devoirs d'histoire de Bree. En effet, ils constituaient la base du peu que je savais sur la révolution américaine.

— Il a combattu dans notre… dans le camp américain pendant un certain temps et était un brillant soldat, je ne sais pas trop pourquoi. Toutefois, il a fini par être déçu par les insurgés et a décidé de passer à l'ennemi, faisant des avances aux Britanniques. Pour cela, il a utilisé un intermédiaire du nom de John André. André a été capturé et pendu, mais je crois qu'Arnold est parvenu à s'enfuir en Angleterre. Le fait qu'un général américain ait retourné sa veste a eu un tel retentissement que le nom « Benedict Arnold » est devenu synonyme de « traître »… ou le deviendra. Plus tard, quand quelqu'un commettra une terrible trahison, les Américains le traiteront de « Benedict Arnold ».

Je me sentais légèrement nauséeuse. Quelque part, en ce moment même, un major John André vaquait tranquillement à ses occupations sans la moindre idée de ce qui l'attendait.

Une pression sur mes doigts m'extirpa de mes sombres méditations sur le triste sort du major André et me ramena à des questions plus urgentes.

— Quand ? me demanda Jamie.

— C'est là le problème. Je ne sais pas. Pas tout de suite, enfin, je ne crois pas.

Jamie réfléchit un instant en fixant le sol. Puis il déclara doucement :

— Je vais le surveiller.

— Non !

Nous nous dévisageâmes un long moment, le souvenir de Charles Édouard Stuart en suspens entre nous. Il ne nous avait pas échappé que tenter d'infléchir le cours de l'Histoire, si tant était que cela fût possible, pouvait avoir de graves conséquences. Nous ignorions les circonstances qui feraient passer Arnold du patriote qu'il était indubitablement au traître qu'il deviendrait. Sa querelle avec Gates était-elle le grain de sable qui formerait le cœur d'une perle traîtresse ?

— On ne sait jamais quel menu détail peut affecter l'esprit de quelqu'un, observai-je. Regarde Robert Bruce et son araignée[2].

Cela le fit sourire.

— Je serai très discret, *Sassenach*. Mais je l'aurai à l'œil.

2. Selon la légende, le roi Robert VII Bruce, réfugié dans une grotte, observa une araignée tentant de tisser sa toile entre deux parois trop éloignées. Après d'innombrables échecs, elle parvint à son but. Encouragé par cette leçon de persévérance, le roi reprit les armes et mena l'Écosse à l'indépendance (*N.d.T.*).

65

Chapeau bas!

7 octobre 1777

... Fort bien, ordonnez à Morgan d'ouvrir le jeu.
Général Horatio Gates

Par un tranquille matin d'automne, vif et doré, un déserteur britannique pénétra dans le camp américain. Il déclara que Burgoyne s'apprêtait à envoyer une force de reconnaissance afin de tester la résistance de l'aile droite américaine. Elle serait composée de deux mille hommes.

Alors qu'il remplissait sa cartouchière en hâte, Jamie me raconta:

— Les yeux de Granny Gates ont failli jaillir de leurs orbites. On le comprend!

Le général Arnold, qui se trouvait présent quand la nouvelle arriva, insista auprès de Gates pour qu'il envoie des troupes contrer cette avancée. Fidèle à sa réputation, Gates préférait attendre d'en savoir plus et, quand Arnold demanda la permission d'aller voir par lui-même ce que mijotaient les Britanniques, il lui lança un regard glacé et rétorqua: «J'ai peur de vous faire confiance, Arnold.»

— À partir de là, les choses se sont gâtées, continua Jamie avec une légère grimace. Au bout du compte, Gates excédé a fini par lui lancer – je le cite: «Général Arnold, je n'ai aucune mission à vous confier. Vous n'avez rien à faire ici.»

Je sentis un frisson me parcourir. Était-ce là l'élément déclencheur ? Ce qui retournerait Benedict Arnold contre la cause pour laquelle il s'était battu ? Jamie devina mes pensées et haussa une épaule :

— Au moins, pour une fois nous n'y sommes pour rien.

— C'est réconfortant. Tu feras attention, n'est-ce pas ?

— Oui, ne t'inquiète pas.

Cette fois, il était là en personne pour me donner un baiser d'adieu.

La reconnaissance britannique avait un double objectif : vérifier exactement où étaient les Américains, car le général Burgoyne n'en avait pas une idée précise (cela faisait longtemps que les déserteurs américains avaient cessé de venir) ; et rapporter du fourrage pour les dernières bêtes qu'il leur restait. C'est ainsi que les compagnies de tête s'arrêtèrent dans un beau champ de blé.

William envoya ses fantassins s'asseoir en doubles rangées parmi les épis tandis que les fourrageurs coupaient le blé et le chargeait sur des chevaux. Un lieutenant des dragons, un Gallois brun du nom d'Absolute, lui fit des signes depuis l'autre côté du champ et l'invita à une partie de jeux de hasard dans sa tente le soir même. William s'apprêtait à lui répondre quand l'homme à ses côtés poussa un râle et s'effondra. Il n'avait même pas entendu la balle, mais il se jeta aussitôt à terre en criant à ses hommes d'en faire autant.

Il ne se passa plus rien. Ils attendirent quelques minutes, puis se relevèrent prudemment et reprirent leur travail. Bientôt, ils commencèrent à apercevoir de petits groupes de rebelles courant entre les arbres. William fut convaincu que ceux-ci étaient en train de les encercler. Il en fit part à un autre officier, qui l'assura que les rebelles avaient décidé de rester derrière leurs lignes de défense, attendant d'être attaqués.

Il fut bientôt contredit quand, vers le milieu de l'après-midi, un large groupe d'Américains jaillit des bois sur leur gauche tandis qu'un canon crachait des boulets de six et douze livres qui auraient provoqué des dégâts considérables s'ils n'avaient été arrêtés par les arbres.

Les fantassins s'éparpillèrent telles des cailles, en dépit des appels de leurs officiers. William aperçut Absolute courant derrière ses hommes à travers les blés et, pivotant, retint l'un de ses caporaux par le bras.

— Rassemblez-les ! hurla-t-il.

Sans attendre sa réponse, il saisit la bride du cheval de l'un des fourrageurs, un hongre bai qui rechigna de surprise. Son intention était de galoper jusqu'au camp pour chercher des renforts.

Il n'en eut pas le temps. À peine fut-il parvenu à faire faire demi-tour à sa monture que le brigadier général arriva en trombe dans le champ.

*

Jamie Fraser était accroupi dans le bosquet en lisière du champ de blé avec plusieurs hommes de Morgan, tirant de-ci de-là. Il avait rarement vu une bataille aussi intense. La fumée du canon caché dans la forêt flottait au-dessus des blés, formant un nuage dense et étouffant. Il aperçut le cavalier, un officier haut gradé à en juger par sa tresse. Il était entouré de deux ou trois autres officiers plus jeunes également à cheval, mais Jamie ne voyait que leur chef.

Effrayées par le piétinement frénétique, une nuée de sauterelles s'éleva du champ telle une pluie de grêlons à l'envers. L'une d'elles atterrit sur sa joue, et il la chassa d'une gifle. Son cœur battait à tout rompre.

Il avait reconnu l'homme, mais uniquement grâce à son uniforme de brigadier général. Il avait déjà rencontré Simon Fraser de Balnain à deux ou trois reprises, mais c'était quand ils étaient tous les deux enfants dans les Highlands. Simon avait quelques années de moins que lui, et Jamie s'en rappelait comme d'un joyeux gamin aux joues rondes qui trottait derrière les grands tout en agitant une crosse deux fois grande comme lui. Ces souvenirs concordaient mal avec la vision de cet homme trapu, debout dans ses étriers et brandissant son sabre, tentant de rallier ses troupes paniquées par la seule force de sa personnalité.

Ses aides s'agitaient sur leurs montures autour de lui, s'efforçant de le protéger, l'implorant de se retirer et de se mettre à l'abri. Il ne voulait rien entendre. Jamie vit plusieurs visages se tourner vers la forêt. Les Britanniques se doutaient que celle-ci était remplie de tirailleurs et voulaient se mettre hors de leur portée.

Arnold surgit sur sa petite jument brune à travers le dense sous-bois, le visage illuminé par une joie féroce. Il décrivait de grands moulinets du bras.

— Il est là ! cria-t-il. Le brigadier général ! Visez le brigadier général, mes garçons ! Cinq dollars à celui qui atteint ce gros porc de sa selle !

Des coups de feu lui répondirent aussitôt. Jamie vit Daniel Morgan se tourner brusquement vers Arnold avec un air renfrogné, puis il se dirigea vers lui aussi rapidement que ses membres arthritiques le lui permettaient.

Arnold frappa sa cuisse du poing.

— Encore ! Essayez encore !

Il croisa le regard de Jamie et lui lança :

— Vous… tuez-le ! Vous le pouvez, non ?

Jamie haussa les épaules et, calant son fusil contre son épaule, tira délibérément haut. Le vent venait de tourner, et la fumée de son arme lui piqua les yeux. Il aperçut néanmoins l'un des jeunes officiers près de Simon Fraser sursauter et plaquer une main sur son crâne, se tordant sur sa selle pour regarder son chapeau roulant dans les blés.

Il eut envie de rire, bien qu'il se rendît compte avec un serrement de cœur qu'il avait failli sans le vouloir toucher le malheureux en pleine tête. Le jeune homme – oui, il était jeune, grand et mince – se dressa dans ses étriers et agita un poing en direction de la forêt.

— Vous me devez un chapeau, monsieur !

Le rire perçant d'Arnold résonna dans la forêt, et ses hommes se mirent à huer et à croasser comme des corbeaux.

— Viens donc ici, blanc-bec, et je t'en offrirai deux !

Tirant sur ses rênes, Arnold fit cabrer son cheval et hurla :

— Vous n'êtes qu'une bande de bigleux ! Il n'y en a pas un parmi vous qui soit foutu de m'abattre ce général ?

Quelques coups retentirent entre les branches, mais la plupart des hommes avaient vu Daniel Morgan se diriger vers Arnold tel un arbre animé, noueux et implacable. Ils attendaient.

Arnold avait dû le voir lui aussi, mais il l'ignora. Il dégaina un pistolet et tira de biais vers Fraser sans espoir de pouvoir l'atteindre à cette distance. Son cheval prit peur et coucha ses oreilles. Morgan, qui l'avait presque rejoint, dut sauter de côté pour ne pas être piétiné. Il trébucha et s'étala à plat ventre.

Sans l'ombre d'une hésitation, Arnold sauta de selle et se précipita pour aider l'homme plus âgé à se relever, se confondant en excuses sincères. Jamie remarqua au passage que Morgan ne semblait guère amadoué. Il se demanda même s'il n'allait pas envoyer un coup de genou dans les bourses du général, rhumatismes ou pas.

La monture du général était entraînée à la guerre, mais la détonation juste au-dessus de ses oreilles l'avait fait paniquer. Elle dansait sur place en roulant des yeux affolés ; ses sabots martelaient le tapis de feuilles mortes.

Jamie attrapa ses rênes au vol, puis lui fit baisser la tête et souffla dans ses naseaux pour la calmer. Elle s'ébroua et piaffa mais cessa de s'agiter. Lorsqu'il caressa son encolure en faisant claquer sa langue, elle redressa légèrement les oreilles. Il remarqua que sa main s'était remise à saigner, mais son bandage ne gouttait pas encore ; ce n'était donc pas très grave. Par-dessus la courbe solide de l'encolure de la jument, il pouvait voir Morgan. Celui-ci s'était relevé et repoussait brutalement Arnold, qui essayait d'épousseter sa veste.

— Vous êtes relevé de votre commandement, monsieur. De quel droit donnez-vous des ordres à mes hommes ?

— Oh, assez avec ce jeu de petits soldats ! s'impatienta Arnold. Je suis général. C'est un général… (il fit un signe de tête vers la silhouette au loin sur son cheval)… et je le veux mort ! Il sera toujours temps plus tard de faire de la politique. Nous sommes en guerre, bon sang !

Jamie perçut distinctement une exhalaison douceâtre de rhum par-dessus les odeurs de fumée et de blé écrasé. Peut-être avait-elle un rapport avec la présente situation, quoique, d'après ce qu'il savait d'Arnold, il n'y eût pas une grande différence entre l'homme sobre et l'homme en proie à un délire éthylique.

Le vent soufflait en bourrasques, chaud dans ses oreilles, chargé de fumée et de bruits confus : le crépitement des mousquets ponctué par le fracas de l'artillerie sur sa gauche. À travers le vacarme, Jamie entendait toujours Simon Fraser et ses officiers, appelant les Hessiens et les Anglais à se rassembler, ainsi que des cris de douleur provenant de plus loin, là où les Hessiens tentaient une percée à travers les lignes du général Enoch Poor.

La colonne du général Ebenezer Learned menaçait les Hessiens par le haut ; Jamie apercevait les Allemands, dans leurs uniformes verts, se débattre parmi une masse de continentaux et se faire progressivement refouler vers l'arrière du champ. Certains tentaient de s'échapper et de rejoindre le brigadier général Fraser. Un mouvement attira son attention : c'était le jeune homme qui avait perdu son chapeau un peu plus tôt. Il remontait le champ au grand galop en brandissant son sabre.

Le brigadier général s'était légèrement éloigné de la forêt. Il était presque hors de portée des francs-tireurs de Morgan, mais Jamie, lui, était bien placé et pouvait facilement l'atteindre. Il baissa les yeux. Il avait lâché son fusil pour s'occuper de sa jument, mais il l'avait rechargé machinalement après son premier tir. La cartouche à demi vide était toujours dans sa main qui tenait les rênes. Amorcer l'arme ne prendrait qu'un instant.

Il prit une profonde inspiration, s'efforçant de se calmer et de transmettre ce calme à la jument. Il lui murmura :

— *Sheas, a nighean. Cha chluin thu an còrr a chuireas eaga ort.* « C'est fini. Tu n'entendras plus rien qui te fasse peur. »

Il n'y avait pas réfléchi plus tôt quand il avait tiré en s'arrangeant pour rater Fraser. Il pouvait tuer n'importe quel homme dans ce champ, mais pas celui-là. Il lança à nouveau un regard vers le jeune homme sur son cheval, sa redingote rouge vif contrastant avec l'océan de vert, de bleu et de gris homespun qui s'agitait autour. Il pinça les lèvres malgré lui. *Pas celui-là non plus.*

Ce devait être le jour de chance du jeune homme. Il avait traversé la colonne de Learned au galop, prenant la plupart des continentaux par surprise. Ceux qui le virent étaient trop occupés à se battre ou incapable de tirer sur lui : ils avaient déchargé leur arme et étaient en train de fixer leur baïonnette.

Jamie caressa la jument d'un air songeur, sifflant doucement entre ses dents tout en observant la scène. Le jeune officier était arrivé à la hauteur des mercenaires hessiens et était parvenu à attirer l'attention de plusieurs d'entre eux. Puis il rebroussa chemin, se frayant un passage à grands coups de sabre et entraînant un flot d'uniformes verts dans son sillage. Les Hessiens le suivaient au trot, comblant l'espace vide tandis que les hommes de Poor tentaient de s'y engouffrer par la gauche.

Absorbé par ce spectacle fascinant, Jamie en avait oublié la joute verbale entre Dan Morgan et le général Arnold. Un cri au-dessus de leurs têtes les fit subitement se taire :

— Hourra ! Je l'ai eu !

En relevant les yeux, Jamie aperçut Tim Murphy perché dans un chêne, exultant de joie comme un farfadet. Le canon de son fusil était calé dans la fourche d'une branche. Il fit volte-face et vit Simon Fraser avachi et oscillant sur sa selle en se tenant les côtes.

Arnold poussa un cri de triomphe et Morgan leva la tête vers Murphy, approuvant à contrecœur.

— Bon tir, Murphy, grogna-t-il.

Simon Fraser semblait sur le point de tomber de sa monture. L'un de ses aides tenta de le rattraper, appelant désespérément à l'aide. Un autre faisait avancer et reculer son cheval, ne sachant ni quoi faire ni où aller. Jamie serra le poing et sentit une décharge de douleur traverser sa main mutilée. Il rouvrit la main et posa sa paume à plat sur la selle. Simon Fraser était-il mort ?

C'était impossible à dire. Ayant surmonté leur mouvement de panique, ses aides vinrent se placer de chaque côté de lui pour le soutenir tant bien que mal tandis que des hourras retentissaient dans la forêt.

Jamie balaya le champ du regard à la recherche du jeune homme au sabre. Ne le trouvant pas, il ressentit une pointe d'angoisse… Puis il l'aperçut, engagé dans un combat avec un capitaine de milice à cheval. Ce n'était pas un duel d'une grande subtilité ; il tenait autant de la force des montures que de celle des hommes. Pendant qu'il l'observait, les chevaux furent séparés par la masse des fantassins autour d'eux. L'officier britannique ne revint pas à la charge ; il avait un autre objectif en tête : entraîner la petite compagnie d'Hessiens qu'il avait extirpée de la mêlée un peu plus haut. Puis il se tourna vers la forêt et vit ce qu'il s'y passait. On tirait le cheval du brigadier général hors du champ de bataille, la silhouette oscillante de Simon Fraser formant une tache rouge sur le blé piétiné.

Le jeune homme se raidit dans ses étriers quelques instants, se rassit, puis éperonna sa monture, filant vers le brigadier en laissant aux Hessiens le choix de le suivre comme ils le pouvaient.

Jamie était suffisamment proche pour voir la tache d'un rouge plus sombre qui s'étalait au milieu du torse de Simon Fraser. S'il n'était déjà mort, il n'en avait plus pour longtemps. Le chagrin et la fureur devant un tel gâchis lui brûlaient la gorge. La fumée le faisait larmoyer. Il cligna des yeux et secoua violemment la tête pour éclaircir sa vision.

Une main lui arracha les rênes des doigts. Arnold l'écarta de la jument d'un geste sec dans une bouffée de rhum et grimpa en selle, le visage rendu aussi rouge que les feuilles d'érable par l'excitation et la fièvre de la victoire. Il beugla :

— Suivez-moi, les enfants ! Sus à la redoute !

Jamie constata alors que la forêt grouillait de miliciens : toutes les compagnies qu'Arnold avait rassemblées dans sa course folle vers le champ de bataille.

Ses hommes poussèrent un cri de guerre et se ruèrent derrière lui, brisant des branches et trébuchant dans leur précipitation.

— Suivez ce foutu cinglé, marmonna Morgan.

Jamie se tourna vers lui, surpris. Morgan regardait Arnold s'éloigner d'un air mauvais.

— Il passera en cour martiale, vous pouvez me croire. Autant qu'il ait un témoin fiable. Ce sera vous, James. Allez-y !

Sans un mot, Jamie ramassa son fusil sur le sol et partit au petit trot, sortant de la forêt sous une douce pluie de feuilles dorées et brune. Il gardait le regard fixé sur la silhouette râblée d'Arnold sautillant sur sa selle et agitant son chapeau. Il s'enfonça dans les blés.

*

Ils le suivirent. Une horde hurlante, une cohue armée. La monture d'Arnold avait du mal à se frayer un chemin entre les hommes à pied. Jamie voyait les grandes taches sombres de transpiration sur le dos de sa veste bleue étirée sur ses larges épaules. Il suffirait d'un tir de l'arrière, dans la confusion de la bataille… Mais ce ne fut qu'une idée fugace qu'il chassa dans l'instant.

Arnold éperonna son cheval et partit soudain au galop en poussant un cri de triomphe. Jamie le vit contourner la redoute et disparaître. Il comptait sans doute l'attaquer par-derrière, ce qui était du suicide. Elle était remplie de grenadiers allemands, dont il pouvait apercevoir les coiffes pointues derrière les murs. Peut-être Arnold voulait-il se sacrifier en créant une diversion pendant que ses hommes la prenaient d'assaut par-devant, sa mort lui paraissant un prix acceptable à payer pour une telle victoire.

La redoute faisait cinq mètres de hauteur, avec un mur de terre surmonté d'une palissade en rondins. Entre la terre et la palissade se trouvaient des abattis : des rangées de pieux effilés pointant vers l'extérieur.

Une pluie de balles crépitait sur le sol devant la fortification. Jamie courut en zigzag, évitant les projectiles, qu'il ne pouvait voir.

Une fois devant la redoute, il gratta la terre sèche de ses pieds, creusant un appui sur lequel se hisser pour pouvoir extraire un des pieux des abattis. Il parvint à glisser la main dans un orifice et à en saisir un, mais sa paume glissa sur l'écorce, et il tomba à la renverse, atterrissant lourdement sur son fusil. L'homme à ses côtés glissa le canon de son arme dans le trou qu'il venait de créer et tira vers le haut. Un nuage de fumée blanche aveugla Jamie un instant, lui faisant perdre de vue le Hessien qu'il avait aperçu en haut du rempart. Il roula sur le côté et rampa pour se mettre hors de portée au cas où l'Allemand déciderait de lancer une grenade incendiaire.

— Éloignez-vous ! hurla-t-il par-dessus son épaule.

Mais celui qui avait tiré était en train de bondir pour attraper un autre pieu. Une grenade jaillit par l'orifice, le percuta en plein ventre et explosa.

Jamie frotta sa main sur sa chemise et ravala sa bile. La peau de sa paume était écorchée et hérissée d'échardes noires. Des éclats de métal et de bois avaient volé dans tous les sens et quelque chose l'avait frappé au visage. Il sentit du sang chaud couler sur sa joue, puis aperçut la veste verte du grenadier à travers le trou dans les abattis. Il fallait agir vite.

Il sortit une cartouche de son sac, l'arracha d'un coup de dents en comptant. Il pouvait charger un fusil en douze secondes. *Neuf… huit…* Comment Bree apprenait-elle aux enfants à compter, déjà ? Ah oui, avec des hippopotames ! *Six hippopotames… cinq hippopotames…* Il fut pris d'une envie démente de rire, imaginant un groupe d'hippopotames l'observant et critiquant la manière dont il s'y prenait. *Deux hippopotames…* Il n'était toujours pas mort. Il se coucha sous les abattis, visa à travers l'orifice et tira sur la tache verte qui aurait pu aussi bien être un sapin… Mais ce n'était pas le cas, puisqu'un cri s'éleva.

Il balança son fusil sur son épaule et bondit à nouveau, ses doigts s'accrochant désespérément au pieu en bois brut. Mais ils glissèrent, et des échardes s'enfoncèrent sous ses ongles. La douleur fut fulgurante, mais il avait déjà passé son autre main de l'autre coté du pieu. De sa main valide, il attrapa son poignet droit et étreignit le bois. Ses pieds dérapèrent sur le muret en terre et, l'espace d'un instant, il se balança tel un écureuil à une branche. Mais il réussit à se hisser plus haut. Il sentit quelque chose se déchirer dans son épaule, mais il ne pouvait s'arrêter. Il leva un pied et le cala sous le pieu, puis balança l'autre jambe et se retrouva suspendu à l'envers tel un paresseux. Soudain, quelque chose percuta le rondin auquel il était accroché ; il en sentit les vibrations à travers le bois.

— Tiens bon, Red ! cria quelqu'un sous lui.

Il se figea. Il y eut une autre secousse, puis quelque chose s'abattit sur le bois à quelques centimètres de ses doigts. Une hache ? Il n'eut pas le temps d'avoir peur. L'homme sous lui tira par-dessus son épaule. Jamie entendit la balle passer en sifflant à côté de son oreille comme un frelon en colère, puis il se hissa vers la base du rondin, se redressa le plus rapidement possible et se faufila entre les pieux, sentant ses vêtements se déchirer. Ses articulations aussi.

Il y avait deux Hessiens juste de l'autre côté de l'espace vide, morts ou blessés. Un autre le vit passer la tête sous la palissade et tendit la main vers sa cartouchière, montrant les dents sous sa moustache lustrée. Un cri affreux retentit derrière lui, et l'un des hommes de Morgan lui fracassa le crâne d'un coup de tomahawk.

Il entendit un bruit et se tourna juste à temps pour voir un caporal marcher sur le corps de l'un des Hessiens, qui revint brusquement à la vie et roula sur le côté en tenant son mousquet. Il se redressa et plongea sa baïonnette dans la culotte du caporal. Puis il la retira d'un coup sec dans une grande gerbe de sang tandis que le caporal chancelait.

Par réflexe, Jamie saisit son fusil par le canon, le balança par-dessus sa tête, le mouvement faisant craquer tous les os de ses épaules, de ses bras et de ses poignets tandis qu'il assenait un grand coup de crosse sur le crâne du Hessien. Le choc lui tordit les bras. Il entendit un bruit sec dans ses cervicales, et sa vision blanchit. Il secoua la tête et essuya la sueur et le sang sur son visage du talon de la main. *Merde, j'ai tordu le canon de mon fusil.*

Le Hessien était tout à fait mort, cette fois, un air surpris sur ce qui lui restait de visage. Le caporal blessé rampait plus loin, une jambe de sa culotte trempée de sang, son mousquet accroché dans son dos et sa baïonnette à la main. Il regarda par-dessus son épaule et cria :

— Un franc-tireur, derrière toi !

Jamie ne se retourna pas mais plongea de tout son long sur le côté, atterrissant sur les feuilles et la terre battue. Plusieurs corps roulèrent sur lui dans une confusion de grognements et s'écrasèrent contre la palissade. Il se releva lentement, sortit un des pistolets de sa ceinture, l'arma et fit sauter la cervelle du grenadier qui s'apprêtait à lancer une grenade par-dessus le rempart.

Il y eut encore quelques tirs, des gémissements, des bruits sourds et, presque subitement, la furie du combat se calma. La redoute était jonchée de corps, la plupart portant des uniformes verts. Il aperçut la petite jument d'Arnold, l'air terrifié et boitant. Il n'y avait personne en selle. Arnold était assis par terre un peu plus loin, tentant de se relever.

Jamie tenait à peine debout lui-même. Ses genoux tremblaient et sa main droite était paralysée. Il tituba néanmoins jusqu'au général et se laissa tomber à ses côtés. Arnold était blessé. Sa jambe était couverte de sang ; son visage était blême et moite ; en état de choc, il semblait avoir du mal à garder les yeux ouverts. Jamie lui saisit la main et l'appela par son nom pour le faire revenir à lui. Tout en agissant, il se dit qu'il était fou, qu'il aurait dû plutôt enfoncer son couteau dans les côtes de cet homme et lui épargner à lui ainsi qu'à ses futures victimes sa traîtrise. Mais sa décision fut arrêtée avant qu'il n'ait eu le temps de penser. La main d'Arnold se resserra sur la sienne.

— Où ? murmura-t-il. Où ai-je été touché ?

— À la jambe, général. Au même endroit où vous avez été touché la dernière fois.

Arnold rouvrit les yeux et le dévisagea.

— J'aurais préféré que ce soit au cœur, dit-il en les refermant.

66

Le lit de mort

Un porte-étendard britannique se présenta au camp peu après la tombée de la nuit, portant un drapeau blanc. Le général Gates l'envoya à notre tente. Le brigadier général avait appris la présence de Jamie et souhaitait le voir.

— Avant qu'il ne soit trop tard, monsieur, ajouta le porte-étendard à voix basse.

Il était très jeune et paraissait bouleversé.

— Viendrez-vous ?

Jamie tentait déjà de se lever. Il dut s'y reprendre à deux fois. Il n'était pas blessé, en dehors d'un nombre invraisemblable d'ecchymoses et d'une foulure de l'épaule, mais, après être rentré en chancelant de la bataille, il n'avait même pas eu la force de manger. Je lui avais lavé le visage et donné un verre de bière. Il le tenait toujours, intact.

— Je viendrai avec ma femme, déclara-t-il en le posant.

J'allai chercher ma cape et, au cas où, ma sacoche de médecine.

*

Ma sacoche était superflue. Le brigadier général Fraser était étendu sur une longue table dans la salle principale d'une grande maison en rondins. Le jeune porte-étendard nous avait expliqué dans un murmure qu'il s'agissait de la demeure de la baronne Von Riedesel. Un seul regard me suffit pour constater que je ne pouvais plus rien pour lui. Son visage large était exsangue dans la lueur des bougies et son corps enveloppé dans des bandages, imbibés de sang. Il y avait aussi du sang frais. Je pouvais voir de nouvelles taches s'étalant lentement, plus sombres que les anciennes, qui avaient séché.

Absorbée par le mourant, j'avais à peine remarqué la présence d'autres personnes dans la pièce. Il y avait deux médecins au chevet du malade, maculés de sang et livides de fatigue. L'un d'eux se raidit en m'apercevant. Il plissa des yeux et donna un coup de coude à son collègue, qui s'arracha à sa contemplation du brigadier général Fraser en fronçant les sourcils. Il me dévisagea d'un air neutre puis replongea dans ses méditations.

Je regardai le premier médecin dans le blanc des yeux mais sans hostilité. Je n'avais pas l'intention d'empiéter sur son territoire. Je ne pouvais rien faire, pas plus qu'eux qui, à en juger par leur état d'épuisement, avaient déjà tout essayé. Le second médecin ne semblait pas avoir encore baissé les bras, ce que je trouvais admirable, mais on ne pouvait se méprendre sur l'odeur de putréfaction qui flottait dans l'air. J'entendais les longues respirations stertoreuses du patient, entre deux silences éprouvants pour les nerfs.

Je ne pouvais rien en tant que médecin, mais d'autres personnes pouvaient peut-être apporter un réconfort au brigadier général. Jamie en faisait partie. Je lui chuchotai :

— Il n'en a plus pour longtemps. Si tu veux lui dire quelque chose…

Il acquiesça et s'avança. Un colonel britannique se tenant près du lit de mort improvisé le regarda d'un air surpris et suspicieux, mais un autre officier lui chuchota à l'oreille, et il recula d'un pas pour le laisser approcher.

Je me rendis soudain compte qu'il y avait beaucoup de monde dans la pièce. Je me tins en retrait, ne voulant me mettre dans les pattes de personne.

Jamie et l'officier britannique échangèrent quelques messes basses. Un jeune officier, probablement l'aide du brigadier général, était agenouillé dans l'ombre de l'autre côté de la table, tenant la main du mourant. Il gardait la tête baissée et paraissait profondément affligé. Je laissai retomber ma cape sur mes épaules. S'il faisait frais au-dehors, l'air à l'intérieur était étouffant et malsain, comme si la fièvre qui dévorait le brigadier général sous nos yeux s'était propagée dans la pièce, trouvant sa proie insuffisante. Il était rempli de miasmes, de la puanteur des entrailles putrides, de sueur rance et de l'odeur de poudre, qui s'accrochait aux vêtements des hommes.

Jamie s'agenouilla à son tour pour s'approcher de l'oreille de Fraser. Les yeux du brigadier général étaient fermés, mais il était conscient. Je vis les muscles de son visage remuer quand Jamie commença à lui parler. Il tourna la tête et ouvrit les paupières. Ses yeux ternes s'animèrent momentanément lorsqu'il le reconnut.

— *Ciamar a tha thu, a charaid?* demanda doucement Jamie. « Comment te sens-tu, mon cousin ? »

Les lèvres du brigadier général remuèrent.

— *Tha ana-cnámhadh an Diabhail orm*, répondit-il d'une voix rauque. *Feumaidh gun do dh'ìth mi rudegin nach robh dol leam.* « J'ai une indigestion d'enfer. J'ai dû manger quelque chose qui ne m'a pas réussi. »

Les officiers britanniques s'agitèrent en entendant parler en gaélique, et le jeune officier de l'autre côté de la table redressa brusquement la tête.

Il ne pouvait être plus surpris que moi.

La pièce sombre sembla tanguer, et je me laissai tomber contre le mur, pressant les mains contre le bois en quête de quelque chose de solide à quoi me raccrocher.

Ses traits étaient tirés par la fatigue et le chagrin. Il était couvert de suie et de sang, lesquels formaient des traînées sur son front et ses joues là où il s'était essuyé de la manche, lui donnant des airs de raton laveur. Cela ne changeait rien. Ses cheveux étaient d'un châtain sombre, son visage plus étroit, mais j'aurais reconnu ce long nez et ces yeux bleus félins n'importe où. Jamie et lui étaient agenouillés de part et d'autre de la table, à moins de deux mètres de distance. Il était impossible de ne pas remarquer la ressemblance, si…

— Ellesmere…

Un capitaine d'infanterie s'avança et toucha l'épaule du jeune homme. Il se pencha sur lui, lui murmura quelque chose en faisant un petit signe de la tête. Il semblait lui demander de s'éloigner un moment afin de donner au brigadier général un peu d'intimité s'il le désirait.

Je concentrai mon regard sur Jamie en priant de toutes mes forces : *Ne relève pas les yeux ! Pour l'amour de Dieu, ne relève pas les yeux !*

Il ne bougea pas. Il avait peut-être entendu le nom ou entraperçu le visage maculé de son fils de l'autre côté de la table. Il garda la tête baissée, ses traits cachés dans l'ombre. Puis il s'approcha encore de son cousin Simon et lui murmura quelque chose à l'oreille.

Le jeune homme se leva, aussi lentement que Dan Morgan par un froid matin d'hiver. Son ombre vacilla un instant sur le mur en bois brut derrière lui, haute et grêle. Il ne prêtait pas attention à Jamie ; chaque fibre de son corps était concentrée sur le mourant.

Dans un effort visible, Simon Fraser prit la main de Jamie entre les siennes.

— Je suis content de te revoir sur cette terre, *Seaumais mac Brian*, murmura-t-il. Je suis heureux de mourir parmi mes camarades, que j'aime. Mais diras-tu quelque chose pour moi à ceux de notre sang en Écosse ? Dis-leur…

L'un des officiers parla à William, qui s'écarta à contrecœur de la table, répondant à voix basse. Mes mains étaient moites, et je sentais la transpiration perler dans ma nuque. J'avais une envie folle d'ôter ma cape mais craignais de faire le moindre mouvement susceptible d'attirer l'attention du jeune homme, qui pourrait ensuite se tourner vers Jamie.

Ce dernier était aussi immobile qu'un lapin terré sous un buisson. Je voyais ses épaules tendues sous sa veste humide. Il serrait les mains du brigadier général, et seuls les reflets dansant du feu sur son crâne roux donnaient une illusion de mouvement.

— Je ferai tout ce que tu me demandes, *Shimi mac Shimi*. Dis-moi quels sont tes désirs.

Quelqu'un renifla près de moi et, en me tournant, je vis une petite femme, aussi délicate et fraîche qu'une poupée de porcelaine en dépit de l'heure et des circonstances. Ses yeux brillaient de larmes. Elle les essuya en les tapotant du bout d'un mouchoir, m'aperçut et m'adressa un petit sourire tremblant. Elle me chuchota avec un accent allemand :

— Je suis si soulagée que votre mari soit venu, madame. C'est… sans doute un grand réconfort pour notre cher ami d'avoir un parent à son chevet.

Il en a même deux, pensai-je en m'efforçant de ne pas regarder vers William. Il me vint soudain l'angoisse qu'il me reconnaisse et décide de venir me parler. Cela pourrait virer au désastre si…

La baronne – car ce ne pouvait être que l'épouse de Von Riedesel – sembla vaciller légèrement. Ce pouvait n'être qu'un effet du reflet des flammes dans l'âtre ou de la pression des corps, mais je sautai sur l'occasion. Je posai une main sur son bras et lui chuchotai :

— J'ai besoin d'air. Vous voulez bien m'accompagner ?

Les médecins se rapprochaient de la table, attentifs comme des vautours, et les chuchotements en gaélique furent soudain interrompus par un horrible gémissement de Simon Fraser.

— Vite, qu'on apporte une chandelle ! cria l'un des médecins.

La baronne ferma les yeux, et je la vis déglutir péniblement. Je pris sa main et l'entraînai rapidement à l'extérieur.

*

Cela ne dura pas longtemps, mais il me semblait qu'une éternité s'était écoulée quand les hommes sortirent enfin, la tête baissée.

Il y eut une brève dispute devant la maison. Les hommes parlaient à voix basse, par respect pour le mort, mais les esprits étaient néanmoins échauffés. Jamie se tint à l'écart. Il avait remis son chapeau, qu'il portait bas sur son visage, mais un des officiers britanniques se tournait régulièrement vers lui pour lui demander son opinion.

Le lieutenant William Ransom était lui aussi dans son coin, conformément à son rang inférieur à celui des autres. Il paraissait trop affecté pour participer à la querelle. Je me demandai s'il avait déjà vu quelqu'un mourir… puis me rendis compte à quel point cette pensée était absurde.

Néanmoins, les morts sur le champ de bataille, pour violentes qu'elles fussent, étaient très différentes de l'agonie d'un être cher. Et, à en juger par la réaction de William, Simon Fraser n'avait pas été que son commandant : il avait également été son ami.

Occupée par ces observations furtives, je n'avais pas prêté beaucoup d'attention au sujet de la dispute – à propos de ce qu'il fallait faire du corps du brigadier général – et aucune aux deux médecins, qui étaient sortis de la maison et se tenaient à l'écart, discutant entre eux. Du coin de l'œil, j'en vis un glisser une main dans sa poche et en sortir une pincée de tabac, qu'il déposa dans la paume de son collègue. L'autre le remercia, et ils allaient se séparer quand ce que dit l'un des deux capta mon attention aussi sûrement que s'il s'était soudain transformé en torche vivante :

— À tout à l'heure, donc, docteur Rawlings.

— Docteur Rawlings ? répétai-je malgré moi.

L'homme en question se tourna vers moi.

— Oui, madame ?

Il était courtois mais avait l'air d'un homme épuisé luttant contre l'envie d'envoyer tout le monde au diable. Je reconnus cette impulsion et compatis mais, ayant parlé, je ne pouvais plus reculer.

— Je vous demande pardon, dis-je, un peu gênée. J'ai entendu votre nom malgré moi et je me demandais… J'ai connu un docteur Rawlings.

L'effet fut immédiat. Il se redressa abruptement et son regard s'anima soudain.

— Vraiment ? Où donc ?

— Euh...

J'hésitai un moment. En fait, je n'avais jamais rencontré Daniel Rawlings, néanmoins j'avais l'impression de le connaître. Je cherchai à gagner du temps en répondant :

— Il s'appelait Daniel Rawlings. C'est peut-être un de vos parents ?

Il m'agrippa le bras.

— Oui ! Oui, c'est mon frère. Je vous en prie, madame, savez-vous où il se trouve ?

Un sentiment d'angoisse me noua le ventre. Je savais exactement où il se trouvait, mais la nouvelle n'allait pas faire plaisir à son frère. Je n'avais pas le choix ; je devais le lui dire.

— Je suis profondément désolée... il est mort.

J'avais parlé le plus doucement possible. Je posai ma main sur la sienne et la serrai. Mon cœur se fendit en voyant son regard s'éteindre.

Il resta immobile le temps de quelques inspirations, fixant un point au loin. Puis, lentement, il se concentra à nouveau sur moi et poussa un profond soupir.

— Je vois... C'était ce que je craignais. Comment a-t-il... comment est-ce arrivé ? Le savez-vous ?

Je vis le colonel Grant se préparer à partir.

— Oui, je le sais, dis-je précipitamment. Mais... c'est une longue histoire.

— Ah.

Il suivit mon regard. Tous les hommes s'étaient mis en mouvement, rajustant leur veste, coiffant leur chapeau et échangeant quelques derniers mots.

Il se tourna à nouveau vers moi.

— Je viendrai vous trouver. Votre mari... c'est bien le grand rebelle écossais ? J'ai cru comprendre qu'il était un parent du brigadier général ?

Je le vis chercher quelque chose du regard derrière moi, et une alarme retentit dans ma tête, faisant se hérisser les poils sur mes bras. Rawlings fronçait les sourcils, et je devinai, aussi clairement que s'il l'avait dit lui-même, que le mot « parent » avait déclenché une sorte de rapprochement dans son esprit… Il était en train de regarder William.

Je l'attrapai par la manche avant qu'il ne se tourne vers Jamie et puisse achever la pensée qui se formait en lui.

— Oui, c'est le colonel Fraser, dis-je précipitamment.

Tout en parlant, je fouillais dans ma sacoche et trouvai le morceau de papier plié que je cherchais. Je le sortis, le dépliai rapidement et le lui tendis.

— C'est bien l'écriture de votre frère ?

Il dévora des yeux les petites lettres appliquées avec une expression où se mêlaient l'avidité, l'espoir et le désespoir. Il ferma les paupières un instant, les rouvrit, puis lut et relut la recette d'un constipant comme s'il s'agissait des Évangiles. Il effleura le bord roussi de la page.

— Elle est brûlée, dit-il d'une voix éraillée. Daniel est-il… mort dans un incendie ?

— Non.

Le temps pressait. Un des officiers britanniques se tenait derrière lui, l'attendant d'un air impatient. Je touchai la main qui tenait la page.

— Gardez-la, je vous en prie. Si vous parvenez à franchir les lignes, ce qui devrait être plus facile à présent, vous me trouverez dans ma tente, près du parc d'artillerie. Ils m'appellent… euh… la « sorcière blanche ». Vous n'aurez qu'à demander autour de vous.

Il écarquilla les yeux puis m'examina plus attentivement. Heureusement, il n'avait plus le temps de poser d'autres questions. L'officier s'avança d'un pas et lui marmonna quelque chose dans l'oreille, ne m'adressant qu'un bref regard.

— Oui, dit Rawlings. Certainement.

Il s'inclina profondément devant moi.

— Votre serviteur, madame. Je vous suis infiniment reconnaissant. Puis-je…

Il agita le papier et j'acquiesçai.

— Oui, bien sûr.

L'officier s'était tourné, cherchant un autre membre retardataire à presser. Rawlings lança un bref regard par-dessus son épaule, puis il s'approcha de moi et me glissa :

— Je viendrai. Dès que je le pourrai. Merci.

Il se redressa en apercevant quelqu'un derrière moi, et je me rendis compte que Jamie était venu me chercher.

Il s'avança et, saluant le médecin d'un signe de tête, me prit le bras.

— Où est votre chapeau, lieutenant Ransom ? dit une voix non loin.

C'était un colonel, parlant sur un ton légèrement réprobateur. Une fois de plus, je crus que mes cheveux allaient se dresser sur ma tête. Ce n'était pas à cause du colonel mais de la réponse qui fusa :

— … Un fils de chienne de rebelle a tiré dessus.

C'était une voix anglaise, jeune, chargée de chagrin refoulé et teintée de colère. Mis à part ces derniers détails, c'était celle de Jamie. Ce dernier crispa tellement sa main sur la mienne qu'il manqua de me broyer les doigts.

Nous nous trouvions sur le sentier qui remontait de la rivière ; encore deux pas et nous serions à l'abri derrière les arbres et le voile de brume. Mais, au lieu d'avancer, Jamie s'arrêta net, lâcha ma main, pivota sur ses talons, rebroussa chemin et, ôtant son chapeau, le planta dans les mains du lieutenant Ransom en déclarant poliment :

— Il me semble que je vous dois un chapeau, lieutenant.

Là-dessus, il pivota à nouveau et revint vers moi, laissant le jeune homme contempler, perplexe, le tricorne bosselé qu'il tenait. En lançant un regard derrière moi, je le vis chercher Jamie des yeux, mais ce dernier m'entraînait sur le sentier d'un pas rapide comme si nous avions les Peaux-Rouges à nos trousses. L'instant suivant, nous étions hors de vue derrière un rideau de jeunes sapins.

Je sentais Jamie vibrer comme une corde de violon ; il haletait.

— Tu as perdu la raison ? lui demandai-je.

— Probablement.

— Mais qu'est-ce que… commençai-je.

Il se contenta de secouer la tête tout en me tirant derrière lui jusqu'à ce que nous soyons hors de portée de vue et d'ouïe de la maison. Un tronc abattu qui avait jusque-là échappé aux bûcherons était couché en travers du chemin, et Jamie se laissa brusquement tomber dessus. Il se passa une main tremblante sur le visage.

— Tu te sens mal ? m'inquiétai-je. Que se passe-t-il ?

Je m'assis à ses côtés et posai une main dans son dos.

— Je ne sais pas si je dois en rire ou en pleurer, *Sassenach*.

Quand il ôta sa main, je constatai qu'il faisait un peu des deux. Ses cils étaient mouillés, mais la commissure de ses lèvres tremblait.

— J'ai perdu un parent et en ai trouvé un autre, tout ça en même temps… Et, quelques instants plus tard, je me suis rendu compte que, pour la seconde fois dans ma vie, j'avais été à deux doigts de tuer mon fils.

Il se tourna vers moi, l'air impuissant.

— Je sais bien que je n'aurais pas dû le faire, mais c'est que… tout à coup, je me suis dit : *Et si je ne le ratais pas la troisième fois ?* J'ai sentis qu'il fallait absolument que… que je lui parle. D'homme à homme. Au cas où ce serait la seule et unique fois, tu comprends ?

Le colonel Grant lança un regard intrigué vers le chemin, où une branche tremblante indiquait le passage du rebelle et de sa femme, puis il se tourna vers le chapeau dans les mains de William.

— Qu'est-ce que c'était que cette histoire ?

William s'éclaircit la gorge.

— Apparemment, le colonel Fraser était le… euh… fils de chienne qui m'a dépouillé de mon chapeau hier durant la bataille. Il m'a… dédommagé.

Il espérait avoir parlé avec un détachement hautain.

Une pointe d'humour adoucit les traits tirés du colonel.

— Vraiment ? Comme c'est aimable de sa part.

Il se pencha au-dessus de l'objet en question.

— Vous croyez qu'il est plein de poux ?

De la part d'un autre homme, à un autre moment, cela aurait été interprété comme de la calomnie. Mais, s'il était toujours le premier à dénigrer le courage, les aptitudes et les dispositions des continentaux, Grant n'émettait là qu'une question pratique. La plupart des Anglais et des Hessiens étaient infestés de poux, les simples soldats comme les officiers.

William inclina le tricorne, examinant son intérieur à la faible lumière. Il était chaud dans ses mains, mais il ne vit rien bouger le long des coutures.

— Je ne crois pas.

— Dans ce cas, mettez-le, capitaine Ransom. Nous devons montrer l'exemple à nos hommes.

William le coiffa, la sensation de chaleur sur son crâne lui paraissant étrange, avant de comprendre ce que Grant venait de dire.

— Capitaine ? répéta-t-il d'une voix faible.

Un soupçon de sourire effleura le visage las du colonel.

— Félicitations. Le brigadier général… (il lança un regard vers la maison et son sourire s'effaça)… voulait vous nommer capitaine après Ticonderoga mais… enfin. Le général Burgoyne a signé l'ordre hier soir après avoir entendu plusieurs témoignages sur la bataille. Il semblerait que vous vous soyez distingué.

William inclina la tête, gêné. Il avait la gorge nouée et ses yeux brûlaient. Il ne se souvenait pas de ce qu'il avait fait… hormis d'avoir échoué à sauver le brigadier général.

— Merci.

Il ne put s'empêcher de lancer un regard vers la maison à son tour. La porte avait été laissée ouverte.

— Savez-vous si… il… Non, peu importe.

— S'il l'a su ? demanda doucement Grant. Je le lui ai dit et lui ai montré l'ordre.

Trop ému pour parler, William inclina à nouveau la tête. Miraculeusement, le chapeau était à sa taille et resta en place.

— Fichtre, qu'est-ce qu'il fait froid ! bougonna Grant.

Il resserra son manteau et lança un regard à la ronde, contemplant les arbres qui gouttaient et l'épaisse brume qui flottait autour d'eux. Les autres étaient retournés à leurs occupations, et ils étaient seuls.

— Quel lieu désolé et quelle heure triste aussi !

— Oui.

William ressentit un bref soulagement à pouvoir admettre sa propre désolation, bien que l'heure et l'endroit n'y fussent pour rien. La porte ouverte de la grande cabane le dérangeait. Le brouillard flottait bas dans la forêt, formant un tapis duveteux, mais des lambeaux s'élevaient près de la maison, remontant le long des fenêtres… comme s'ils venaient chercher le brigadier général.

— Je vais aller fermer cette porte, si ça ne vous ennuie pas.

Il allait partir, mais le colonel l'arrêta d'un geste.

— Non, n'en faites rien.

William le regarda, surpris, et Grant haussa les épaules, s'efforçant de le prendre à la légère.

— L'homme qui vous a donné son chapeau a dit de la laisser ouverte… c'est une lubie des Highlands, quelque chose au sujet de l'âme qui doit pouvoir sortir.

Il ajouta moins subtilement :

— En tout cas, le froid chassera les mouches.

William sentit une amertume lui remonter dans la gorge en imaginant les asticots grouillants.

— Mais nous ne pouvons tout de même pas… Combien de temps ?

— Pas longtemps, l'assura Grant. Nous attendons le détachement funéraire.

William ravala la protestation qui lui était montée aux lèvres. Naturellement, que pouvaient-ils faire d'autre ? Pourtant, le souvenir des fosses qu'ils avaient creusées près des Heights, les pelletées de terre sur les joues rondes et froides de son caporal… Au bout de dix jours, il aurait cru être insensibilisé à ce genre de choses. Mais le bruit des loups sortant la nuit pour dévorer les mourants et les morts résonnait toujours dans le creux de son ventre.

Il marmonna une excuse, s'éloigna entre les buissons humides et vomit. Le plus discrètement possible. Il pleura un peu en silence, puis s'essuya le visage avec une poignée de feuilles trempées et revint.

Grant eut le tact de faire comme si le jeune homme était simplement allé se soulager contre un arbre et ne posa pas de questions.

Il observa nonchalamment :

— Un sacré bonhomme, ce parent du brigadier général ! À les voir, on n'aurait jamais pensé qu'ils étaient de la même famille, vous ne trouvez pas ?

Déchiré entre le désespoir et le chagrin, William avait à peine remarqué le colonel Fraser jusqu'à ce que celui-ci lui donne si subitement son chapeau et, même alors, il avait été trop surpris pour bien le regarder. Il acquiesça néanmoins, se souvenant vaguement d'une haute silhouette agenouillée de l'autre côté de la table, la lueur du feu teintant de rouge le sommet de son crâne.

— Il vous ressemble plus, à vous, qu'au brigadier, ajouta Grant.

Puis il se mit à rire.

— Dites, vous n'auriez pas une branche écossaise dans votre arbre généalogique ?

— Non. Du côté de mon père comme de celui de ma mère, ils sont tous du York depuis la nuit des temps, à l'exception d'une arrière-grand-mère française. La mère de mon beau-père est à moitié écossaise ; cela compte-t-il ?

Avant que Grant n'ait pu lui répondre, un son lugubre s'éleva dans la pénombre. Les deux hommes se figèrent, tendant l'oreille. Le cornemuseur du brigadier général approchait, suivit de Balcarres et de plusieurs de ses rangers. Le détachement funéraire.

Le soleil s'était levé mais restait invisible, caché par les nuages et la cime des arbres. La peau de Grant était comme la brume : pâle et humide.

La musique semblait provenir de très loin, comme émanant de la forêt elle-même. Puis des lamentations et des hululements se joignirent à la cornemuse. Balcarres et ses Indiens. Malgré ces notes sinistres, William fut légèrement réconforté. Au moins, ce ne serait pas un enterrement à la va-vite, sans égards ni respect pour le défunt.

— On dirait une meute de loups, vous ne trouvez pas ? marmonna Grant.

Il se passa une main sur le visage puis essuya méticuleusement sa paume mouillée sur sa cuisse.

— En effet, répondit William.

Il se redressa dignement et se prépara à accueillir la procession, conscient de la cabane derrière lui et de sa porte ouverte laissant entrer la brume.

67

Plus gras que le gras

J'avais toujours pensé qu'une reddition était une affaire assez simple. Vous donniez votre épée, échangiez une poignée de mains et disparaissiez… en liberté conditionnelle, en prison ou vers la prochaine bataille. Le docteur Rawlings dissipa ces présomptions simplettes quand il franchit les lignes deux jours plus tard pour me parler de son frère. Je lui racontai tout ce que je savais, exprimant mon attachement pour le cahier de son frère, à travers lequel j'avais eu l'impression de bien le connaître. Le second docteur Rawlings (il se prénommait David) était un homme affable. Il s'attarda, et notre conversation dévia vers d'autres sujets.

Quand je lui dis ma surprise que la cérémonie de remise des armes n'ait pas eu lieu immédiatement, il s'exclama :

— Oh, grand Dieu, non ! Il faut d'abord négocier les termes de la reddition. C'est très délicat, vous savez.

— Négocier ? Le général Burgoyne a-t-il son mot à dire dans la question ?

Il sembla trouver ça drôle.

— Et comment ! J'ai justement lu les propositions que le major Kingston a apportées ce matin au général Gates. Elles commencent par une déclaration assez ferme selon laquelle le général Burgoyne affirme que, ayant déjà combattu par deux fois le général Gates, il est prêt à le faire une troisième fois. Ce n'est pas vrai, naturellement, mais il sauve ainsi la face. Il poursuit en disant qu'il a naturellement remarqué que les rebelles étaient supérieurs en nombre et qu'il estime plus juste de se rendre si cela peut sauver la vie de braves hommes en des termes honorables.

Il ajouta d'un air plutôt navré :

— Au fait, la bataille n'est pas officiellement terminée. Le général Burgoyne propose un cessez-le-feu pendant que les négociations sont en cours.

— Sans blague ! dis-je, amusée. Je me demande si le général Gates est disposé à prendre cette déclaration au pied de la lettre.

— Non, répondit sèchement une voix écossaise.

Jamie entra dans la tente, suivi de son cousin Hamish.

— Il a lu la proposition de Burgoyne et a aussitôt sorti sa plume pour rédiger la sienne. Il exige une reddition sans conditions. Il demande que les troupes britanniques et allemandes déposent leurs armes dans leur camp et en sortent comme prisonniers. La trêve durera jusqu'au coucher du soleil. Burgoyne doit donner sa réponse d'ici là. J'ai bien cru que le major Kingston allait faire une attaque d'apoplexie.

— Tu crois qu'il bluffe ? lui demandai-je.

Jamie émit un petit bruit de gorge typiquement écossais et lança un regard vers Rawlings, indiquant par là que ce n'était pas un sujet à aborder devant l'ennemi. Compte tenu des rapports privilégiés du docteur avec le haut commandement, il avait sans doute raison.

David Rawlings changea lui-même de sujet avec tact et ouvrit le couvercle du coffret qu'il avait apporté.

— Est-ce le même que celui que vous aviez, madame Fraser ?

— Oui.

Je l'avais tout de suite remarqué mais n'avais pas voulu le fixer ouvertement. Le sien était un peu plus abîmé que le mien et comportait une petite plaque en cuivre portant son nom. Autrement, il était identique.

Il poussa un petit soupir.

— En fait, je me doutais de ce qui lui était arrivé, mais à présent j'en ai le cœur net. Ces coffrets nous ont été offerts par notre père, lui-même médecin, quand nous avons commencé notre pratique.

Je relevai les yeux vers lui.

— Ne me dites pas que… vous étiez frères jumeaux ?

— En effet.

Il parut surpris que je ne le sache pas.

— Des jumeaux identiques ?

Il sourit.

— Ma mère savait nous différencier, mais elle était l'une des rares à le faire.

Je sentis une étrange chaleur m'envahir, presque de l'embarras. Naturellement, je m'étais construite une image mentale de Daniel Rawlings en lisant ses cahiers. De le voir à présent face à face, ou presque, me chamboulait.

Jamie m'observait, perplexe. Je toussotai dans mon poing en rougissant, et il leva les yeux au ciel en émettant un autre son écossais. Il saisit le jeu de cartes qu'il était venu chercher et ressortit en entraînant Hamish.

Ce fut au tour de David Rawlings de paraître gêné.

— Je me demandais… auriez-vous besoin de quelque chose en particulier pour soigner vos patients ? Je n'ai plus beaucoup de remèdes, mais j'ai certains instruments en double et une excellente sélection de scalpels. Je serais très honoré si…

— Oh !

C'était une offre très généreuse, et mon embarras céda aussitôt le pas à une fringale d'acquisitions.

— Vous n'auriez pas une pince fine de trop ? De petits forceps ?

— Mais si, bien sûr.

Il ouvrit le tiroir du bas et écarta un fouillis de petits instruments à la recherche de pinces. J'aperçus un étrange outil et le désignai du doigt.

— Qu'est-ce que ça peut bien être ?

Le docteur Rawlings rosit.

— On appelle ça un « jugum pénien ».

— Ça ressemble à un piège à taupe. À quoi sert-il ? Ce n'est quand même pas un outil pour circoncire…

Je saisis l'objet sous les yeux horrifiés du docteur et l'examinai attentivement.

— C'est… euh… je vous en prie, madame.

Il me l'arracha presque des mains et le remit dans le tiroir.

Plus amusée qu'offensée par sa réaction, j'insistai :

— Mais à quoi peut-il bien servir ? Vu le nom, naturellement…

— Il empêche les… tumescences nocturnes.

Cette fois, il tourna au rouge vif et évita de croiser mon regard.

— Effectivement, ce doit être efficace.

L'objet en question consistait en deux cercles en métal concentriques avec des extrémités se chevauchant. Celui de l'extérieur était flexible. Une sorte de clef permettait de les resserrer. Le cercle intérieur était hérissé de dents de scie, effectivement un peu comme un piège. De toute évidence, on le posait sur un pénis flasque, qui avait tout intérêt à le rester.

— Mais en quoi prévenir les « tumescences nocturnes » est-il désirable ?

Il parut choqué.

— Mais… parce que… la… la perte de la semence masculine est très débilitante. Elle draine la vitalité et expose l'homme à toutes sortes de maladies ; sans compter qu'elle détériore considérablement ses facultés mentales et spirituelles.

— Heureusement que personne n'en a jamais parlé à mon mari.

Rawlings me dévisagea d'un air scandalisé mais, avant que la discussion ne prenne un tour encore plus scabreux, nous fûmes interrompus par des bruits à l'extérieur. Le docteur en profita pour refermer son coffret et le glisser sous son bras avant de venir me rejoindre sur le pas de la tente.

Une petite procession traversait le camp à une centaine de mètres. Un major britannique en uniforme d'apparat, les yeux bandés et le visage si rouge qu'il semblait sur le point d'exploser, était conduit par deux soldats continentaux. Un fifre les suivait à une certaine distance en jouant *Yankee Doodle*. Me souvenant de la remarque de Jamie à propos d'une attaque, je fus certaine qu'il s'agissait du malheureux major Kingston, l'officier chargé de porter les propositions de reddition de Burgoyne.

— Seigneur ! gémit le docteur Rawlings à mes côtés. J'ai bien peur que les négociations durent un certain temps.

*

Il avait vu juste. Une semaine plus tard, nous en étions toujours au même point, les lettres s'échangeant entre les deux camps une ou deux fois par jour, suivant toujours le même cérémonial. Dans le camp américain, l'ambiance générale était détendue. Elle l'était sûrement un peu moins du côté britannique, mais le docteur Rawlings n'était pas revenu, et les commérages étaient le seul moyen de juger si les négociations avançaient ou non. Apparemment, Gates avait effectivement bluffé, et Burgoyne avait été assez malin pour s'en rendre compte.

J'étais contente de rester au même endroit suffisamment longtemps pour laver nos vêtements sans risquer d'être abattue, scalpée ou agressée d'une manière ou d'une autre. Cela mis à part, il restait encore bon nombre de blessés des deux batailles nécessitant mes soins.

Depuis quelque temps, j'étais vaguement consciente de la présence d'un homme rôdant autour de notre campement. Je l'avais aperçu plusieurs fois et m'étais dit qu'il devait souffrir d'un mal embarrassant comme une chaude-pisse ou des hémorroïdes. Il fallait souvent à ces hommes un bon moment pour rassembler leur courage ou être désespérés au point de devoir demander de l'aide. Même quand ils s'étaient enfin décidés, ils attendaient de pouvoir me parler en privé.

La troisième ou quatrième fois où je le vis, je tentais de croiser son regard afin de l'inciter à s'approcher. Mais, chaque fois, il baissait les yeux et s'éloignait, se perdant dans la foule des miliciens, continentaux et suiveurs de camp.

Il réapparut soudainement au crépuscule du lendemain, pendant que je préparais un potage avec deux patates douces flétries, une poignée de blé, une autre de haricots, un peu de pain ranci et un os offert par un de mes patients. Je n'aurais su dire à quel animal il avait appartenu, mais il était raisonnablement frais : il y avait encore quelques lambeaux de viande accrochés dessus.

— Vous êtes madame Fraser ? demanda-t-il.

Il s'exprimait avec un accent éduqué des Lowlands écossais. Peut-être d'Édimbourg. Avec une pointe de tristesse, je pensai à Tom Christie, qui parlait avec le même ton sec et formel. Ce rapprochement avec Tom Christie se dissipa l'instant suivant.

— C'est bien vous qu'on appelle la « sorcière blanche », n'est-ce pas ?

Il sourit, mais cela n'avait rien d'une expression plaisante.

— C'est possible. Et alors ?

Je saisis fermement ma spatule et lui lançai mon regard intimidant. Il était grand et mince, avait un visage étroit et le teint bistre. Il portait un uniforme de continental. Pourquoi s'adressait-il à une sorcière plutôt qu'au médecin de son régiment ? Voulait-il un philtre d'amour ? Il ne semblait pas être le genre.

Il ricana légèrement et inclina la tête.

— Je voulais juste m'assurer que j'étais au bon endroit. Je ne voulais pas vous offenser.

— Ce n'est rien.

Il ne faisait rien de menaçant, mis à part, peut-être, se tenir un peu trop près de moi. Quoi qu'il en soit, il ne me plaisait pas. En outre, mon cœur s'était mis à battre plus vite qu'il ne l'aurait dû. Je m'efforçai de paraître détachée.

— Vous connaissez mon nom. Quel est le vôtre ?

Il sourit à nouveau, me dévisageant avec un air étudié qui frôlait l'insolence.

— Mon nom importe peu. James Fraser est votre mari ?

J'eus une envie soudaine de lui taper sur la tête avec ma spatule mais me refrénai. Cela l'agacerait sûrement mais ne le ferait pas partir. Je ne voulais rien admettre au sujet de Jamie et ne me demandais même pas pourquoi. Je répondis simplement :

— Excusez-moi.

Je soulevai ma marmite du feu, la déposai sur le sol puis m'éloignai.

Il ne s'y était pas attendu et ne me suivit pas. Je marchai vite, tournai derrière une petite tente appartenant à la milice du New Hampshire puis traversai un groupe de personnes rassemblées autour d'un feu. C'étaient des miliciens et quelques-unes de leurs femmes. Ma brusque apparition attira quelques regards surpris, mais tous me connaissaient, et ils s'écartèrent courtoisement pour me laisser passer en me saluant.

En me retournant, je vis l'autre homme, sa silhouette se détachant sur le soleil couchant. Il se tenait près de mon feu abandonné, le vent du soir ébouriffant ses cheveux. Ce devait être mon imagination qui me le faisait paraître sinistre.

— Qui c'est, tante Claire ? Un de vos amoureux éconduits ?

Ian venait d'apparaître à mes côtés, un sourire dans la voix.

— Totalement éconduit, répliquai-je.

Je continuai à surveiller l'inconnu. J'avais cru qu'il me suivrait, mais il ne bougeait pas, se contentait de garder le visage tourné dans ma direction. Sa tête n'était qu'un ovale sombre, mais je savais qu'il me regardait.

— Tu sais où est ton oncle ?

— Oui. Il est en train de plumer le colonel Martin au loo avec cousin Hamish.

Il pointa le menton en direction du campement de la milice du Vermont. La tente du colonel Martin était facilement reconnaissable à la grande déchirure sur son toit, rapiécée avec du calicot jaune.

— Hamish joue bien aux cartes ?

— Non, mais oncle Jamie, oui. Il sait quand Hamish va commettre une erreur, ce qui revient au même que s'il jouait bien, non ?

— Je te crois sur parole. Dis-moi, tu connais cet homme ? Celui qui se tient près de mon feu…

Ian mit sa main en visière puis fronça les sourcils.

— Non, mais il vient de cracher dans votre soupe.

— *Quoi ?*

Je me tournai juste à temps pour voir l'homme se redresser le dos.

— Oh, le salaud ! Le sale rat !

Ian me donna un petit coup de coude, m'indiquant l'épouse d'un milicien, qui me regardait d'un air profondément réprobateur. Je ravalai le chapelet d'injures qui me brûlait la gorge et lui adressai un sourire contrit. Après tout, nous allions probablement être obligés de lui demander l'hospitalité maintenant que notre dîner était fichu.

Quand je regardai à nouveau vers mon feu, l'homme avait disparu.

Ian contempla d'un air songeur les ombres longues sous les arbres.

— Vous savez quoi, tante Claire ? Il reviendra.

Jamie et Hamish ne rentrèrent pas pour le dîner, ce qui me laissa supposer que la partie de loo se passait très bien pour eux. Les choses se passaient bien pour Ian et moi également. Mme Kebbits, l'épouse du milicien, nous accueillit gracieusement autour de son feu et nous servit de croustillants chaussons au maïs et un ragoût de lapin cuit aux petits oignons. Mieux encore, mon sinistre visiteur ne revint pas.

Ian était parti vaquer à ses occupations, Rollo sur ses talons, aussi je couvris le feu et me préparai à aller faire mes rondes de nuit dans les tentes hospitalières. La plupart des blessés les plus graves étaient morts dans les deux ou trois jours qui avaient suivi la bataille. Les autres, ceux qui avaient des épouses, des amis ou des parents pour les soigner, avaient été transportés dans leurs campements respectifs. Il en restait environ trois douzaines, des hommes seuls, souffrant de blessures s'éternisant ou de longues maladies.

J'enfilai une seconde paire de bas, m'enveloppai dans mon épaisse cape en laine et remerciai le ciel qu'il fasse froid. Depuis la fin septembre, un air frisquet avait embrasé la forêt dans une apothéose de rouge et d'or, tuant par la même occasion les insectes. L'absence de mouches dans le camp était un merveilleux soulagement. Je comprenais désormais pourquoi elles avaient constitué l'une des dix plaies d'Égypte. Hélas, les poux, eux, ne nous avaient pas quittés. Néanmoins, en l'absence de mouches, de puces et de moustiques, les menaces d'épidémie diminuaient considérablement.

Chaque fois que j'approchais d'une tente hospitalière, je humais l'air, guettant les odeurs fécales révélatrices qui pourraient annoncer une irruption soudaine de choléra, de typhus ou du moindre mal d'une salmonellose. Ce soir-là, je ne sentis rien d'autre que la puanteur habituelle des latrines, des corps sales, des draps crasseux et des effluves tenaces de vieux sang. Tout cela était d'une familiarité rassurante.

Les aides-soignants jouaient aux cartes sous un auvent en toile près de la tente principale, s'éclairant avec une mèche de jonc, dont la flamme s'élevait et dansait dans la brise du soir. Leurs ombres gonflaient et rétrécissaient sur la toile pâle, et je les entendis rire en passant. Cela signifiait qu'aucun des médecins de régiment n'était dans les parages, ce qui était aussi bien.

La plupart d'entre eux étaient reconnaissants pour toute aide qu'on pouvait leur apporter et me laissaient donc agir à ma guise. Néanmoins, il y en avait toujours un ou deux pour se draper dans leur dignité et vouloir faire preuve d'autorité. D'ordinaire, ce n'était qu'agaçant mais, en cas d'urgence, cela pouvait être très dangereux.

Dieu merci, il n'y avait pas d'urgence ce soir-là. Plusieurs bougeoirs en étain avec des bouts de chandelles de différentes longueurs étaient entassés dans un panier devant l'entrée. J'en pris un, l'allumai et traversai les deux grandes tentes, vérifiant les signes vitaux, discutant avec les hommes qui étaient réveillés et évaluant leur état.

Il n'y avait rien de très méchant, mais j'étais inquiète pour le caporal Jebediah Shoreditch, qui avait reçu trois coups de baïonnette lors de l'assaut de la grande redoute. Par miracle, aucun de ses organes vitaux n'avait été atteint. Il n'était pas dans une position très confortable, une des lames s'étant enfoncée dans sa fesse gauche, mais il ne présentait aucun symptôme majeur de fièvre. En revanche, je remarquai des signes d'infection autour de la plaie.

— Il va falloir que je l'irrigue, lui expliquai-je.

J'examinai mon flacon de violet de gentiane. Il était presque vide mais, avec un peu de chance, je pourrais m'en passer jusqu'à ce que j'aie le temps d'en préparer à nouveau.

— Je veux dire par là que je dois la laver et enlever le pus. Comment est-ce arrivé ?

L'irrigation n'allait pas être agréable. Autant le distraire en le faisant parler.

Tandis que je repoussais sa couverture et décollais délicatement les fragments encroûtés de compresses au goudron et à la térébenthine, il s'agrippa aux bords de sa paillasse et m'assura :

— N'allez pas croire que j'étais en train de battre en retraite, m'dame ! Un de ces sournois d'Hessiens, le fils de pute, faisait le mort. Quand je l'ai enjambé, il a soudain ressuscité et s'est redressé comme un serpent à sonnette, la baïonnette à la main.

Un ami qui était étendu non loin plaisanta :

— Tu veux plutôt dire « la baïonnette dans ta main » !

— Nan, ça, c'était un autre, répondit Shoreditch en lançant un regard à sa main bandée.

Il m'avait raconté plus tôt qu'un Hessien lui avait cloué la main au sol avec sa propre baïonnette. Shoreditch avait alors ramassé son couteau de sa main libre et avait tailladé les mollets de son assaillant, ce qui l'avait fait tomber. Après quoi, il lui avait tranché la gorge tout en tentant de repousser les assauts d'un troisième agresseur, qui était parvenu à lui sectionner le haut de l'oreille gauche.

— Dieu merci, il a été abattu avant de pouvoir m'achever. En parlant de main, m'dame, comment va celle du colonel ?

Dans la lueur de la lanterne, son front luisait de transpiration, et il était tellement crispé que les tendons de son avant-bras saillaient. Il parvenait néanmoins à conserver son sang-froid et un ton courtois.

— Il faut croire qu'elle va bien, répondis-je. Il joue aux cartes avec le colonel Martin depuis cet après-midi. Si sa main était mauvaise, il serait déjà rentré.

Mon piètre jeu de mots fit ricaner Shoreditch et son camarade. Le premier poussa un long soupir quand j'achevai enfin son nouveau bandage, et il resta un moment le front pressé contre sa paillasse avant de rouler sur le côté. Je le vis observer d'un air faussement détaché les silhouettes sombres qui allaient et venaient sous la tente.

— Merci beaucoup, m'dame. Si vous croisez par hasard l'ami Hunter ou le docteur Tolliver, pourriez-vous leur demander de passer me voir ?

Je fus légèrement surprise mais acquiesçai et lui versai une tasse de bière. Maintenant que les convois de ravitaillement venant du sud pouvaient à nouveau passer, nous n'en manquions pas, et cela ne pouvait pas lui faire de mal. J'en donnai également à son camarade, un homme de Pennsylvanie appelé Neph Brewster. Il souffrait de dysenterie, et j'ajoutai dans sa tasse une pincée de la mixture constipante de Daniel Rawlings.

Tout en la prenant, Neph se pencha vers moi et me glissa :

— Jeb n'a pas voulu vous manquer de respect, m'dame, mais c'est qu'il ne peut pas chier sans aide et qu'il n'ose pas en demander à une dame. M. Denzell ou le docteur ne sont pas près de passer. Vous en faites pas, je l'aiderai.

— Voulez-vous que j'aille chercher l'un des aides-soignants ? Ils sont juste là, dehors.

— Oh non, m'dame. Une fois que le soleil est couché, ils considèrent qu'ils ont fini leur service. Ils n'entrent pas, à moins qu'il y ait une bagarre ou qu'une tente prenne feu.

— Mmm…

Visiblement, l'attitude des aides-soignants ne variait pas beaucoup d'une époque à l'autre.

— Je vais en parler à l'un des médecins, l'assurai-je.

M. Brewster était maigre et jaunâtre. Sa main tremblait tant que je dus la lui tenir pendant qu'il buvait. Je doutais qu'il puisse tenir debout suffisamment longtemps pour aller faire ses propres besoins et le voyais mal assistant le caporal Shoreditch malgré sa bonne volonté.

— Pour ce qui est d'aller au petit coin, je m'y connais à présent, reprit-il avec un sourire.

Il s'interrompait entre deux gorgées pour reprendre son souffle. Il s'essuya le menton d'une main tremblante avant de reprendre :

— Au fait, m'dame… vous n'auriez pas un peu de graisse de cuisine sur vous ? J'ai le trou de balle à vif, on dirait un lapin fraîchement écorché. Je me la mettrai moi-même, sauf si vous voulez bien me donner un coup de main, bien sûr.

— J'en parlerai au docteur Hunter, rétorquai-je sèchement. Je suis sûr qu'il sera ravi.

J'achevai rapidement ma ronde – la plupart des hommes dormaient – puis me mis en quête de Denny Hunter. Je le trouvai dans sa propre tente, une écharpe remontée jusque sur le nez, écoutant d'un air songeur une ballade que chantait quelqu'un devant un feu de camp non loin.

Il s'extirpa de sa transe en m'apercevant, mais il lui fallut quelques minutes pour revenir sur terre.

— Qui ça ? Ah, l'ami Jebediah, bien sûr ! Bien sûr. J'y vais de ce pas.

— Vous n'auriez pas un peu de graisse d'oie ou d'ours ?

Denny cala plus fermement ses lunettes sur son nez et m'observa d'un air interrogateur.

— L'ami Jebediah n'est pas constipé, n'est-ce pas ? J'ai cru comprendre que son problème était plus mécanique que physiologique.

Je me mis à rire et lui expliquai la situation.

— Ah, je comprends. J'ai bien un onguent, mais il est mentholé. C'est pour traiter la grippe ou la pleurésie. Je ne pense pas que son anus appréciera.

— J'en conviens. Allez donc aider M. Shoreditch ; je vais chercher de la graisse commune et vous rejoins.

La graisse, sous toutes ses formes, était l'un des ingrédients de base de la cuisine. Il ne me fallut rendre visite qu'à deux campements pour m'en procurer une tasse pleine. La généreuse donatrice m'informa qu'il s'agissait de graisse d'opossum.

— C'est plus gras que le gras, m'assura-t-elle. Et en plus, ça a bon goût !

Cette dernière caractéristique n'intéresserait sans doute pas M. Brewster – du moins, il fallait l'espérer. Je me confondis en remerciements et repartis dans l'obscurité en direction des tentes hospitalières.

Ou plutôt, je croyais me diriger vers elles. La lune ne s'était pas encore levée et, quelques minutes plus tard, je me retrouvai sur une petite colline boisée dont je ne me souvenais pas, trébuchant contre des racines et des branches.

Sans cesser de maugréer, je tournai à gauche. Ce devait être par là… Non. Je m'arrêtai en jurant entre mes dents. Je ne pouvais pas m'être perdue. Je me trouvais au milieu d'un camp contenant au moins la moitié de l'armée continentale, en plus d'une douzaine de compagnies de miliciens. La question était de savoir où je me trouvais dans ce camp exactement. Je distinguais les lueurs de plusieurs feux à travers les arbres, mais leur configuration ne me disait rien. Désorientée, je partis dans l'autre sens, plissant des yeux pour tenter d'apercevoir le toit rapiécé de la grande tente du colonel Martin, le plus grand repère visible dans le noir.

Quelque chose me glissa sur le pied et je fis un bond, renversant de la graisse liquéfiée sur ma main. Je serrai les dents et m'essuyai délicatement avec mon tablier. Effectivement, la graisse d'opossum était extrêmement grasse ; le principal inconvénient de ce lubrifiant polyvalent était d'empester comme un opossum crevé.

Mon cœur, déjà malmené par cette première frayeur, fit à nouveau un bond quand une chouette surgit du bosquet sur ma droite, comme si un morceau de la nuit prenait soudain son envol silencieux à quelques centimètres de mon visage. Puis une branche craqua subitement, et j'entendis plusieurs hommes se frayer un passage dans le sous-bois en échangeant des chuchotements.

Je me mordis la lèvre inférieure et restai parfaitement immobile, envahie par une terreur irrationnelle.

Ce n'est rien ! me répétai-je. *Ce ne sont que des soldats cherchant un raccourci. Il n'y a pas de danger. Il n'y a aucun danger !*

Mon système nerveux ne voulut rien entendre. Je perçus un juron étouffé, un crissement de feuilles mortes, des craquements de branches, puis soudain un bruit sourd comme celui d'un objet contondant percutant un crâne humain. Un cri, un corps qui tombait, un bruissement furtif tandis que les voleurs fouillaient les poches de leur victime.

Je ne pouvais pas bouger. Tout mon corps voulait prendre la fuite, mais j'étais enracinée. Mes jambes ne répondaient plus. C'était comme un cauchemar où une terrible catastrophe approchait et que vous étiez paralysé.

J'avais la bouche ouverte. J'essayai de toutes mes forces de me retenir de crier tout en étant terrifiée qu'aucun son ne sorte de mes lèvres. Ma respiration était bruyante, résonnant dans mes oreilles. Soudain, je sentis ma gorge inondée de sang, mes poumons bloqués et mes narines bouchées. Un poids m'écrasait, lourd, amorphe, me clouant sur un sol de cailloux et de pommes de pin. Un souffle chaud contre mon oreille murmurait :

— *Tout doux. Pardonne-moi, Martha, mais faut que tu y passes. Faut que je t'en mette un coup… Voilà, comme ça… oh, bon sang, oui… oui…*

Je ne me souvenais pas d'être tombée, mais j'étais recroquevillée en chien de fusil sur le sol, tremblante de rage et de terreur. Plusieurs hommes passèrent entre les buissons à quelques mètres de moi, riant et plaisantant.

Puis un petit fragment du peu de raison qu'il me restait s'éleva des profondeurs de mon cerveau, observant avec détachement : *Tiens, mais c'est un flash-back. Comme c'est intéressant.*

— Je vais te montrer, moi, ce qui est intéressant, murmurai-je.

Ou du moins, je crus le murmurer. En réalité, je n'émis probablement aucun son. J'étais chaudement habillée, mais cela ne faisait aucune différence. J'étais nue, sentant l'air froid sur mes seins, sur mes cuisses... entre mes cuisses.

Je serrai les jambes de toutes mes forces et me mordis violemment la lèvre. Cette fois, je sentis vraiment le goût du sang. Toutefois, la suite ne se produisit pas. Je m'en souvenais comme si c'était hier, mais ce n'était qu'un souvenir. Cela ne se reproduisit pas.

Très lentement, je revins à moi. Ma lèvre me faisait mal. Je pouvais sentir l'entaille à l'intérieur du bout de la langue, ainsi qu'un goût métallique d'argent et de cuivre, comme si ma bouche était remplie de menue monnaie.

Je haletais telle une marathonienne mais, au moins, je pouvais respirer. Mes narines étaient dégagées, ma gorge n'était pas écorchée. J'étais trempée de sueur, et mes muscles étaient endoloris d'avoir été tant contractés.

J'entendais des gémissements derrière un buisson sur ma gauche. *Ils ne l'ont donc pas tué*, pensai-je vaguement. J'aurais sans doute dû aller l'aider, mais je n'en avais pas envie. Je ne pouvais toucher un homme, ni même voir un homme, ni être dans les parages d'un homme. De toute manière, je ne pouvais pas bouger.

Je n'étais pourtant plus paralysée par la terreur. Je savais où j'étais, je ne risquais rien. Mais je n'arrivais pas à remuer d'un poil. Je restais recroquevillée en tremblant et écoutais.

L'homme gémit plusieurs fois puis roula lentement sur le côté.

— Oh merde ! balbutia-t-il.

Il resta ainsi quelques instants, respirant bruyamment, puis se redressa brusquement et répéta plus fort :

— Oh merde !

J'ignorais si c'était à cause de la douleur ou parce qu'il se souvenait soudain qu'on l'avait détroussé. Il jura, soupira. Il y eut un silence… puis un cri de pure terreur qui parcourut ma moelle épinière comme une décharge d'électricité.

Il se releva précipitamment en glissant… mais pourquoi, pourquoi, pourquoi ? Que se passait-il ? Il prit ses jambes à son cou dans un fracas de branches. La terreur était contagieuse. Je voulais m'enfuir aussi, courir… Je me redressai, le cœur battant à tout rompre, mais je ne savais pas où aller. Je n'entendais rien à part le vacarme de l'autre dans sa fuite. Qu'y avait-il ?

Un léger bruissement de feuilles mortes me fit tourner brusquement la tête, au bord de la crise cardiaque. Puis Rollo posa sa truffe moite dans ma main.

— Bon dieu de merde ! hurlai-je.

Je fus presque soulagée d'entendre ma propre voix. Des pas s'approchèrent sur le tapis de feuilles.

— Ah, vous voilà, tante Claire !

La haute silhouette de Ian ne formait qu'une ombre. Il toucha mon bras et demanda sur un ton anxieux :

— Vous vous sentez bien ?

— Oui, répondis-je d'une voix faible.

Puis je répétai avec plus de conviction :

— Oui, ça va. Je me suis trompée de chemin dans le noir.

La haute silhouette se détendit.

— Ah, je me disais bien que vous deviez vous être perdue. Denny Hunter est venu me trouver pour me dire que vous étiez partie chercher de la graisse mais n'étiez pas revenue. Je me suis inquiété, et Rollo et moi sommes partis vous chercher. Qui était ce type à qui Rollo a flanqué une peur bleue ?

— Je n'en sais rien.

L'allusion à la graisse me rappela soudain ma tasse. Elle était sur le sol, vide et propre. Les bruits de lapement m'indiquèrent que, ayant achevé de manger son contenu, Rollo léchait à présent les feuilles sur lesquelles la graisse d'opossum s'était renversée. Compte tenu des circonstances, je ne pouvais pas vraiment le réprimander.

Ian ramassa la tasse.

— Revenez auprès du feu, ma tante. Je vais aller vous en chercher d'autre.

Je le suivis docilement sans prêter attention à mon environnement. J'étais trop occupée à tenter de faire le ménage dans mon esprit et à retrouver un semblant d'équilibre mental.

Je n'avais entendu le terme *flash-back* que brièvement, à Boston, dans les années 1960. Avant cela, le phénomène portait un autre nom, mais je savais ce que c'était. Et je l'avais vu de mes propres yeux. Pendant la Première Guerre mondiale, on parlait de névrose de guerre ; puis, pendant la Seconde, de stress post-traumatique du soldat. C'était ce qui arrivait lorsque vous viviez des événements auxquels vous n'auriez pas dû survivre et que vous ne pouviez réconcilier ce souvenir avec le fait que vous soyez toujours là.

Pourtant, tu es bel et bien ici, alors fais-toi une raison. L'espace d'un instant, je me demandai à qui je parlais et, très sérieusement, si je n'étais pas en train de devenir folle.

Je me souvenais très clairement de ce qui s'était passé lorsque j'avais été enlevée, des années plus tôt. J'aurais préféré l'oublier mais m'y connaissais suffisamment en psychologie pour ne pas tenter de refouler les souvenirs. Lorsqu'ils remontaient, je les examinais soigneusement tout en faisant des exercices de respiration profonde, puis les renvoyais là d'où ils étaient venus et allais trouver Jamie. Au bout d'un certain temps, seuls certains détails m'apparaissaient encore clairement : le pavillon d'une oreille coupée, violacé dans la lumière de l'aube, ressemblant à un champignon exotique ; l'explosion de lumière aveuglante lorsque Harley Boble m'avait cassé le nez ; l'odeur de maïs dans l'haleine de l'adolescent demeuré qui avait tenté de me violer ; le poids mou et lourd de l'homme qui y était parvenu. Le reste était flou, Dieu merci.

Je faisais également des cauchemars mais, généralement, Jamie me réveillait dès que je commençais à gémir dans mon sommeil. Puis il me serrait fort contre lui, me caressait les cheveux et le dos, me murmurait des paroles de réconfort, lui-même à moitié endormi, jusqu'à ce que je sois imprégnée de sa propre paix et me rendorme à nouveau.

Mais ça, c'était autre chose.

*

Ian alla de feu en feu et finit par obtenir une petite boîte en fer-blanc contenant un peu de graisse d'oie. Elle était plus que rancie, mais Denny Hunter lui ayant expliqué ce qu'il comptait en faire, il s'était dit que cela n'avait pas d'importance.

Il était plus préoccupé par sa tante. Il savait parfaitement pourquoi elle se tortillait parfois comme un ver ou gémissait dans son sommeil. Il avait vu son état quand ils l'avaient reprise à ces salauds et savait le genre de choses qu'on lui avait faites. Il sentit son sang bouillir et les veines saillir sur ses tempes au souvenir du combat de cette nuit-là.

Quand ils l'avaient sauvée, elle n'avait pas voulu se venger. C'était peut-être une erreur. Certes, il comprenait qu'elle consacrait sa vie à soigner les autres et avait juré de ne pas tuer. Néanmoins, pour certains hommes, le meurtre était un besoin. L'Église refusait de le reconnaître, sauf en temps de guerre. Les Mohawks, eux, savaient. Oncle Jamie aussi.

Quant aux quakers…

Il grommela.

Dès qu'il avait trouvé la graisse, il avait spontanément marché non pas vers la tente hospitalière, où l'attendait sûrement Denny, mais vers la tente des Hunter. Les deux étaient proches, et il pouvait toujours faire semblant de s'être trompé, mais à quoi bon se mentir à lui-même ?

Si seulement Brianna avait été là ! Il pouvait tout lui dire, et inversement. Peut-être lui en disait-elle même un peu plus qu'à Roger Mac.

Il se signa machinalement, marmonnant :

— *Gum biodh iad sabhailte, a Dhìa.* « Faites qu'ils soient en sécurité, ô Seigneur. »

Il se demanda également quel conseil Roger Mac lui aurait donné. C'était un homme tranquille et pieux, bien que presbytérien. Pourtant, il les avait accompagnés cette nuit-là, s'était battu comme eux et n'en avait plus jamais parlé.

Il imagina un instant la future congrégation de Roger Mac et ce qu'elle penserait de cette image de leur ministre. Puis il secoua la tête et reprit sa marche. Toutes ces divagations visaient uniquement à ne pas penser à ce qu'il lui dirait quand il la verrait. Il n'y avait qu'une seule chose qu'il avait envie de lui dire, et il ne pouvait le faire ; il ne le pourrait jamais.

Le rabat de la tente était fermé, mais une chandelle brûlait à l'intérieur. Il toussota poliment et Rollo, reconnaissant l'endroit, agita la queue en aboyant.

Le rabat s'écarta presque aussitôt et Rachel apparut, son reprisage à la main, le sourire aux lèvres à la vue du chien, qu'elle avait entendu. Elle avait ôté son bonnet et ses cheveux étaient emmêlés. Elle se baissa et gratta le crâne de Rollo entre les oreilles.

— Rollo, quelle bonne surprise ! Je vois que tu as amené ton ami.

Ian sourit et tendit la petite boîte en fer-blanc.

— C'est de la graisse d'oie. Ma tante a dit que votre frère en avait besoin pour son trou du cul.

Il se reprit aussitôt.

— Pardon, pour *un* trou du cul.

Il était mortifié, mais il s'adressait sans doute à la seule femme dans le camp qui pouvait penser qu'un trou du cul était un sujet de conversation normal. À part sa tante, naturellement. Et peut-être quelques putains aussi.

— Il sera ravi. Je te remercie.

Elle tendit la main à son tour et leurs doigts se frôlèrent. La boîte tachée de graisse glissa, et ils se baissèrent en même temps pour la ramasser. Rachel se redressa la première. Ian sentit ses cheveux sur sa joue, chauds et portant son odeur.

Sans même réfléchir, il prit son visage entre ses doigts et se pencha vers elle. Il eut juste le temps de voir ses pupilles s'écarquiller et, le temps de deux battements de cœurs, connut un bonheur absolu quand ses lèvres se posèrent sur les siennes comme s'il déposait son cœur entre ses mains.

Puis une de ses mains s'abattit sur sa joue, et il chancela en arrière tel un ivrogne brusquement extirpé de son sommeil.

— Que fais-tu ? Tu ne dois pas !

Il ne trouvait pas ses mots. Les langues se mélangeaient dans sa tête comme une mélasse. Le premier mot à remonter à la surface fut en *gàidhlig*.

— *Mo chridhe.*

Puis vint l'iroquois, profond et viscéral.

— J'ai besoin de toi.

Et enfin, l'anglais, mieux adapté aux excuses.

— Je suis désolé.

Elle acquiesça d'un mouvement de tête saccadé comme une marionnette.

— Oui. Je… Oui.

Il aurait dû partir. Elle avait peur, il le savait. Mais il savait autre chose aussi. Ce n'était pas de lui dont elle avait peur. Lentement, très lentement, il tendit à nouveau la main vers elle, son bras se levant comme par lui-même.

Puis il y eut un miracle. Elle leva la main à son tour, tremblante. Il toucha le bout de ses doigts et les trouva froids. Les siens étaient brûlants. Il pourrait la réchauffer… Il imagina sa peau fraîche contre la sienne, ses mamelons durcis pointant à travers le coton de sa robe, le poids de ses petits seins ronds dans ses mains, la pression de ses cuisses dures et froides contre les siennes.

— Tu ne dois pas, répéta-t-elle dans un murmure à peine audible. Il ne faut pas.

Il lui vint vaguement à l'esprit que, naturellement, il ne pouvait l'attirer à lui, écarter ses vêtements et la prendre là, à même le sol, même si chaque fibre de son corps l'exigeait. Un lointain souvenir de civilisation réapparut et il s'y accrocha. Avec une terrible réticence, il lâcha sa main.

— Non, bien sûr, dit-il dans un anglais parfait. Il ne faut pas.

— Je... Tu...

Elle s'interrompit et se passa le dos de la main sur les lèvres. Ce n'était pas pour effacer son baiser, mais par stupeur.

— Sais-tu que...

Elle s'interrompit à nouveau et le dévisagea, impuissante.

— Je ne m'inquiète pas de savoir si tu m'aimes, dit-il avec une parfaite sincérité. Pas pour le moment. J'ai peur que tu meures parce que tu m'aimes.

— Quel toupet ! Je n'ai pas dit que je t'aimais !

— Il vaudrait mieux que ce ne soit pas le cas. Je ne suis pas sot, et toi non plus.

Elle fit un geste impulsif vers lui et il recula presque insensiblement.

Il regardait fixement dans le fond de ses yeux, qui étaient de la couleur du cresson sous l'eau courante.

— Il vaut mieux que tu ne me touches pas. Car, si tu le fais, je te prendrai, ici et maintenant. Et après, il sera trop tard pour nous deux, n'est-ce pas ?

La main de Rachel resta en suspens entre eux. Il pouvait voir qu'elle faisait de vains efforts pour la baisser.

Il se tourna et s'éloigna dans la nuit. Sa peau était si brûlante que l'air se transformait en vapeur à son contact.

*

Rachel resta clouée sur place. Elle écouta les battements de son cœur un moment, puis un autre son régulier s'immisça. En baissant les yeux, elle constata que Rollo avait englouti la graisse d'oie et léchait consciencieusement la boîte vide.

— Oh, Seigneur !

Elle plaqua une main sur sa bouche, sentant que, si elle riait, cela risquait de dégénérer en hystérie. Le chien releva ses yeux jaunes vers elle. Il se lécha les babines en agitant sa longue queue.

— Qu'est-ce que je dois faire ? lui demanda-t-elle. Pour toi, c'est facile. Tu peux lui courir après toute la journée, dormir avec lui la nuit, et personne n'y trouve à redire.

Les jambes molles, elle se laissa tomber sur son tabouret et enfouit ses doigts dans l'épaisse fourrure du chien.

— Qu'a-t-il voulu dire par « J'ai peur que tu meures parce que tu m'aimes » ? Me prend-il pour une de ces idiotes qui se languit et se pâme d'amour comme Abigail Miller ? Peuh ! Elle n'a jamais eu l'intention de mourir pour qui que ce soit, et encore moins pour son pauvre mari ! Et qu'est-ce que ça signifie ? Il embrasse cette gourde – pardonne mon manque de charité, Seigneur, mais il faut dire les choses comme elles sont – puis, trois heures plus tard, il vient m'embrasser ! Explique-moi ! Qu'est-ce que ça veut dire ?

Elle lâcha enfin le chien, qui lui lécha poliment la main puis s'enfuit en silence hors de la tente, sans nul doute pour aller poser la question à son maître.

Elle aurait dû mettre le café à chauffer et préparer un repas. Denny ne tarderait plus à rentrer, affamé et transi. Pourtant, elle resta assise, fixant la flamme de la chandelle en se demandant si elle aurait mal en passant la main à travers.

Probablement pas. Tout son corps s'était embrasé quand il l'avait touchée. Elle était encore en feu.

Elle savait qui il était. Il n'en faisait pas un mystère. Un homme qui vivait par la violence, qui la portait en lui.

— Je m'en suis bien servie quand cela me convenait, non ? demanda-t-elle à la chandelle.

Cela n'avait pas été un comportement digne d'une amie. Elle n'avait pas fait confiance en la miséricorde de Dieu, n'avait pas été disposée à accepter Sa volonté. Elle n'avait pas seulement fermé les yeux sur la violence, elle l'avait encouragée, mettant en danger le corps et l'âme de Ian Murray. Non, non, il fallait regarder les choses en face.

La chandelle continuait de la défier.

— Certes, s'il faut dire toute la vérité, je l'ai fait autant pour Denny que pour moi.

— Tu as fait quoi ?

Son frère venait d'entrer dans la tente et l'observait, perplexe.

— Veux-tu bien prier avec moi ? lui demanda-t-elle aussitôt. Je cours un grave danger.

Il la dévisagea quelques instants avant de répondre calmement :

— Oui, c'est ce que je vois. Mais je doute que la prière te soit d'un grand secours.

— Quoi, tu n'as plus foi en Dieu ?

Elle craignait que les événements qu'il avait vécus au cours du dernier mois aient eu raison de la foi de son frère. Ils avaient considérablement ébranlé la sienne, mais elle dépendait de celle de Denny, derrière laquelle elle s'abritait. S'il la perdait…

— Oh, si, j'ai une foi infinie en Lui, répondit-il en souriant. Mais en toi… un peu moins.

Il accrocha son chapeau à un clou planté dans le poteau central de la tente puis s'assura que le rabat était bien fermé.

— J'ai entendu des loups sur le chemin du retour, observa-t-il. Ils étaient un peu trop près du camp à mon goût.

Il s'assit enfin et la regarda droit dans les yeux.

— Ian Murray ? demanda-t-il.

— Comment le sais-tu ?

Constatant que ses mains tremblaient, elle les frotta contre son tablier d'un geste agacé.

— Je viens de croiser son chien. Que t'a-t-il dit ?

— Je… rien.

Denny arqua un sourcil incrédule, et elle rectifia :

— Pas grand-chose. Il m'a dit… que j'étais amoureuse de lui.

— L'es-tu ?

— Comment pourrais-je être amoureuse d'un homme comme lui ?

— Si tu ne l'étais pas, tu ne me demanderais pas de prier pour toi. Tu te serais contentée de le chasser. Quant à la question de savoir « comment », je suis mal placé pour y répondre, mais c'était sans doute une question rhétorique, n'est-ce pas ?

Elle se mit à rire en dépit de son agitation puis lissa son tablier sur ses genoux.

— Non. Elle n'était pas rhétorique. Ou plutôt… Dirais-tu que Job était rhétorique quand il a demandé à Dieu à quoi Il pensait ? C'est dans ce sens-là que je l'entendais.

Son frère prit un air songeur.

— Interroger Dieu est délicat. Tu obtiens des réponses, mais elles tendent à t'entraîner dans des lieux étranges.

Il lui sourit à nouveau, mais avec une telle compassion dans le regard qu'elle détourna les yeux.

Elle resta un long moment à tripoter les plis de son tablier, écoutant les cris et les chants avinés qui s'élevaient tous les soirs dans le camp. Elle aurait aimé lui répondre qu'elle connaissait peu d'endroits aussi étranges que celui-ci : deux amis au milieu d'une armée dont ils faisaient partie. Toutefois, s'ils étaient ici, c'était parce que Denny avait interrogé Dieu, et elle ne voulait pas qu'il ait l'impression qu'elle le lui reprochait.

Au lieu de cela, elle releva les yeux et lui demanda :

— As-tu jamais été amoureux, Denny ?

Il fixait ses propres mains posées sur ses genoux. Il souriait toujours mais paraissait soudain lointain, comme s'il voyait quelque chose dans sa tête.

— Oui.

— Quand tu étais en Angleterre ?

Il acquiesça.

— Oui, mais… ça n'aurait pas pu marcher.

— Pourquoi ? Ce n'était pas une amie ?

— Non.

D'une certaine manière, elle était soulagée. Elle avait craint que, amoureux d'une femme refusant de quitter l'Angleterre, il se soit quand même senti obligé de rentrer en

Amérique pour sa petite sœur. En revanche, pour ce qui était de ses sentiments envers Ian Murray, cela n'augurait rien de bon.

— Je suis désolée pour la graisse, déclara-t-elle soudain.

Il la regarda sans comprendre.

— L'ami Murray a dit que c'était pour le trou du cul de quelqu'un. Le chien n'en a fait qu'une bouchée.

— Le chien n'a fait qu'une bouchée du… Ah, tu veux dire qu'il a mangé la graisse ?

Il se caressa les doigts avec le pouce de sa main droite, un tremblement à la commissure de ses lèvres.

— Ce n'est pas grave, j'en ai trouvé.

Elle se leva brusquement.

— Tu as faim. Lave-toi les mains pendant que je fais chauffer du café.

— Merci, Rachel. Rachel…

Il hésita un peu, mais il n'était pas du genre à tourner autour du pot.

— L'ami Murray t'a dit que tu étais amoureuse de lui, mais pas qu'il t'aimait ? Cela me paraît une bien étrange manière de procéder, tu ne trouves pas ?

— En effet.

Elle avait répondu sur un ton indiquant qu'elle n'était pas disposée à discuter des excentricités de Ian Murray. Elle ne tenait pas non plus à expliquer à son frère que Ian n'avait pas eu besoin de le lui dire. L'air autour d'elle vibrait encore de la chaleur de sa déclaration. Toutefois…

— Peut-être l'a-t-il fait. Il m'a dit quelque chose que je n'ai pas compris. Ce n'était pas en anglais. Sais-tu ce que signifie « *mo cri ga* » ?

Denny fronça les sourcils, puis son visage s'illumina.

— Ce doit être dans la langue des Highlanders, ce qu'ils appellent le *gàidhlig*. Non, je ne sais pas ce que cela signifie exactement, mais j'ai entendu plusieurs fois l'ami Jamie le dire à sa femme, et dans des circonstances où il s'agissait clairement d'un terme de profonde… affection.

Il marqua une pause puis demanda :

— Rachel, veux-tu que j'aille lui parler ?

Sa peau brûlait encore et son visage rougeoyait comme sous l'emprise de la fièvre, mais cette suggestion lui donna l'impression qu'on lui avait plongé une écharde de glace dans le cœur.

— Lui parler… répéta-t-elle. Pour lui dire quoi ?

Elle avait sorti la cafetière et le sac de glands grillés et de chicorée. Elle en versa une poignée dans le mortier et commença à broyer la mixture sombre comme s'il s'agissait d'un nid de serpents.

Denny l'observait avec intérêt.

— Tu vas finir par casser ton mortier, observa-t-il. Quant à ce que je pourrais lui dire, cela dépend de toi, Rachel. Je lui dirai de garder ses distances et de ne plus t'adresser la parole si c'est ce que tu souhaites. Ou encore, je peux lui expliquer que ton affection pour lui est purement amicale et qu'il doit s'abstenir de te faire des déclarations inconvenantes.

Elle versa sa préparation dans la casserole puis y ajouta de l'eau de la gourde suspendue au poteau de la tente. Tout en s'efforçant de conserver une voix calme, elle demanda :

— Ce sont là les deux seules options envisageables ?

— Sœurette… dit-il très doucement. Tu ne peux pas épouser un homme comme lui et rester une amie. Aucune assemblée n'accepterait une telle union. Tu le sais bien.

Il attendit un moment avant d'ajouter :

— Tu m'as demandé de prier pour toi.

Elle ne répondit pas et évita soigneusement de le regarder. Elle dénoua les lacets du rabat et sortit pour mettre la casserole sur les braises, puis rajouta du bois et attisa le feu. L'air près du sol était lumineux, éclairé par la fumée et l'éclat de milliers d'autres petits feux comme le sien. Le ciel noir au-dessus de sa tête était clair et infini, les étoiles brûlant de leur propre feu distant.

Quand elle revint à l'intérieur, Denny fouillait sous le lit en marmonnant.

— Que se passe-t-il ? demanda-t-elle.

Il sortit à reculons, traînant derrière lui la petite caisse contenant leurs provisions… vide. Il n'y restait que quelques glands et une pomme à demi rongée par les souris.

— Mais… ! s'exclama-t-elle. Où sont passées nos réserves ?

Denny était furieux. Il se passa une main rageuse sur les lèves avant de répondre :

— Un… enfant maudit de Bélial a déchiré l'arrière de la tente et nous les a prises.

La fureur qui l'envahit était presque bienvenue.

— Quoi ? Le… le…

Denny inspira profondément, cherchant à se recomposer.

— Certes, mais, le pauvre… Il devait avoir faim.

— Il n'avait qu'à demander ! rétorqua-t-elle. C'est un voleur, tout simplement !

Elle tapa du pied, fulminante. Puis elle déclara :

— Je vais aller quémander de quoi manger. Surveille le café.

— Ce n'est pas la peine d'y aller pour moi, protesta-t-il sans conviction.

Elle savait qu'il n'avait rien mangé depuis le matin et le lui dit en le fixant droit dans les yeux.

— Mais les loups… commença-t-il.

— J'emporte une torche, l'interrompit-elle. Et je plains le loup qui viendra se mettre en travers de mon chemin dans mon humeur actuelle !

Elle attrapa son sac de cueillette et sortit avant qu'il ne puisse lui demander à qui elle comptait s'adresser.

*

Il y avait une douzaine de tentes proches où elle aurait pu se rendre. Depuis les mésaventures de déserteur de Denny, plus personne ne considérait les Hunter avec perplexité et suspicion, et elle entretenait des rapports cordiaux avec plusieurs épouses de miliciens campant non loin.

Elle aurait pu se dire qu'elle répugnait à déranger ces braves femmes à une heure si tardive. Ou qu'elle voulait connaître les dernières nouvelles de la reddition (l'ami Jamie suivait de près les négociations et lui dirait tout ce qu'il pouvait). Ou encore qu'elle souhaitait en profiter pour consulter Claire Fraser au sujet d'une verrue qui poussait sur son gros orteil.

Mais c'était une femme intègre, et elle ne se raconta pas d'histoires. Elle marchait vers le campement des Fraser comme attirée par un aimant, et cet aimant s'appelait Ian Murray. Elle en était pleinement consciente et, tout en se disant qu'elle était folle, elle n'y pouvait rien, pas plus qu'elle ne pouvait changer la couleur de ses yeux.

Ce qu'elle comptait faire, dire ou même penser quand elle le verrait était inimaginable, mais elle avançait néanmoins d'un pas aussi déterminé que si elle se rendait au marché, la lumière de sa torche illuminant le sentier boueux devant elle, son ombre la suivant, immense et étrange sur la toile pâle des tentes devant lesquelles elle passait.

———⊰o⊱———

68

Le cracheur

J'étais en train d'entretenir le feu quand j'entendis des pas lents approchant. Je me retournai et vis une forme massive entre moi et la lune. Elle semblait fondre sur moi. Je voulus m'enfuir, mais mes jambes refusaient d'obéir. Comme dans les pires cauchemars, je tentai de crier, mais ma voix resta prisonnière dans ma gorge. Il n'en sortit qu'un petit filet étranglé : « Hep. »

La forme monstrueuse, bossue et sans tête s'arrêta devant moi en grognant. Puis il y eut un mouvement brusque et le bruit sourd d'un objet s'écrasant sur le sol à mes pieds, faisant remonter un courant d'air froid sous mes jupes.

— Je t'ai apporté un cadeau, *Sassenach*.

Jamie m'adressa un sourire radieux et essuya son front trempé de sueur.

— Un… cadeau ? répétai-je d'une voix faible.

Je baissai les yeux vers l'énorme tas de… de quoi ? Puis je sentis l'odeur.

— Une peau de bison ! m'exclamai-je. Oh, Jamie ! Une vraie peau de bison ?

On ne pouvait en douter. La peau ne venait pas d'être tannée, Dieu merci, mais l'odeur de son premier propriétaire était toujours perceptible, même dans le froid. Je tombai à genoux et passai mes mains dessus. Elle était convenablement traitée, souple et relativement propre. Je passai mes doigts dans la laine rêche sans rencontrer de terre, de bourre, de fragments de bouse ni d'autres détritus qui accompagnaient généralement un bison vivant. Elle était immense. Et chaude. Merveilleusement chaude.

J'enfonçai mes mains dans ses profondeurs qui retenaient encore un peu de la chaleur de Jamie.

— Tu l'as gagnée au jeu ?

— Oui, répondit-il fièrement. À l'un des officiers britanniques.

— Tu joues avec les Britanniques ?

Je lançai un regard inquiet dans la direction du camp ennemi même s'il n'était pas visible.

— Uniquement avec le capitaine Mansel. Il est arrivé avec la dernière réponse de Burgoyne et doit attendre que Granny la rumine. Il devra s'estimer heureux s'il n'est pas totalement ruiné avant de repartir. Je n'ai jamais vu quelqu'un avoir aussi peu de chance.

Je ne l'écoutais plus, fascinée que j'étais par la peau de bison.

— Elle est magnifique, Jamie. Si grande !

Elle mesurait bien deux mètres et demi de long et était assez large pour que deux personnes dorment enroulées dedans, à condition qu'elles acceptent d'être blotties l'une contre l'autre. L'idée de me glisser dans ce cocon chaud et douillet après tant de nuits à grelotter sous des couvertures élimées…

Jamie semblait penser à la même chose.

— Elle est assez grande pour nous deux, dit-il.

Il toucha mon sein, tout doucement.

— Ah, vraiment ?

Il s'approcha encore, et je sentis son odeur par-dessus le remugle de gibier du bison : des feuilles mortes, l'amertume des glands grillés, une pointe d'eau-de-vie sucrée, le tout se mêlant à toute la gamme des émanations mâles de sa peau.

Je fermai les yeux et inhalai profondément.

— Je pourrais te repérer dans une pièce noire parmi une douzaine d'hommes.

— Ça ne m'étonne pas. Je ne me suis pas lavé depuis une semaine.

Il posa ses mains sur mes épaules et baissa la tête jusqu'à ce que nos fronts se touchent.

— J'ai envie de délacer le col de ta chemise, chuchota-t-il. Et de sucer tes mamelons jusqu'à ce que tu te recroquevilles comme une petite crevette avec tes genoux entre mes cuisses. Je te prendrai vite et fort, puis je m'endormirai la tête posée sur tes seins nus. Vraiment.

— Oh, répondis-je. Quelle bonne idée !

*

Même si j'étais totalement d'accord avec ce programme, je pouvais voir qu'il aurait besoin de se sustenter avant d'entreprendre une quelconque activité nécessitant un effort physique vigoureux. J'entendais son estomac gronder.

En le voyant engloutir trois pommes en six bouchées, je plaisantai :

— Jouer aux cartes, ça creuse, n'est-ce pas ?

— Tu n'imagines pas à quel point. Tu n'aurais pas du pain ?

— Non, mais il y a de la bière.

Comme si ce mot l'avait invoqué, Ian surgit soudain de l'obscurité.

— De la bière ? demanda-t-il.

En le flairant comme deux chiens, Jamie et moi répondîmes à l'unisson :

— Du pain ?

Un arôme de levure émanait de ses vêtements. Il sortit deux jolies miches de pain de ses poches.

Je lui tendis une gourde remplie de bière.

— Où les as-tu eues, Ian ?

— Hein ? demanda-t-il d'un air vague.

— Tu te sens bien ?

Je l'examinai attentivement. Il cligna des yeux, puis un semblant d'intelligence réapparut momentanément sur son visage.

— Ah, oui, ma tante, je vais très bien. Je vais juste… Ah… merci pour la bière…

Il me rendit la gourde vide, me sourit comme si j'étais une inconnue, puis s'éloigna à nouveau dans la nuit.

Je me tournai vers Jamie et le vis cueillir des miettes de pain sur ses genoux du bout de son index humecté.

— Tu as vu ça ?

— Non, quoi ?

Il me tendit l'autre miche.

— Ton neveu a l'air complètement abruti. Gardes-en la moitié, tu en as plus besoin que moi.

Il ne discuta pas.

— Il ne saignait pas et ne titubait pas, hein, *Sassenach* ? Il doit être amoureux, c'est tout.

— Vraiment ? Effectivement, il en présente tous les symptômes, mais…

Je grignotai la miche du bout des dents pour la faire durer plus longtemps. Elle était croustillante et fraîche, tout juste sortie des cendres.

— Qui cela peut-il être ? demandai-je.

— Va savoir ! J'espère que ce n'est pas une des putains.

Jamie soupira et se frotta le visage avant d'ajouter :

— N'empêche, ce serait sans doute préférable à la femme de quelqu'un.

— Non, il ne…

Je m'interrompis en voyant son air narquois.

— Quoi, il n'a quand même pas…

— Non, mais il s'en est fallu de peu. Et ce n'est pas grâce à la dame en question.

— Qui ?

— La femme du colonel Miller.

— Aïe !

Abigail Miller était une jeune femme blonde et vive d'à peine vingt ans, et de vingt ans plus jeune que son mari, un homme corpulent qui manquait singulièrement d'humour.

— Ils sont allés jusqu'où ?

— Suffisamment loin. Elle l'a coincé contre un arbre et se frottait contre lui comme une chatte en chaleur. Cela dit, j'imagine que son mari la surveillera de plus près désormais.

— Il les a surpris ?

— Oui. Je marchais avec lui et, au détour d'un buisson, nous sommes tombés sur eux. Il était clair que ce n'était pas Ian qui avait pris les devants, mais il n'opposait pas beaucoup de résistance non plus.

Le colonel Miller s'était figé un instant puis avait fondu sur eux. Il avait agrippé son épouse par le bras et, après avoir marmonné à Jamie : « Bonsoir, monsieur », l'avait traînée vers leur campement tandis que la jeune femme poussait des cris d'orfraie.

— Bigre ! Quand est-ce arrivé ?

Jamie lança un regard vers la lune, calculant :

— Il y a environ cinq ou six heures.

— Et il est *déjà* tombé amoureux de quelqu'un d'autre ?

Il me sourit.

— Tu n'as jamais entendu parler du coup de foudre, *Sassenach ?* Il ne m'a fallu qu'un seul regard pour être à tes pieds.

— Hmm, fis-je, flattée.

*

Je hissai péniblement la lourde peau de bison sur le tas de branches de sapin qui constituait notre sommier, étalai dessus deux couvertures et repliai le tout comme un chausson, créant une grande poche imperméable et douillette. Puis, grelottant dans ma chemise, je me glissai dedans.

J'avais laissé le rabat de la tente ouvert et observais Jamie buvant et discutant avec deux miliciens venus partager quelques ragots.

Tandis que mes pieds dégelaient pour la première fois en un mois, je sombrai dans une béatitude infinie. Comme la plupart des gens contraints de vivre en plein air à l'automne, je dormais habituellement emmitouflée dans tous les vêtements que je possédais. Les femmes qui suivaient l'armée ôtaient quelquefois leur corset. Quand il ne pleuvait pas, on en voyait le matin suspendus à des branches pour être aérés, tels d'immenses oiseaux malodorants prêts à s'envoler.

Mais la plupart se contentaient de dénouer les lacets avant de se coucher. S'ils étaient assez confortables quand on était debout, ils laissaient vraiment à désirer comme pyjamas.

Ce soir-là, dans la perspective de mon nouveau cocon, j'avais retiré non seulement mon corset, que j'avais roulé sous ma tête en guise d'oreiller, mais également ma jupe, ma blouse, ma veste et mon fichu, me glissant dans le lit en chemise et en bas. Je me sentais délicieusement dévergondée.

Je m'étirai voluptueusement puis passai mes mains sur tout mon corps avant de les poser sous mes seins, imaginant le plan d'action proposé par Jamie.

La chaleur de la peau de bison me plongeait dans une agréable torpeur. Après tout, je n'avais pas besoin de lutter contre le sommeil. Vu son humeur, Jamie n'hésiterait pas à me réveiller, sans égard chevaleresque pour mon repos.

Tout en décrivant de petits cercles autour de mon mamelon du bout d'un doigt, je me demandai : *Est-ce l'acquisition de son trophée qui l'a inspiré ? Ou la frustration sexuelle l'a-t-elle convaincu de miser sur la peau de bison ?* Depuis qu'il s'était blessé à la main, cela faisait… combien de jours ? J'étais en train de compter mentalement quand j'entendis une nouvelle voix près du feu.

Ian. Ce n'était pas que je n'étais pas contente de le voir mais… Au moins il n'avait pas débarqué au beau milieu de nos ébats.

Il était assis sur une pierre, la tête baissée. Il sortit un objet de son *sporran* et le retourna entre ses doigts tout en parlant. Il paraissait inquiet mais rayonnait étrangement.

Voilà qui était bien singulier. J'avais déjà vu cette expression. Une sorte d'intense concentration sur quelque chose de merveilleux, un secret qu'il était le seul à détenir.

Une fille, me dis-je, à la fois amusée et émue. Il avait regardé de cette même manière Mary, la jeune prostituée qui l'avait dépucelé. Et Emily ?

Dans ce dernier cas, la joie qu'elle lui avait procurée avait sans doute été mitigée par le fait que, pour être avec elle, il allait devoir se séparer de tous les autres êtres qu'il aimait.

Le jour des adieux, Jamie avait déposé son plaid sur l'épaule de son neveu et lui avait dit : « *Cruimnich* », « Souviens-toi ». J'avais cru que mon cœur allait se fendre en deux.

Il portait toujours le même plaid effiloché agrafé à sa tunique en daim.

— Rachel *Hunter* ?

Jamie avait parlé suffisamment fort pour que je l'entende. Je me redressai, interloquée.

— Rachel *Hunter* ? répétai-je. Tu es amoureux de Rachel ?

Ian se tourna vers moi, surpris de me voir surgir de la tente.

— Ah, vous êtes là, ma tante, dit-il timidement. Je me demandais où vous étiez passée.

Je n'allais pas le laisser esquiver la question.

— Rachel *Hunter* ? insistai-je.

— Euh… oui. Enfin… je… oui.

Cet aveu lui fit monter le feu aux joues.

Jamie m'expliqua :

— Le garçon aimerait qu'on en touche deux mots à Denzell, *Sassenach*.

Il paraissait amusé mais également légèrement inquiet.

— Deux mots ? Pourquoi ?

Le regard de Ian allait de Jamie à moi.

— C'est que… ça ne plaira pas à Denny Hunter, mais il a une telle admiration pour vous, tante Claire. Et il t'estime beaucoup aussi, bien entendu, oncle Jamie.

— Pourquoi ça ne lui plairait pas ? demandai-je.

Enveloppée dans un châle, je m'assis sur une pierre à ses côtés. Mes méninges travaillaient à toute allure. J'aimais beaucoup Rachel Hunter, et j'étais ravie – pour ne pas dire soulagée – que Ian ait enfin trouvé une femme bien. Mais…

Ian me lança un regard narquois.

— Vous avez sans doute remarqué que c'était une quaker, ma tante.

Je lui retournai son regard.

— Effectivement, ça ne m'a pas échappé, mais…

— Et je n'en suis pas un.

— Oui, j'avais remarqué également, mais…

— Si elle m'épousait, elle serait chassée de leur assemblée. Son frère aussi, probablement. Ils ont déjà été mis au ban quand Denny a rejoint l'armée, et elle en a été très affectée.

Jamie, qui était en train de déchirer un morceau de pain, s'arrêta et réfléchit un instant, la main en suspens.

— Oui, c'est sans doute ce qui arriverait, déclara-t-il enfin avant d'enfourner le morceau.

Je demandai, le plus délicatement du monde :

— Et elle, tu crois qu'elle t'aime aussi, Ian ?

Les traits du jeune homme étaient tiraillés entre l'angoisse et cette lumière intérieure qui ne cessait de percer son désarroi.

— Eh bien… je… oui, je l'espère.

— Tu ne le lui as pas demandé ?

— Je… non pas vraiment. C'est que… nous n'avons pas vraiment *parlé*, voyez-vous ?

Jamie manqua de s'étrangler. Il toussa avant de demander :

— Rassure-moi, Ian : tu n'as pas couché avec Rachel Hunter, n'est-ce pas ?

Ian prit un air offusqué. Jamie le dévisagea attentivement, les sourcils arqués. Ian baissa les yeux vers l'objet dans ses mains, le roulant entre ses paumes comme une boule de pâte.

— Non, marmonna-t-il. Mais je le regrette.

— *Quoi ?*

— Parce que, dans ce cas, elle serait bien obligée de m'épouser, non ? J'aurais dû y penser mais… non. Elle m'a demandé d'arrêter et je me suis arrêté.

— Comme c'est galant de ta part ! murmurai-je. Et intelligent de la sienne.

Il soupira.

— Que dois-je faire, mon oncle ?

— Tu ne pourrais pas devenir quaker toi-même ? suggérai-je.

L'oncle et le neveu me regardèrent avec la même moue ironique. Puis, avec un petit sourire contrit, Ian répondit :

— Je ne me connais pas très bien moi-même, ma tante, mais je ne crois pas être né pour être quaker.

— Et tu ne pourrais pas… Non, c'est une idée idiote.

L'idée de feindre de se convertir ne lui avait visiblement jamais traversé l'esprit. Je me rendis soudain compte que Ian était bien placé pour comprendre ce qu'il en coûterait à Rachel si son amour pour lui la coupait des siens. Je comprenais mieux qu'il hésite à lui faire payer un tel prix. Je me rappelai également que je partais du principe qu'elle l'aimait. Il valait mieux que je parle d'abord à Rachel en tête à tête.

Ian tripotait toujours son objet. En regardant plus attentivement, je constatai qu'il ressemblait à un petit bout de cuir noirci. Ce ne pouvait tout de même pas être…

— Ian, ce n'est pas l'oreille de Neil Forbes, j'espère ?

— Monsieur Fraser ?

La voix derrière moi me fit bondir et hérissa mes bras de chair de poule. Ah non, pas lui ! Hélas si, c'était bien le soldat continental, celui qui avait craché dans ma soupe. Il contourna lentement le feu, ses yeux caves fixés sur Jamie.

— Oui, c'est moi, répondit Jamie.

Il posa sa tasse et lui indiqua une pierre.

— Voulez-vous un peu de café, monsieur ? Ou ce qui passe pour tel ?

L'homme fit non de la tête. Il examinait Jamie comme s'il envisageait d'acheter un cheval et évaluait son caractère.

— Vous préférez peut-être une tasse de crachat ? lança Ian sur un ton acerbe.

Jamie le regarda d'un air surpris.

— *Seo mac na muice a thàinig na bru thràithe gad shiubhal*, lui expliqua son neveu sans quitter le nouveau venu des yeux. *Chan ai e ag iarraidh math dhut idir uncle.* « C'est le porc qui te cherchait plus tôt dans la journée. Il ne te veut pas du bien, mon oncle. »

Jamie lui répondit d'une voix détendue :

— *Tapadh leat Iain. Cha robh fois air a bhith agam.* « Merci, Ian, je ne m'en serais jamais douté. »

Puis il repassa à l'anglais :

— Vous me cherchiez, monsieur ?

— Oui, j'aimerais vous parler. En privé.

Il lança un regard dédaigneux vers Ian. Quant à moi, je n'existais même pas.

— C'est mon neveu, répondit Jamie, toujours courtois mais froid. Vous pouvez parler devant lui.

— Vous ne penserez pas la même chose quand vous aurez entendu ce que j'ai à vous dire, monsieur Fraser. Une fois ces choses dites, elles ne pourront plus être effacées. Va-t'en, gamin. Ou vous le regretterez tous les deux.

Jamie et Ian s'étaient raidis. Puis, comme un seul homme, ils ramassèrent leurs pieds sous eux, voûtant les épaules, se préparant à bondir. Jamie dévisagea l'intrus un long moment puis fit un signe à peine perceptible à Ian. Celui-ci se leva sans un mot et s'éloigna dans la nuit.

L'homme attendit jusqu'à ce que les pas de Ian ne soient plus audibles et que le silence soit retombé autour de nous. Puis il s'assit lentement sur une pierre en face de Jamie, toujours avec la même expression horripilante sur le visage, comme s'il le jaugeait. En tout cas, il m'horripilait. Jamie, lui, reprit sa tasse et la but, imperturbable.

— Si vous avez quelque chose à dire monsieur, dites-le tout de suite. Il est tard et je suis sur le point d'aller me coucher.

— Oui, j'imagine que vous avez hâte d'être au lit avec votre charmante petite dame, veinard !

Jamie ne releva ni le commentaire ni le ton moqueur. Il attendait.

— Le nom « Willie Coulter » vous dit-il quelque chose ? demanda soudain l'inconnu.

— J'en connais plusieurs. La plupart sont en Écosse.

— Oui, c'était bien en Écosse. La veille du grand massacre de Culloden. Ah oui, j'oubliais ! Vous étiez alors occupé à votre propre petit massacre, pas vrai ?

J'étais en train de fouiller ma mémoire à la recherche d'un Willie Coulter. La mention de Culloden m'atteignit comme un coup de poing dans le ventre.

La veille de la bataille, Jamie avait été contraint de tuer son oncle Dougal MacKenzie. Hormis moi, il y avait eu un seul autre témoin de la scène. Un homme du clan MacKenzie du nom de Willie Coulter. Je le pensais mort depuis longtemps, tué à Culloden ou durant les épreuves qui avaient suivi. J'étais convaincue que Jamie le croyait aussi.

Notre visiteur se balança sur sa pierre avec un sourire sardonique.

— J'ai été autrefois surveillant sur une plantation de canne à sucre, sur l'île de Jamaïque. Nous avions une douzaine d'esclaves africains, mais les Nègres de bonne qualité sont de plus en plus chers. Un beau jour, le maître m'a donc envoyé au marché avec une bourse de pièces d'argent pour examiner un nouvel arrivage d'Européens en servitude temporaire, des criminels pour la plupart. Tous envoyés d'Écosse.

Parmi les deux douzaines d'ouvriers qu'il avait sélectionnés dans les rangs d'hommes squelettiques, déguenillés et pouilleux se trouvait Willie Coulter. Capturé après la bataille, jugé et condamné de manière expéditive, puis poussé dans la cale d'un navire en partance pour les Antilles pour ne jamais revoir l'Écosse.

Je vis Jamie contracter les mâchoires. La plupart de ses hommes à Ardsmuir avaient été pareillement déportés. Il n'avait échappé au même sort que grâce à l'intérêt que John Grey lui avait porté et, même tant d'années après les faits, il avait encore des sentiments partagés sur ce traitement de faveur. Il se contenta néanmoins de hocher la tête, l'air vaguement intéressé par le récit du visiteur. Celui-ci poursuivit :

— Ils sont tous morts en moins de deux semaines. Les Nègres aussi. Ces connards avaient contracté une fièvre quelconque à bord du bateau. Ça m'a coûté ma place. Mais, au moins, je suis reparti avec quelque chose de valeur. Les dernières paroles de Willie Coulter.

Jamie n'avait pratiquement pas bougé depuis que M. X s'était assis, mais je sentais la tension en lui. Il était bandé comme un arc.

— Que voulez-vous ? demanda-t-il calmement.

Il saisit sa tasse en fer-blanc enveloppée dans un chiffon. L'homme se balança en arrière, l'air satisfait de lui.

— Je sais que vous êtes un homme raisonnable. Pour ma part, je ne suis pas un rapiat… Disons cent dollars ? Histoire de montrer votre bonne volonté.

Il sourit, dévoilant des dents écartées décolorées par le tabac à priser, puis reprit :

— Ne vous donnez pas la peine de protester, je sais exactement ce que vous avez dans votre poche. J'ai eu le plaisir de discuter avec le gentleman à qui vous les avez pris au jeu cet après-midi.

Décidément, Jamie semblait avoir été en veine aujourd'hui, du moins aux cartes.

— Pour montrer ma bonne volonté, répéta Jamie.

Il regarda le fond de sa tasse puis releva les yeux vers M. X, mais décida apparemment qu'il était trop loin pour lui jeter son café au visage.

— Et ensuite ?

— Ah, ensuite… nous en discuterons en temps voulu, monsieur Fraser. Je sais que vous avez des moyens considérables, colonel.

— Et vous comptez vous accrocher à moi comme une sangsue.

— Bah, une petite saignée de temps à autre ne fait pas de mal. Ça rééquilibre les humeurs. Votre petite femme pourra vous le confirmer, n'est-ce pas ?

Je me levai.

— Et qu'est-ce que vous voulez dire par là, espèce de sale petit ver de terre ?

Jamie avait peut-être décidé de ne pas lui lancer son café à la figure, mais je n'étais pas contre l'idée de lui balancer toute la cafetière.

— Du calme, la mégère !

Il me lança un regard méprisant et se tourna à nouveau vers Jamie.

— Vous devriez la battre plus souvent.

Je vis la tension dans le corps de Jamie se déplacer subtilement. Il était prêt à décocher sa flèche.

— Ne le fais…

Je n'achevai pas ma phrase. L'expression sur le visage de Jamie changea subitement, et il bondit. Je me retournai juste à temps pour voir Ian surgir de la nuit juste derrière notre maître chanteur et glisser un bras autour de son cou.

Je ne vis pas le couteau mais n'en eus pas besoin. Le visage de Ian était suffisamment éloquent, si concentré qu'il était presque impassible. L'ancien surveillant de plantation ouvrit grand la bouche et écarquilla les yeux, son dos se cambrant dans une vaine tentative de fuite.

Puis Ian le lâcha, et l'homme bascula en avant, le corps soudain horriblement mou. Jamie le rattrapa avant qu'il ne s'effondre sur le sol.

— Oh mon Dieu !

L'exclamation avait jailli juste derrière moi. Je pivotai à nouveau et vis le colonel Martin avec deux de ses aides, tous trois l'air aussi abasourdi que M. X quelques instants plus tôt.

Jamie releva des yeux surpris vers eux, puis se tourna et déclara calmement derrière lui :

— *Ruith.* « Cours. »

L'un des aides se mit à hurler :

— Hé ! Au meurtre ! Arrête-toi, assassin !

Ian n'avait pas attendu le conseil de son oncle. Je le vis détaler vers la forêt lointaine. Malheureusement, les nombreux feux de camp diffusaient assez de lumière pour qu'on le voie ; les cris de Martin et de ses aides commençaient à alerter tout le monde à la ronde. Des gens se levaient de leur feu et scrutaient l'obscurité, lançant des questions. Jamie laissa tomber le corps de M. X et courut derrière son neveu.

Le plus jeune des aides fila devant moi à leur poursuite. Le colonel Martin s'élança à son tour, et j'eus juste le temps d'avancer un pied pour le faire trébucher. Il s'étala de tout son long en travers de notre feu, soulevant un nuage d'étincelles et de cendres.

Laissant le second aide étouffer les flammes, je soulevai le bas de ma chemise et courus à toutes jambes dans la direction qu'avaient prise Ian et Jamie.

Le camp semblait tout droit sorti de *L'Enfer* de Dante, des silhouettes noires gesticulant devant la lueur des flammes, se bousculant dans la fumée et la confusion, des « Au meurtre ! Au meurtre ! » s'élevant de toutes parts.

J'avais un point de côté mais continuais de courir, me tordant les chevilles dans des trous et glissant sur des cailloux. J'entendis des cris plus forts sur ma gauche et m'arrêtai en haletant. J'aperçus la haute silhouette de Jamie se libérant d'un groupe de poursuivants. Il cherchait sans doute à les détourner de Ian. Ce qui voulait dire… Je repris ma course dans l'autre direction.

Je l'aperçus bientôt. Il avait cessé de courir dès qu'il avait vu Jamie partir en flèche dans l'autre sens et marchait à présent d'un pas leste vers la forêt.

Une voix retentit derrière moi.

— Assassin !

C'était ce maudit Martin, légèrement roussi aux entournures mais indemne.

— Arrêtez-vous, Murray ! Arrêtez-vous, c'est un ordre !

En entendant son nom, Ian se remit à courir, zigzaguant pour contourner un feu de camp. Quand il passa devant, je vis une ombre sur ses talons. Rollo était avec lui.

Le colonel Martin était presque arrivé à ma hauteur, et je constatai avec horreur qu'il tenait un pistolet.

— Nnn…

Avant d'avoir pu achever mon mot, je percutai de plein fouet une personne venant dans l'autre sens, et nous roulâmes dans l'herbe.

C'était Rachel Hunter ; elle affichait un air ahuri. Elle se releva et courut vers Ian, qui s'était figé en la voyant. Le colonel Martin arma son pistolet et le pointa vers lui. Rollo bondit, et sa gueule se referma sur son bras.

À partir de là, la pagaille ne fit qu'empirer. Plusieurs pistolets tirèrent en même temps, et Rollo retomba sur le sol, se tortillant et gémissant. Le colonel Martin jurait tout en tenant son poignet blessé. Jamie surgit, prit son élan et lui envoya un coup de poing dans le ventre qui l'envoya chanceler à la renverse. Ian se précipitait déjà vers Rollo. Jamie attrapa le chien par deux pattes et, à eux deux, ils le soulevèrent et s'enfoncèrent au pas de course dans les ténèbres, Rachel et moi sur leurs talons.

Nous parvînmes enfin dans la forêt, pantelants, et je me laissai tomber à genoux auprès du chien, palpant frénétiquement son corps à la recherche de blessures.

— Il n'est pas mort, haletai-je. Son épaule… est cassée.

— Oh non ! gémit Ian.

Je le vis lancer un regard vers le camp, guettant nos poursuivants.

— Seigneur !

Il avait des sanglots dans la voix. Il sortit son grand couteau de sous sa ceinture.

— Qu'est-ce que tu fais ? m'exclamai-je. On peut le soigner !

— Ils vont le tuer, rétorqua-t-il. Si je ne suis pas là pour les en empêcher, ils le tueront. Je préfère le faire moi-même.

— Je… commença Jamie.

Rachel Hunter le devança. Elle s'agenouilla près du chien et passa ses bras autour de son cou.

— Je veillerai sur lui pour toi, dit-elle, hors d'haleine mais déterminée. Pars, vite !

Il lui lança un dernier regard désespéré, puis à Rollo. L'instant suivant, il avait disparu.

69

Les termes de la reddition

Lorsque le message du général Gates arriva le lendemain matin, Jamie se doutait déjà de ce dont il s'agissait. Ian était hors de danger. Il se cachait soit dans la forêt, soit dans un camp indien. Dans un cas comme dans l'autre, personne ne le trouverait, à moins qu'il décide d'être trouvé.

Il avait vu juste. Ils avaient vraiment voulu abattre Rollo, surtout le colonel Martin. Jamie avait dû utiliser toutes ses ressources, et la jeune quaker s'était couchée sur le corps velu du chien en déclarant qu'ils devraient la tuer d'abord.

Martin avait été pris de court, mais la majorité était plutôt d'avis de traîner la jeune femme à l'écart et d'en finir avec la bête une fois pour toutes. Jamie s'était préparé à intervenir quand le frère de Rachel avait surgi hors de la nuit tel un ange justicier. Il s'était planté devant sa sœur et avait harangué la foule, les traitant de couards, de lâches, de monstres inhumains prêts à se venger sur un animal innocent, sans parler de l'injustice immonde de pousser un jeune homme à l'exil et à la perdition (oui, il avait bien dit « perdition », Jamie en souriait encore) à cause de leur suspicion et de leur propre iniquité. Ne pouvaient-ils puiser au fond de leurs entrailles une parcelle de cette compassion divine qui était le cadeau de Dieu fait à chaque être humain ?

Jamie arriva devant le quartier général de Gates et mit un terme à ses réjouissantes réminiscences. Il se redressa et adopta une mine sombre plus conforme à l'épreuve qui l'attendait.

Gates semblait lui-même avoir connu une nuit difficile ; ce qu'on pouvait comprendre. En temps normal son visage rond et mou ne semblait contenir aucun os mais, à présent, il était affaissé comme un plat d'œufs brouillés. Ses petits yeux de fouine derrière ses lunettes rondes étaient injectés de sang. Il regarda Jamie d'un air las, lui indiqua un siège puis poussa vers lui un verre et une carafe.

— Servez-vous, colonel.

Jamie était perplexe. Il avait déjà subi suffisamment d'entretiens éprouvants avec des officiers de haut rang pour savoir qu'ils ne commençaient pas en prenant un petit verre. Il accepta néanmoins et but du bout des lèvres.

Gates vida son verre d'une traite, le reposa et poussa un profond soupir.

— J'ai besoin que vous me rendiez un service, colonel.

— Avec plaisir, général.

Jamie redoubla de méfiance. Que lui voulait donc cet emmerdeur ? S'il s'imaginait qu'il allait lui dire où était Ian ou lui expliquer le meurtre, il pouvait toujours attendre. Autrement…

— Les négociations de la reddition sont pratiquement achevées.

Gates lança un regard morne vers une épaisse pile de papiers qui en étaient peut-être les brouillons.

— Les troupes de Burgoyne quitteront leur camp avec les honneurs de la guerre. Elles déposeront les armes sur les rives de l'Hudson et sous le commandement de leurs propres officiers. Tous les officiers conserveront leurs épées et leur équipement ; les soldats, leur havresac. L'armée marchera ensuite jusqu'à Boston, où les hommes seront convenablement nourris et logés, avant d'embarquer pour l'Angleterre. La seule condition qui leur est imposée est de ne plus servir en Amérique du Nord durant cette guerre. Ce sont là des termes généreux, ne trouvez-vous pas, colonel ?

— Très généreux, général.

Jamie était surpris. Pourquoi un général qui avait indiscutablement le dessus offrait-il des termes aussi extraordinaires ?

Gates esquissa un sourire amer.

— Je vois que vous êtes surpris, colonel. Vous le serez sans doute moins quand je vous dirai que sir Henry Clinton avance actuellement vers le nord.

Gates avait hâte de conclure la reddition et de se débarrasser de Burgoyne afin de se préparer à une attaque venue du sud.

— En effet, général, je comprends mieux.

Gates ferma les yeux un instant. Il paraissait éreinté.

— Burgoyne a émis une dernière requête avant d'accepter cet accord.

— Oui, général ?

— On me dit que vous êtes le cousin du brigadier général Fraser ?

— C'est exact.

— Parfait. Je suppose donc que vous ne verrez pas d'objection à rendre un petit service à votre pays ?

Un petit service se rapportant à Simon ? De quoi pouvait-il s'agir ?

— Le brigadier général avait exprimé à plusieurs de ses aides le désir que, s'il venait à mourir à l'étranger, ils l'enterrent au plus tôt – ce qu'ils ont fait ; il est enseveli dans la grande redoute – mais que, lorsque ce serait possible, ils le ramènent en Écosse afin qu'il puisse reposer en paix parmi les siens.

— Vous… vous voulez que je ramène son corps en Écosse ? balbutia Jamie.

Il n'aurait pas été plus sidéré si Gates avait subitement bondi sur son bureau et dansé une matelote.

— Vous comprenez très vite, colonel. Oui, c'est la dernière requête de Burgoyne. Il déclare que le brigadier général était très aimé de ses hommes et que le fait de savoir son souhait exaucé les réconfortera dans leur retraite, sachant qu'ils ne l'ont pas abandonné dans sa tombe provisoire.

Cela paraissait terriblement romantique et bien le genre de Burgoyne. Il avait la réputation d'aimer les gestes spectaculaires. Il avait également probablement raison quant aux sentiments des soldats qui avaient servi sous les ordres de Simon. Il avait été un sacré meneur d'hommes.

La conséquence finale de cette requête ne lui apparut que tardivement.

— Des mesures seront-elles prises pour que je rentre en Écosse avec le corps ? demanda-t-il délicatement. Le blocus est toujours en cours.

— Vous voyagerez – vous, votre épouse et vos domestiques si vous le souhaitez – sur un des navires de Sa Majesté. Une somme vous sera donnée pour l'acheminement du cercueil jusqu'à sa dernière demeure une fois que vous aurez rejoint l'Écosse. Ai-je votre accord, colonel Fraser ?

Il était tellement stupéfait qu'il répondit sans trop savoir ce qu'il disait, mais cela sembla suffisant. Gates sourit d'un air las et le congédia. Il rentra vers sa tente la tête dans un nuage, se demandant s'il pourrait déguiser Ian et le faire passer pour la femme de chambre de Claire, à la manière de Charles Édouard Stuart.

*

Le 17 octobre, comme tous les jours, l'aube se leva sur le brouillard. Le général Burgoyne avait particulièrement soigné sa mise. Il portait un superbe manteau écarlate tressé d'or et un chapeau à plumes. William le vit en se rendant dans sa tente avec les autres officiers pour leur dernière et pénible réunion d'état-major.

Le baron Von Riedesel fit lui aussi un discours. Il collecta tous les fanions de régiment en leur expliquant qu'il les donnerait à sa femme afin qu'ils soient cousus à l'intérieur d'un coussin et rapportés en secret au Brunswick.

William avait la tête ailleurs. Il ressentait une profonde tristesse, car il n'avait encore jamais abandonné des camarades sur un champ de bataille. Il éprouvait également un peu de honte, mais pas beaucoup… Le général avait raison en disant qu'ils ne pouvaient lancer une autre attaque sans perdre la moitié de l'armée tant son état était piteux.

Ils avaient effectivement l'air pitoyable, alignés ainsi en silence. Pourtant, quand le fifre et le tambour commencèrent à jouer, chaque régiment suivit à son tour l'étendard claquant au vent, la tête droite dans leurs uniformes en lambeaux, ou ce qu'il leur restait de vêtements. Le général leur avait assuré que l'ennemi s'était retiré sous les ordres de Gates. Les Américains n'assisteraient pas à leur humiliation.

Les Anglais en redingote rouge passèrent les premiers. Puis vinrent les régiments allemands : les dragons et les grenadiers en bleu, l'infanterie et l'artillerie de Hesse-Cassel en vert.

Le bord du fleuve était jonché de cadavres de chevaux, la puanteur ajoutant encore à l'horreur de l'occasion. L'artillerie y poussa d'abord son canon, puis les fantassins, rang après rang, vidèrent leurs cartouchières et empilèrent leurs fusils. Certains étaient assez furieux pour briser la crosse avant de jeter leur arme sur le tas. William vit même un tambour crever son instrument d'un coup de pied rageur. Il n'était pas scandalisé ni horrifié.

Tout ce qu'il voulait à présent, c'était revoir son père.

*

Les troupes continentales et les miliciens marchèrent jusqu'au lieu de rendez-vous à Saratoga et s'alignèrent des deux côtés de la route qui menait au fleuve. Certaines femmes étaient venues aussi et regardaient de loin. J'aurais pu rester au camp pour voir la cérémonie de reddition historique entre deux généraux, mais je décidai de suivre les soldats.

Le soleil s'était levé et le brouillard s'était dissipé, comme chaque jour depuis plusieurs semaines. Une odeur de fumée flottait dans l'air, et le ciel d'octobre était d'un bleu profond et infini.

Les artilleurs et les fantassins se tenaient le long de la route à intervalles réguliers. Cet intervalle était tout ce qu'ils avaient en commun. Chaque homme portait ses propres habits et son équipement de fortune. Il y en avait de toutes les formes, mais chacun tenait son mousquet ou son fusil, ou se tenait près de son canon.

Ils formaient un spectacle bigarré, harnachés de cornes à poudre et de gibernes, certains coiffés de vieilles perruques extravagantes. Ils se tenaient dans un silence grave, chacun le pied droit en avant, la main droite sur son arme, pour regarder l'ennemi s'en aller avec les honneurs de la guerre.

Je me tenais dans la forêt, légèrement derrière Jamie. Je vis ses épaules se raidir légèrement. William passa devant nous, grand et droit, l'air absent. Jamie ne baissa pas la tête et ne fit aucun effort pour ne pas être vu. Je le vis suivre son fils des yeux jusqu'à ce qu'il soit hors de vue avec ses hommes. Puis il se détendit, juste un peu, comme s'il venait de se décharger d'un fardeau.

« Sain et sauf », disait son geste, même s'il se tenait aussi droit que son fusil à côté de lui. *Dieu merci, il est sain et sauf.*

70

L'asile

Lallybroch

Roger n'aurait su dire ce qui l'avait incité à le faire, mis à part l'impression de paix que dégageait l'endroit, mais il avait commencé à reconstruire la vieille chapelle. À la main et seul, une pierre après l'autre.

Il tenta de l'expliquer à Bree quand elle l'interrogea.

— C'est pour *eux*, lâcha-t-il enfin. C'est comme si… J'ai besoin d'établir un lien avec eux, là-bas.

Elle prit ses mains dans les siennes et les massa doucement, sentant les cals et les écorchures, touchant l'ongle noirci qui avait été écrasé sous une pierre.

— « Eux », répéta-t-elle doucement. Tu veux dire mes parents.

— Oui, entre autres.

Ce n'était pas seulement avec Jamie et Claire, mais également avec la vie que leur famille avait construite. Avec la conscience qu'il avait eue de lui-même en tant que protecteur, de chef de famille. Pourtant, c'était ce même profond besoin de protéger qui lui avait fait abandonner tous ses principes chrétiens – à la veille même de son ordination ! – pour s'élancer aux trousses de Stephen Bonnet.

— J'essaie… de trouver un sens à… tout ça, dit-il avec un sourire amer. De réconcilier ce que je croyais connaître avec ce que je crois être aujourd'hui.

— N'est-il pas chrétien de vouloir éviter à ta femme d'être violée et vendue comme esclave ? demanda-t-elle. Parce que si ça ne l'est pas, j'emmène les enfants se convertir au judaïsme, au shinto ou à je ne sais quoi.

Il sourit tout en cherchant ses mots.

— J'ai trouvé quelque chose, là-bas.

— Tu as aussi perdu quelque chose.

Sans le quitter des yeux, elle effleura la marque sur son cou. Il sentit ses doigts frais sur sa gorge. La trace de la corde s'était estompée mais était toujours visible, formant une ligne sombre. Il ne faisait aucun effort pour la cacher. Parfois, quand il parlait aux gens, il pouvait voir leur regard inexorablement attiré vers elle. Compte tenu de sa grande taille, il lui arrivait souvent d'avoir l'impression que ses interlocuteurs parlaient à sa cicatrice plutôt qu'à lui.

Là-bas, il avait trouvé une conscience en tant qu'homme, ce qu'il pensait être sa vocation.

C'était sans doute ce qu'il cherchait à présent, sous ces murs effondrés, ces amoncellements de pierres, sous le regard aveugle de la sainte.

Dieu lui ouvrait-il une porte, lui montrant qu'il pouvait désormais être professeur ? L'enseignement du gaélique, était-ce là sa nouvelle vocation ? Sur sa colline, il avait plein d'espace pour poser des questions. De l'espace, du temps et du silence. Les réponses étaient rares. Il avait travaillé la majeure partie de l'après-midi. Il avait chaud, était fatigué et avait envie d'une bonne bière.

Son regard fut attiré par une ombre près de la porte, et il se retourna, pensant que Jem ou Brianna étaient venus le chercher pour le thé. Ce n'était ni l'un ni l'autre.

L'espace d'un instant, il dévisagea le nouveau venu, fouillant sa mémoire. Un jean déchiré, un pull de coton, des cheveux blonds crottés, mal coupés et ébouriffés. Il connaissait cet homme : ce beau visage large lui était familier, même sous l'épais chaume châtain.

— Je peux vous aider ? demanda-t-il.

Il serra le manche de sa pelle. L'inconnu n'était pas menaçant, mais il était dépenaillé et sale. C'était sans doute un sans-abri, et il dégageait quelque chose d'indéfinissable qui mettait Roger mal à l'aise.

— C'est bien une église ici, un sanctuaire ?

L'homme sourit, mais il n'y avait aucune chaleur dans son regard.

— … Je suis venu demander asile.

Il s'avança dans la lumière, et Roger vit ses yeux plus distinctement. Ils étaient froids, d'un vert profond et frappant.

— Asile, répéta William Buccleigh MacKenzie. Et ensuite, mon cher révérend, je voudrais que vous m'expliquiez qui vous êtes, qui je suis et, au nom du Dieu tout-puissant, ce que nous sommes.

Sixième partie

LE RETOUR

71

Dilemme

10 septembre 1777

Si résoudre un dilemme nécessitait de prendre le taureau par les cornes, John Grey se demandait combien de cornes possédait son dilemme actuel. Le nombre habituel était de deux, mais il était sans doute théoriquement possible de rencontrer des formes de dilemmes plus exotiques… comme le bouc à quatre cornes qu'il avait vu un jour en Espagne.

Pour le moment, la question la plus urgente concernait Henry.

Il avait écrit à James Fraser, lui expliquant l'état de son neveu et lui demandant si Mme Fraser accepterait de se déplacer. Usant de toute sa diplomatie, il lui avait promis qu'il prendrait en charge toutes les dépenses de son voyage, la ferait venir par bateau (avec la protection de la marine royale si celle-ci était en état de l'assurer) et lui fournirait tous les matériaux et instruments dont elle aurait besoin. Il s'était même procuré du vitriol, se souvenant qu'elle en avait besoin dans sa fabrication de l'éther.

Il avait laissé un certain temps sa plume en suspens au-dessus du papier à se demander s'il devait ajouter quelques mots concernant l'imprimeur Fergus Fraser et lui faire part de l'invraisemblable histoire que Percy lui avait racontée. D'un côté, cela pouvait inciter Jamie à accourir depuis sa Caroline du Nord pour examiner l'affaire par lui-même et, comme il se déplaçait rarement sans son épouse, cette dernière viendrait également. De l'autre… il était plus que réticent à révéler à James Fraser tout ce qui pouvait avoir trait à Percy Beauchamp, et ce, pour un tas de raisons tant personnelles que professionnelles. Finalement, il avait décidé de ne rien dire.

Il avait ensuite attendu anxieusement pendant un mois tout en observant les ravages de la chaleur et de l'inanition sur son neveu. Quatre semaines plus tard, le messager qu'il avait dépêché en Caroline du Nord était revenu, trempé de sueur, couvert de boue et avec deux trous de balle dans son manteau. Il l'avait informé que les Fraser avaient quitté Fraser's Ridge afin de se rendre en Écosse, ajoutant néanmoins que, selon la rumeur, il ne s'agissait pas d'un retour définitif au pays.

Naturellement, Grey n'avait pas attendu la réponse de Mme Fraser pour consulter d'autres médecins. Étant parvenu à faire la connaissance de Benjamin Rush, il avait convaincu ce dernier d'examiner Henry. Le docteur Rush s'était montré encourageant. Selon lui, les lésions provoquées par l'une des balles de mousquet avaient cicatrisé en obstruant partiellement les intestins du jeune homme et en favorisant la formation de poches localisées d'infection, d'où sa fièvre persistante. Il avait saigné Henry et lui avait prescrit un fébrifuge. Néanmoins, il avait clairement fait comprendre à Grey que la situation était délicate et pouvait s'aggraver brusquement. Seule une intervention chirurgicale pourrait éventuellement le guérir.

Il avait également affirmé qu'Henry lui paraissait suffisamment robuste pour survivre à une telle opération, même si on ne pouvait jamais promettre une issue heureuse. Grey l'avait remercié mais avait préféré attendre encore un peu dans l'espoir d'avoir des nouvelles de Mme Fraser.

Il regarda par la fenêtre de la maison qu'il louait sur Chestnut Street, observant les feuilles brunes et jaunes que des bourrasques faisaient danser sur les pavés.

C'était la mi-septembre. Les derniers navires pour l'Angleterre partiraient à la fin octobre, juste avant les tempêtes sur l'Atlantique. Devait-il essayer de faire faire la traversée à Henry ?

Il avait fait la connaissance de l'officier américain chargé des prisonniers de guerre à Philadelphie et avait déposé une demande de mise en liberté conditionnelle pour Henry. Elle lui avait été accordée facilement. Les officiers capturés étaient généralement laissés en liberté, à moins qu'ils ne présentent quelque chose d'inhabituel ou de dangereux. Dans son état actuel, il était peu probable qu'Henry tente de s'évader, de fomenter une rébellion ou de soutenir l'insurrection.

Cependant, il n'était toujours pas parvenu à organiser l'échange de son neveu contre un autre prisonnier, ce qui lui aurait permis de rentrer en Angleterre. Tout en présumant qu'il puisse supporter le voyage, encore fallait-il qu'il accepte de partir. Ce n'était pas le cas, car il était trop attaché à Mme Woodcock. Grey était disposé à l'emmener elle aussi, mais elle ne voulait pas en entendre parler, ayant appris que son mari avait été fait prisonnier à New York.

Grey se massa le front du bout des doigts et soupira. Pouvait-il embarquer Henry sur un vaisseau contre sa volonté ? En le droguant, peut-être ? Cela briserait sa parole d'honneur, ruinerait sa carrière et mettrait sa vie en danger. En outre, Grey n'était pas certain de trouver à Londres un chirurgien plus compétent que le docteur Rush. Le mieux qu'il pouvait espérer d'un tel geste était qu'Henry survive à la longue traversée le temps de pouvoir faire ses adieux à ses parents.

Mais s'il ne prenait pas cette mesure radicale, il ne lui restait qu'à contraindre son neveu à subir une intervention horrible qu'il redoutait plus que tout et qui pouvait le tuer, ou à le regarder mourir à petit feu. Car il dépérissait. Grey le savait. Il ne restait en vie que grâce à son opiniâtreté et aux bons soins de Mme Woodcock.

La perspective d'écrire à Hal et à Minnie pour leur dire… Non. Il se leva brusquement, ne supportant plus le poids d'une telle indécision. Il irait voir le docteur Rush sur-le-champ et prendrait les dispositions nécessaires…

La porte d'entrée s'ouvrit brusquement, laissant entrer une rafale de vent, des feuilles mortes et sa nièce, au teint blême et au regard affolé.

— Dottie !

Son cœur manqua s'arrêter, car il crut qu'elle s'était précipitée à la maison pour lui annoncer la mort d'Henry. Elle lui rendait visite tous les après-midi et rentrait justement de chez lui.

Elle lui agrippa le bras et haleta :

— Des soldats ! Il y a des soldats dans la rue. Des cavaliers. Il paraît que l'armée de Howe arrive ! Il veut prendre Philadelphie !

*

Le 11 septembre, Howe affronta l'armée de Washington à Brandywine Creek, au sud de la ville. Les troupes continentales furent refoulées mais revinrent à la charge quelques jours plus tard. Une pluie torrentielle s'abattit sur les combattants au milieu de la bataille, interrompant les hostilités et permettant à l'armée de Washington de battre en retraite à Reading Furnace, laissant derrière elle à Paoli une petite force sous le commandement du général Anthony Wayne.

L'un des commandants de Howe, le major général lord Charles Grey (un cousin éloigné de John), attaqua les Américains à Paoli pendant la nuit. Il avait ordonné à ses hommes de retirer les pierres à feu de leurs fusils. Cela leur évita d'être découverts à cause d'une décharge accidentelle mais les contraignit à se battre à coups de baïonnettes. Un grand nombre d'Américains furent transpercés dans leurs lits, leurs tentes furent incendiées et une centaine d'hommes furent faits prisonniers. Howe entra triomphalement dans la ville de Philadelphie le 21 septembre.

Grey regarda les interminables colonnes de soldats britanniques défiler dans la rue au son du tambour depuis le porche de Mme Woodcock. Dottie avait craint que les rebelles, contraints d’abandonner la ville, ne brûlent les maisons et ne tuent les prisonniers avant de partir.

— C’est absurde, lui avait répondu Grey. Ce sont des insurgés anglais, pas des barbares !

Néanmoins, il avait enfilé son uniforme, pris son épée, glissé deux pistolets sous sa ceinture et passé vingt-quatre heures à monter la garde sous le porche de Mme Woodcock, avec une lanterne pendant la nuit. Chaque fois qu’il voyait passer un officier qu’il connaissait, il descendait lui parler, tant pour prendre des nouvelles de la situation que pour s’assurer que la maison ne subirait aucun dommage.

Quand il rentra chez lui le lendemain, il constata que toutes les habitations devant lesquelles il passait avaient eu leurs fenêtres brisées. Philadelphie était hostile aux Britanniques, tout comme la campagne environnante. Néanmoins, l’occupation de la ville était paisible, aussi paisible qu’une occupation militaire pouvait l’être. Le Congrès avait fui avant l’arrivée de Howe, tout comme les rebelles les plus éminents, dont le docteur Benjamin Rush.

Percy Beauchamp aussi.

72

La fête de la Toussaint

Lallybroch, 20 octobre 1980

Brianna pressa la lettre contre son nez et inhala profondément. Après tout ce temps, ce ne pouvait être que son imagination plutôt que son odorat. Pourtant, elle sentait une vague émanation de fumée sur le papier. Cela tenait probablement aussi du souvenir. Elle connaissait l'odeur de l'air dans une salle de taverne : du feu de bois, de la viande grillée, du tabac et, dessous, des effluves plus moelleux de bière.

Elle se sentait un peu idiote, à renifler les lettres devant Roger, mais elle avait pris l'habitude de le faire en secret, quand elle les relisait seule. Ils avaient ouvert celle-ci la veille et l'avaient lue plusieurs fois ensemble en en discutant. Elle l'avait ressortie à présent, souhaitant passer un moment seule avec ses parents.

Peut-être la lettre sentait-elle réellement. Elle avait remarqué qu'on n'avait pas vraiment une mémoire des odeurs, pas comme on se souvenait d'une chose vue. Plutôt, quand une odeur réapparaissait, on la reconnaissait… et, souvent, elle entraînait beaucoup d'autres souvenirs avec elle. Elle était assise par cette belle journée d'automne entourée d'odeurs de pommes mûres, de bruyère, de boiseries anciennes et poussiéreuses, de pierre mouillée (Annie MacDonald venait de laver les dalles du couloir)… mais elle voyait la petite salle d'un estaminet et sentait de la fumée.

17 novembre 1777, New York

Ma chère Bree et les autres,

Te souviens-tu du voyage à Wall Street que tu as fait avec ton professeur d'économie au collège ? Je me trouve en ce moment dans un estaminet juste devant la rue en question. On n'y voit pas l'ombre d'un taureau ni d'un ours[3]*, sans parler de téléscripteurs. D'ailleurs, il n'y a pas de mur non plus. En revanche, j'aperçois quelques chèvres, et un groupe d'hommes qui bavardent et fument la pipe sous un grand platane qui a perdu toutes ses feuilles. Je ne saurais dire s'il s'agit de loyalistes qui se lamentent, de rebelles qui complotent en public (ce qui est beaucoup plus sûr que de comploter en privé ; j'espère que tu n'auras jamais besoin de te servir de ce petit tuyau d'initiée) ou simplement de marchands. En tout cas, je peux voir que des tractations ont lieu : des poignées de mains sont échangées ; ils se passent de petits morceaux de papier griffonnés. C'est fou comme les affaires prospèrent en temps de guerre ! C'est sans doute parce que les règles normales du commerce sont suspendues.*

De fait, c'est vrai pour la plupart des transactions humaines. Cela explique le grand nombre d'idylles qui fleurissent pendant les guerres et l'apparition de grandes fortunes après les conflits. Il peut paraître paradoxal, à moins que ce ne soit simplement logique (une question pour Roger : existe-t-il des paradoxes logiques ?), qu'un phénomène qui détruit autant de vies et de substance se solde par un baby-boom et de bonnes affaires.

Puisque je parle de guerre, nous sommes en vie et indemnes. Ton père a été légèrement blessé lors de la première bataille de Saratoga (il y en a eu deux, toutes très sanglantes), et j'ai dû amputer l'annulaire de sa main droite ; celui qui était raide, tu t'en souviens ? Ce fut traumatisant (autant pour lui que pour moi, je crois) mais, tout compte fait, ce n'est pas catastrophique. Son moignon a très bien cicatrisé et, bien qu'elle soit encore

3. Allusion aux deux animaux représentant symboliquement les deux tendances du marché à Wall Street ; l'ours, qui spécule sur la baisse des cours et vend, et le taureau, qui mise sur la croissance et achète (*N.d.T.*).

douloureuse, sa main est beaucoup plus flexible. Je ne doute pas qu'elle le servira mieux à l'avenir.

Nous sommes – enfin ! – sur le point d'embarquer pour l'Écosse, dans des circonstances un peu particulières. Nous partons demain à bord du HMS Ariadne, *accompagnant la dépouille du brigadier général Simon Fraser. Je n'ai rencontré le brigadier que brièvement peu avant son décès (il était mourant). C'était un excellent soldat, et il était très aimé de ses hommes. Le commandant britannique à Saratoga, John Burgoyne, a demandé à ce que soit inclus dans l'accord de reddition que ton père ramène le corps en Écosse (Jamie est un parent du brigadier et connaît sa famille dans les Highlands). C'était très inattendu, mais cela tombe à pic, c'est le moins qu'on puisse dire ! Sans cela, je ne sais pas comment nous aurions pu faire le voyage, même si Jamie m'assure qu'il aurait trouvé une solution.*

La logistique de l'expédition est un peu complexe, comme tu peux l'imaginer. M. Kościuszko (« Kos » pour les intimes, dont ton père fait partie... À dire vrai, tout le monde l'appelle « Kos », car personne hormis ton père ne peut prononcer son nom ou n'ose s'y hasarder) a proposé ses services et, avec l'aide du majordome de Burgoyne (qui n'emmène pas son majordome avec lui à la guerre ?), qui lui a fourni un grand nombre de feuilles de plomb provenant de bouteilles de vin (on ne pourrait pas vraiment reprocher au général Burgoyne d'avoir sombré dans la boisson compte tenu des circonstances, quoique j'aie plutôt l'impression que tout le monde dans les deux camps boit comme un trou, indépendamment de la situation militaire du moment), a réalisé un petit bijou d'ingénierie : un cercueil tapissé de plomb (indispensable) monté sur des roues amovibles (également très nécessaires ; l'objet en question doit peser une tonne... Ton père me dit que non, qu'il ne pèse que trois cent soixante kilos, mais comme il ne l'a pas soulevé je ne vois pas comment il pourrait le savoir).

Le brigadier général Fraser était enterré depuis plus d'une semaine et a dû être exhumé. Ce ne fut pas une affaire plaisante, mais cela aurait pu être pire. Il commandait un certain nombre de rangers indiens, dont beaucoup le tenaient dans la plus haute estime. Ils sont venus assister à l'exhumation avec un sorcier (enfin, je crois que c'était un homme, mais je n'en suis pas certaine : c'était une petite chose ronde affublée d'un masque d'oiseau). Ce dernier a enfumé la dépouille en faisant brûler de la sauge et de l'herbe sainte (ce qui n'a pas vraiment masqué les odeurs, hélas, mais, au moins, la fumée a étendu un voile bienvenu sur les aspects les plus horribles de la situation) et a tourné longuement autour de lui en chantant. J'aurais aimé que Ian me traduise ce qu'il disait mais, pour des raisons fâcheuses que je ne développerai pas ici, il n'assistait pas à la cérémonie.

Je t'expliquerai pourquoi dans une autre lettre. C'est plutôt compliqué, et je dois achever nos préparatifs avant le départ. Les points principaux concernant Ian sont qu'il est amoureux de Rachel Hunter (une ravissante jeune femme qui est quaker, ce qui n'est pas sans poser quelques difficultés) ; il est techniquement un meurtrier, et donc ne peut apparaître en public dans le voisinage de l'armée continentale ; un des effets collatéraux dudit meurtre (celui d'une personne très antipathique dont la disparition ne représente pas une grande perte pour l'humanité, crois-moi) est que Rollo a été blessé (une balle lui a brisé une omoplate. Il devrait s'en remettre mais ne peut être déplacé facilement. Rachel veillera sur lui pendant que Ian est en Écosse).

*Le fait que le brigadier général était vénéré par ses amis indiens est bien connu. Le capitaine de l'*Ariadne *a donc été surpris mais pas troublé outre mesure d'apprendre que le corps serait accompagné, outre le cousin du défunt (et son épouse), par un Mohawk qui parle très peu l'anglais (je serai très surprise si quelqu'un dans la marine royale sait distinguer l'iroquois du gaélique).*

J'espère que ce voyage sera un peu moins mouvementé que notre dernière traversée. Si tout se passe bien, ma prochaine lettre devrait être écrite d'Écosse. Croise les doigts.

Avec toute mon affection,
maman

P.S. Ton père insiste pour ajouter quelques mots. Ce sera la première fois qu'il essaie d'écrire avec sa nouvelle main. J'aimerais pouvoir rester pour voir comment il s'en sort, mais il rétorque qu'il a besoin d'intimité. J'ignore si c'est en raison de ce dont il veut te parler ou parce qu'il ne veut pas qu'on le voie peiner. Un peu des deux, sans doute.

La troisième page était très différente. L'écriture était beaucoup plus grande qu'à l'accoutumée et plus étalée. Elle reconnut la patte de son père, mais les lettres étaient plus détachées, moins irrégulières. Son cœur se serra, non seulement parce qu'elle imaginait sa main mutilée traçant minutieusement chaque lettre, mais également parce qu'il avait fait un tel effort pour lui écrire.

Ma très chère,

Ton frère est en vie et indemne. Je l'ai vu défiler hors de Saratoga avec ses troupes, en route pour Boston puis pour l'Angleterre. Il ne combattra pas à nouveau dans cette guerre. Deo gratias.

Ton père qui t'aime,

J. F.

P.S. C'est le jour de la Toussaint. Prie pour moi.

Les sœurs le leur avaient toujours répété… et elle l'avait dit à son père. En récitant un *Notre Père*, un *Je vous salue Marie* et un *Gloria* le jour de la Toussaint, vous pouviez libérer une âme du purgatoire.

Elle renifla et chercha un mouchoir en papier sur son bureau tout en marmonnant :

— C'est malin ! Je savais bien que tu allais me faire pleurer. Encore.

*

— Brianna ?

Elle sursauta. Elle ne s'était pas attendue à ce que Roger redescende de la chapelle en ruine avant une heure ou deux.

Elle se moucha rapidement et, espérant qu'il n'entendrait pas à sa voix qu'elle avait pleuré, lança :

— J'arrive !

Ce ne fut qu'une fois dans le couloir et en le voyant tenant la porte de la cuisine entrouverte qu'elle se rendit compte qu'il y avait eu une note étrange dans sa voix à lui aussi. Elle hâta le pas.

— Que se passe-t-il ? Les enfants…

— Ils vont bien, l'interrompit-il. J'ai demandé à Annie de les emmener au village manger une glace.

Il s'écarta de la porte et lui fit signe d'entrer.

Elle s'arrêta net sur le seuil. Un homme était appuyé contre l'évier, les bras croisés. En l'apercevant, il se redressa et inclina la tête d'une manière qui lui parut terriblement étrange et singulière. Avant qu'elle n'ait eu le temps de se demander pourquoi, il déclara, avec un doux accent écossais :

— Votre serviteur, madame.

Elle regarda, médusée, ces yeux verts qui étaient identiques à ceux de Roger, puis se tourna vers ce dernier pour vérifier. Oui, c'étaient bien les mêmes.

— Qui…

Roger ne la laissa pas terminer et déclara sur un ton acerbe :

— Permets-moi de te présenter William Buccleigh MacKenzie. Également connu comme le Nuckelavee.

L'espace d'un instant, elle ne comprit rien. Puis les sentiments affluèrent – la stupeur, la colère, l'incrédulité – avec une telle rapidité qu'elle resta là, la bouche ouverte, dévisageant le nouveau venu d'un air hébété.

— Je vous demande pardon si j'ai fait peur à vos enfants, déclara-t-il. J'ignorais qu'ils étaient les vôtres. Mais je connais les enfants et je ne voulais pas qu'on me découvre avant d'avoir compris tout ce qui m'arrivait.

— Tout… *quoi* ? parvint-elle enfin à dire.

L'homme sourit.

— Pour ça… je crois que votre mari et vous-même en savez plus long que moi.

Brianna attira une chaise et s'assit, lui faisant signe d'en faire autant. Quand il s'avança dans la lumière de la fenêtre, elle remarqua qu'il avait la pommette écorchée. Une pommette saillante qui, avec le modelé de sa tempe et de son arcade sourcilière, lui paraissait très familière. *Forcément…* pensa-t-elle vaguement.

Elle se tourna vers Roger.

— Sait-il qui il est ?

Elle s'aperçut qu'il serrait sa main droite contre lui et que ses articulations étaient tachées de sang. Il acquiesça.

— Oui, je le lui ai dit. Je ne suis pas certain qu'il m'ait cru, en revanche.

La cuisine, ce lieu habituellement solide, accueillant, paisible dans la lumière d'automne, avec ses torchons à carreaux bleus et blancs suspendus à la poignée de la cuisinière Aga, paraissait subitement irréelle et inconnue. Quand elle tendit la main vers le sucrier, Bree n'aurait pas été surprise que ses doigts passent au travers.

L'homme déclara, avec une ironie amère :

— Je suis mieux disposé à le croire aujourd'hui qu'il y a trois mois.

Brianna rassembla ses forces puis demanda poliment, avec dans la voix une inflexion qui n'aurait pas détonné dans un feuilleton télévisé :

— Vous prendriez bien un peu de café ?

Le visage de l'homme s'illumina, et il sourit. Ses dents étaient tachées et légèrement tordues. *Ça n'a rien d'étonnant*, pensa-t-elle avec un soudain élan de lucidité. *L'orthodontie n'existait pour ainsi dire pas au XVIIIe siècle.* L'idée du XVIIIe siècle la fit soudain bondir en s'exclamant :

— Vous ! C'est vous qui avez fait pendre Roger !

Il ne parut pas perturbé outre mesure.

— C'est vrai. Ce n'était pas mon intention. Et s'il veut me frapper à nouveau pour ça, je ne me défendrai pas. Mais…

— C'était pour avoir fait peur aux enfants, l'interrompit Roger. Pour ce qui est de ma pendaison… on en reparlera plus tard.

L'homme parut amusé.

— Intéressant, de la part d'un homme d'Église. Cela dit, tous les hommes d'Église n'abusent pas de la femme des autres.

— Je… commença Roger.

— C'est *moi* qui vais vous frapper ! coupa Brianna.

Pour achever de l'agacer, il ferma les yeux et avança le visage, les traits crispés. Il marmonna sans desserrer les dents :

— Allez-y.

— Pas au visage, lui conseilla Roger en lui montrant sa main blessée. Demande-lui de se lever et vise ses couilles.

William Buccleigh rouvrit les yeux et lui adressa un regard réprobateur.

— Vous croyez vraiment qu'elle a besoin de conseils ?

— Je ne sais pas ce qui me retient de le faire ! répliqua-t-elle.

Elle se rassit lentement, prit une profonde inspiration et expira bruyamment.

— Bon, dit-elle, légèrement calmée. Racontez-nous.

Il toucha sa pommette blessée du bout des doigts et grimaça légèrement.

Fils de sorcière, pensa-t-elle. *Le sait-il seulement ?*

— Vous n'avez pas parlé de café ? demanda-t-il soudain. Voilà des années que je n'en ai pas bu du vrai.

*

Il était fasciné par la cuisinière Aga et pressa ses fesses contre elle, frissonnant de plaisir.

— Doux Jésus ! murmura-t-il. N'est-ce pas épatant ?

Il trouva le café bon mais plutôt léger. Brianna n'en fut pas étonnée. Le café auquel il était habitué était généralement bouilli au-dessus d'un feu, parfois pendant plusieurs heures, plutôt que passé délicatement. Il s'excusa pour ses manières, bien qu'elles fussent tout à fait convenables, expliquant qu'il n'avait pas mangé depuis un certain temps.

Roger lança un regard vers la pile de sandwichs au beurre de cacahuète et à la confiture, qui diminuait à vue d'œil.

— Comment vous êtes-vous nourri jusqu'à présent ?

— Au début, j'ai volé dans des fermes, avoua-t-il. Puis, je suis arrivé à Inverness et j'ai mendié sur le trottoir. J'étais étourdi par ces grosses choses rugissantes qui passaient sous mon nez. J'avais déjà vu des voitures sur la route du Nord, bien sûr, mais ce n'est pas la même chose quand elles filent tout juste devant vos pieds. Je me suis installé devant High Street Church, parce que c'est un des rares endroits que je reconnaissais. J'avais l'intention d'y entrer et de demander au ministre un peu de pain, mais il fallait d'abord que je me ressaisisse. C'est que j'étais un peu perdu, au début.

— On le comprend, murmura Brianna.

— Et finalement, vous avez parlé au ministre ? Le révérend Weatherspoon ?

Buccleigh acquiesça, la bouche pleine.

— Il m'a vu assis sur le trottoir et est venu me trouver, le brave homme. Il m'a demandé si j'étais dans le besoin, ce que j'ai confirmé, puis il m'a dit où aller pour trouver un repas et un lit. C'était un lieu tenu par des âmes charitables, une « association d'entraide », ils appellent ça.

Les responsables de l'association lui avaient donné des vêtements, car il n'avait sur le dos que des haillons, et l'avaient aidé à trouver un travail de journalier dans une laiterie à l'extérieur de la ville.

— Pourquoi n'y êtes-vous plus ? demanda Roger.

Au même moment, Brianna demandait :

— Mais comment vous êtes-vous retrouvé en Écosse ?

Leurs deux phrases se chevauchèrent, et ils s'interrompirent, chacun faisant signe à l'autre de continuer. William Buccleigh les arrêta d'un geste de la main, mâchouilla rapidement pour terminer sa bouchée et la fit descendre d'une nouvelle gorgée de café.

— Mmm, c'est bon, ce truc, mais ça vous colle au palais, commenta-t-il. Vous voulez savoir ce que je fais ici à manger vos provisions dans votre cuisine au lieu d'être mort dans un torrent en Caroline du Nord, c'est ça ?

Roger se cala contre le dossier de sa chaise.

— Effectivement, la question se pose. Pourquoi ne commencez-vous pas par la Caroline du Nord ?

Buccleigh acquiesça, croisa les mains sur son estomac d'un air repu et raconta.

*

Comme tant d'autres après Culloden, il avait été chassé d'Écosse par la famine et, ayant réuni suffisamment d'argent, avait émigré avec sa femme et leur fils nouveau-né.

— Je sais, dit Roger. C'est à moi que vous avez demandé de les sauver la nuit où le capitaine balançait les malades par-dessus bord.

Buccleigh détourna les yeux.

— C'est que… avec l'obscurité et mon état de désespoir, je n'ai pas vu votre visage. Si j'avais su…

Il s'interrompit, puis secoua la tête.

— Enfin, ce qui est fait est fait.

— Je ne vous ai pas vu non plus dans le noir, déclara Roger. Je n'ai su que c'était vous que plus tard, quand j'ai rencontré à nouveau votre femme et votre fils à Alama-*ak*.

Le dernier son se bloqua dans sa gorge avec un *clic* guttural. Agacé, il s'éclaircit la voix et reprit calmement :

— À Alamance.

Buccleigh hocha lentement la tête, les yeux fixés sur sa gorge. Y avait-il du regret dans son regard ? *Probablement pas*, pensa Roger. Il ne l'avait même pas remercié pour avoir sauvé sa femme et son fils.

— J'avais pensé m'installer sur un lopin de terre et le cultiver, reprit Buccleigh. Mais… au bout du compte, je ne suis pas vraiment un fermier. Pas plus qu'un bâtisseur. Je ne connaissais rien à la terre, sans parler des cultures. Je n'étais pas un bon chasseur non plus. On serait morts de faim si je n'avais emmené Morag et Jem – c'est aussi le nom de mon fils, c'est étrange, non ? – dans la vallée, où j'ai trouvé du travail dans une petite fabrique de térébenthine.

— C'est encore plus étrange que vous ne le pensez, murmura Brianna. Et ensuite ?

— Mon patron a décidé de se joindre aux régulateurs, et ceux qui travaillaient pour lui ont dû le suivre. J'aurais pu laisser Morag à la fabrique, mais il y avait un type qui en pinçait pour elle. C'était le forgeron et, comme il n'avait qu'une jambe, on ne lui demandait pas de se battre. Je ne pouvais pas la laisser avec lui, alors elle m'a accompagné avec le petit. Et là, sur qui elle tombe ? Vous !

— Elle ne vous a pas dit qui j'étais ? demanda Roger, sceptique.

— Si, admit Buccleigh. Elle m'a parlé du bateau et de vous. Mais ça ne changeait rien. Vous courtisez toutes les femmes mariées, ou c'est juste Morag qui vous plaisait ?

Roger répondit sur le même ton tranchant :

— Morag est mon ancêtre. D'ailleurs, puisque vous voulez savoir qui vous êtes : vous êtes mon arrière-grand-père, de quatre ou cinq générations. Mon fils s'appelle Jeremiah d'après mon père, qui tenait son prénom de son grand-père, qui le tenait sans doute de votre fils.

Il ajouta après une brève pause :

— J'ai peut-être perdu quelques Jeremiah en cours de route.

Buccleigh avait blêmi et le dévisageait, ahuri. Il se tourna vers Brianna, qui confirma d'un hochement de tête, puis il scruta les traits de Roger.

— Regardez ses yeux, lui dit Brianna. Vous voulez que j'aille vous chercher un miroir ?

Buccleigh s'apprêtait à répondre, mais il referma la bouche et baissa les yeux. Il saisit sa tasse, la fixa un instant comme s'il n'en revenait pas de la trouver vide, puis la posa et demanda à Brianna :

— Vous n'auriez pas quelque chose de plus fort que du café, *a bhana-mhaighstir* ?

⁂

Pendant que Roger allait chercher dans son bureau l'arbre généalogique dressé des années plus tôt par le révérend, Brianna sortit une bouteille d'Oban et en versa une dose généreuse dans le verre de Buccleigh. Après réflexion, elle remplit deux autres verres pour Roger et elle, puis plaça une carafe d'eau sur la table.

— Vous prenez votre whisky sec ou…

À sa grande surprise, il saisit la carafe et versa un peu d'eau dans son verre. En voyant son expression, il sourit.

— Si c'était un tord-boyaux, je le viderais cul sec, mais dans le cas d'un bon whisky, un peu d'eau ouvre son bouquet. Je suis sûr que je ne vous apprends rien. Pourtant, vous n'êtes pas écossaise.

— Si, par mon père. Il s'appelle… s'appelait James Fraser, de Lallybroch. On le surnommait « le Dunbonnet ».

Il cligna des yeux, regarda autour de lui dans la cuisine, puis se tourna à nouveau vers elle.

— Alors… vous aussi, vous en êtes une ? Comme votre mari et moi ? Une… je-ne-sais-pas-trop-quoi…

— Oui, une je-ne-sais-pas-trop-quoi-non-plus, confirma-t-elle. Vous avez connu mon père ?

Il ferma les yeux en buvant. Il fallut un certain temps pour que le whisky se fraie un chemin dans son gosier.

— Bon sang, comme c'est bon ! dit-il enfin. Non, je suis né un an et quelques après Culloden. Mais j'ai entendu parler du Dunbonnet quand j'étais enfant.

— Vous avez dit que vous n'y connaissiez rien à la terre, demanda Brianna, intriguée. Que faisiez-vous en Écosse avant d'émigrer ?

Il prit une profonde inspiration et expira par le nez, exactement comme le faisait son père. *Ce doit être une manie des MacKenzie*, pensa Brianna avec un soupçon d'amusement.

— J'étais avocat.

— En voilà, une profession utile ! déclara Roger en entrant.

Il étala l'arbre généalogique sur la table et pointa un doigt vers le bas.

— Vous voici. (Il remonta son doigt.) Et me voilà !

Buccleigh se pencha sur la feuille, l'étudiant attentivement en silence. Brianna le vit déglutir plusieurs fois. Son visage était pâle sous ses joues mal rasées.

— Oui, dit-il enfin. Là, il y a mes parents, mes grands-parents… et ici, le petit Jem, exactement là où il devrait être. Je veux parler de *mon* Jem. Mais j'ai un autre enfant. Enfin, je crois. Morag était enceinte quand je… quand je suis parti.

Roger s'assit. Il semblait moins méfiant et colérique. Il observait William Buccleigh avec une pointe de compassion.

— Parlez-nous de ça, de la manière dont vous êtes « parti ».

Buccleigh poussa son verre vide vers Brianna mais n'attendit pas qu'elle le remplisse.

Le propriétaire de la fabrique dans laquelle il travaillait avait été ruiné à la suite de la défaite d'Alamance. Jeté en prison pour avoir pris part à la Régulation, il s'était vu confisquer sa fabrique. Les MacKenzie s'étaient retrouvés à la rue, sans argent et sans parents pouvant leur venir en aide.

À ces mots, Brianna et Roger échangèrent un regard. Buccleigh ignorait sans doute qu'il se trouvait non loin d'une parente proche… et riche. Jocasta Cameron était la sœur de Dougal MacKenzie, et donc sa tante.

Elle arqua des sourcils interrogateurs, mais Roger fit discrètement non de la tête. Cela pouvait attendre.

Finalement, le couple avait décidé de rentrer en Écosse. Morag y avait encore de la famille, un frère qui s'en était bien sorti et était devenu un prospère marchand de grains. Elle lui avait écrit, et il les avait encouragés à revenir, proposant un poste à William dans son affaire.

— Au point où j'en étais, j'aurais été heureux qu'on me demande de récurer les cales des navires transportant du bétail, admit Buccleigh. Ephraïm – c'est le nom de mon beau-frère, Ephraïm Gunn – m'a écrit qu'il avait besoin d'un clerc. Or, j'ai une écriture assez belle et je sais faire des calculs.

L'attrait d'un toit et d'un travail pour lequel il se sentait compétent avait été suffisamment puissant pour que la petite famille décide d'embarquer à nouveau pour la périlleuse traversée de l'Atlantique. Ephraïm leur avait envoyé de l'argent pour les billets et, une fois à Édimbourg, ils s'étaient mis en route vers le nord.

— Nous avons fait une bonne partie du chemin en chariot, expliqua Buccleigh.

Il termina son troisième whisky. Brianna et Roger le talonnaient de près. Il versa un peu d'eau dans son verre, se rinça la bouche avant d'avaler, s'éclaircit la gorge, puis reprit son récit :

— Une roue du chariot s'est brisée, pour la énième fois, près d'un endroit appelé Craigh na Dun. Vous le connaissez peut-être… (Roger et Brianna acquiescèrent.) Morag ne se sentait pas bien, et le petit n'avait pas l'air dans son assiette non plus. Ils se sont allongés dans l'herbe pour dormir un peu pendant que le cocher et son compagnon réparaient le moyeu. Comme ils n'avaient pas besoin de moi, je suis parti faire un tour pour me dégourdir les jambes.

— Vous avez donc grimpé la colline, en direction des pierres, devina Brianna.

— Vous vous souvenez de la date ? demanda Roger.

— C'était au tout début de l'été, autour de la Saint-Jean, mais je ne saurais vous dire le jour exact.

— Le solstice d'été, précisa Brianna en refoulant un petit hoquet. Nous pensons que c'est à ce moment que le… je-ne-sais-quoi s'ouvre. Autour des fêtes solaires et des fêtes du feu.

Le bruit d'une voiture sur les graviers attira leur attention, et ils se redressèrent brusquement comme s'ils avaient été surpris au milieu d'une conspiration.

— Ce sont Annie et les enfants, présuma Brianna en regardant Roger. Qu'est-ce qu'on fait de lui ?

Il dévisagea Buccleigh un instant, puis prit sa décision :

— Il va nous falloir inventer quelque chose pour expliquer votre présence. En attendant, vous voulez bien me suivre ?

Buccleigh se leva aussitôt et suivit Roger dans l'arrière-cuisine. Brianna entendit son exclamation de surprise, les explications marmonnées de Roger, puis le raclement du banc contre le sol quand ils le poussèrent pour dégager la trappe du « trou du curé ».

Se déplaçant comme dans un rêve, Brianna débarrassa la table, lava les trois verres, puis rangea l'eau et le whisky. En entendant les coups de heurtoir contre la porte d'entrée, elle tressaillit. Non, ce n'étaient pas les enfants. Qui cela pouvait-il être ?

Elle saisit l'arbre généalogique et le déposa précipitamment dans le bureau de Roger avant d'aller ouvrir.

Au moment de saisir la poignée, elle se demanda : *Quel âge peut-il avoir ? Il semble approcher de la quarantaine, mais…*

— Salut ! lança Rob Cameron.

Il parut légèrement inquiet en voyant l'expression de Brianna.

— Je tombe mal ?

*

Rob était venu rapporter un livre que Roger lui avait prêté et proposer d'emmener Jem au cinéma avec Bobby le vendredi suivant. Les deux gamins auraient droit à un bon dîner de poisson et, si ses parents étaient d'accord, Jem pourrait rester dormir chez son copain.

— Je suis sûre qu'il sera ravi, répondit Brianna. Mais il n'est pas… Ah si, justement, le voilà.

Annie remontait l'allée, effectuant un changement de vitesse crissant qui fit caler la voiture. Brianna grimaça légèrement, soulagée que la jeune femme n'ait pas emprunté *sa* voiture.

Le temps que les enfants soient extirpés du véhicule, époussetés, et qu'ils aient poliment serré la main de M. Cameron, Roger était réapparu du fond de la maison. Il fut aussitôt entraîné dans une conversation sur ses travaux dans la petite chapelle, qui s'éternisa jusqu'à ce qu'il soit l'heure du dîner, auquel point il aurait été grossier de ne pas inviter Rob.

C'est ainsi que, dans une sorte d'hébétude, Brianna se retrouva à préparer des œufs brouillés, à réchauffer les haricots et à faire sauter des pommes de terre. Elle ne pouvait oublier leur autre invité caché sous le sol de l'arrière-cuisine. Il devait sentir les odeurs de la nourriture et mourir de faim. Que diable allaient-ils faire de lui ?

Pendant tout le repas, tout en participant à la conversation, puis quand elle accompagna les enfants se coucher tandis que Roger et Rob discutaient de pierres pictes et de fouilles archéologiques dans les Orcades, elle ne put s'ôter William Buccleigh MacKenzie de l'esprit.

Les Orcades… Roger a dit que le Nuckelavee était un monstre des Orcades. S'est-il rendu là-bas ? Et pourquoi traînait-il autour de notre broch pendant tout ce temps ? Quand il a compris ce qui lui était arrivé, pourquoi n'a-t-il pas simplement fait le chemin inverse ? Que fait-il ici ?

Le temps que Rob prenne congé (ainsi qu'un autre livre) en se confondant en remerciements pour le dîner et en leur rappelant qu'il passerait prendre Jem le vendredi suivant, elle était prête à hisser William Buccleigh hors du trou du curé par la peau du cou, à le conduire droit à Craigh na Dun elle-même et à le pousser à travers les pierres.

Toutefois, quand il en sortit enfin en rampant, avançant lentement, le teint blême et visiblement affamé, elle sentit son agitation retomber. Juste un peu. Elle lui prépara des œufs et s'assit avec lui pendant que Roger faisait le tour de la maison, vérifiant les portes et les fenêtres. Elle observa, caustique :

— Au fond, ce n'est plus vraiment nécessaire puisque vous êtes *à l'intérieur*, maintenant.

Il releva des yeux fatigués.

— Je me suis excusé. Vous voulez que je m'en aille ?

— Pour aller où ?

Il se tourna vers la fenêtre au-dessus de l'évier. Pendant la journée, elle donnait sur un paysage paisible : la cour avec son vieux portail en bois et, au-delà, le grand pré. À présent, on ne voyait que l'obscurité absolue d'une nuit sans lune des

Highlands. Le genre de nuit où les chrétiens restaient chez eux et plaçaient de l'eau bénite sur le chambranle des portes. Ce qui marchait la nuit dans la lande et sur les collines n'était pas toujours très catholique.

Il ne dit rien mais déglutit, et elle vit les poils blonds sur son avant-bras se dresser.

— Vous n'avez pas besoin de partir, dit-elle sur un ton bourru. On vous trouvera un lit pour la nuit. Mais demain…

Il acquiesça sans la regarder. Il voulut se lever, mais elle le retint par le bras.

— Dites-moi une chose : vous avez envie de rentrer chez vous ?

— Oh que oui !

Il détourna les yeux, mais sa voix tremblait.

— Je veux retrouver ma Morag. Je veux mon fils.

Elle le lâcha et se leva à son tour. Une autre idée lui vint soudain.

— Quel âge avez-vous ?

— Trente-huit ans. Pourquoi ?

— Rien… comme ça. Venez avec moi, je vais vous installer un lit dans le petit salon. Demain… nous aviserons.

Elle diminua le feu de l'Aga à son niveau de veille puis conduisit l'invité dans le couloir. Son estomac était noué. Ils passèrent devant l'antre de Roger, où l'arbre généalogique était toujours, sur le bureau où elle l'avait jeté. Avait-il remarqué la date ? Sans doute pas. Les dates de naissance et de décès ne figuraient pas pour tous les membres de la famille, mais les siennes y étaient. William Buccleigh MacKenzie était mort dans sa trente-neuvième année.

Il ne rentrera jamais, pensa-t-elle, sentant son sang se glacer.

Sous le ciel bas, la surface du loch Errochty était aussi terne qu'une plaque d'étain. Ils se tenaient sur la passerelle enjambant l'Alt Ruighe nan Saorach, la rivière qui se jetait dans le loch, dominant l'endroit où le lac artificiel s'étirait entre les douces collines. Buck (il avait annoncé que c'était ainsi que le surnommaient les gens en Amérique et qu'il s'y était habitué) était perdu dans sa contemplation, ses traits hésitant entre l'éblouissement et la consternation.

— Là-bas, dit-il en pointant un doigt. Vous voyez le ruisseau qui se jette dans le loch ? C'est là que se dressait la maison de ma tante Ross. Juste un peu plus bas.

Et à présent à une dizaine de mètres sous la surface du lac.

Brianna eut de la peine pour lui.

— Ce doit être assez éprouvant pour vous de voir que tout a tellement changé.

— Oui, en effet. Mais il y a aussi beaucoup de choses qui sont restées les mêmes. Comme là-haut.

Il pointa le menton vers les montagnes.

— Elles sont exactement comme dans mon souvenir. Tout comme les oiseaux dans les arbres, les saumons qui sautent dans la rivière. Si je posais le pied de l'autre côté de cette passerelle, ce serait comme si j'étais passé par là hier. D'ailleurs, *c'était* hier. Et pourtant... ils sont tous morts. Tous. Morag. Mes enfants. Ils ne sont plus de ce monde. Sauf si je parviens à rentrer.

Elle n'avait pas prévu de lui poser la question, préférant attendre Roger afin qu'ils puissent avoir une vraie conversation, le soir, quand les enfants seraient couchés. Cependant, l'occasion se présentait d'elle-même. Roger avait emmené Buck en voiture dans les Highlands autour de Lallybroch, puis ils étaient descendus dans la vallée du Great Glen, longeant le loch Ness avant de s'arrêter au barrage du loch Errochty, où elle travaillait. Il l'avait alors déposé, et elle rentrerait avec lui à l'heure du dîner.

Ils en avaient discuté la veille au soir, chuchotant dans leur chambre. Pour leur entourage, il serait un parent de papa en visite, ce qui était vrai. En revanche, ils n'avaient pas été d'accord au sujet du tunnel. Roger voulait l'y emmener ; elle était contre, se souvenant du choc qu'elle avait ressenti, de la sensation d'être découpée vivante avec un fil d'acier. Mais elle n'avait toujours pas arrêté sa décision.

Puisqu'il abordait de lui-même la question de son retour...

Elle lui demanda :

— Quand vous êtes revenu à vous après votre... votre traversée et que vous vous êtes rendu compte de ce qui s'était passé, pourquoi n'avez-vous pas retraversé le cercle de pierres ?

Il haussa les épaules.

— J'ai essayé. Il m'a fallu plusieurs jours pour comprendre ce qui m'était arrivé. Je savais juste que quelque chose de terrible s'était produit et que cela avait un lien avec les pierres. Je me méfiais donc d'elles, comme vous pouvez l'imaginer.

Il lui lança un regard, et elle hocha la tête.

Elle le comprenait parfaitement. Elle refusait d'approcher à moins d'un kilomètre d'un menhir dressé, à moins de devoir sauver un être cher d'un terrible sort. Et même si elle se trouvait un jour dans cette situation, elle y réfléchirait sans doute à deux fois. Elle chassa rapidement cette pensée et reprit son interrogatoire.

— Quand vous avez voulu les retraverser, que s'est-il passé ?

Il leva les mains, affichant un air impuissant.

— Je ne sais pas comment le décrire. Je n'avais jamais rien vécu de la sorte.

— Essayez quand même, insista-t-elle.

— Je suis remonté vers le cercle. Cette fois, je pouvais entendre les pierres. Elles se parlaient, bourdonnant comme une ruche, un son qui donnait la chair de poule.

Il avait eu envie de tourner les talons et de s'enfuir mais, songeant à Morag et à Jemmy, il avait continué. Il s'était avancé au centre du cercle, où le son l'avait assailli de toutes parts.

— J'ai cru que j'allais devenir fou. J'avais beau me boucher les oreilles, rien n'y faisait. C'était comme si le bruit était à l'intérieur de moi, émanant de mes os.

Il se tourna brusquement vers elle.

— Pour vous aussi, c'était comme ça ?

— Oui, plus ou moins. Continuez. Qu'avez-vous fait alors ?

Il avait aperçu la grande pierre fendue à travers laquelle il était passé la première fois et, prenant une grande inspiration, s'était élancé vers elle.

— Qu'on me pende si je mens, mais je suis incapable de vous dire ce qui s'est passé ensuite. Je me suis retrouvé étendu dans l'herbe au milieu des pierres, en feu.

Elle sursauta.

— Littéralement ? Je veux dire, vos habits brûlaient, ou était-ce simplement…

— Je sais ce que veut dire « littéralement », l'interrompit-il, vexé. Je ne suis peut-être pas comme vous, mais j'ai été éduqué.

— Pardonnez-moi.

Elle lui adressa un petit sourire contrit et lui fit signe de reprendre son récit.

— J'étais donc *littéralement* en feu. Ma chemise brûlait, regardez…

Il ouvrit son coupe-vent, déboutonna la chemise en batiste bleue de Roger et l'écarta pour lui montrer une tache rougeâtre sur son torse. La brûlure cicatrisait. Il allait se reboutonner quand elle l'arrêta d'un geste et se pencha pour l'examiner de plus près. La tache était centrée sur son cœur. Cela avait-il une signification ?

— Merci, dit-elle en se redressant. À quoi pensiez-vous quand vous avez pénétré dans la fente ?

Il la dévisagea sans comprendre puis répondit :

— Au fait que j'avais envie de rentrer chez moi. Quoi d'autre ?

— Oui, bien sûr, mais… avez-vous pensé à quelqu'un en particulier ? À Morag, ou à votre Jem ?

Une expression étrange traversa son visage – de la honte ? de la gêne ? – puis il détourna les yeux.

— Oui, c'est ça, répondit-il.

Elle savait qu'il mentait mais ne comprenait pas pourquoi. Il toussota puis reprit :

— Bref, j'ai roulé dans l'herbe pour éteindre les flammes. Puis je suis resté étendu un long moment. Je n'avais pas la force de me relever. Je ne sais pas combien de temps je suis resté ainsi, mais cela a duré longtemps. Vous savez comment c'est, là-haut, à l'approche du solstice d'été ? Cette lumière laiteuse qui empêche de voir le soleil alors qu'il n'est pas encore couché ?

— Le clair-obscur d'été, murmura-t-elle. Oui, je sais… Vous avez fait une autre tentative ?

Cette fois, c'était bien de la honte. Le soleil était bas et les nuages, teintés d'un orange terne qui se reflétait sur le loch et les collines environnantes, mais cela n'empêcha pas Brianna de voir rosir ses pommettes larges.

— Non, marmonna-t-il. J'ai eu peur.

Bien qu'elle se méfiât de lui et ne lui ait pas pardonné ce qu'il avait fait à Roger, cet aveu l'attendrit. Après tout, Roger et elle avaient su, plus ou moins, à quoi ils s'exposaient. Lui ne s'était attendu à rien et ne savait toujours pratiquement rien.

— J'aurais eu peur, moi aussi, admit-elle. Avez-vous…

Elle fut interrompue par un cri derrière eux. Rob Cameron approchait au petit trot le long du loch. Il les salua d'un signe de la main et les rejoignit sur la passerelle, légèrement essoufflé.

— Salut, patronne ! lança-t-il joyeusement. Je vous ai aperçue en sortant. Si vous avez fini le boulot, ça vous dirait, un petit verre avant de rentrer ?

Il adressa un sourire amical à Buck en ajoutant :

— Avec votre ami, bien sûr.

Elle n'avait plus d'autre choix que de les présenter, et elle s'en tint à la version qu'ils avaient élaborée : un parent de Roger, de passage en ville et séjournant chez eux pendant quelques jours. Elle déclina poliment son offre, prétextant qu'elle devait rentrer pour le dîner des enfants.

— Ce sera pour une autre fois, alors, déclara Rob. Ravi de vous avoir rencontré, l'ami !

Il repartit de son pas bondissant comme une gazelle. Quand elle se tourna, elle remarqua que Buck le suivait du regard en pinçant les lèvres.

— Qu'est-ce qu'il y a ? demanda-t-elle.

— Cet homme a envie de vous mettre dans son lit. Votre mari le sait-il ?

Elle sentit son pouls s'accélérer, ce qui acheva de la contrarier.

— Ne soyez pas ridicule ! rétorqua-t-elle. C'est un collègue. Il est dans la même loge maçonnique que Roger, et ils partagent une passion pour les chants anciens. C'est tout.

Il émit un de ces sons de gorge écossais qui permettaient d'exprimer toutes sortes d'indélicatesses et lui adressa un sourire narquois.

— Je ne suis peut-être pas comme vous, répéta-t-il. Mais je ne suis pas idiot.

73

Une brebis égarée retrouve le bercail

24 novembre 1777, Philadelphie

Lord John Grey avait désespérément besoin d'un valet. L'homme qu'il avait employé jusqu'ici était non seulement un bon à rien, mais un voleur de surcroît. Il l'avait surpris en train de glisser des cuillères en argent dans sa culotte et, après les avoir récupérées lui-même de force, l'avait congédié. Il aurait sans doute dû le faire arrêter, mais il n'était pas certain que le représentant de l'ordre local traiterait avec bienveillance la plainte d'un officier britannique.

À l'annonce de l'arrivée de Howe, la plupart des prisonniers de guerre britanniques avaient été évacués de la ville, les Américains tenant à les garder comme monnaie d'échange. Henry, lui, était resté.

Grey épousseta son uniforme, réfléchissant. Il le portait désormais tous les jours afin de protéger Dottie et Henry. Il n'était plus en service actif depuis belle lurette mais, contrairement à la plupart des hommes de son rang, il n'avait jamais renoncé à sa commission de lieutenant colonel. Il n'était pas sûr de la réaction qu'aurait Hal s'il décidait de démissionner mais, dans la mesure où il appartenait au régiment de son frère et qu'il n'avait pas besoin de vendre sa commission, la question ne se posait pas vraiment.

Un de ses boutons menaçait de tomber. Il fouilla dans la boîte à ouvrage, passa un fil dans le chas d'une aiguille sans plisser des yeux et le recousit en un rien de temps. Cette simple action lui procura un petit sentiment de satisfaction, ce qui en disait long sur son état d'impuissance. Le seul fait de recoudre un bouton devenait gratifiant.

Il se regarda dans le miroir et, constatant que la dentelle dorée qui ornait sa veste était ternie par endroits, fronça les sourcils. Il savait comment y remédier : la frotter avec un morceau de pain trempé dans l'urine. Mais il n'était pas prêt à faire ça. Connaissant sir William Howe, il doutait que son allure aurait une incidence sur la manière dont il serait reçu, même s'il se présentait dans une chaise à porteur et coiffé d'un turban. Howe ne se lavait et ne se changeait qu'une fois par mois au plus, et pas seulement quand il était en campagne.

Quoi qu'il en soit, il lui fallait un chirurgien, et il voulait pouvoir le choisir. Cette idée le fit tiquer. Il avait connu son lot de médecins militaires, certains de beaucoup trop près. L'armée de Howe était entrée dans la ville à la fin septembre. On était à présent à la mi-novembre. L'occupation était désormais bien établie, tout comme l'animosité des habitants.

Les médecins nourrissant des penchants rebelles étaient partis ou ne voulaient rien avoir à faire avec un officier britannique. Ceux qui avaient des sympathies loyalistes eussent été ravis de lui rendre service (il était invité à de nombreuses réceptions données par de riches loyalistes et y avait été présenté à plusieurs d'entre eux), mais aucun n'avait la réputation d'être un bon chirurgien. L'un traitait principalement les maladies vénériennes, un autre était accoucheur et un autre encore était visiblement un charlatan de la pire espèce.

Il s'apprêtait donc à aller quémander de l'aide aux quartiers généraux de Howe. Il ne pouvait plus attendre. Henry tenait bon et avait même semblé reprendre quelques forces quand le temps avait commencé à se rafraîchir. Il fallait en profiter et l'opérer maintenant afin de lui donner le temps de se remettre avant l'arrivée des grands froids et de la chaleur fétide des maisons fermées.

Une fois prêt, il suspendit son épée à sa ceinture et sortit. Un soldat ployant sous un lourd sac à dos remontait lentement la rue dans sa direction, regardant les maisons. Il lui adressa à peine un regard en descendant les marches du perron, mais cela suffit. Il écarquilla des yeux incrédules et se précipita dans la rue, oubliant son chapeau, sa dentelle dorée, son épée et sa dignité tandis qu'il serrait le jeune soldat dans ses bras.

— Willie !

— Papa !

Son cœur débordait d'une joie comme il en avait rarement connu, mais il s'efforça de se contenir afin de ne pas embarrasser Willie par des effusions peu viriles. Il ne le lâcha pas mais s'écarta légèrement pour l'examiner des pieds à la tête sans pouvoir se départir de son sourire béat.

— Tu es… sale. Vraiment très sale.

Il était également en loques. Il portait toujours son gorgerin d'officier mais avait perdu sa cravate. Il lui manquait plusieurs boutons, et une de ses manches était arrachée.

— J'ai également des poux, l'informa Willie en se grattant. Il y a à manger quelque part ?

— Oui, bien sûr. Viens, entrons dans la maison.

Il lui prit son sac à dos et lui fit signe de le suivre. En poussant la porte, il cria :

— Dottie ! Dottie, descends !

— Je suis déjà en bas, répondit-elle derrière lui.

Tenant un toast beurré à la main, elle sortait du petit salon, où elle prenait ses petits déjeuners.

— Que se passe… oh, *Willie* !

Oubliant sa crasse et ses poux, William la souleva du sol. Elle lâcha son toast et l'étreignit de toutes ses forces, partagée entre le rire et les larmes, jusqu'à ce qu'il déclare qu'elle lui avait écrasé toutes les côtes et qu'il ne pourrait plus jamais respirer normalement.

Grey les observait avec la plus grande bienveillance, bien qu'ils fussent en train d'écraser de leurs pieds le toast beurré sur le tapis de location. Ils semblaient vraiment s'aimer, après tout. Il s'était probablement trompé. Il toussota poliment, ce qui ne les sépara pas mais, au moins, Dottie lui lança un regard par-dessus son épaule.

— Je vais aller demander qu'on lui prépare à manger, annonça-t-il. Emmène-le dans le petit salon, ma chérie, et donne-lui une tasse de thé.

— Du thé ? s'exclama William. Voilà bien des semaines que je n'en ai pas bu. Que dis-je, des mois !

Ses yeux brillaient comme si on venait de lui parler d'un miracle prodigieux.

Grey sortit pour se rendre à la cuisine, qui avait été aménagée dans un bâtiment annexe afin que la maison ne soit pas détruite quand (et non si) quelque chose prenait feu. Des odeurs appétissantes de viande frite, de confitures et de pain frais émanaient de la structure délabrée.

Il avait engagé Mme Figg, une femme noire presque sphérique, se disant qu'elle ne pouvait avoir acquis une telle silhouette sans aimer la bonne chère ni savoir la préparer. Il ne s'était pas trompé, et ni le tempérament volcanique ni le langage de charretier de la cuisinière ne lui avaient fait regretter sa décision. Cela dit, il l'approchait toujours avec prudence. En apprenant la bonne nouvelle, elle se montra néanmoins obligeante. Elle laissa de côté la tourte au gibier qu'elle préparait afin d'assembler un petit déjeuner.

Grey attendit pour emporter le plateau lui-même, souhaitant laisser un peu de temps à Dottie et à William. Il voulait tout entendre. Naturellement, tout le monde était au courant de la défaite désastreuse de Burgoyne à Saratoga, mais il tenait à apprendre de la bouche de son fils ce que Burgoyne avait su ou compris avant la bataille. Selon certaines de ses relations dans l'armée, sir George Germain avait assuré à Burgoyne que son plan avait été accepté et que Howe marcherait vers le nord pour se joindre à lui, coupant les colonies américaines en deux. D'après d'autres sources (dont plusieurs membres de l'état-major de Burgoyne), Howe n'avait pas été informé de ce plan et n'avait jamais consenti à y prendre part.

La catastrophe était-elle due à l'arrogance et à la présomption de Burgoyne, à l'obstination et à l'orgueil de Howe, à l'imbécillité et à l'incompétence de Germain ou à une combinaison des trois ? Grey penchait plutôt pour cette dernière possibilité mais était curieux de savoir à quel point le bureau de Germain y avait contribué. Maintenant que Percy Beauchamp avait disparu de Philadelphie sans laisser de traces, quelqu'un d'autre allait devoir le surveiller, et Arthur Norrington communiquerait le fruit de ses recherches à Germain plutôt qu'à Grey.

Il transporta soigneusement le plateau dans la maison et découvrit William sur le canapé, buvant du thé en bras de chemise et les cheveux dénoués.

Dottie était assise dans la bergère devant le feu, tenant son peigne en argent sur ses genoux, fixant un point devant elle d'un regard si vide que Grey faillit lâcher son plateau. Elle se tourna vers lui sans sembler le voir. Puis elle se ressaisit, et son expression changea : c'était celle de quelqu'un revenant subitement d'un lieu très, très lointain.

Elle se leva aussitôt et tendit les mains vers lui.

— Laisse-moi t'aider.

Il lui confia le plateau, examinant discrètement les deux jeunes gens. William paraissait étrange, lui aussi. Pourquoi ce changement ? Quelques instants plus tôt, ils avaient été excités, aux anges, se livrant à des démonstrations d'affection exubérantes. À présent, elle servait le thé d'un air grave et les mains tremblantes, faisant cliqueter les tasses dans leur soucoupe. William était aussi rouge qu'elle était pâle, mais ce n'était pas – Grey en était presque sûr – le fait d'une quelconque excitation sexuelle. Il avait l'air d'un homme qui… Non. C'était bien de l'excitation sexuelle (Grey l'avait souvent guettée chez les autres et était un observateur perspicace), mais elle n'était pas focalisée sur Dottie. Pas le moins du monde.

Qu'est-ce qu'ils trafiquent, encore ? Feignant de ne pas remarquer leur air distrait, il s'assit pour boire son thé et écouter le récit de son fils.

Le fait de raconter ses aventures calma légèrement William. Grey observa son visage s'animer tandis qu'il parlait, parfois de manière hésitante, et en était profondément ému. Il ressentait de la fierté, certes, une grande fierté. William était désormais un homme et un vrai soldat. Mais Grey éprouvait également un regret sourd en constatant qu'il avait perdu ses dernières traces d'innocence. Il suffisait de regarder ses yeux pour s'en rendre compte.

Son compte rendu des batailles, de la politique et des Indiens avait un effet inverse sur Dottie. Loin de paraître calme ou heureuse, elle semblait de plus en plus nerveuse.

Grey se leva enfin et fit tomber des miettes sur sa veste.

— Je m'apprêtais à rendre visite à sir William, mais je crois que je vais d'abord passer voir Henry. Veux-tu m'accompagner, William ? Et toi, Dottie ? Ou préfères-tu peut-être te reposer un peu d'abord ?

Les deux jeunes gens échangèrent un regard où la complicité et les manigances étaient tellement manifestes qu'il en resta un moment sans voix. Puis William se leva à son tour.

— Oui, papa. J'ai très envie de voir Henry, bien sûr, mais Dottie vient de m'expliquer à quel point son état était préoccupant et que tu comptais faire intervenir un médecin de l'armée. Je me disais justement... J'en connais un. Un type formidable. Il est très savant, très doux, mais incroyablement habile avec son scalpel.

— Vraiment ? dit lentement Grey. On dirait que mes prières sont exaucées. Comment s'appelle-t-il ? Je pourrais demander à sir William...

— C'est que... il n'est pas avec sir William.

— Ah, c'est l'un des hommes de Burgoyne ?

Les soldats de l'armée vaincue de Burgoyne, à quelques exceptions près, comme William, étaient tous partis pour Boston, où ils devaient embarquer pour l'Angleterre.

— Dans ce cas, reprit-il, j'aurais été enchanté de faire appel à lui, mais nous ne pourrons jamais l'envoyer chercher à Boston et le faire venir à temps, compte tenu de la saison et de la probabilité...

William l'interrompit.

— Il n'est pas à Boston.

Il échangea à nouveau un de ces regards étranges avec Dottie. Celle-ci se tourna vers Grey et baissa aussitôt les yeux vers ses orteils, son teint se colorant d'un rose assorti aux fleurs peintes sur sa tasse. William s'éclaircit la gorge.

— En fait, c'est un chirurgien des continentaux. L'armée de Washington a pris ses quartiers d'hiver à Valley Forge. Ce n'est qu'à une journée de cheval d'ici. Il viendra sûrement si je vais le chercher en personne.

— Je vois.

Grey réfléchit rapidement, tout en sachant qu'il ne « voyait » pas le quart de ce qui se tramait devant lui. Néanmoins, cela paraissait une aubaine. Il lui serait facile de demander à Howe une escorte et un drapeau blanc pour Willie, ainsi que la garantie que le chirurgien pourrait voyager en toute sécurité.

— Parfait, dit-il. Je vais en parler à sir William cet après-midi.

Dottie et William poussèrent le même soupir de… soulagement ? De quoi diable s'agissait-il ?

Grey reprit :

— Tout compte fait, tu veux sans doute te laver et te changer d'abord, Willie. Je vais aller au quartier général de Howe de ce pas, et nous verrons Henry cet après-midi. Dis-moi quel est le nom de ce fameux chirurgien continental, afin que je demande à sir William de lui rédiger un sauf-conduit.

William se redressa avec un visage rayonnant.

— Hunter. Denzell Hunter. Surtout, demande à sir William un sauf-conduit pour deux. La sœur du docteur Hunter est son assistante. Il aura besoin d'elle.

74

Une mise au point

20 décembre 1777, Édimbourg

Les lettres noires sur le papier devinrent soudain nettes, et je poussai un petit cri de surprise.

— Ah, nous approchons du but !

L'opticien, M. Lewis, m'observait par-dessus ses propres lunettes, le regard pétillant.

— Essayez donc celles-ci.

Il retira délicatement la paire de démonstration de sur mon nez et m'en tendit une autre. Je les chaussai et examinai la page du livre devant moi.

— Je ne me rendais pas compte à quel point j'étais bigleuse ! dis-je, émerveillée.

C'était comme une renaissance. Tout était frais, nouveau et précis. Je venais de pénétrer de nouveau dans le monde quasi oublié du mot imprimé.

Jamie se tenait près de la vitrine de l'échoppe, une belle paire de lunettes carrées à monture en acier sur son long nez. Elles lui donnaient un air savant et distingué. Il se tourna vers moi, ses yeux légèrement magnifiés par les verres.

— J'aime bien celles-ci, déclara-t-il, satisfait. Les rondes vont mieux avec ton visage, *Sassenach*.

Fascinée par les nouveaux détails du monde autour de moi, je ne m'étais pas encore demandé à quoi je ressemblais. Intriguée, je m'approchai d'un petit miroir accroché au mur.

— Oh, mon Dieu ! lâchai-je en reculant légèrement.

Jamie se mit à rire et M. Lewis m'adressa un sourire indulgent.

— Elles vous vont à ravir, madame.

J'examinai avec méfiance l'inconnue dans le miroir.

— Oui, peut-être, mais ça me fait quand même un choc.

Je n'avais pas vraiment oublié mon aspect mais n'y avais pas pensé depuis des mois. Ma seule vanité avait été de préférer les vêtements propres et d'éviter le gris, cette teinte me donnant l'air d'avoir été embaumée par un croque-mort incompétent.

Aujourd'hui, je portais un dégradé de marron : une veste couleur de jonc ornée d'un liseré doré en gros-grain et ouverte sur ma nouvelle robe en épaisse soie couleur café, avec un corsage très ajusté et trois jupons ourlés de dentelles qui cachaient mes chevilles. Nous ne devions pas rester longtemps à Édimbourg. Il nous fallait encore conduire le brigadier général à sa dernière demeure, et Jamie avait hâte de retrouver les Highlands. Toutefois, nous avions des affaires à traiter en ville. Décrétant que nous ne pouvions avoir l'air de va-nu-pieds, Jamie avait convoqué un tailleur dès que nous avions trouvé un logement.

Je reculai légèrement, gonflant le torse. En toute sincérité, j'étais surprise de me trouver plutôt belle allure. Au cours des longs mois de voyage, de retraite et de combats aux côtés de l'armée continentale, j'avais été réduite à l'essentiel : à la survie et aux fonctions de base. Mon aspect n'avait eu aucune importance, quand bien même j'aurais possédé un miroir.

En fait, je m'étais inconsciemment préparée à voir une sorcière. Une femme usée avec des cheveux gris hirsutes, voire avec un ou deux longs poils sous le menton.

Au lieu de cela… c'était toujours moi. Mes cheveux, coiffés d'un petit chapeau plat en paille orné d'un petit bouquet de pâquerettes en tissu, étaient relevés en chignon sur ma nuque. Quelques boucles flatteuses s'enroulaient devant mes tempes. Mes yeux étaient d'une couleur ambrée et claire derrière mes nouvelles lunettes, avec un air de surprise candide.

Naturellement, j'avais les rides propres à mon âge mais, dans l'ensemble, ma chair épousait confortablement la courbe de mes os au lieu de s'affaisser en bajoues et en double menton. Une ombre discrète soulignait les rondeurs de mes seins. Pendant la traversée, la marine de Sa Majesté nous avait nourris royalement, et j'avais repris un peu des formes perdues durant la longue retraite de Ticonderoga.

— Ma foi, ce n'est pas mal du tout ! déclarai-je.

Je paraissais tellement surprise que Jamie et M. Lewis éclatèrent de rire. J'ôtai les lunettes avec un grand regret. Celles de Jamie étaient simples et pouvaient être emportées sur-le-champ, mais les miennes devaient être équipées d'une monture en or. M. Lewis me promit qu'elles seraient prêtes l'après-midi du lendemain, et nous sortîmes de l'échoppe pour nous atteler à notre mission suivante : récupérer la presse de Jamie.

Alors que nous remontions Princess Street, je demandai :

— Où est Ian, ce matin ? J'espère qu'il ne s'est pas dégonflé et n'a pas pris la poudre d'escampette plutôt que de rentrer chez ses parents !

À mon réveil, il était déjà parti sans laisser un mot indiquant où il allait.

— Si c'est le cas, je le retrouverai et lui flanquerai la raclée de sa vie. Il le sait.

Jamie s'arrêta pour contempler la masse sombre du château perché sur son rocher de l'autre côté du parc, puis chaussa ses lunettes pour voir si cela faisait une différence. Apparemment pas. Il reprit sur un ton distrait :

— En fait, je crois plutôt qu'il est au bordel.

— À dix heures du matin ?

— Pourquoi ? Il n'y a pas d'horaire pour ça. Il m'est déjà arrivé d'être pris d'une envie le matin, non ?

Il ôta les lunettes, les enveloppa dans son mouchoir puis les rangea dans son *sporran* en ajoutant :

— Cela dit, je doute que ce soit la perspective de se livrer aux plaisirs de la chair qui occupe son esprit en ce moment. Je lui ai demandé de vérifier si Mme Jeanne possédait toujours son établissement. Si c'est le cas, elle saura m'en apprendre plus et plus vite que n'importe qui d'autre à Édimbourg. Si elle est toujours là, je lui rendrai visite cet après-midi.

— Ah.

Je n'étais pas ravie à l'idée qu'il ait un charmant tête-à-tête avec l'élégante Française qui avait été autrefois son associée dans la contrebande de whisky mais comprenais l'intérêt de la visite. Je préférai changer de sujet :

— Et, à ton avis, où trouve-t-on Andy Bell à dix heures du matin ?

— Dans son lit, répondit aussitôt Jamie.

En voyant mon expression, il ajouta avec un sourire ironique :

— Il dort. Les imprimeurs sont des créatures sociables qui, en général, fréquentent les tavernes le soir. Je n'en ai jamais connu un qui se levait avec l'alouette, à moins d'avoir des enfants souffrant de coliques.

Je devais faire de grands pas pour rester à sa hauteur.

— Tu comptes l'extirper de son lit ?

— Non, nous le retrouverons chez Mowbray à l'heure du déjeuner. C'est un graveur. Il a quand même besoin d'un peu de lumière pour travailler, alors il se lève à midi. Il déjeune chez Mowbray presque tous les jours. Je veux juste vérifier que son imprimerie n'a pas brûlé et s'il se sert de ma presse.

Son ton menaçant m'amusa.

— À t'entendre, on croirait qu'il s'agit de ta femme.

Il émit un grognement, me faisant comprendre qu'il était conscient qu'il s'agissait d'humour mais ne souhaitait pas s'appesantir sur la question. Jusque-là, je ne m'étais pas rendu compte qu'il était si attaché à sa presse, mais je n'en fus pas si surprise, puisqu'il en était séparé depuis près de douze ans. Son cœur amoureux devait battre plus fort à l'idée d'être bientôt réuni avec elle.

Peut-être craignait-il vraiment que l'imprimerie n'ait brûlé. Cela n'aurait rien eu d'extraordinaire. Sa propre échoppe avait été ravagée par un incendie des années plus tôt. Ce genre d'atelier était particulièrement vulnérable au feu, en raison de la présence d'une petite forge pour fondre et remouler les caractères ainsi que du papier, de l'encre et des autres matières inflammables qui y étaient entreposés.

Mon estomac se mit à gargouiller à l'idée d'un déjeuner chez Mowbray. Je conservais un excellent souvenir de notre dernière et unique visite dans cette auberge, du succulent ragoût aux huîtres accompagné d'un délicieux vin blanc frais que nous y avions dégusté.

Malheureusement, il me faudrait attendre encore un peu. Les gargotes d'ouvriers ouvraient à midi mais, pour les habitants sophistiqués d'Édimbourg, il était de bon ton de déjeuner à trois heures. Tout en m'efforçant de suivre Jamie, je me demandai si nous ne pouvions pas acheter un friand à un vendeur de rue, histoire de tenir jusque-là.

L'imprimerie d'Andy Bell était toujours debout. La porte était fermée contre les courants d'air, et nous agitâmes une petite cloche suspendue au-dessus pour annoncer notre arrivée. Un homme d'âge mûr en bras de chemise et tablier était penché sur un panier, en train de trier des lingots. Il se redressa et vint nous ouvrir.

— Bonjour, madame, bonjour, monsieur, dit-il cordialement.

Il n'était pas écossais ou, du moins, pas né en Écosse. Il avait l'accent doux et légèrement traînant des colonies du Sud. Jamie le remarqua aussi et sourit.

— Monsieur Richard Bell ?

— En effet, répondit-il, légèrement surpris.

Jamie s'inclina.

— James Fraser, pour vous servir. Et voici mon épouse, Claire.

Perplexe, M. Bell s'inclina à son tour.

— Pour vous servir, monsieur.

Jamie glissa une main dans la poche de sa veste et en extirpa une petite liasse de lettres retenues par un ruban rose.

— Je vous apporte des nouvelles de votre femme et de vos filles, dit-il simplement. Nous pourrons discuter ensemble de la possibilité de votre retour.

M. Bell marqua un temps d'arrêt puis devint soudain blême. Je crus un instant qu'il allait s'évanouir, mais il s'accrocha au bord du comptoir.

— Vous… vous… retour ? balbutia-t-il.

Il serra les lettres contre son cœur, puis les contempla, les larmes aux yeux.

— Comment a-t-elle… comment a-t-elle… ma femme… Il redressa soudain la tête, l'air effrayé.

— Elle va bien ? Elles vont bien ?

— Elles se portaient comme un charme la dernière fois que je les ai vues, à Wilmington, le rassura Jamie. Elles sont affligées par votre absence, bien sûr, mais leur santé est bonne.

M. Bell tentait désespérément de se maîtriser, ce qui lui demandait un effort qui le laissait sans voix. Jamie posa une main sur son bras.

— Allez-y, lisez vos lettres, monsieur, proposa-t-il. Nous pouvons attendre.

M. Bell ouvrit la bouche à plusieurs reprises, mais rien n'en sortit. Puis il acquiesça et, pivotant sur ses talons, fila par la porte qui donnait sur l'arrière-boutique.

Je soupirai de satisfaction, et Jamie se tourna vers moi avec un sourire.

— Cela fait du bien qu'un problème soit résolu, tu ne trouves pas ? lui dis-je.

— Celui-ci ne l'est pas encore, mais il le sera.

Il sortit ses lunettes de son *sporran*, les posa sur son nez, souleva le rabat du comptoir et passa de l'autre côté pour inspecter les lieux.

— Mais, c'est ma presse ! s'exclama-t-il.

Il faisait le tour de l'énorme machine comme un faucon planant autour de sa proie.

— Comment peux-tu le savoir ?

Je m'approchai précautionneusement, protégeant ma jupe de la presse tachée d'encre.

— Parce qu'il y a mon nom dessus, répondit-il.

Il se pencha et me montra quelque chose sous la machine.

— … Du moins, en partie.

En me tordant dans tous les sens, je parvins à distinguer les mots *Alex Malcolm* gravés sous une tige.

Je me redressai et regardai autour de moi les affiches, les ballades, les gravures et des exemples de textes imprimés.

— Elle a l'air de toujours bien fonctionner.

— Mouais…

Il actionna différents leviers et examina minutieusement la presse avant d'admettre à contrecœur qu'elle paraissait en bon état.

— Dire que pendant toutes ces années j'ai payé ce bougre pour qu'il me la garde, marmonna-t-il.

Je m'éloignai pour regarder les tables près de l'entrée. Elles étaient chargées de livres et d'opuscules à vendre. J'en saisis un. Sur la couverture était écrit *Encyclopedia Britannica* et, dessous, *Laudanum*.

La teinture d'opium, ou opium liquide, également appelée « teinture thébaïque », se prépare comme suit : prenez deux onces d'opium préparé, une drachme de cannelle et de clous de girofle, et une livre de vin d'Espagne ; infusez pendant une semaine à l'abri de la chaleur ; filtrez au papier.

L'opium est actuellement très prisé et l'un des électuaires les plus précieux. En application externe, c'est un émollient, un décontractant, un discutient. Il favorise la suppuration. Laissé longtemps sur la peau, il est dépilatoire et provoque toujours un prurit ; il peut exulcérer et soulever de petites ampoules s'il est appliqué sur des parties sensibles. Toujours en application externe, il peut soulager la douleur, et même induire le sommeil. Il ne doit en aucun cas être appliqué sur la tête, surtout sur les sutures du crâne, car il pourrait alors avoir des effets très néfastes, voire mortels. Ingéré, l'opium soigne la mélancolie, soulage la douleur, induit le sommeil et est sudorifique.

Pour une dose modérée, on recommande moins d'un grain…

Je me tournai vers Jamie, qui lisait, intrigué, les caractères installés dans la forme de la presse.

— Tu sais ce que signifie « discutient » ?

— Oui. Cela veut dire « dissolvant ». Pourquoi ?

— Ah ! Ça explique sans doute pourquoi il est préférable de ne pas appliquer le laudanum sur les sutures du crâne.

Il me lança un regard perplexe.

— Pourquoi ferait-on une chose pareille ?

— Je n'en ai pas la moindre idée.

Fascinée, je repris mon examen des livres. Un autre opuscule intitulé *La Matrice* contenait d'excellentes gravures du pelvis disséqué d'une femme. Ses organes internes étaient montrés sous différents angles, et l'ouvrage présentait également les différentes phases de développement d'un fœtus. Si c'était là l'œuvre de M. Bell, il était à la fois un merveilleux artisan et un fin observateur.

— Tu n'aurais pas un penny ? J'aimerais acheter celui-ci.

Jamie fouilla dans son *sporran* et posa une pièce sur le comptoir. Il lança un regard vers l'opuscule dans mes mains et recula instinctivement.

— Sainte Marie, mère de Dieu ! dit-il en se signant.

— Euh, je doute qu'il s'agisse de Marie, mais c'est effectivement une mère.

Avant que Jamie n'ait pu me répondre, Richard Bell réapparut, les yeux rouges, mais maître de lui. Il saisit la main de Jamie.

— Monsieur Fraser, vous n'imaginez pas ce que vous avez fait pour moi. Si vous pouvez vraiment m'aider à retrouver ma famille, je... je... À dire vrai, je ne sais comment je pourrais vous exprimer ma gratitude, mais soyez assuré que je bénirais votre âme jusqu'à la fin de mes jours !

Jamie lui sourit.

— Cette pensée me touche profondément, monsieur. J'aurais peut-être un petit service à vous demander mais, en tout cas, je vous remercie pour votre bénédiction.

— Si je peux faire quoi que ce soit... quoi que ce soit ! insista M. Bell avec ferveur.

Une lueur d'hésitation traversa soudain son regard. Il devait se souvenir de ce que lui avait écrit son épouse au sujet de Jamie. Il ajouta :

— Quoi que ce soit, hormis la… la trahison.

— Ne vous inquiétez pas, il ne sera pas question de trahir, l'assura Jamie.

Là-dessus, nous prîmes congé.

*

Je pris une cuillerée de ragoût aux huîtres et la humai, au bord de l'extase. Nous étions arrivés tôt afin d'avoir une table près de la fenêtre, mais Mowbray s'était vite rempli. Le vacarme des bruits de vaisselle et des conversations était presque assourdissant.

Je me penchai en avant pour me faire entendre.

— Tu es sûr que tu ne le vois pas ?

Jamie fit non de la tête tout en faisant rouler une gorgée de Moselle frais dans sa bouche d'un air béat. Quand il l'eut enfin avalée, il répondit :

— Quand il arrivera, tu le sauras. Il ne passe pas inaperçu.

— Soit. Quel service pas tout à fait traître comptes-tu demander à M. Bell en échange d'un billet de retour pour les colonies ?

— Je voudrais qu'il emporte ma presse.

— Quoi ?! Tu confierais ta précieuse chérie à un quasi-inconnu ?

Il me lança un regard noir mais acheva de mastiquer son morceau de pain beurré avant de me répondre :

— Je suis sûr qu'il en prendra le plus grand soin. Après tout, il ne va pas imprimer mille exemplaires de *Clarisse Harlowe*[4] à bord du navire.

J'étais très amusée.

— Elle a un nom, ta chère presse ?

Il rougit légèrement et détourna le regard, prenant un soin méticuleux à cueillir une huître particulièrement appétissante avec sa cuillère. Puis il marmonna enfin :

— Bonnie.

4. Roman épistolaire de Samuel Richardson (1689-1761), l'un des plus longs de la littérature anglaise *(N.d.T.)*.

Je me mis à rire mais, avant que j'aie pu le taquiner davantage, un nouveau bruit perturba le brouhaha. Des gens reposaient leurs couverts et se levaient, tordant le cou pour apercevoir quelque chose dans la rue.

— Je te parie que c'est Andy, déclara Jamie.

Je regardai au-dehors à mon tour et vis un petit groupe d'enfants et de badauds applaudissant. Un peu plus haut dans la rue, j'aperçus un cheval d'une taille comme je n'en avais encore jamais vu. Ce n'était pas une bête de trait mais un hongre gigantesque. Pour autant que mon œil inexpert puisse en juger, il devait faire près de dix-sept paumes.

Un tout petit homme se tenait en selle, le dos droit et ignorant royalement les applaudissements de la foule. Il s'arrêta juste à notre hauteur et, se retournant, détacha un coffret carré de la selle. Il le secoua, et une échelle pliante se déploya. Un gamin se précipita pour la lui tenir tandis qu'il descendait sous les acclamations. Il lança une pièce au garçon et une autre à celui qui avait pris la bride de sa monture, puis disparut de notre vue.

Il réapparut quelques instants plus tard par la porte de la salle principale de l'auberge. Il ôta son chapeau à cornes et inclina gracieusement la tête en direction des clients, qui le saluaient bruyamment. Jamie leva un bras et appela : « Andy Bell ! » d'une voix forte. Le petit homme se tourna vers nous, surpris. Je l'observai avec fascination tandis qu'il approchait, son visage se fendant lentement d'un large sourire.

Je n'aurais su dire s'il était atteint d'une forme de nanisme ou s'il avait gravement souffert de malnutrition et de scoliose dans son enfance. Ses jambes étaient courtes proportionnellement à son torse et ses épaules étaient de guingois. Il mesurait à peine un mètre vingt et, tandis qu'il passait entre les tables, on ne voyait de lui que le sommet de son crâne coiffé d'une perruque très distinguée.

Vus de plus près, ces détails devenaient insignifiants face à son trait le plus remarquable : Andrew Bell avait un nez monumental. Au cours de ma vie, je n'en avais jamais rencontré d'aussi gros et, pourtant, j'avais vu mon lot de spécimens. Il commençait, bien normalement, entre les sourcils et s'incurvait doucement comme si la nature avait voulu lui donner un profil d'empereur romain. Puis quelque chose avait mal tourné et, après ce début prometteur, une protubérance ressemblant à une petite pomme de terre avait été ajoutée. Bulbeux et rouge, il attirait inexorablement le regard.

Une jeune femme devant laquelle il passait sursauta puis se plaqua une main devant la bouche, une précaution qui ne suffit pas à masquer son fou rire.

M. Bell l'entendit et, sans cesser de marcher, sortit de sa poche un immense nez en papier mâché orné d'étoiles violettes. Il le plaqua sur le sien et, lançant un regard glacial à la jeune impudente, poursuivit son chemin.

Jamie se leva et tendit la main vers le petit imprimeur en me disant :

— Ma chère, permets-moi de te présenter mon ami, M. Andrew Bell. Voici mon épouse, Andy. Claire.

— Enchanté, madame.

Il ôta son faux nez, m'adressa une profonde courbette puis se tourna vers Jamie.

— Où as-tu déniché cette créature exquise, Jamie ? Et que peut bien faire une si ravissante dame avec une brute de ton espèce, je me le demande ?

— J'ai réussi à la convaincre de m'épouser en lui vantant les beautés de ma presse d'imprimerie, rétorqua Jamie.

Il se rassit et fit signe à Andy Bell de se joindre à nous.

Le ton acerbe de Jamie ne lui avait pas échappé.

— Ah, fit-il.

Il aperçut un bout de l'opuscule qui dépassait de mon réticule.

— Je vois que vous êtes passés à l'imprimerie.

Je sortis le petit livre du sac. J'espérais que Jamie n'avait pas l'intention d'écraser Andy Bell comme un insecte pour avoir pris des libertés avec sa presse. Je venais juste de prendre conscience de sa relation avec « Bonnie » et ignorais jusqu'où allait sa possessivité outragée.

— C'est un ouvrage remarquable, déclarai-je à M. Bell. Dites-moi, combien de spécimens avez-vous utilisés ?

Il parut surpris mais répondit volontiers, et nous nous lançâmes dans une conversation fort intéressante, quoique plutôt macabre, sur les difficultés de la dissection par temps chaud et la différence entre la préservation dans une solution saline et un bain d'alcool. Nos voisins de table terminèrent leur repas en hâte et se levèrent avec une mine horrifiée. Jamie, lui, était confortablement enfoncé dans sa chaise, l'air aimable, mais ne quittait pas Andy Bell de son œil implacable.

L'imprimeur ne semblait pas gêné outre mesure par ce regard de gorgone et me raconta la réaction qu'avait provoquée sa publication de l'édition reliée de l'*Encyclopedia*. Le roi était tombé sur les planches du chapitre « Matrice » et avait ordonné que ces pages soient arrachées du livre – ce crétin de Teuton inculte ! Quand le serveur vint prendre sa commande, Andy Bell demanda un vin très cher et une grande bouteille de bon whisky.

— Comment, du whisky pour accompagner les huîtres ? s'indigna le malheureux.

Andy Bell repoussa légèrement sa perruque sur son front.

— Non. C'est ce qu'on offre à un homme quand on a loué les services de sa bien-aimée.

Le serveur tourna son regard offusqué vers moi puis, virant au rouge vif et s'étranglant légèrement, battit en retraite.

Jamie dévisagea son ami d'un air morne.

— Il faudra plus que du whisky, Andy.

L'imprimeur cessa de beurrer son morceau de pain, soupira et se gratta le nez.

— D'accord. Parle.

*

Nous retrouvâmes Ian devant notre petit hôtel. Il bavardait dans la rue avec deux conducteurs de haquets. En nous apercevant, il prit congé, glissa discrètement un petit paquet sous sa veste et entra avec nous. C'était l'heure du thé, et Jamie demanda qu'on le monte dans notre chambre afin de pouvoir discuter en privé.

Nous nous étions permis quelques largesses et avions pris une suite. Le goûter fut installé dans le petit salon. Il se composait d'un assortiment de haddocks, d'œufs enrobés de chair à saucisse et panés, de toasts avec de la marmelade, de scones avec de la confiture, de crème fraîche et d'une énorme théière remplie d'un puissant thé noir. J'inhalai la vapeur parfumée et soupirai d'aise.

Tout en en versant dans les tasses, je déclarai :

— Ce sera dur de s'en passer à notre retour. Il faudra attendre au moins trois ou quatre ans avant de pouvoir se procurer du thé en Amérique.

— Oh, je ne dirais pas ça, répondit Jamie. Tout dépend de là où nous retournons. On trouve du très bon thé dans des endroits comme Philadelphie ou Boston. Il nous suffira de faire connaissance avec un ou deux bons contrebandiers et, si le capitaine Hickman n'a pas été noyé ou pendu d'ici notre retour…

Je reposai ma tasse.

— Tu veux dire que tu ne comptes pas rentrer à la mais… à Fraser's Ridge ?

Je sentis une pointe de nostalgie en me souvenant de notre projet de Grande Maison, de l'odeur des sapins baumiers, de la sérénité des montagnes. Voulait-il vraiment s'établir à Boston ou à Philadelphie ?

Il parut surpris.

— Non. Bien sûr, nous y retournerons, mais si je veux être imprimeur, *Sassenach*, nous devrons rester en ville un certain temps, tu ne penses pas ?

Il ajouta sur un ton encourageant :

— Uniquement jusqu'à ce que la guerre soit terminée.

— Ah, fis-je d'une petite voix. Oui, bien sûr.

Je bus mon thé sans le goûter. Comment avais-je pu être si stupide ? Une presse d'imprimerie ne servirait à rien à

Fraser's Ridge. En réalité, je n'avais jamais cru qu'il retrouverait la sienne et n'avais pas réfléchi à la conséquence logique de ce qu'il adviendrait s'il la récupérait.

Mais, à présent qu'il avait retrouvé sa précieuse Bonnie, l'avenir prenait soudain une tournure désagréablement concrète. D'un autre côté, les villes présentaient des avantages considérables. Je pourrais enfin me procurer des instruments chirurgicaux décents et me réapprovisionner en remèdes. Je pourrais même fabriquer à nouveau de la pénicilline et de l'éther ! Retrouvant mon appétit, je me servis un œuf.

Jamie discutait avec Ian.

— En parlant de contrebandiers, qu'est-ce que tu caches dans ta veste ? Un présent pour l'une des filles de Mme Jeanne ?

Ian lui lança un regard torve et sortit un petit paquet de sa poche.

— De la dentelle française. Pour maman.

— Brave garçon, approuva Jamie.

— Quelle pensée touchante, dis-je. Au fait, Mme Jeanne officie toujours ?

Il acquiesça en rangeant son cadeau puis adressa un sourire narquois à Jamie.

— Elle est impatiente de renouveler son accointance avec toi, mon oncle. Elle m'a demandé si tu viendrais t'amuser un peu ce soir.

Jamie fronça le nez et me lança un regard à la dérobée.

— Non, je ne pense pas, Ian. Je lui enverrai un billet pour lui dire que je viendrai demain matin à onze heures. Cela dit, libre à toi d'accepter son invitation.

Il était clair qu'il plaisantait, mais Ian secoua gravement la tête.

— Non, je ne toucherai pas une putain. Pas tant que les choses ne sont pas réglées entre Rachel et moi. D'une manière ou d'une autre. Je n'entrerai pas dans le lit d'une autre femme avant qu'elle m'en donne le droit.

Nous le regardâmes tous les deux avec surprise.

— Tu es donc sérieux ? lui dis-je. Tu considères que… vous êtes fiancés ?

Jamie saisit un autre toast en déclarant :

— Mais bien sûr qu'ils le sont, *Sassenach*. Il lui a bien confié son chien, non ?

*

Je me levai tard le lendemain, prenant tout mon temps. Jamie et Ian seraient occupés pour toute la matinée, alors je m'habillai et sortis faire des emplettes. Édimbourg étant une ville très commerçante, Jamie avait pu convertir notre réserve d'or (il en restait une bonne quantité) en traites bancaires et en espèces. Il s'était également arrangé pour mettre en sûreté les lettres que nous avions accumulées depuis le fort Ticonderoga. Il m'avait laissé une bourse bien remplie pour mon propre usage, et je me proposai de passer la journée à écumer les boutiques avant de récupérer mes nouvelles lunettes.

C'est avec ces dernières fièrement posées sur mon nez et un sac rempli des meilleures herbes et remèdes disponibles chez l'apothicaire Haugh que je rentrai affamée à l'hôtel Howard à l'heure du thé.

Mon appétit se gâcha légèrement quand le majordome de l'hôtel sortit de son refuge avec une mine contrite et me demanda s'il pouvait me parler en privé.

Tout en me conduisant vers un petit escalier menant au sous-sol, il m'expliqua d'un ton gêné :

— Nous sommes très honorés de la… euh… présence du général, madame. C'était un grand homme, un excellent guerrier et, bien sûr, nous avons eu connaissance de la nature héroïque de son… euh… trépas. C'est juste que… j'hésite à vous en parler, madame, mais ce matin un charbonnier nous a fait état d'une… euh… odeur.

Il chuchota discrètement ce dernier mot dans mon oreille tout en me poussant vers la cave à charbon de l'hôtel. Nous y avions installé le cercueil du brigadier général afin qu'il reposât dignement en attendant son départ pour les Highlands.

L'odeur elle-même n'avait rien de discret. Je sortis aussitôt un mouchoir de ma manche et le plaquai sur mon nez. En haut d'un mur, un soupirail laissait filtrer une faible lumière sale dans la cave. Dessous se trouvait une goulotte et, plus bas, un monticule de charbon.

Le cercueil de Simon Fraser se tenait à l'écart, drapé dans une toile et illuminé par un faisceau de lumière solennel tombant du soupirail. Un faisceau qui faisait miroiter la petite flaque sous le cercueil. Le brigadier général fuyait.

⁂

Nouant un chiffon imbibé de térébenthine autour de ma tête et le hissant juste sous mon nez, je citai :

— *Et vit le crâne sous la peau, et des créatures sans seins sous terre se penchèrent en arrière avec un sourire sans lèvres.*

Andy Bell me lança un regard de biais.

— Je n'aurais pas pu le dire mieux. C'est de vous ?

— Non, d'un certain Eliot.

Devant l'agitation du personnel de l'hôtel, j'avais préféré ne pas attendre le retour de Jamie et de Ian, et, après réflexion, avais envoyé le cireur de chaussures demander à M. Bell s'il souhaitait venir observer un cas médical intéressant.

Celui-ci se dressa sur la pointe des pieds pour regarder à l'intérieur du cercueil.

— On n'y voit pas grand-chose.

— J'ai demandé à ce qu'on nous apporte des lanternes, l'assurai-je. Et des seaux.

— Ah oui, des seaux, dit-il, songeur. Mais que pensez-vous faire pour ce qu'on pourrait appeler le « long terme » ? Il vous faudra des jours pour l'emmener dans les Highlands, des semaines même, à cette saison.

— Je pense d'abord le nettoyer un peu et, ensuite… vous connaissez peut-être un forgeron qui accepterait de venir colmater les fissures ?

Une des sutures de l'enveloppe en plomb s'était ouverte, sans doute à cause des secousses lors de son chargement sur le navire. La réparation semblait facile, à condition de trouver un forgeron au cœur bien accroché et qui ne soit pas trop superstitieux avec les cadavres.

— Mmm…

Il avait sorti un carnet d'esquisses et réalisait des dessins préliminaires en dépit de la mauvaise lumière. Il gratta son appendice gigantesque du bout de son crayon tout en méditant à voix haute.

— Oui, c'est une possibilité. Mais il y a d'autres solutions.

— On pourrait le bouillir jusqu'à ce qu'il ne reste que les os, plaisantai-je. Mais je n'ose imaginer la réaction de l'hôtel si je leur demande leurs chaudrons de blanchisserie.

Il éclata de rire, achevant de terrifier le valet qui venait d'apparaître avec deux lanternes.

— Ne crains rien, mon garçon, lui dit-il. Il n'y a personne d'autre ici que nous autres mangeurs de cadavres.

Il s'esclaffa encore en entendant le malheureux jeune homme remonter l'escalier quatre à quatre puis se tourna vers moi, retrouvant son sérieux.

— C'est une idée. Je pourrais l'emmener dans mon atelier. Vous en seriez débarrassée, et personne n'en saurait rien. Votre coffre est tellement lourd qu'on ne sentira pas la différence. Après tout, personne ne demandera à voir le visage du cher défunt une fois qu'il sera arrivé à destination, n'est-ce pas ?

— C'est impossible. Outre le fait que nous risquons d'être arrêtés comme profanateurs de sépulture, ce pauvre homme est un parent de mon mari, et il a donné sa parole.

— Je comprends. Dans ce cas, je ne vois que deux options : réparer la fuite puis remplir le cercueil d'un gin bon marché. Ou alors… Combien de temps resterez-vous à Édimbourg ?

— Nous comptions ne rester qu'une semaine, mais nous pouvons reporter notre départ d'un jour ou deux. Pourquoi ?

Il inclina la tête d'un côté puis de l'autre, contemplant les restes à la lumière de la lanterne. « Restes » était le mot juste.

— Des asticots, répondit-il succinctement. Ils vous nettoieront tout ça bien proprement, mais cela prendra du temps. Toutefois, si nous ne parvenons pas à retirer toute la chair… mmm. Vous avez un couteau ?

J'acquiesçai et glissai une main dans ma poche. Après tout, Jamie m'avait donné ce couteau parce qu'il pensait que j'en aurais besoin.

— Vous avez des asticots ? demandai-je.

*

Je laissai tomber la petite balle de plomb difforme dans une soucoupe. Elle tinta contre la porcelaine, et nous la contemplâmes en silence rouler jusqu'à son arrêt final.

— Voici ce qui l'a tué, déclarai-je enfin.

Jamie se signa et murmura quelque chose en gaélique. L'air grave, Ian hocha la tête.

— Qu'il repose en paix.

Je n'avais pas avalé grand-chose du thé délicieux. J'avais encore une odeur de putréfaction dans le fond de la gorge, en dépit de la térébenthine et de l'alcool dont je m'étais badigeonnée, avant de m'immerger dans la baignoire de l'hôtel avec du savon et de l'eau aussi chaude que j'avais pu le supporter.

Pour changer de sujet, je demandai :

— Alors, comment se porte Mme Jeanne ?

Jamie s'arracha à la contemplation de la balle, et son visage s'illumina.

— Elle était très en beauté. Elle avait pas mal de choses à dire sur la situation en France, ainsi que sur un certain Percival Beauchamp.

Je tressaillis.

— Elle le connaît ?

— Il lui rend visite de temps à autre dans son établissement mais ne vient pas pour la bagatelle ; il s'intéresse plutôt à une autre facette de son commerce.

— Laquelle ? demandai-je. L'espionnage ou la contrebande ?

— Sans doute les deux. Mais s'il s'agit surtout de la première, elle ne m'en a pas parlé. Il lui apporte de la marchandise de France. Je me demandais si Ian et moi n'irions pas jeter un coup d'œil de l'autre côté de la Manche pendant que le brigadier général se remet en état. Il faudra combien de temps pour le rendre transportable ?

— Cela pourrait prendre de trois ou quatre jours à une semaine, tout dépend… euh… de l'appétit des asticots.

Voyant Ian et Jamie frissonner malgré eux, j'ajoutai :

— Il se passe exactement la même chose sous terre, vous savez. Nous passerons tous par là, tôt ou tard.

Jamie saisit un autre scone et le tartina d'une généreuse ration de crème.

— Peut-être, convint-il. Mais cela se passe généralement dignement, à l'abri des regards, afin que nous n'ayons pas à y penser.

— Oh, le brigadier général est à l'abri des regards, l'assurai-je. Il est recouvert d'une épaisse couche de son. Personne ne verra rien, à moins d'aller fouiller dans le cercueil.

Ian plongea un doigt dans la confiture tout en déclarant :

— Cela n'aurait rien d'étonnant. Nous sommes à Édimbourg, où les vols de cadavres sont monnaie courante. C'est à cause de tous ces médecins qui veulent les découper pour les étudier. Vous feriez mieux de mettre un garde devant la porte de la cave, histoire d'être sûrs que le brigadier général arrive dans les Highlands tout d'une pièce.

Il enfonça son doigt dans sa bouche en me regardant.

— C'est fait, répondis-je fièrement. Andy Bell y a pensé, exactement pour les mêmes raisons.

J'omis d'ajouter qu'Andy Bell m'avait fait une offre pour le cadavre et que je lui avais expliqué en termes clairs et fermes ce qui lui arriverait au cas où le brigadier général venait à disparaître.

— Tu dis qu'Andy t'a aidée ? demanda Jamie, surpris.

— Oui. Nous nous sommes entendus comme larrons en foire. D'ailleurs…

J'avais eu l'intention d'attendre que Jamie ait sifflé une pinte ou deux de whisky avant d'aborder le sujet, mais le moment semblait opportun. Je me lançai :

— Pendant que nous travaillions, je lui ai décrit un peu mon travail, lui parlant de mes opérations, de cas pathologiques intéressants et de diverses broutilles médicales. Tu vois de quoi je parle.

J'entendis Ian murmurer : « Qui se ressemble s'assemble », mais ne relevai pas.

— Oui, et alors ?

Jamie paraissait sur ses gardes, suspectant qu'il y avait anguille sous roche.

Je pris une grande inspiration.

— Eh bien… pour résumer, il a suggéré que j'écrive un livre. Un manuel médical.

Jamie se contenta de hocher la tête, m'encourageant à continuer.

— Ce serait un manuel pour monsieur Tout-le-monde, pas un livre pour les médecins. Avec des principes d'hygiène et de nutrition, des conseils pour les maladies les plus communes, des recettes de remèdes simples, des instructions pour soigner les plaies et les dents gâtées, ce genre de choses.

Il continuait de hocher la tête. Il engloutit le dernier scone puis déclara :

— En effet, ce serait un livre très utile, et tu es une personne tout indiquée pour l'écrire. A-t-il « suggéré » combien cela coûterait de l'imprimer et de le relier ?

— Ah ! Le livre ne devra pas dépasser cent cinquante pages. Il en tirera trois cents exemplaires, reliés en bougran, et les distribuera dans son échoppe. Tout ça en échange des douze ans de loyer qu'il te doit pour ta presse.

Jamie devint rouge vif, et ses yeux saillirent hors de leurs orbites.

Je poussai rapidement le porto devant lui et ajoutai précipitamment :

— Et il ne fera pas payer les asticots… ni le garde.

Il saisit le verre et le vida d'un trait.

— Le petit rapace ! cracha-t-il quand il put enfin parler. Tu n'as rien signé, *Sassenach*, hein ?

Je fis non de la tête et dis d'une voix faible :

— Et je l'ai prévenu que tu voudrais peut-être négocier.

— Ah !

Je baissai les yeux vers mes mains croisées sur mes genoux.

— J'aimerais bien le faire.

— Vous n'aviez jamais parlé d'écrire un livre, ma tante, dit Ian, intrigué.

— Je n'y avais encore jamais réfléchi, répliquai-je, sur la défensive. En outre, cela aurait été très difficile et coûteux tant que nous vivions à Fraser's Ridge.

— Coûteux, répéta Jamie en maugréant.

Il se servit un autre verre, qu'il but plus lentement. Il fit diverses grimaces tout en réfléchissant.

— Tu en as vraiment envie, *Sassenach* ?

J'acquiesçai vigoureusement, et il reposa son verre avec un soupir.

— D'accord, dit-il, résigné. Mais j'exige également une édition spéciale reliée en cuir et doré sur tranches. Et pas moins de cinq cents exemplaires. Après tout, tu voudras en emporter avec toi en Amérique, non ?

— Oh oui ! Ce serait formidable.

— Très bien.

Il agita la cloche pour appeler la servante.

— Dis à la jeune femme d'emporter cette vinasse et de nous apporter un bon whisky. Nous allons fêter ton livre. Après quoi j'irai toucher deux mots à ce vilain nabot.

*

J'avais une pile d'un papier de qualité, une demi-douzaine de plumes d'oie robustes, un canif en argent pour les tailler et un encrier fourni par l'hôtel. Il avait connu des jours meilleurs, mais le majordome m'avait assuré qu'il était rempli de la meilleure encre ferro-gallique qu'on pût trouver. Jamie et Ian étaient partis en France pour une semaine afin de suivre quelques pistes intéressantes données par Mme Jeanne, me laissant veiller sur le brigadier général et commencer mon livre. J'avais tout le temps pour moi.

Je pris une feuille, parfaite et crémeuse, et la plaçai minutieusement devant moi. Puis je plongeai ma plume dans l'encrier, l'excitation me fourmillant au bout des doigts.

Je fermai les yeux, les rouvris… *Par où commencer ?*

Commence par le commencement et continue jusqu'à ce que tu arrives à la fin ; puis arrête-toi. La phrase des *Aventures d'Alice au pays des merveilles* flotta un instant dans ma tête et me fit sourire. C'était sans doute un excellent conseil, mais encore fallait-il savoir où se trouvait le commencement. Ce n'était pas mon cas.

Je fis tourner la plume entre mes doigts.

Peut-être devrais-je dresser un plan ? Cela paraissait raisonnable et moins intimidant que de se lancer directement dans la rédaction. J'abaissai la plume vers le papier, la laissai là en suspens quelques instants, puis la relevai. Les plans n'avaient-ils pas un début eux aussi ?

L'encre commençait à sécher au bout de la plume. Agacée, je l'essuyai ; je m'apprêtais à la plonger à nouveau dans l'encrier quand la servante toqua timidement à la porte.

— Madame Fraser ? Il y a un gentleman en bas qui demande à vous voir.

À son air impressionné, je devinais qu'il ne s'agissait pas d'Andy Bell. En outre, elle m'aurait donné son nom. Tout le monde à Édimbourg connaissait le petit imprimeur.

— Je descends, répondis-je en me levant.

Peut-être mon subconscient trouverait-il un commencement pendant que je voyais ce que voulait ce monsieur, qui qu'il soit.

C'était bien un gentleman, cela sautait aux yeux. M. Percival Beauchamp en personne.

Il se retourna en entendant mon pas, son visage se fendant d'un beau sourire.

— Madame Fraser. Votre serviteur, madame.

— Monsieur Beauchamp.

Je le laissai prendre ma main et la porter à ses lèvres. Une élégante de l'époque aurait sûrement dit quelque chose comme : « Je crains que vous ne me preniez au dépourvu, monsieur », avec une moue allant de la morgue au flirt. Mais n'étant pas une élégante de l'époque, je me contentai de dire :

— Que faites-vous ici ?

M. Beauchamp, lui, avait de l'élégance à revendre.

— Je vous cherchais, ma chère dame.

Il me rendit ma main, non sans avoir exercé une légère pression dessus. Je réprimai le réflexe de l'essuyer sur ma jupe et lui indiquai deux fauteuils près de la fenêtre.

— Je suis très flattée, mais n'est-ce pas plutôt mon mari que vous cherchiez ? À moins que vous souhaitiez me consulter pour un problème médical ?

Il sembla trouver cette idée amusante.

— Non. Je sais de Jeanne LeGrand que votre mari se trouve en France. C'est à vous que je suis venu parler.

— De quoi ?

Il ne répondit pas tout de suite et fit signe à un serviteur de nous apporter des rafraîchissements. J'ignorais s'il était simplement courtois ou s'il voulait gagner du temps pour formuler ce qu'il avait à dire. Quoi qu'il en soit, il prit son temps.

— J'ai une proposition à soumettre à votre mari, madame.

Il devança ma question.

— Je lui aurais parlé directement, mais il était déjà parti pour la France quand j'ai appris son passage à Édimbourg et, hélas, je ne serai moi-même plus ici à son retour. J'ai donc jugé préférable de venir vous trouver plutôt que d'écrire une lettre. Il y a des choses qu'il est plus sage de ne pas consigner par écrit, vous comprenez.

Il m'adressa un sourire qui le rendit soudain très attendrissant.

Je lissai ma jupe et m'installai confortablement.

— Je vous écoute.

*

Je bus une petite gorgée de cognac puis levai mon verre et l'examinai à la lumière.

— Non, conclus-je. Ce n'est que du cognac, pas de l'opium.

— Je vous demande pardon ?

Il regarda malgré lui son propre verre pour vérifier, me faisant rire.

— Je voulais dire qu'il est très bon, mais pas assez pour me faire avaler une histoire pareille.

Il ne parut pas offensé et se contenta de pencher la tête d'un côté.

— Pourriez-vous me citer une seule raison pour laquelle je l'aurais inventée ?

— Non, admis-je. Mais cela ne veut pas dire qu'il n'y en a pas.

— Pourtant, ce que je vous ai dit n'est pas impossible.

J'y réfléchis un moment.

— Disons que ce n'est pas techniquement impossible, mais c'est totalement invraisemblable.

Il me resservit sans me demander mon avis et demanda :

— Avez-vous déjà vu une autruche ?

— Oui, pourquoi ?

— Vous devez reconnaître que les autruches sont totalement invraisemblables ; pourtant elles existent bel et bien.

— Je vous l'accorde. Mais que Fergus soit l'héritier égaré du comte de Saint-Germain l'est encore plus. Surtout si l'on considère la partie concernant le contrat de mariage. Soyons raisonnables… un héritier *légitime* égaré ? C'est bien de la France que nous parlons, non ?

Il se mit à rire. L'alcool et l'amusement lui coloraient le teint, et je pouvais voir qu'il avait dû être très beau dans sa jeunesse. D'ailleurs, il était toujours fort séduisant. Intriguée, je repris :

— Puis-je vous demander quel est votre métier ?

Ma question le déconcerta. Il se frotta lentement la mâchoire avant de répondre sans toutefois fuir mon regard.

— Je couche avec des femmes riches.

Je notai une trace légère mais troublante d'amertume dans sa voix.

— J'espère que vous ne me considérez pas comme un investissement potentiel. Ne vous laissez pas leurrer par mes lunettes en or: je n'ai pas un sou.

Il répondit en souriant.

— Ce n'est pas mon intention, même si votre compagnie serait assurément plus divertissante que celle de bon nombre de femmes fortunées.

— Vous êtes trop aimable.

Nous sirotâmes notre cognac en silence un certain temps, chacun se demandant comment poursuivre la conversation. Il pleuvait, naturellement. Le clapotis sur les pavés et le ronronnement du feu étaient délicieusement relaxants. Je me sentais étrangement à mon aise avec lui, mais je ne pouvais pas y passer la journée. J'avais un livre à écrire.

— Reprenons, dis-je. Pourquoi m'avez-vous raconté cette histoire ? Ou plutôt, j'ai deux questions. La première : pourquoi ne pas la raconter directement à Fergus lui-même ? Et la seconde : en imaginant qu'elle soit vraie, quel est votre intérêt personnel dans cette affaire ?

— J'ai essayé d'en parler à M. Fraser… Je veux dire Fergus Fraser. Il a refusé de me voir.

Le souvenir me revint.

— Ah ! C'est vous qui avez tenté de l'enlever en Caroline du Nord ?

— Non, répondit-il aussitôt. J'ai entendu parler de cette mésaventure mais j'ignore qui étaient ses assaillants. Probablement des hommes froissés par ses publications.

Il haussa les épaules et poursuivit :

— Quant à mon intérêt personnel… (Il lança un regard autour de lui pour s'assurer que personne ne nous entendait)… disons que je souhaite, ainsi que les entités que je représente en France, la victoire des rebelles en Amérique.

Je ne m'étais pas attendue à ça.

— Vous n'allez pas me faire croire que vous êtes un patriote américain !

— En aucune manière. La politique est le moindre de mes soucis. Je suis un homme d'affaires.

Il me jaugea du regard.

— Connaissez-vous une entreprise du nom de Hortalez et cie ?

— Non.

— En façade, il s'agit d'une société d'import-export dont le siège se trouve en Espagne. En réalité, elle s'occupe d'acheminer de l'argent destiné aux Américains sans que le gouvernement français ne paraisse impliqué. Jusqu'à présent, nous avons pu envoyer ainsi des milliers de francs, principalement pour acheter des armes et des munitions. Mme LeGrand a parlé de cette compagnie à votre mari sans pour autant lui révéler la vraie nature de ses activités. Elle m'a laissé le choix de l'en informer ou pas.

Le déclic se fit enfin dans ma tête.

— Vous êtes en train de me dire que vous êtes un espion français ?

Il acquiesça.

— Mais… vous n'êtes pas vraiment français, n'est-ce pas ? Vous êtes anglais.

Il détourna les yeux.

— Je l'étais. Je suis désormais un citoyen français.

Il se tut. Je m'enfonçai dans mon fauteuil et l'observai attentivement. Je me demandais ce qu'il y avait de vrai dans son histoire et, d'une manière plus lointaine, s'il pouvait être un de mes ancêtres. Beauchamp était un patronyme plutôt répandu, et nous ne nous ressemblions pas beaucoup. Il avait de longs doigts fins comme les miens mais d'une forme différente. Les oreilles ? Les siennes étaient grandes mais délicatement modelées. Je ne savais pas à quoi ressemblaient les miennes mais, si elles avaient été grandes, Jamie me l'aurait fait remarquer un jour ou l'autre.

— Que désirez-vous exactement ? demandai-je calmement.

Cette fois, il prit un air des plus sérieux pour me répondre.

— Répétez à votre époux ce que je vous ai raconté, madame. Faites-lui comprendre que de réclamer son héritage est dans l'intérêt de son fils adoptif, mais également dans l'intérêt de l'Amérique.

— Comment ça ?

— Le comte de Saint-Germain possède de nombreuses terres dans une région d'Amérique actuellement sous l'autorité de la Grande-Bretagne. Plusieurs prétendants se disputent la partie française de son domaine, qui est extrêmement précieuse. Si nous pouvons prouver que Fergus Fraser est en fait Claudel Rakoczy – Rakoczy étant le véritable nom de naissance du comte – et l'héritier de sa fortune, il sera en mesure d'aider à financer la révolution. D'après ce que je sais de lui et de ses activités – et je commence à en connaître beaucoup dans ce rayon –, cette perspective le séduira. Si la révolution réussit, ceux qui l'ont soutenue acquerront une influence considérable sur le gouvernement qui sera formé.

— Et vous pourrez cesser de coucher avec des femmes riches pour leur argent.

— Exactement.

Il se leva et s'inclina.

— Ce fut un grand plaisir de m'entretenir avec vous, madame.

Il avait presque atteint la porte quand je le rappelai :

— Monsieur Beauchamp ?

Il se retourna. Un homme svelte et ténébreux dont le visage était teinté d'humour mais aussi, me sembla-t-il, d'une certaine souffrance.

— Oui ?

— Avez-vous des enfants ?

Je le pris totalement de court.

— J'en doute fort.

— Ah. Je me posais simplement la question. Je vous souhaite une excellente journée, monsieur.

75

Sic Transit Gloria Mundi

Les Highlands écossaises

C'était une longue marche depuis la ferme de Balnain. Comme nous étions en Écosse, ce début janvier était humide et froid. Très humide et *très* froid. Il ne neigeait pas, ce que je regrettais presque, car cela aurait peut-être dissuadé Hugh Fraser de poursuivre son idée folle. En réalité, il pleuvait depuis des jours, de cette manière lugubre qui faisait fumer les foyers de cheminées et moisir les vêtements même s'ils n'avaient pas été portés à l'extérieur. Le froid s'infiltrait dans vos os, vous donnant la sensation que vous n'auriez plus jamais chaud.

J'en étais devenue convaincue depuis quelques heures, mais la seule échappatoire à ce pénible périple dans la boue était de se coucher sur le sol et de se laisser mourir. Je n'avais pas encore atteint cette extrémité.

Le couinement des roues s'interrompit brusquement avec un bruit de succion, nous indiquant qu'elles étaient de nouveau embourbées. Jamie marmonna quelque chose de profondément inapproprié pour des funérailles, et Ian étouffa un fou rire sous un toussotement qui se transforma en véritable quinte rauque rappelant les aboiements d'un grand chien épuisé.

Je sortis la flasque de whisky de sous ma cape (je ne pensais pas qu'un liquide contenant autant d'alcool puisse geler mais ne voulais courir aucun risque) et la lui tendis. Il avala une gorgée, inspira dans un râle comme s'il venait d'être percuté par un camion, puis toussa à nouveau. Son nez, rouge, coulait.

Tout le monde autour de nous reniflait. Pour certains, c'était peut-être de chagrin, mais je soupçonnais surtout un rhume généralisé. Les hommes se rassemblèrent sans un mot autour du cercueil et, d'un commun accord, le hissèrent hors de l'ornière et sur une partie plus ferme de la route, celle-ci étant en grande partie couverte de cailloux.

Quand Jamie revint prendre sa place à mes côtés en queue de la procession funéraire, je lui glissai :

— À ton avis, cela faisait combien de temps que Simon Fraser n'était pas rentré chez lui ?

Il essuya son nez dans un mouchoir humide avant de répondre :

— Des années. Il n'avait pas vraiment de raison de revenir.

Effectivement. Après la veille qui s'était tenue la nuit précédente à la ferme – une demeure plus petite que Lallybroch mais construite dans le même esprit –, j'en savais beaucoup plus sur la carrière militaire et les exploits de Simon Fraser. Cependant, son oraison funèbre n'avait pas inclus une chronologie. S'il avait vraiment participé à toutes les batailles qui avaient été citées, il n'aurait pas eu le temps de changer de chaussettes entre deux campagnes, et encore moins de rentrer en Écosse. En outre, étant le deuxième de neuf enfants ; le domaine familial ne lui appartenait donc pas. Son épouse, la minuscule *bainisq* marchant péniblement en tête de procession au bras de son beau-frère, Hugh, n'avait pas de toit propre. N'ayant pas d'enfant en vie ou habitant dans la région pour s'occuper d'elle, elle avait été recueillie par la famille de son beau-frère.

Je me demandai si elle était heureuse que nous ayons ramené son mari. Ne valait-il pas mieux le savoir mort au loin, faisant son devoir honorablement, plutôt que de réceptionner ses pitoyables restes, aussi bien emballés fussent-ils ?

Néanmoins, à défaut d'être heureuse, elle avait paru gratifiée de se retrouver soudain le centre de l'attention. Son visage flétri s'était défroissé un peu lors des célébrations de la veille, et elle marchait à présent sans fléchir, enjambant adroitement les ornières laissées par le cercueil de son mari.

C'était la faute de Hugh. Bien plus âgé que Simon et propriétaire de Balnain, c'était un petit vieillard grêle, à peine plus grand que sa belle-sœur veuve, qui se berçait d'idées romantiques. C'était lui qui avait décidé qu'au lieu d'enterrer Simon dans le petit cimetière familial, le plus brave des Fraser devait reposer dans un lieu mieux adapté à son rang et à la révérence qui lui était due.

Une *bainisq*, prononcé « bân-ichgue », signifiait une petite vieille dame ; appelait-on un petit vieux simplement un « ichgue » ? Je jugeai préférable d'attendre que nous fussions rentrés à la ferme – si nous rentrions avant la nuit – pour poser la question.

Enfin, Corrimony apparut au loin. D'après Jamie, ce nom signifiait « un creux dans la lande », ce qui lui allait comme un gant, car il s'agissait d'une cuvette au milieu des herbes et des bruyères. Un dôme bas se dressait en son centre. En approchant, je me rendis compte qu'il était entièrement construit avec des cailloux de rivière, certains de la taille d'un poing, d'autres aussi gros qu'un crâne humain. Tout autour de ce cairn gris battu par la pluie se trouvait un cercle de pierres dressées.

J'agrippai le bras de Jamie. Il me lança un regard surpris, puis suivit mon regard et fronça les sourcils.

— Tu entends quelque chose, *Sassenach* ?

— Uniquement le vent.

Celui-ci accompagnait la procession depuis le début, son gémissement couvrant la voix du vieil homme qui récitait le *coronach* devant le cercueil. Dès que nous atteignîmes la lande dégagée, il s'intensifia et devint plus bruyant. Il faisait claquer les capes et les houppelandes comme des ailes de corbeaux.

Je surveillais attentivement les pierres mais ne perçus rien d'inhabituel. Nous nous arrêtâmes devant le cairn. C'était une tombe à couloir, du type standard appelé « *clava* ». J'ignorais ce que cela signifiait, mais oncle Lamb avait possédé de nombreuses photographies de sites de ce genre. Le couloir était censé être orienté de sorte à s'aligner sur une configuration céleste quelconque à une date particulière. Je levai les yeux vers le ciel de plomb et décidai que ce ne devait pas être le bon jour.

La veille, Hugh nous avait expliqué :

— On ne sait pas qui était enterré là-bas, mais ce devait sûrement être un grand chef de clan pour qu'on se soit donné le mal de construire un tel cairn !

Jamie avait hoché la tête puis demandé délicatement :

— Et ce grand chef n'y repose plus ?

— Oh non, nous avait assuré Hugh. La terre l'a englouti il y a longtemps. Il ne reste plus qu'une petite ombre laissée par ses os. Et nous n'avons pas à nous inquiéter que le lieu soit maudit.

— Ah, tant mieux, avais-je marmonné.

— Des curieux ont ouvert la tombe il y a plus d'un siècle. Si elle portait une malédiction, ils l'ont emportée avec eux.

C'était réconfortant ; l'était aussi le fait que personne parmi ceux qui se tenaient autour de nous ne semblait intimidé ni effrayé par le cairn. Peut-être était-ce simplement qu'à force de vivre près de lui depuis si longtemps ils n'avaient fini par le considérer que comme un trait du paysage parmi d'autres.

Les hommes, contemplant le cairn en secouant la tête d'un air dubitatif, semblaient plongés dans une discussion pratique. Certains pointaient un doigt vers le couloir ouvert menant à la chambre funéraire, puis vers le sommet de la structure, où des pierres étaient tombées ou avaient été ôtées. Les femmes se tenaient ensemble, serrées les unes contre les autres, attendant. Nous étions arrivés la veille dans une brume de fatigue, et j'avais du mal à me souvenir des noms de chacun. En vérité, ils me paraissaient se ressembler tous, avec leurs mines émaciées et pâles, marquées par une lassitude profonde que la veillée funèbre à elle seule ne pouvait expliquer.

Je me souvins soudain de l'enterrement improvisé de Mme Bug, précipité mais célébré dignement et avec un chagrin sincère. Il était clair que les gens ici n'avaient pratiquement pas connu Simon Fraser.

N'aurait-il pas mieux valu le laisser sur le champ de bataille avec ses camarades morts au combat ? Celui qui avait dit que les enterrements étaient célébrés pour les vivants ne s'était pas trompé.

Le sentiment d'échec et de futilité qui avait suivi la défaite de Saratoga avait convaincu ses officiers qu'ils devaient faire *quelque chose*, un geste digne envers un homme qu'ils avaient aimé et un soldat qu'ils respectaient. Peut-être avaient-ils voulu le renvoyer chez lui aussi parce que leurs propres foyers leur manquaient.

Un même sentiment d'échec, auquel s'ajoutait une puissante propension au romantisme, avait sans doute incité le général Burgoyne à soutenir ce geste. Peut-être estimait-il que son propre honneur en dépendait. Quant à Hugh Fraser, réduit à une vie au jour le jour depuis Culloden, soudain confronté au retour inattendu de son petit frère, incapable de lui offrir des funérailles dignes de ce nom mais lui-même animé de grandes idées romantiques… il n'avait rien trouvé de mieux que cette étrange procession, ramenant Simon Fraser à une maison qui n'était plus la sienne et à une femme devenue pour lui une inconnue.

Et le lieu qu'il habitait ne le connaîtra plus. Ce verset de l'épître de Job me revint en mémoire tandis que les hommes prenaient enfin une décision et commençaient à soulever le cercueil de ses roues. Avec les femmes, je m'étais approchée et m'aperçus soudain que je me tenais à quelques dizaines de centimètres de l'une des pierres dressées qui encerclaient le cairn. Elles étaient plus petites que celles de Craigh na Dun, mesurant moins d'un mètre de haut. Prise d'une impulsion soudaine, je posai une main dessus.

Je ne m'étais pas attendue à ce qu'il se passe quelque chose et, fort heureusement, j'avais vu juste. En revanche, si j'avais subitement disparu en plein milieu de la cérémonie, cela aurait sûrement mis un peu d'animation.

Aucun bourdonnement ni cri. Je ne ressentis rien. Ce n'était qu'une pierre. Après tout, rien ne disait que tous les cercles de menhirs étaient des portails temporels. Les anciens bâtisseurs les avaient utilisés pour marquer des lieux importants, et ce cairn en était un. Je me demandai quelle sorte d'homme (ou de femme ?) y avait été déposé, ne laissant que l'ombre de ses os, tellement plus fragiles que les pierres qui avaient abrité sa dépouille.

Le cercueil fut déposé à terre et poussé dans le couloir jusqu'à la chambre funéraire ; les hommes soufflaient et grognaient. Une large dalle incisée d'étranges marques circulaires était posée contre le cairn. Quatre des hommes les plus costauds la hissèrent au sommet du dôme, scellant l'orifice au-dessus de la chambre funéraire. Elle tomba en place, délogeant quelques cailloux qui roulèrent sur les flancs de la structure. Puis les hommes redescendirent, et nous formâmes tous un rond, l'air gêné, ne sachant pas quoi faire ensuite.

Il n'y avait pas de prêtre avec nous. La messe pour Simon avait été dite plus tôt, dans une petite église dépouillée, avant le départ de la procession. Apparemment, les recherches de Hugh ne lui avaient pas permis de trouver un rite païen adapté à ces circonstances.

Au moment où il semblait que nous allions devoir simplement faire demi-tour et redescendre péniblement vers la ferme, Ian toussa bruyamment et s'avança d'un pas.

La procession funéraire était on ne peut plus terne. Il n'y avait aucun des tartans vivement colorés qui rendaient si pittoresques les cérémonies d'antan. Même Jamie était sobre, portant une cape sombre et ses cheveux cachés sous un chapeau mou noir. La seule exception à cette morne austérité était Ian.

Quand il était descendu de sa chambre le matin, il avait attiré des regards stupéfaits, et ces derniers n'avaient pas cessé. On le comprenait aisément. Il s'était rasé les deux côtés du crâne, ne laissant qu'une raie centrale qu'il avait hérissée en une crête raide. Il lui avait attaché un ornement fait de plumes de dindon passées dans une pièce de six pence trouée. Il portait lui aussi une cape mais, dessous, avait enfilé sa tenue en daim et le brassard en perles bleues et blanches que lui avait confectionné sa femme, Emily.

Jamie l'avait lentement examiné de haut en bas avec un sourire ironique, puis lui avait dit discrètement, tandis qu'ils se dirigeaient vers la porte :

— Cela ne changera rien. Ils te reconnaîtront pour ce que tu es.

— Tu crois vraiment ? avait répondu Ian.

Puis il était sorti sous la pluie diluvienne sans attendre sa réponse.

Jamie avait raison. Cette tenue indienne était une répétition générale de son arrivée à Lallybroch. Nous devions nous y rendre directement une fois la cérémonie terminée et après avoir bu le whisky d'adieu.

Ian ôta lentement sa cape et la tendit à Jamie. Puis il marcha vers l'entrée du couloir et se retourna face au groupe, qui regardait cette apparition avec des yeux exorbités. Il tendit les mains, paumes vers le ciel, ferma les yeux, renversa la tête en arrière en laissant la pluie ruisseler sur son visage et se mit à chanter quelque chose en iroquois. Ce n'était pas un chanteur, et sa voix était si éraillée par le froid que les paroles se brisaient ou étaient ravalées. Néanmoins, je reconnus le nom de Simon au début. C'était le chant de mort du brigadier général. Cela ne dura pas longtemps mais, quand il eut fini, la congrégation laissa échapper un soupir collectif.

Ian s'éloigna sans un regard derrière lui et, sans échanger un mot, nous lui emboîtâmes tous le pas.

C'était terminé.

76

Par le vent tourmentée

Il continua de faire un temps épouvantable, avec des rafales de neige qui s'ajoutaient désormais à la pluie. Hugh insistait pour que nous restions chez lui au moins pour quelques jours encore, jusqu'à ce que le ciel se dégage.

— Dans ce cas, on risque d'attendre jusqu'à la Saint-Michel, lui répondit Jamie. Non, mon cousin, nous devons repartir.

Nous reprîmes donc la route, engoncés dans tous les vêtements que nous possédions. Atteindre Lallybroch nous prendrait au moins deux jours, et nous dûmes dormir dans une petite ferme abandonnée, attachant les chevaux dans l'étable contiguë. Il n'y avait ni meubles ni tourbe pour faire un feu, et une moitié du toit avait disparu. Néanmoins, les murs en pierre nous abritaient du vent.

Ian se recroquevilla sous sa cape et rabattit la couverture sur son crâne en grommelant :

— Mon chien me manque.

— Parce qu'il avait l'habitude de dormir sur ta tête ? répliqua Jamie.

Il me serra plus fort contre lui tandis que le vent rugissait autour de notre abri et menaçait d'emporter ce qui restait du chaume miteux.

— Tu aurais dû réfléchir qu'on était en janvier avant de te raser le crâne.

Ian pointa le nez hors de sa couverture.

— C'est facile à dire pour toi. Tu as tante Claire pour te réchauffer.

— Bah, tu auras peut-être une femme, toi aussi, un de ces jours. Quand ce sera le cas, Rollo dormira avec vous ?

— Pfff…

Je grelottais en dépit de la chaleur de Jamie, de nos deux capes, des trois jupons en laine et des deux paires de bas que je portais. J'avais connu des lieux inhospitaliers dans ma vie, mais la froideur écossaise avait quelque chose de particulièrement *pénétrant*. Cependant, malgré mon envie d'un bon feu et le souvenir de l'atmosphère douillette de Lallybroch, j'étais presque aussi nerveuse que Ian à mesure que nous en approchions. Plus nous nous enfoncions dans les Highlands, plus Ian se comportait comme un chat sur des charbons ardents. Je le vis se tortiller tout en maugréant sous sa couverture.

Quand nous avions débarqué à Édimbourg, je m'étais demandé s'il ne fallait pas envoyer un mot à Lallybroch pour annoncer notre arrivée. Cette suggestion avait fait rire Jamie.

— Tu t'imagines qu'il nous sera possible d'approcher à moins de quinze milles de Lallybroch sans que tout le monde soit au courant ? Dès l'instant où nous poserons un pied dans les Highlands, toute la population de Loch Lomond à Inverness saura que Jamie Fraser est de retour, avec sa sorcière anglaise et un Peau-Rouge par-dessus le marché.

— Sa « sorcière anglaise » ? C'est ainsi qu'ils m'appelaient quand on était à Lallybroch ?

Je ne savais pas si je devais m'en amuser ou m'en offusquer.

— Ils te le disaient en face, *Sassenach*. Sauf que tu ne comprenais pas le gaélique.

Il ajouta plus tendrement :

— Ils ne le disaient pas comme une insulte, *a nighean*. Les Highlanders disent les choses telles qu'ils les voient.

— Tu veux dire que j'ai l'air d'une sorcière ?

Il ferma un œil pour mieux me regarder de l'autre.

— Eh bien, pas en ce moment précis, mais certains matins, ma foi… tu peux faire peur !

Je ne disposais pas d'un miroir, n'ayant pas pensé à en acheter un à Édimbourg. Toutefois, j'avais un peigne et, tout en calant confortablement ma tête sous le menton de Jamie, je résolus de m'arrêter avant d'arriver à Lallybroch afin de me rendre un peu plus présentable, qu'il pleuve ou pas. Cela dit, que j'aie l'air de la reine d'Angleterre ou d'un pissenlit monté en graine n'avait guère d'importance. C'était le retour de Ian qui comptait.

Par ailleurs, je me demandais quel accueil me serait réservé. Nous avions encore quelques comptes à régler, Jenny Murray et moi.

Nous avions été de bonnes amies autrefois, et j'espérais que nous pourrions le devenir à nouveau. Mais elle avait été la principale instigatrice du mariage de Jamie avec Laoghaire MacKenzie. Elle avait sans doute eu de très bonnes raisons pour cela : elle s'inquiétait pour son frère, seul et déraciné qu'il était après son retour de captivité en Angleterre. Et, en toute justice, elle m'avait crue morte.

Qu'avait-elle pu penser en me voyant débarquer soudainement ? Que j'avais abandonné Jamie avant Culloden puis que j'avais changé d'avis ? Nous n'avions pas eu le temps de nous expliquer ni de nous raccommoder. Et puis il y avait eu ce moment très désagréable quand Laoghaire, appelée par Jenny, avait fait irruption à Lallybroch avec ses filles.

Je fus prise d'une envie de rire en me souvenant de la scène, même si, sur le coup, je n'avais pas trouvé cela drôle du tout. Enfin… peut-être que nous aurions le temps d'en discuter, une fois que Jenny et Ian père se seraient remis du retour de leur fils benjamin.

Les chevaux respiraient bruyamment et paisiblement dans leur coin, et Ian, ayant enfin fini de gigoter, émettait un ronflement chargé de flegme. Néanmoins, aux petits mouvements subtils derrière moi, je devinais que je n'étais pas la seule à être trop préoccupée par ce qui nous attendait pour trouver le sommeil. Je chuchotai à Jamie :

— Tu ne dors pas non plus ?

— Non.

Il bougea légèrement, me serrant un peu plus contre lui.

— Je pense à la dernière fois que je suis rentré. J'avais tellement peur… et si peu d'espoir. Je suppose que c'est ce que ressent le garçon en ce moment.

— Et toi, que ressens-tu ?

Je croisai les mains sur son bras qui m'enlaçait, sentant les os solides et gracieux de son poignet et de son avant-bras, touchant doucement sa main mutilée. Il poussa un profond soupir.

— Je ne sais pas, répondit-il enfin. Mais tout ira bien. Cette fois, tu es avec moi.

*

Le vent tomba durant la nuit et, miraculeusement, le jour se leva clair et limpide. Il faisait toujours un froid de canard mais il ne pleuvait pas. Je pris cela comme un bon augure.

Lorsque nous franchîmes le dernier col avant Lallybroch et aperçûmes la maison en contrebas, personne ne pipa. Je sentis un nœud se défaire dans ma poitrine et me rendis compte que j'avais retenu mon souffle jusque-là.

— Ça n'a pas changé, vous ne trouvez pas ? observai-je dans un nuage de buée.

— Le colombier a un nouveau toit, répondit Ian. Et la bergerie de maman a été agrandie.

Il s'efforçait de paraître nonchalant mais ne pouvait cacher l'impatience dans sa voix. Il éperonna son cheval et passa devant nous, les plumes de dindon dans ses cheveux agitées par la brise.

C'était le début de l'après-midi, et la ferme était calme. Les travaux du matin étaient achevés, la traite du soir et la préparation du dîner, pas encore commencées. On ne voyait pas âme qui vive, hormis deux grosses vaches laineuses qui broutaient de l'herbe dans le pâturage. Néanmoins, les cheminées fumaient, et la grande maison blanche avait son air douillet et hospitalier habituel.

Je me demandai soudain si Bree et Roger y reviendraient un jour. Cette dernière en avait parlé lorsque la perspective de leur retour s'était affirmée et qu'ils avaient commencé à échafauder des plans.

En examinant le chemisier du XXe siècle qu'elle était en train de coudre, elle avait déclaré :

— Elle est vide et à vendre. En tout cas, elle l'était quand Roger y est allé il y a… quelques années ?

Elle avait relevé les yeux vers moi en souriant. Il était décidément impossible de discuter du temps sans s'emmêler les pédales.

— J'aimerais bien que les enfants y grandissent. Nous verrons bien comment… nous nous en sortirons.

Elle avait lancé un regard vers Mandy endormie dans son berceau, ses lèvres légèrement bleutées.

— Tout se passera bien, avais-je affirmé. J'en suis convaincue.

Je priais en silence : *Mon Dieu, faites qu'ils s'en soient tous sortis !*

Ian avait sauté de selle et nous attendait en trépignant sur place. Tandis que nous mettions pied à terre, il se dirigea vers la porte, mais notre arrivée avait été remarquée, et elle s'ouvrit avant qu'il ne l'atteigne.

Jenny se figea sur le seuil. Elle cligna des yeux et renversa lentement la tête en arrière pendant que son regard se promenait lentement de bas en haut sur le corps élancé vêtu de daim, les muscles noueux parsemés de cicatrices, la crête ornée de plumes, le visage tatoué. Ian avait beau conserver des traits impassibles, ses yeux remplis d'angoisse et d'espoir ne pouvaient mentir, Mohawk ou pas.

Les lèvres de Jenny se tordirent. Une fois… deux fois… puis son visage se décomposa, et elle se mit à pousser de petits cris hystériques qui se transformèrent en un indéniable fou rire. Elle tenta de reprendre son sérieux, puis repartit de plus belle en une cascade de petits couinements hilares. Elle riait tellement qu'elle chancela et dut s'asseoir sur le banc de l'entrée, pliée en deux et se tenant les côtes, jusqu'à ce qu'elle n'ait plus de souffle et n'émette plus qu'un chuintement sifflant.

— Ian, parvint-elle enfin à dire. Oh, mon Dieu, mon petit Ian !

Elle inspira, se leva et revint vers lui. Elle le prit dans ses bras et pressa contre son torse son visage baigné de larmes. Il leva lentement les mains et l'étreignit délicatement comme s'il tenait un objet fragile et très précieux.

Je la vis soudain affaisser les épaules.

— Mon petit Ian, répéta-t-elle. Dieu soit loué, tu es arrivé à temps.

*

Elle était plus petite que dans mon souvenir, et plus menue. Ses cheveux, toujours aussi brillants, étaient striés d'argent, mais ses yeux félins, d'un bleu profond, n'avaient pas changé, pas plus que cette autorité naturelle qu'elle partageait avec son frère.

Elle s'essuya les yeux sur un coin de son tablier et déclara :

— Laissez les chevaux, un des garçons viendra s'en occuper. Vous devez être gelés et affamés. Débarrassez-vous de vos capes et venez dans le petit salon.

Elle me lança un bref regard curieux et chargé de quelque chose d'autre que je ne sus interpréter. Il ne s'attarda pas ; elle tourna les talons et s'enfonça dans la maison.

Il y régnait une odeur familière et étrange à la fois, un mélange de fumée, de tourbe et de cuisine. On venait de cuire du pain, et un parfum de levure flottait dans le couloir. Celui-ci était aussi glacial que l'extérieur. Toutes les portes avaient été fermées pour préserver la chaleur des feux dans les pièces, et une agréable bouffée chaude s'échappa quand Jenny ouvrit la porte du petit salon, tirant Ian à l'intérieur.

Elle annonça sur un ton que je ne lui connaissais pas :

— Ian, ils sont là. Ton fils est rentré à la maison.

Ian père était assis dans un grand fauteuil face à la cheminée, une couverture sur les genoux. Il se raidit aussitôt et se leva, légèrement instable sur la jambe de bois qui remplaçait celle qu'il avait perdue à la guerre. Il fit quelques pas vers nous.

— Ian, souffla Jamie, atterré. Mon Dieu, Ian !

Ian père esquissa une moue ironique :

— Ben oui. Ne t'en fais pas, c'est toujours moi.

Les médecins appelaient cela la « phtisie ». Les gens du peuple lui préféraient le terme plus direct de « consomption », et la raison en était évidente. Elle consumait ses victimes, les dévorait vivantes. Une maladie débilitante, avide et cannibale, qui rongeait la chair et dissipait la vie.

Je l'avais souvent vue à l'œuvre en Angleterre dans les années 1930 et 1940, et plus souvent encore dans le passé. Mais je ne l'avais jamais vue s'attaquer à quelqu'un que j'aimais, dévorant sa chair jusqu'aux os. Mon cœur se liquéfia et se répandit sur le sol.

Ian père avait toujours été mince comme un fil, même en des temps d'abondance. Noueux et coriace, avec des os saillants tout comme son fils. Mais à présent…

Il glissa ses bras autour du cou de Jamie en l'avertissant :

— Je peux me mettre à tousser mais ne me briserai pas.

Jamie l'étreignit très délicatement puis resserra son étreinte quand il eut vérifié qu'effectivement son ami n'allait pas tomber en morceaux dans ses bras. Il ferma les yeux pour refouler les larmes, essayant inconsciemment d'empêcher Ian de tomber dans l'abîme qui béait à ses pieds.

Les mots de la prière à Jésus crucifié me revinrent subitement en mémoire : *Ils ont compté tous mes os*. C'était littéralement le cas. Ses côtes saillaient tellement sous sa chemise élimée que je distinguais les articulations qui attachaient chacune d'elles à sa colonne vertébrale.

Je me tournai vers Jenny qui observait les deux hommes le regard brillant et demandai malgré moi :

— Combien de temps ? Depuis quand est-il ainsi ?

— Des années. Il est rentré avec la toux de la prison de Tolbooth, à Édimbourg, et elle ne l'a plus jamais quitté. Cela a empiré cette année.

C'était donc un cas chronique. La forme aiguë de la maladie, la « consomption galopante », l'aurait emporté en quelques mois. Jenny me retourna ma question d'une voix à peine audible :

— Combien de temps ?

Cette fois, le sens en était différent.

— Je ne sais pas, répondis-je aussi doucement. Mais… pas longtemps.

Elle acquiesça. Elle le savait déjà.

Le regard de Ian fils était fixé sur son père depuis qu'il était entré dans la pièce. Il était sous le choc et restait en retrait.

— Papa… dit-il enfin.

Sa voix se brisa, et il dut s'éclaircir la gorge avant de répéter en s'avançant :

— Papa ?

Ian père se tourna vers son fils, et son visage s'illumina d'une joie si profonde qu'elle effaça les traces de maladie et de souffrance. Il tendit les bras vers lui.

— Ian. Oh, mon petit Ian !

*

C'était les Highlands. Et c'était Jenny et Ian. Cela signifiait que des questions qui auraient pu être évitées par désarroi ou délicatesse étaient abordées de front.

Du pain, de la confiture et du thé étaient apparus sur la table comme par magie pour sustenter les voyageurs épuisés en attendant que le dîner fût prêt. Alors que nous mangions, Ian père déclara :

— Je peux mourir demain ou dans un an. Pour ma part, je dirais qu'il me reste environ trois mois. Entre deux et cinq, si quelqu'un veut lancer des paris. Le problème, c'est que j'ignore comment je pourrai récupérer mes gains.

Un murmure qui n'était pas tout à fait un rire parcourut l'assemblée. Le petit salon était bondé. La nouvelle de notre arrivée s'était répandue comme une traînée de poudre à travers la maison, et ses occupants avaient jailli de tous les recoins, dévalant l'escalier dans leur hâte d'accueillir le fils prodigue.

Le jeune Ian avait été plaqué au sol et piétiné par l'affection des siens, ce qui, associé au choc d'avoir vu son père, l'avait laissé sans voix. Il se contentait de sourire, impuissant face aux questions qui l'assaillaient de toutes parts.

Jenny était venue à sa rescousse. Elle l'avait pris par la main et l'avait poussé fermement dans le petit salon avec Ian père. Puis elle avait étouffé l'émeute d'un regard de glace et quelques phrases bien assénées avant de laisser tout le monde entrer en rangs ordonnés.

Le jeune Jamie, le fils aîné de Jenny et Ian baptisé en l'honneur de son oncle, vivait désormais à Lallybroch avec sa femme et ses enfants, tout comme sa sœur Maggie et ses deux petits, le mari de cette dernière étant soldat. Le jeune Jamie était sorti, mais les femmes vinrent s'asseoir à mes côtés. Tous les enfants étaient agglutinés autour de Ian, le dévisageant fixement et lui posant tant de questions qu'elles se chevauchaient. Ils se bousculaient et se disputaient à qui demanderait quoi le premier.

Ils ne prêtèrent pas attention à la remarque de Ian père. Ils savaient déjà que leur grand-père se mourait, et c'était bien moins intéressant que leur nouvel oncle fascinant. Une fillette minuscule avec de courtes tresses était assise sur les genoux du jeune Ian, suivant les lignes de son tatouage du bout des doigts et lui enfonçant un index dans la bouche dès qu'il souriait ou tentait de répondre, ce qu'il faisait de manière hésitante, à ses neveux et nièces.

Jamie glissa à Jenny sur un ton de reproche :

— Tu aurais pu écrire.

— Je l'ai fait, répliqua-t-elle. Il y a un an, quand sa chair a commencé à fondre et qu'on a compris qu'il ne s'agissait pas d'une simple toux. Je t'ai demandé de nous envoyer le petit Ian si tu le pouvais.

— Ah, fit Jamie, déconfit. Ta lettre a dû arriver après notre départ de Fraser's Ridge. Pour ma part, je t'ai écrit qu'on arrivait. J'ai envoyé ma lettre depuis New Bern.

— Si c'est le cas, je ne l'ai jamais reçue. Ce n'est pas étonnant, avec le blocus. Nous recevons moitié moins de choses d'Amérique. Si vous êtes partis de chez vous en mars dernier, le voyage a dû être rudement long, non ?

— Plus long que prévu, en effet. Nous avons rencontré quelques difficultés.

— Je m'en doute.

Elle lui prit la main, examina sa cicatrice et ses doigts rapprochés avec intérêt. Elle me lança un regard interrogateur, et j'acquiesçai.

— Il a été blessé à Saratoga, expliquai-je, me sentant sur la défensive. Je n'ai pas eu le choix.

Elle lui fléchit doucement les doigts.

— C'est du beau travail. Elle te fait très mal, Jamie ?

— Le froid la rend plus sensible. Autrement, non, elle ne me gêne pas.

Elle se redressa soudain en s'exclamant :

— Du whisky ! Mes pauvres, vous êtes gelés jusqu'aux os et je n'ai même pas pensé à… Robbie ! Cours chercher la bouteille spéciale sur l'étagère au-dessus des cuivres.

Un gamin dégingandé tentait de se frayer un chemin dans la masse grouillante autour du jeune Ian. Il lança un regard implorant à sa grand-mère mais, voyant sa mine sévère, fila hors de la pièce.

Il faisait une chaleur étouffante. Entre le feu de tourbe et la chaleur dégagée par tant de gens parlant et riant, on se serait cru sous les tropiques. Cependant, un frisson glacé me traversait le cœur chaque fois que je regardais Ian père.

Il était de retour dans son fauteuil, le sourire aux lèvres. Toutefois, l'affaissement de ses épaules osseuses, ses paupières lourdes et l'effort manifeste que lui coûtait ce sourire trahissaient son épuisement.

Je tournai la tête et surpris Jenny m'observant. Elle détourna les yeux, mais pas avant que j'y aie lu une interrogation et un doute. Oui, nous allions devoir parler.

*

Ils dormirent au chaud cette nuit-là, épuisés, blottis l'un contre l'autre, enveloppés par Lallybroch. Jamie écoutait le vent. Il était revenu dans la nuit, un gémissement froid sous les avant-toits de la maison.

Il s'assit dans le noir, ses mains croisées sous ses genoux, et tendit l'oreille. Une tempête approchait. Il entendait la neige dans le vent.

Claire était couchée contre lui, à demi recroquevillée, ses cheveux formant une tache sombre sur l'oreiller. Il l'écouta respirer, remerciant le ciel pour ce son, se sentant légèrement coupable de respirer si librement lui-même. Il avait entendu Ian tousser toute la soirée et s'était endormi avec le bruit de son souffle laborieux dans la tête.

Il était parvenu, grâce à la fatigue, à mettre de côté la maladie de Ian, mais elle l'attendait à son réveil, lourde comme une pierre dans sa poitrine.

Claire remua dans son sommeil et se tourna sur le dos. Il sentit le désir monter en lui comme une fontaine. Il hésita, ne voulant pas la réveiller, souffrant pour Ian, pour ce qu'il avait perdu mais que lui avait encore.

Il chuchota à Claire, trop bas pour qu'elle l'entende :

— Je ressens un peu ce que tu as ressenti quand tu as traversé les pierres. Comme si le monde était toujours là, mais que ce n'était plus le monde que tu avais connu.

Il était sûr qu'elle ne s'était pas réveillée, mais une main sortit de sous les draps, tâtonnant. Il la saisit. Elle soupira et l'attira contre elle. Puis elle le prit dans ses bras et le berça. Il pressa son oreille contre ses seins chauds.

— Mon monde, c'est toi, murmura-t-elle.

Puis sa respiration changea, et elle l'entraîna avec elle dans un lieu sûr.

77

Memorare

Ils avaient pris leur petit déjeuner tous les deux, dans la cuisine, en tête à tête. Ian père s'était réveillé en toussant avant l'aube, puis s'était rendormi d'un sommeil si profond que Jenny n'avait pas voulu le déranger. Ian fils avait passé la nuit à chasser dans les collines avec son frère et ses neveux. Sur le chemin du retour, ils s'étaient arrêtés à la maison de Kitty, où le jeune Jamie avait déclaré qu'ils feraient une pause et dormiraient un peu. Le jeune Ian était trop énervé pour rester. Il avait envie de rentrer à Lallybroch mais n'aurait su dire pourquoi.

Sans doute pour vivre ce moment, pensa-t-il en regardant son père agiter la salière au-dessus de son porridge, exactement comme il l'avait vu faire pendant quinze ans avant de quitter l'Écosse. Durant tout ce temps où il était au loin, il n'y avait jamais pensé mais à présent, c'était comme s'il n'était jamais parti, comme s'il avait passé chaque matin de sa vie à regarder son père manger son porridge.

Il fut pris d'un désir soudain de mémoriser cet instant, de connaître et de ressentir ses moindres détails : le bois lisse et patiné sous ses coudes ; le granit taché du comptoir, la manière dont la lumière filtrait à travers les vieux rideaux, éclairant le muscle saillant à l'angle de la mâchoire de son père tandis qu'il mastiquait un morceau de saucisse.

Ian père releva les yeux comme s'il avait senti le regard de son fils.

— Si on allait se balader un peu dans la lande ? Je suis curieux de savoir si les biches ont déjà mis bas.

Il était surpris par la robustesse de son père. Ils avaient marché pendant des kilomètres, parlant de tout et de rien. Il savait qu'il le fallait afin qu'une aisance naturelle se réinstalle entre eux et qu'ils puissent dire ce qui devait être dit, mais il redoutait ce moment.

Ils s'arrêtèrent enfin sur un plateau d'où ils pouvaient voir les douces ondulations des montagnes autour d'eux et quelques petits lochs miroitant sous le soleil pâle. Ils avaient trouvé une source de saint, une minuscule mare dominée par une vieille croix en pierre. Ils burent un peu d'eau, récitèrent la prière pour le saint, puis s'assirent un peu plus loin pour se reposer.

— C'est dans un endroit comme celui-ci que je suis mort la première fois, déclara Ian père sur un ton détaché.

Il passa sa main mouillée sur son visage. Il était terriblement maigre mais avait le teint rose et sain. Cela perturbait encore plus son fils, sachant qu'il mourrait.

— Ah oui ? Où était-ce ?

— En France, quand j'ai perdu ma jambe.

Ian père baissa les yeux vers sa jambe en bois.

— Un instant, j'étais debout, m'apprêtais à tirer avec mon mousquet. L'instant suivant, j'étais couché sur le dos. Je ne savais même pas que j'avais été touché. On pourrait croire que de recevoir un boulet en fonte de six livres, ça se remarque, non ?

Il sourit à son fils, qui sourit à son tour, mais à contrecœur.

— Quand même, tu te doutais bien qu'il t'était arrivé quelque chose, non ?

— Oui, bien sûr, au bout de quelques instants, j'ai compris que j'étais blessé. Mais je ne ressentais aucune douleur.

— Ah, ça, c'est plutôt bien, non ?

— J'ai cru que j'étais en train de mourir.

Les yeux de son père étaient toujours fixés sur lui, mais ils voyaient un champ de bataille très lointain.

— Cela ne m'a pas vraiment perturbé. En outre, je n'étais pas seul.

Son regard se concentra à nouveau sur lui et, avec un petit sourire, il lui prit la main. La sienne n'était plus qu'un amas d'os avec des articulations enflées et noueuses, mais elle était toujours aussi grande que celle de son fils.

— Ian…

Il s'interrompit en plissant les yeux.

— Tu sais à quel point il est étrange de prononcer le nom de quelqu'un quand c'est également le tien ? Ian… ne t'inquiète pas pour moi. Je n'avais pas peur alors. Je n'ai pas peur non plus maintenant.

Moi si, pensa Ian fils. Mais il ne pouvait pas le lui dire.

— Parle-moi de ton chien, demanda subitement son père.

Alors Ian lui raconta Rollo, la bataille navale quand il l'avait cru mort, puis tout ce qu'ils avaient vécu depuis qu'ils avaient quitté Ticonderoga et participé aux terribles batailles de Saratoga.

Puis, sans réfléchir car cela aurait bloqué les paroles dans sa gorge, il lui parla d'Emily, d'Iseabaìl, du « plus rapide des lézards ».

— Je… je n'en avais encore parlé à personne, dit-il, soudain intimidé. Je veux dire, du petit garçon.

Ian père hocha la tête, l'air heureux. Puis il toussa, s'essuya la bouche sur un mouchoir et toussa à nouveau. Ian fils regarda ailleurs, craignant d'apercevoir du sang sur le tissu.

— Tu devrais… commença son père d'une voix éraillée.

Il s'interrompit, se racla la gorge, cracha dans le mouchoir puis reprit :

— Tu devrais le dire à ta mère. Elle serait tellement heureuse de savoir que tu as un fils ! Peu importent les circonstances.

— Oui, je le lui dirai peut-être.

Il faisait encore trop froid pour les insectes, mais les oiseaux de la lande étaient de sortie, picorant ici et là, volant bas en criant au-dessus de leurs têtes. Ian fils écouta les bruits de son pays natal un long moment, puis déclara :

— Papa, j'ai fait quelque chose de mal.

Assis près de la mare au saint, dans l'atmosphère paisible de cette belle journée, il raconta ce qui était arrivé à Murdina Bug.

Son père l'écouta avec une attention grave, la tête baissée. Ian fils regardait ses épaisses mèches grises, les trouvant à la fois émouvantes et paradoxalement réconfortantes. *Au moins, il a eu une belle vie. Mais peut-être que Mme Bug aussi. Me sentirais-je encore pire si elle avait été une jeune femme ?* Il se sentait déjà suffisamment torturé et voyait mal comment cela aurait pu être pire. De le raconter l'apaisait un peu, toutefois.

Ian père se balança légèrement, les mains croisées autour de son genou valide, réfléchissant. Puis il lança un regard de biais vers son fils.

— Ce n'était pas ta faute ; tu en es bien conscient au fond de ton cœur, n'est-ce pas ?

— Non, avoua Ian fils. Mais j'essaie.

Cela fit sourire son père. Redevenant sérieux, il déclara :

— Tu t'en sortiras. Si tu as vécu avec aussi longtemps, tout s'arrangera. Le plus préoccupant, c'est cet Arch Bug. Il doit être vieux comme les montagnes si c'est bien celui que j'ai connu… c'était un des métayers de Malcolm Grant, non ?

— C'est bien lui. Je n'arrête pas de me dire qu'il finira bien par mourir, mais… s'il meurt et que je ne l'apprends jamais ? Je ne veux pas le tuer, mais comment pourrais-je faire autrement ? Je ne peux pas le laisser errer dans la nature pour faire du mal à Ra… à ma… enfin, à ma femme, si… si j'en ai une un jour.

Il se débattait, cherchant ses mots. Son père l'arrêta d'une main sur son bras.

— Qui est-elle ? Parle-moi d'elle.

Alors il lui raconta Rachel. Il était surpris d'avoir tant de choses à dire, compte tenu du fait qu'il ne l'avait connue que quelques semaines et ne l'avait embrassée qu'une seule fois.

Son père soupira. Il soupirait tout le temps ; c'était le seul moyen qu'il avait de respirer de façon satisfaisante. Mais, cette fois, c'était un soupir de bonheur.

— Ah, Ian, je suis heureux pour toi. Tu n'imagines pas à quel point. C'est ce pour quoi ta mère et moi avons prié au cours de toutes ces années, que tu trouves une femme bien à aimer et que vous fondiez une famille.

— Oui, mais… c'est un peu tôt pour parler de famille. D'autant plus qu'elle est quaker et n'acceptera probablement pas de m'épouser. Sans parler du fait que je suis en Écosse alors qu'elle se trouve en Amérique avec l'armée continentale, probablement en train de se faire tirer dessus ou de contracter une fièvre à l'instant même.

Il avait parlé sérieusement et fut légèrement contrarié en entendant son père rire. Mais ensuite, ce dernier se pencha vers lui et lui dit gravement :

— Ian, tu n'as pas besoin d'attendre que je meure. Tu dois retourner là-bas et retrouver cette jeune femme.

— Je ne peux…

— Si, tu le peux. Le jeune Jamie héritera de Lallybroch, les filles sont bien mariées et Michael… (il grimaça)… Michael trouvera sa voie, j'espère. Un homme a besoin d'une femme et une bonne épouse est le meilleur cadeau que Dieu puisse nous faire. Je partirai le cœur plus léger, *a bhailach*, en sachant que tu as trouvé ce qu'il te faut.

— Peut-être, murmura Ian fils. Mais je ne suis pas encore prêt à repartir.

78

De vieux comptes à régler

Jamie avala sa dernière bouchée de porridge et reposa sa cuillère.

— Jenny ?

— Oui, bien sûr, il y en a encore, répondit-elle en lui prenant son bol.

Elle remarqua sa mine grave et s'arrêta.

— Quoi, ce n'est pas ce dont tu avais besoin ?

— Je ne parlerais pas vraiment d'un besoin, mais…

Il leva les yeux au ciel pour éviter de croiser son regard et recommanda son âme à Dieu.

— Que sais-tu au sujet de Laoghaire MacKenzie ?

Il osa lui lancer un bref coup d'œil. Elle ouvrait de grands yeux ronds brillants de curiosité.

— Tiens, tiens, Laoghaire…

Elle se rassit et pianota sur le bord de la table. Elle avait encore de belles mains pour son âge. Usées par le travail, mais avec des doigts longs et agiles.

— Elle n'est pas mariée, dit-elle. Mais tu le sais sans doute déjà.

Il acquiesça.

— Que veux-tu savoir à son sujet ?

— Eh bien… comment elle se porte. Et…

— Avec qui elle partage son lit ?

Il lui lança un regard réprobateur.

— Janet Murray, tu es vraiment une femme lubrique.

— Ah bon ? Puisque c'est comme ça, tu n'as qu'à interroger le chat.

Ses yeux bleus le fixèrent un instant, puis une fossette se creusa dans sa joue. Il connaissait cette mimique et capitula avec autant de grâce que possible.

— Tu le sais ?

— Non, répondit-elle aussi sec.

Il arqua un sourcil dubitatif.

— Allez ! À d'autres !

Elle fit courir son index sur le rebord du bocal de miel, essuyant une goutte dorée.

— Je le jure sur les ongles d'orteils de saint Fouthad.

Il n'avait pas entendu cette expression depuis qu'il avait dix ans et se mit à rire malgré lui.

— C'est ton dernier mot ? demanda-t-il quand il eut retrouvé son sérieux.

Il s'enfonça dans sa chaise et croisa les bras, feignant l'indifférence. Elle souffla bruyamment, se leva et commença à débarrasser la table. Il l'observait du coin de l'œil, ne sachant pas si elle le menait en bateau pour le plaisir ou si cela cachait autre chose.

Tout en empilant les bols sales, elle demanda brusquement :

— Pourquoi veux-tu le savoir, exactement ?

— Je n'ai pas dit que je voulais le savoir mais, puisque tu en as parlé… on peut être curieux, non ?

— En effet, convint-elle.

Elle se redressa et le dévisagea longuement en silence, au point qu'il se demanda s'il s'était bien lavé derrière les oreilles.

— Je ne sais vraiment pas, répondit-elle enfin. C'est la vérité. La seule fois où j'ai entendu parler d'elle, je t'en ai parlé dans ma lettre.

Et pourquoi as-tu jugé utile de me raconter ça dans ta lettre ? se demanda-t-il.

— Mouais… fit-il. Et tu voudrais me faire croire que tu n'as pas cherché à en savoir plus ?

*

Il s'en souvenait parfaitement. Debout dans son ancienne chambre à Lallybroch, celle-là même où il avait grandi, il se revit le matin de son mariage avec Laoghaire.

Il portait une nouvelle chemise pour l'occasion. Ils n'avaient pas les moyens d'acheter quoi que ce soit hormis l'indispensable, et encore, pas toujours, mais Jenny était parvenue à lui en confectionner une. Il la soupçonnait d'avoir sacrifié la plus belle de ses deux chemises longues pour ce faire. Il s'était rasé dans le reflet de la bassine, voyant le visage émacié et sévère d'un inconnu apparaître sous son rasoir. Il s'était répété qu'il devait se souvenir de sourire quand il verrait Laoghaire. Il ne voulait pas lui faire peur, et ce qu'il voyait dans l'eau l'effrayait lui-même.

La perspective de partager son lit lui était soudain apparue. Il avait résolument refoulé l'image du corps de Claire (il s'y entraînait depuis longtemps) et s'était plutôt rappelé que cela faisait des années… oui, des années ! Au cours des quinze années précédentes, il n'avait couché avec une femme que deux fois, et cinq, six, voire sept ans s'étaient écoulés depuis la dernière fois.

Il avait eu un moment de panique à l'idée qu'il serait peut-être incapable de… Il s'était touché la verge à travers son kilt et avait constaté avec satisfaction qu'elle durcissait déjà rien qu'à l'idée. Ouf ! C'était toujours une préoccupation en moins.

Un bruit à la porte l'avait fait se retourner. Jenny l'observait avec une expression indéchiffrable. Il avait toussoté et lâché son sexe.

— Tu n'es pas obligé de le faire, Jamie. Si tu as changé d'idée, dis-le-moi.

Il avait bien failli tout annuler. Mais il entendait le remue-ménage dans la maison ; on y sentait une détermination et une joie qu'elle n'avait pas connues depuis très longtemps. Son bonheur n'était pas tout ce qu'il y avait en jeu… Il n'avait jamais été l'objectif principal de cette manœuvre.

Il l'avait rassurée d'un sourire.

— Non, tout va bien.

Ian l'attendait au pied de l'escalier. En entendant la pluie battre contre la vitre, il avait soudain eu la sensation de se noyer, un souvenir malvenu de son premier mariage et de la manière dont Claire et lui s'étaient accrochés l'un à l'autre, tous les deux saignant et terrifiés.

Ian s'était penché vers lui et avait chuchoté :

— Ça va aller ?

— Oui, tout va bien, avait-il répété.

Il avait noté avec satisfaction que sa voix était calme.

Le visage de Jenny était apparu brièvement dans l'entrebâillement de la porte du petit salon. Elle paraissait inquiète mais s'était détendue en le voyant.

— Tout va bien, l'avait rassuré Ian en souriant. Je le tiens fermement, au cas où il voudrait prendre la poudre d'escampette.

De fait, Jamie avait remarqué avec surprise que Ian lui agrippait le bras mais n'avait pas protesté.

— Alors, qu'est-ce que vous attendez pour entrer ? avait rétorqué Jenny. Le prêtre est déjà arrivé.

Il avait suivi Ian et pris place auprès de Laoghaire devant le vieux père McCarthy. Avait-elle peur ? Sa main était froide mais ne tremblait pas. Il avait pressé doucement ses doigts, et elle avait relevé la tête vers lui. Non, il n'y avait pas de peur dans son regard. Elle ne semblait ni émue ni éblouie. Elle était reconnaissante… et confiante.

Cette confiance lui était entrée dans le cœur, un petit poids doux qui l'avait remis d'aplomb, restaurant au moins quelques-unes de ses racines arrachées. Lui aussi, il avait été reconnaissant.

Un bruit de pas le fit se retourner, et il aperçut Claire approchant dans le couloir. Il sourit, et elle prit sa main en regardant autour d'elle dans la chambre.

— C'est la tienne ? Enfin, ce l'était quand tu étais jeune ?

— Oui.

— Il me semble que Jenny me l'avait dit quand nous sommes venus ensemble la première fois.

Ses lèvres se contractèrent légèrement. Jenny et elle se parlaient à nouveau mais d'une manière coincée, chacune marchant sur des œufs, craignant d'en dire trop ou de commettre un faux pas. Lui-même avait peur, mais pas question de flancher comme une mauviette.

— J'ai besoin d'aller voir Laoghaire, annonça-t-il à brûle-pourpoint. Tu vas me tuer si je le fais ?

Elle parut surprise puis – maudite femme ! – amusée.

— Tu demandes ma permission ?

— Non, répondit-il, mal à l'aise. C'est juste que… je pensais devoir te prévenir.

— Que c'est délicat de ta part !

Elle souriait toujours, mais son sourire était teinté de méfiance.

— Puis-je te demander pourquoi tu veux la voir ?

— Je n'ai pas dit que je voulais la voir mais qu'il le fallait.

— Serait-il présomptueux de ma part de te demander pourquoi il le faut ?

Ses yeux étaient légèrement plus ouverts et plus ambrés que d'ordinaire. Il avait réveillé le faucon en elle sans en avoir eu l'intention. Il hésita un instant. Il était tenté de fuir sa propre confusion en se lançant dans une scène de ménage tonitruante, mais il ne pouvait le faire en son âme et conscience, pas plus qu'il ne pouvait lui expliquer le souvenir du visage de Laoghaire le jour de leurs noces, cette confiance dans son regard et la sensation tenace qu'il avait trahi cette confiance.

— Tu peux me demander tout ce que tu veux, *Sassenach*, et tu ne t'en es jamais privée. Je te répondrais si je pouvais l'expliquer d'une manière cohérente.

Les pupilles dilatées, elle fit une moue dépitée, puis déclara sur un ton faussement neutre :

— Si tu veux savoir avec qui elle couche, il y a des moyens plus détournés de l'apprendre.

— Je me fiche de savoir avec qui elle couche.

— Tu parles !

— Je te dis que si !

— Menteur, menteur, va donc voir chez ta sœur ! lança-t-elle.

Au bord de l'explosion, il éclata soudain de rire. Elle fut prise de court puis se joignit à lui, pouffant de rire, le bout de son nez rosissant.

Ils se calmèrent rapidement, honteux d'être hilares dans une maison où personne n'avait ri ouvertement depuis trop longtemps.

— Viens par ici, lui dit-il.

Il lui tendit la main, et elle la prit aussitôt, ses doigts chauds et fermes enlaçant les siens. Puis elle glissa ses bras autour de lui.

Ses cheveux avaient un parfum différent. Frais comme toujours et remplis d'odeurs de verdure, mais d'un autre type. La verdure des Highlands. La bruyère, peut-être.

La joue pressée contre sa chemise, elle déclara doucement :

— Tu as envie de savoir qui c'est. Tu veux que je te dise pourquoi ?

Il resserra son étreinte.

— Oui, j'en ai envie et non, je ne tiens pas à ce que tu me le dises. Je sais très bien pourquoi et je suis sûr que Jenny, toi et toutes les autres femmes du village croient le savoir aussi. Mais ce n'est pas la raison pour laquelle j'ai besoin de la voir.

Elle s'écarta légèrement et repoussa les boucles de devant ses yeux pour mieux le regarder. Elle étudia son visage longuement, puis hocha la tête.

— D'accord, transmets-lui mes salutations distinguées par la même occasion.

— Oh, méchante petite vengeresse ! Je n'aurais jamais cru ça de ta part !

— Quoi, qu'est-ce que j'ai dit ?

Il lui sourit et caressa sa joue du pouce.

— Je ne le crois toujours pas. Tu n'as jamais été rancunière, *Sassenach*.

— Normal, je ne suis pas une Écossaise, observa-t-elle en lissant ses cheveux en arrière. Et je n'en fais pas une affaire de fierté nationale.

Avant qu'il n'ait pu répondre, elle posa une main sur sa poitrine et demanda très sérieusement :

— Elle ne t'a jamais fait rire, n'est-ce pas ?

— Elle m'a peut-être fait sourire une ou deux fois, guère plus.

— Eh bien, ne l'oublie pas !

Elle pivota dans un froufrou de jupons et s'éloigna. Il la suivit, le sourire aux lèvres.

Quand il atteignit le palier, elle l'attendait au milieu de l'escalier.

Elle pointa un doigt vers lui.

— Encore une chose.

— Quoi ?

— Si jamais tu apprends avec qui elle couche et que tu ne me le dis pas, je te tue !

*

Balriggan était un petit domaine d'à peine dix arpents, sans compter la maison et les dépendances. Il n'en était pas moins joli, avec son cottage en pierres grises niché dans la courbe d'une colline au pied de laquelle un minuscule loch brillait comme un miroir. Les Anglais avaient brûlé les cultures et la grange lors du Soulèvement, mais les champs avaient repoussé. Beaucoup plus facilement que les hommes qui les avaient labourés.

Il longea lentement le loch tout en se disant que cette visite était une erreur. Il était possible de laisser des choses derrière soi – des lieux, des personnes, des souvenirs –, du moins pendant un temps. Mais les lieux retenaient les événements qui s'y étaient déroulés, et revenir dans un endroit où vous aviez vécu vous ramenait face à face avec ce que vous y aviez fait et celui que vous aviez été.

Balriggan… Non, ce n'avait pas été un mauvais endroit. Il avait aimé le petit loch et la manière dont il reflétait le ciel. Certains matins, il était si calme que vous aviez l'impression de descendre dans les nuages, sentant la brume froide s'enrouler autour de vous, vous envelopper dans sa paix. Ou les soirs d'été, quand la surface scintillait sous l'effet de centaines de petits cercles concentriques tandis que les larves remontaient à la surface, leur rythme interrompu de temps à autre par le bond inattendu d'un saumon.

La route se rapprocha de l'eau, et il vit les berges rocheuses où il avait appris à Joan et à Marsali à pêcher les poissons à la main ; ils étaient tous trois si concentrés sur leur tâche qu'ils en oubliaient les moucherons. Ils rentraient ensuite au crépuscule couverts de piqûres et de coups de soleil, les fillettes sautillant, s'accrochant à lui et riant aux éclats. Il sourit légèrement, puis fit tourner son cheval vers la maison sur la colline.

Elle était défraîchie, mais pas délabrée. Il nota de mauvais gré que des réparations avaient été effectuées. Un mulet de selle paissait dans l'enclos derrière la bâtisse, vieux mais apparemment en bonne santé. Tant mieux, Laoghaire ne dépensait pas l'argent qu'il lui donnait en fanfreluches ou en calèches.

Il posa la main sur la barrière et sentit une décharge le parcourir. La sensation du bois sous sa paume était terriblement familière ! Il l'avait soulevée d'instinct à l'endroit où elle raclait toujours le sentier. Il se souvint soudain de sa dernière entrevue avec Ned Gowan, l'avocat de Laoghaire, quand, exaspéré, il lui avait demandé : « Mais que veut cette maudite bonne femme, à la fin ? » Ned avait répondu sur un ton enjoué : « Votre tête, plantée sur sa barrière. »

Il referma cette dernière un peu plus brutalement que nécessaire et contempla la maison.

Un mouvement attira son attention. Un gamin était assis sur un banc au-dehors. Il l'observait, un harnais endommagé entre les mains.

Il n'avait pas été gâté par la nature. Il était maigre et affichait un visage étroit de furet. Il louchait, et sa bouche, grande ouverte de stupeur, ne lui donnait pas l'air très futé. Jamie le salua aimablement et lui demanda si sa maîtresse se trouvait chez elle.

Le gamin avait en fait une trentaine d'années. Il tourna légèrement la tête de côté pour le dévisager de son bon œil.

— Vous êtes qui, vous ? demanda-t-il, peu amène.

Considérant qu'après tout l'occasion était formelle, Jamie répondit :

— Fraser de Broch Tuarach. Je suis venu voir Mme...

Il hésita, ne sachant pas comment désigner Laoghaire. D'après sa sœur, elle continuait à se faire appeler Fraser malgré le scandale. Il avait estimé ne pas pouvoir s'y opposer dans la mesure où il était fautif et qu'il se trouvait en Amérique, mais il aurait préféré s'arracher la langue plutôt que de l'appeler Mme Fraser, même devant son domestique.

— Allez chercher votre maîtresse, je vous prie.

— Qu'est-ce que vous lui voulez ?

Il ne s'était pas attendu à rencontrer une obstruction et faillit perdre son calme. Il se contint néanmoins. Cet homme avait dû entendre parler de lui et, après tout, même si ses manières étaient rudes, il était normal qu'il protège sa patronne.

— Je souhaite m'entretenir avec elle, si vous n'y voyez pas d'inconvénients. Pensez-vous pouvoir vous remuer les fesses et aller la prévenir ?

L'homme grogna dans sa barbe et posa son harnais. Quand il se leva, Jamie remarqua avec consternation qu'il avait la colonne vertébrale toute tordue et une jambe plus courte que l'autre. S'excuser n'aurait fait qu'empirer la situation, et il se contenta de s'effacer pour le laisser passer. Il le regarda tituber vers la maison. Cela ressemblait bien à Laoghaire d'employer un infirme rien que pour lui faire honte.

Il regretta aussitôt cette pensée, irrité par sa propre réaction. Comment se faisait-il qu'une malheureuse femme sans défense telle que Laoghaire parvienne à faire ressortir ses traits les plus noirs et mesquins ? *Jenny en est capable elle aussi*, se rappela-t-il. Sa sœur savait le mettre en colère et lui faire prononcer des paroles regrettables, soufflant sur les flammes jusqu'à ce qu'il rugisse ; mais elle savait également éteindre le feu avec un mot juste, comme si elle lui jetait un seau d'eau froide à la figure. « Va la voir ! » avait dit Jenny.

— Eh bien me voilà, maugréa-t-il.

— C'est ce que je vois, dit une voix glaciale derrière lui. Qu'est-ce que tu fais ici ?

Il fit volte-face et découvrit Laoghaire le toisant depuis le pas de sa porte, un balai à la main.

Il ôta son chapeau et s'inclina devant elle.

— Bien le bonjour chez toi. J'espère que tu te portes bien.

Apparemment, c'était le cas. Sous son fichu blanc amidonné, son teint était rose et son regard clair.

— J'ai appris que tu étais rentré. Que fais-tu ici ?

— Je suis venu prendre de tes nouvelles.

Elle arqua des sourcils surpris.

— Je me débrouille. Que veux-tu ?

Il avait répété ce qu'il était venu dire une centaine de fois dans sa tête mais aurait dû savoir qu'il perdait son temps. Certaines choses pouvaient être planifiées, mais pas quand une femme était impliquée.

— Je suis venu te demander pardon. Je l'ai déjà fait une fois et tu m'as tiré dessus. Es-tu prête à m'écouter, cette fois ?

Elle se détendit légèrement. Elle baissa les yeux vers son balai, se demandant peut-être s'il constituait une arme appropriée, puis haussa les épaules.

— Comme tu voudras. Tu veux entrer ?

Elle fit un signe de tête vers le couloir derrière elle, mais il n'avait aucune envie de se retrouver dans la maison, avec ses souvenirs de larmes et de silences.

— Il fait beau. Si nous marchions un peu dans le jardin ?

Elle hésita quelques instants, puis acquiesça et se dirigea vers le sentier menant au jardin sans l'attendre. Il remarqua qu'elle tenait toujours fermement son balai et ne savait pas s'il devait en rire ou s'en offenser.

Ils traversèrent la basse-cour en silence et franchirent la barrière donnant sur le jardin. C'était un jardin potager utilitaire, mais il se terminait par un charmant petit verger. Les plans de petits pois et d'oignons étaient en fleurs. *Elle a toujours aimé les fleurs*, se souvint-il avec un serrement de cœur.

Elle avait balancé son balai par-dessus son épaule comme un fusil et marchait à ses côtés d'un pas nonchalant. Comprenant qu'elle ne lui tendrait pas la perche, il s'éclaircit la gorge.

— J'ai dit que j'étais venu présenter mes excuses.

— Oui, je t'ai entendu.

Elle ne se tourna pas vers lui mais s'arrêta et poussa du pied une tige de pomme de terre.

Il essaya de se remémorer le discours qu'il avait minutieusement préparé.

— Il s'agit de… de notre mariage. J'ai eu tort. Mon cœur était froid. Je n'avais pas le droit de t'offrir quelque chose qui était mort.

Elle ne releva pas les yeux, mais ses narines se dilatèrent. Elle continuait d'examiner la plante comme si elle soupçonnait la présence de parasites.

— Je le savais déjà, dit-elle enfin. J'espérais… (elle pressa les lèvres et déglutit)… j'espérais pouvoir t'aider. Tout le monde voyait bien que tu avais besoin d'une femme. Mais pas de moi, je suppose.

Piqué au vif, il répliqua sans réfléchir :

— Je croyais que c'était *toi* qui avais besoin de *moi*.

Elle releva enfin vers lui des yeux brillants. Fichtre, elle allait se mettre à pleurer, il le savait ! En fait, il n'en fut rien.

— J'avais des enfants à nourrir.

Sa voix dure et glaciale l'atteignit comme une gifle.

Au moins, elle était honnête.

— C'est vrai, convint-il. Mais elles sont grandes, à présent.

Sans compter qu'il avait fourni une dot pour elles. Mais il eût été étonné qu'elle le remerciât pour ça.

— Ah, je vois où tu veux en venir ! Tu es venu pour m'entortiller et essayer de mettre fin aux versements !

— Mais non, ce n'est pas ce que j'ai dit !

Elle ne l'écouta pas et se tourna vers lui avec une soudaine hargne.

— Parce que, ne te berce pas d'illusions, tu ne t'en tireras pas comme ça ! Tu m'as humiliée devant toute la paroisse, tu m'as leurrée pour m'attirer dans une union immorale, puis tu m'as trahie, ricanant dans mon dos avec ta putain de *Sassenach* !

— Mais je ne…

— Et voilà que monsieur revient d'Amérique attifé comme un cuistre anglais. (Elle fit une moue de dédain en regardant sa meilleure chemise à jabot. Dire qu'il l'avait mise pour lui montrer du respect, ce sot !) Tu étales ta richesse et joues les grands seigneurs avec ta vieille gourgandine, qui se pavane à ton bras avec ses soieries et ses satins ! Eh bien laisse-moi te dire une chose…

Elle fit basculer son balai et le planta violemment dans le sol.

— Tu me connais très mal si tu t'imagines que tu peux m'impressionner, que je vais ramper dans un trou comme un chien mourant et disparaître à jamais ! Tu te trompes, voilà tout ce que j'ai à te répondre !

Il arracha la bourse de sa poche et la lança contre la porte de la remise du potager, qu'elle percuta avec un bruit sourd avant de rebondir. Il regretta sur le coup d'avoir apporté un morceau d'or plutôt que des pièces, qui auraient tinté d'une manière plus éloquente.

— Sur ce point, au moins, tu as raison ! explosa-t-il. Je ne te connais pas ! J'ai eu beau essayer, je n'ai jamais rien compris à qui tu étais !

Elle ne lança même pas un regard vers la bourse. Son visage se referma et ses mâchoires se crispèrent tandis qu'elle s'efforçait de contrôler sa voix.

— Tu as essayé ? Peuh ! Laisse-moi rire. Tu n'as jamais essayé ne serait-ce qu'un instant, Jamie Fraser ! D'ailleurs, tu ne m'as jamais vraiment vue ! Jamais ! Ah non, pardon. Je suppose que tu m'as regardée une fois. Quand j'avais seize ans.

Sa voix se mit à trembler, et elle détourna les yeux. Après une brève pause, elle reprit :

— Tu as pris une raclée à ma place, à Leoch. Tu t'en souviens ?

L'espace d'un instant, il ne comprit pas de quoi elle parlait. Puis le souvenir lui revint, et il porta inconsciemment la main à sa mâchoire, l'ombre d'un sourire effleurant sa colère.

— Ah, oui. Oui, je m'en souviens.

Angus Mhor n'avait pas eu la main trop lourde, mais cela avait été néanmoins une belle raclée. Ses côtes avaient été endolories durant des jours.

Elle l'observait. Ses joues étaient marbrées de taches rouges, mais elle s'était calmée.

— J'ai pensé que tu l'avais fait par amour. J'ai continué de le croire jusqu'après notre mariage. Mais je me trompais, n'est-ce pas ?

En voyant la confusion sur son visage, elle émit un « pff » dépité. Ça, au moins, il avait appris ce que cela signifiait : elle était vexée.

— Tu l'as fait par pitié, reprit-elle. Je ne l'ai pas compris. Même à Leoch, tu avais pitié de moi, tout comme plus tard, quand tu m'as épousée. Je croyais que tu m'aimais.

Elle parlait en espaçant chaque mot comme si elle s'adressait à un simplet.

— Quand Dougal t'a forcé à épouser ta putain de *Sassenach*, j'ai cru mourir. Mais, au moins, je pensais que tu étais à l'agonie, toi aussi, parce que tu le faisais contre ton gré… Mais ce n'était pas le cas, n'est-ce pas ?

— Euh… non.

Il se sentait sot et maladroit. Il n'avait rien vu venir alors ; forcément, il n'avait eu d'yeux que pour Claire. Il était normal que Laoghaire se soit imaginé qu'il était amoureux d'elle : elle avait seize ans. Elle savait comme tout le monde qu'il s'agissait d'un mariage forcé, sans toutefois se rendre compte qu'il ne demandait pas mieux. Elle rêvait qu'ils étaient des amants maudits. Sauf qu'il ne l'avait plus jamais regardée. Il se passa une main sur le visage, se sentant totalement impuissant.

— Tu ne me l'avais jamais dit, déclara-t-il enfin.

— À quoi bon ?

Tout était donc là. À l'époque où ils s'étaient mariés, elle avait dû enfin comprendre la vérité. Mais elle avait continué d'espérer… Incapable de trouver une réponse appropriée, il se réfugia dans un détail sans importance.

— Qui était-ce ? demanda-t-il.

Elle plissa le front.

— Qui était qui ?

— Le garçon. Ton père voulait te punir pour dévergondage, non ? Avec qui batifolais-tu quand j'ai pris la correction à ta place ? Je n'ai jamais pensé à te le demander.

Les taches rouges sur ses joues devinrent un peu plus vives.

— Forcément.

Un silence pesant chargé d'accusations retomba entre eux. Il n'avait pas pensé à le lui demander parce qu'il s'en fichait éperdument.

— Je suis désolé, dit-il au bout de quelques instants. Mais dis-le-moi quand même. Qui était-ce ?

Cela n'avait pas eu d'importance à l'époque mais, à présent, il était intrigué, ne serait-ce que parce que cela lui évitait de penser à d'autres choses… et de les dire. Ils n'avaient pas eu le passé qu'elle avait espéré, mais ce passé formait toujours entre eux un lien ténu.

Elle pinça les lèvres, et il crut qu'elle ne le lui dirait pas, mais elle répondit quand même, comme malgré elle :

— John Robert MacLeod.

Il fronça les sourcils, fouillant sa mémoire. Puis le déclic se fit, et il la regarda, incrédule.

— John Robert ? Celui de Killiecrankie ?

— Oui, celui-là même.

Il ne l'avait pas beaucoup connu, mais la réputation de libertin de John Robert avait beaucoup fait jaser les hommes d'armes du château de Leoch lors de son bref séjour. Un beau brun séduisant et rusé aux manières furtives et à la mâchoire carrée. Le fait qu'il avait une femme et des enfants chez lui, à Killiecrankie, ne semblait pas l'avoir beaucoup gêné.

— Fichtre ! lâcha-t-il malgré lui. Tu as de la chance d'avoir gardé ta virginité !

Elle s'empourpra encore plus.

— Laoghaire MacKenzie ! Tu n'étais tout de même pas dévergondée au point de te laisser déflorer dans son lit !

— Je ne savais pas qu'il était marié ! rétorqua-t-elle. Et c'était après que tu avais épousé ta *Sassenach*. J'avais besoin d'être consolée.

— Ah, pour ça, je ne doute pas qu'il t'ait bien consolée !

— De quel droit oses-tu me cracher dessus ?

Elle saisit un arrosoir en pierre posé sur le banc près de la remise et le lui lança à la figure. Il ne s'y était pas attendu (Claire lui lançait souvent des objets à la tête, mais Laoghaire, jamais). Il écarta la tête juste à temps et le reçut contre l'épaule. L'arrosoir fut suivi d'une pluie d'autres projectiles et d'un torrent de paroles inintelligibles ponctué de jurons peu féminins et de cris de crécelle. Un pot de babeurre vola à quelques centimètres de son visage, déversant son contenu, et le couvrant de lait caillé et de petit-lait de la poitrine aux genoux.

Il riait à moitié sous l'effet de la surprise quand il la vit soudain s'emparer d'une pioche et fondre sur lui. Il parvint à attraper son poignet et à le tordre jusqu'à ce qu'elle la lâche. Elle hurla comme une harpie et parvint à le gifler de sa main libre, manquant de l'aveugler avec ses ongles. Il saisit son autre poignet et la plaqua contre le mur de la remise. Elle se débattait, tentant de lui donner des coups de pied dans les tibias et se tortillant comme un serpent.

Il dut hurler à son tour pour se faire entendre par-dessus son raffut.

— Je m'excuse ! Tu m'entends ? J'ai dit : je m'excuse !

Le vacarme qu'elle faisait l'empêcha d'entendre que quelqu'un venait par-derrière, et il n'anticipa pas le coup monstrueux qui s'abattit derrière son oreille. Un éclair blanc lui brouilla la vue. Il chancela puis s'effondra sans la lâcher pour autant, l'entraînant dans sa chute. Elle se retrouva couchée sur lui, et il la serra de toutes ses forces contre lui pour l'empêcher de le griffer à nouveau.

— Lâche-la, *MacIfrinn* !

La pioche s'enfonça dans la terre près de sa tête. Il roula sur le côté, Laoghaire toujours accrochée à lui, écrasant les plants de légumes. Il entendit un souffle rauque et des pas précipités, puis la pioche s'abattit à nouveau, clouant sa manche au sol et lui écorchant le bras.

Il se dégagea dans un bruit d'étoffe déchirée, roula au loin de Laoghaire, se releva et bondit vers le domestique gringalet, qui était en train de soulever à nouveau la pioche au-dessus de sa tête, ses traits contractés par l'effort.

Il lui donna un coup de tête en plein visage, l'envoyant voler en arrière, puis lui décocha un coup de poing dans le ventre avant qu'il n'ait touché le sol. Il se jeta sur lui et le roua de coups, trouvant un soulagement dans la violence. L'homme grognait, gémissait, pantelait. Il s'apprêtait à lui envoyer un coup de genou dans les bourses pour en finir une fois pour toutes quand il se rendit compte que Laoghaire lui martelait le dos en hurlant.

— Laisse-le ! Laisse-le, laisse-le ! Pour l'amour de sainte Bride, ne lui fais pas de mal !

Il s'arrêta enfin, hors d'haleine, se sentant soudain terriblement idiot. Frapper un pauvre infirme maigrelet qui ne cherchait qu'à défendre sa maîtresse, malmener une femme comme une vulgaire dévoyée… Nom de Dieu, qu'est-ce qui lui prenait ? Il se laissa tomber sur le côté, réprimant une envie de s'excuser, puis se releva péniblement. Il avait l'intention de tendre la main au pauvre garçon pour l'aider à se relever mais, avant qu'il n'ait pu le faire, Laoghaire se laissa tomber à genoux en pleurant et le souleva en position assise. Elle le serra contre elle, pressant la tête étroite contre ses seins ronds et généreux, ne prêtant pas attention au sang qui coulait de son nez, le caressant et le berçant, lui murmurant des paroles de réconfort en l'appelant « mon Joey ».

Jamie se tint debout en oscillant légèrement, contemplant ce spectacle. Du sang lui coulait au bout des doigts, et il commençait à avoir mal au bras, là où la pioche l'avait écorché. Il sentit quelque chose lui piquer les yeux et, portant une main à son front, se rendit compte qu'il saignait. Joey, la bouche toujours grande ouverte, avait dû le mordre accidentellement quand il lui avait donné un coup de tête. Il grimaça avec dégoût en sentant les marques de dents sur sa peau, puis sortit un mouchoir pour s'essuyer.

Pendant de temps, la situation sur le sol devenait de plus en plus claire. Une bonne maîtresse aurait tenté de réconforter son domestique blessé, mais de là à l'appeler *mo cridhe*… Sans parler de l'embrasser avec passion sur la bouche, indifférente aux traînées de sang et de morve qu'il laissait sur son visage.

— Euh… fit-il.

Surprise, elle releva vers lui ses traits sanglants et baignés de larmes. Elle n'avait jamais été aussi jolie.

Il indiqua Joey d'un signe de tête.

— Lui ? demanda-t-il, incrédule. Mais, par tous les saints, pourquoi ?

Elle le fixa en plissant les yeux, accroupie comme une chatte prête à bondir. Elle le dévisagea longuement puis redressa le dos, serrant à nouveau la tête de Joey contre son sein.

— Parce qu'il a besoin de moi. Toi, fumier, ça n'a jamais été ton cas !

*

Il laissa son cheval paître au bord du loch, se déshabilla et entra dans l'eau. Le ciel était chargé et le loch, rempli de nuages.

Le sol rocailleux s'ouvrit, et il laissa l'eau grise l'engloutir, ses jambes pendant derrière lui, ses petites blessures insensibilisées par le froid. Il ferma les yeux, enfonça la tête dans l'eau pour rincer l'entaille de son front et sentit les bulles de son souffle glisser le long de son cou et lui chatouiller les épaules.

Puis il nagea lentement, son esprit se vidant de toutes pensées.

Il fit la planche en contemplant les nuages, ses cheveux flottant telles des algues. Des gouttes ridèrent la surface de l'eau autour de lui puis s'intensifièrent. C'était une pluie douce. Il ne la sentait pas, n'était conscient que du loch et des nuages qui baignaient son visage, son corps, lavant le sang et les soucis.

Reviendrait-il un jour ?

L'eau remplit ses oreilles, et il se rendit compte avec satisfaction qu'en fait, il n'était jamais parti.

Il se retourna et nagea vers le rivage, brisant l'eau lisse. Il pleuvait toujours, un peu plus fort, les gouttes s'écrasant sur ses épaules nues. Pourtant, le soleil couchant était visible à travers les nuages, et il illuminait Balriggan et ses collines d'une lumière douce.

Il sentit le fond remonter et prit pied. Il se tint debout un moment, de l'eau jusqu'à la taille, et contempla le paysage.

— Non, dit-il doucement.

Il sentit le remords se fondre en regret puis, enfin, en résignation.

— Tu as raison, je n'ai jamais eu besoin de toi. Je suis navré.

Il sortit alors de l'eau, siffla son cheval et, drapant son plaid autour de ses épaules, se tourna vers Lallybroch.

79

La grotte

J'écrivis *Herbes utiles* puis, une fois de plus, m'interrompis pour réfléchir. Écrire à la plume vous rendait à la fois plus circonspect et plus concis que vous ne l'auriez été avec un feutre ou une machine à écrire. Néanmoins, je jugeai préférable de dresser une liste puis de noter tout ce qui me venait à l'esprit concernant chaque plante, veillant à ne rien oublier avant de me lancer dans la rédaction elle-même.

J'écrivis d'une traite *Lavande, menthe poivrée, camphre, souci, grande camomille, digitale pourprée* et *reine des prés*. Je revins en arrière et ajoutai un astérisque près de *digitale pourprée* afin de me souvenir d'augmenter l'article d'une sévère mise en garde, car toutes les parties de la plante étaient extrêmement toxiques à moins d'être utilisées en de très petites doses. Je fis tourner ma plume entre mes doigts en me mordant la lèvre. Était-il nécessaire de mentionner cette plante, au fond ? Après tout, il s'agissait d'un ouvrage de vulgarisation médicale ; il ne s'adressait pas à des médecins expérimentés, habitués à manipuler des médicaments… Je rayai la plante puis fus prise de doute. Peut-être valait-il mieux en parler, après tout, l'accompagnant d'un dessin, mais également d'un avertissement disant qu'elle ne devait être administrée *que* par un médecin, au cas où quelqu'un aurait l'idée lumineuse de remédier définitivement à l'hydropisie de son vieil oncle.

Une ombre avança sur le sol devant moi, et je relevai les yeux. Jamie se tenait sur le seuil, me regardant avec une expression très étrange.

— Quoi ? m'inquiétai-je aussitôt. Il est arrivé quelque chose ?

— Non.

Il avança dans la bibliothèque, posa les mains sur le bureau et se pencha en avant, amenant son visage à quelques centimètres du mien.

— As-tu jamais eu le moindre doute que j'avais besoin de toi ?

Il ne me fallut qu'un quart de seconde pour y réfléchir et répondre :

— Non. Pour autant que je sache, tu as eu un besoin urgent de moi dès l'instant où tu m'as vue. Et je n'ai aucune raison de penser que tu serais devenu plus autosuffisant depuis. Qu'est-ce que tu as sur le front ? On dirait une empreinte de…

Il ne me laissa pas terminer, plongea en avant et m'embrassa.

— Merci, dit-il ensuite.

Là-dessus, il tourna les talons et sortit, l'air d'excellente humeur.

Ian entra au même moment et me demanda :

— Qu'est-ce qui arrive à oncle Jamie ?

Il se pencha en arrière et regarda dans le couloir, d'où nous parvenait un fredonnement discordant, un peu comme celui d'une abeille piégée dans un bocal.

— Il est soûl ?

Je me passai la langue sur les lèvres.

— Non, je ne crois pas. Il ne goûtait pas l'alcool.

— Bah !

Il haussa les épaules, écartant les excentricités de son oncle.

— Je reviens de Broch Mordha, ma tante. La femme de M. MacAllister s'est sentie mal pendant la nuit, et il voudrait savoir si ça ne vous dérangerait pas trop de passer la voir.

— Pas le moins du monde, dis-je en me levant aussitôt. Je vais chercher ma sacoche.

*

En dépit du printemps, saison traîtresse où tout le monde prenait froid, les voisins et les métayers semblaient tous en excellente santé. J'avais repris mes consultations médicales, manœuvrant avec prudence, offrant mes conseils et mes remèdes là où ils étaient bien accueillis. Je n'étais plus la dame de Lallybroch, et bien des gens qui m'avaient connue alors étaient morts. Ceux qui ne l'étaient pas étaient généralement contents de me voir, mais je distinguais dans leur regard une certaine méfiance qui n'y était pas avant. Cela m'attristait, mais je le comprenais parfaitement.

J'avais abandonné Lallybroch, j'avais abandonné son laird et, pire encore, je les avais abandonnés eux. Ils feignaient de croire l'histoire que Jamie leur avait racontée (convaincue qu'il avait été tué, j'avais fui en France) mais ne pouvaient s'empêcher de penser que je les avais trahis en partant. Je le pensais aussi.

L'aisance qu'il y avait eue autrefois entre nous avait disparu. Par conséquent, je ne faisais plus mes rondes habituelles ; j'attendais qu'on m'appelle. Quand j'avais envie de prendre l'air, je partais chercher des herbes dans la lande ou me promenais avec Jamie qui, lui aussi, avait besoin de sortir de la maison de temps en temps.

Un jour venteux mais ensoleillé, il m'entraîna plus loin que d'habitude, me demandant si je voulais voir sa caverne.

— Bien sûr !

Je mis ma main en visière et regardai la colline escarpée.

— Elle est là-haut ?

— Oui, tu la vois ?

Je fis non de la tête. Hormis pour le grand rocher blanc que tout le monde appelait le « Bond du tonneau », il ressemblait à n'importe quel autre versant environnant, rocailleux et parsemé de massifs d'ajoncs, de genêts et de bruyère.

— Allez, viens.

Jamie cala son pied dans une prise invisible et me tendit la main.

Ce fut une grimpette laborieuse. J'étais essoufflée et moite de transpiration quand il s'arrêta enfin. Il écarta un écran d'ajoncs pour me montrer l'entrée étroite d'une grotte.

*

— Je veux y entrer, déclara-t-elle.

— Non, crois-moi, l'assura-t-il. Il y fait froid et c'est sale.

Elle lui lança un regard narquois.

— Je ne l'aurais jamais deviné ! Je veux quand même y entrer.

Il était inutile de discuter avec elle. Il ôta son manteau pour éviter de le salir et l'accrocha à un jeune sorbier qui poussait près de l'entrée. Il posa ses mains sur la roche de chaque côté de l'orifice puis se laissa glisser à l'intérieur.

Il y faisait aussi froid que dans son souvenir. Au moins, on y était à l'abri du vent. Ce n'était pas un froid mordant, mais plutôt une humidité glacée qui transperçait la peau et vous faisait grincer les os.

Il se tourna et tendit les bras vers elle. Elle s'accroupit et tenta de descendre dignement, mais son pied glissa, et elle tomba en avant, atterrissant dans ses bras. Il se mit à rire et regarda autour de lui, gardant son bras autour de ses épaules. Il rechignait à s'écarter de sa chaleur et la tenait comme un rempart contre l'assaut de souvenirs glacés.

Elle se tint immobile, adossée à lui, balayant la grotte du regard. Elle ne faisait guère plus de trois mètres de profondeur, mais le fond était plongé dans l'obscurité. En levant les yeux, elle aperçut des traînées noires sur une paroi.

— C'est là que je faisais mon feu, expliqua-t-il. Quand j'osais.

Sa voix paraissait étrange, petite et étouffée.

— Où était ton lit ?

— Sous ton pied gauche.

Elle tapota le sol du bout de son soulier.

— Tu dormais la tête de ce côté ?

— Oui. Je pouvais voir les étoiles quand la nuit était claire. Sinon, je me retournais vers l'autre côté.

Elle entendit le sourire dans sa voix et glissa une main le long de sa cuisse, la pinçant légèrement.

— Je l'espérais. Quand nous avons découvert l'histoire de Dunbonnet et de sa grotte, j'ai pensé à toi seul ici, et j'espérais que tu pouvais voir les étoiles la nuit.

Il pencha la tête et déposa un baiser sur le sommet de son crâne. Le châle qu'elle portait sur la tête était retombé sur ses épaules. Ses cheveux sentaient la citronnelle et ce qu'elle appelait l'« herbe aux chats ».

Elle croisa les bras par-dessus les siens, lui transmettant sa chaleur à travers sa chemise.

— J'ai l'impression d'être déjà venue ici, dit-elle sur un ton légèrement surpris. D'un autre côté, je suppose que toutes les grottes se ressemblent, à moins d'avoir des stalactites qui pendent au plafond et des mammouths peints sur les parois.

— Je n'ai jamais été très doué pour la décoration, avoua-t-il.

Elle pouffa de rire tandis qu'il poursuivait :

— Pour ce qui est d'avoir été ici, tu l'as été de nombreuses nuits avec moi, *Sassenach*. Toi et la petite.

Sauf que je ne savais pas qu'on avait une petite fille, ajouta-t-il en pensée. Avec un pincement au cœur, il se revit assis près de l'entrée de la grotte, imaginant parfois une fillette blottie dans ses bras, ou parfois un garçonnet assis sur son genou tandis qu'il lui montrait comment s'orienter avec les étoiles, lui expliquait comment on chassait et quelles prières il fallait réciter avant de verser le sang.

Il avait expliqué tout cela plus tard à Brianna, puis à Jem. Ce savoir ne se perdrait pas. Mais servirait-il à quelque chose ?

— La chasse existe toujours ? demanda-t-il soudain. Là-bas ?

— Oh oui. Tous les automnes, on voyait arriver des chasseurs aux urgences ; des idiots pour la plupart, qui avaient bu et s'étaient tirés dessus par erreur. Une fois, on m'a amené un monsieur qui s'était fait grièvement piétiner par un cerf qu'il avait cru mort.

Il se mit à rire, à la fois choqué et rassuré. Chasser quand on était ivre ! Certes, il avait déjà connu des cas. Au moins, on chasserait toujours. Jem chasserait.

— Je suis sûr que Roger Mac ne laisserait pas Jem trop boire avant de partir à la chasse. Même si les autres garçons le font.

Elle agita la tête d'un côté puis de l'autre, comme elle faisait toujours quand elle hésitait à lui dire quelque chose. Il la serra un peu plus fort.

— Qu'est-ce qu'il y a ?

— J'imaginais juste un groupe de gamins de sept ans sifflant une rasade de whisky à l'école avant de rentrer chez eux sous la pluie. Les enfants ne boivent pas du tout d'alcool, là-bas. Ou du moins, ils ne sont pas censés en boire et, si quelqu'un leur en donnait, il aurait de sérieux problèmes avec les services sociaux.

— Vraiment ?

Cela paraissait étrange. D'aussi loin qu'il se souvînt, on lui avait toujours donné de la bière avec ses repas. Ainsi qu'un petit verre de whisky quand il faisait froid, qu'il avait mal au foie, aux oreilles, ou encore… Le fait était qu'il avait toujours vu Brianna donner du lait à Jem, même après qu'il eut appris à tenir sur ses deux jambes.

Un bruit d'éboulis le fit sursauter. Il lâcha Claire et s'approcha de l'entrée. Ce n'était sans doute rien, mais il fit signe à Claire de ne pas bouger et se hissa hors de la grotte. Il récupéra son manteau et sortit le couteau de sa poche avant même de regarder qui approchait.

Une femme se tenait un peu plus bas. Une grande silhouette portant une cape et un châle. Elle était près du grand rocher où Fergus avait perdu sa main, scrutant l'horizon, et le vit sortir de la grotte. Elle lança un regard autour d'elle pour s'assurer qu'il n'y avait personne d'autre puis lui fit signe de la rejoindre.

— *Feasgar math*, la salua-t-il tout en enfilant son manteau.

Elle devait avoir une vingtaine d'années. Il ne la connaissait pas, du moins le croyait-il jusqu'à ce qu'elle lui retourne son salut :

— *Ciamar a tha thu, mo athair* ? « Comment vas-tu, mon père ? »

Il tressaillit puis se pencha en avant, la regardant plus attentivement.

— Joanie ? dit-il incrédule. La petite Joanie ?

Son long visage sévère se fendit d'un léger et très bref sourire.

— Tu me reconnais ?

— Oui, maintenant… oui.

Il tendit un bras, voulant l'étreindre, mais elle se tenait en retrait, raide comme un piquet, et il laissa retomber sa main.

— Cela fait bien longtemps, dit-il. Tu as grandi.

— C'est ce qui arrive généralement aux enfants, rétorqua-t-elle. C'est ta femme, là-haut, avec toi ? Je veux dire, la première ?

— Oui.

Le premier choc céda la place à la méfiance. Il l'examina discrètement au cas où elle serait armée, mais c'était impossible à dire ; sa cape était enroulée autour d'elle pour la protéger du vent.

— Tu ne veux pas lui demander de descendre ? J'aimerais la connaître.

Il en doutait fortement. Toutefois, elle paraissait calme et posée. Il pouvait difficilement refuser de lui présenter Claire si celle-ci était d'accord. Elle était sans doute en train de les observer. Il se tourna et lui fit signe.

— Que fais-tu ici, ma fille ? demanda-t-il.

Balriggan se trouvait à plus d'une dizaine de kilomètres, et il n'y avait pas âme qui vive dans les parages.

— Je suis allée te voir à Lallybroch. J'ai raté ta visite quand tu es passé à la maison.

Y avait-il une pointe d'ironie dans son ton ?

— Puis je vous ai aperçus, ta femme et toi, marchant dans la lande, et j'ai tenté de vous rattraper.

Il était ému qu'elle ait cherché à le voir, mais il demeurait sur ses gardes. Elle n'était qu'une enfant quand il était parti. Elle avait passé toutes ces années avec sa mère, qui l'avait sans doute abreuvée de paroles peu flatteuses à son égard.

Il scruta son visage, cherchant des vestiges des traits enfantins dont il se souvenait. Elle n'était pas belle, ni même jolie, mais elle possédait une dignité attirante. Elle avait un regard franc et semblait se soucier comme d'une guigne de ce que l'on pensait d'elle. Elle avait les yeux et le nez de Laoghaire, mais n'avait rien hérité d'autre de sa mère, étant grande, brune, avec des os saillants, un front haut, un long visage mince et des lèvres qui ne devaient pas avoir souvent souri.

Il entendit Claire descendre le versant derrière lui et se tourna pour l'aider tout en surveillant Joan d'un œil, au cas où.

— Tu n'as pas à t'inquiéter, dit calmement celle-ci. Je ne lui veux aucun mal.

— Ah ? Tant mieux.

Il tenta de se souvenir : avait-elle été présente dans la pièce quand Laoghaire lui avait tiré dessus ? Il ne le pensait pas, mais il n'avait pas été en état de le remarquer. De toute manière, elle en avait certainement entendu parler.

Claire prit sa main et sauta sur le sentier. Sans s'arrêter, elle avança vers Joan et prit ses mains dans les siennes.

— Je suis ravie de faire enfin ta connaissance, déclara-t-elle en souriant. Marsali m'a demandé de te donner ceci.

Elle se pencha en avant et déposa un baiser sur sa joue.

Pour la première fois, la jeune femme parut décontenancée. Elle blêmit, retira ses mains, se tourna de trois quarts et, ne voulant pas qu'ils voient les larmes dans ses yeux, frotta son visage avec un pan de sa cape comme si elle était prise d'une démangeaison.

— Je… je vous remercie, dit-elle enfin. Vous… Ma sœur m'a parlé de vous dans ses lettres.

Elle s'éclaircit la gorge puis dévisagea Claire avec une curiosité non dissimulée ; une curiosité réciproque.

— Félicité te ressemble, déclara Claire. Henri-Christian aussi un peu, mais surtout Félicité.

— La pauvre enfant, murmura Joan.

Elle ne put toutefois réprimer le sourire qui avait illuminé son visage.

Jamie toussota.

— Tu ne veux pas venir à la maison, Joanie ? Tu y es la bienvenue.

— Plus tard, peut-être. Je voulais te parler, *mo athair*, là où personne ne peut nous entendre. À part ta femme, car elle a elle aussi son mot à dire.

Cela semblait vaguement menaçant, puis elle ajouta :

— Il s'agit de ma dot.

— Dans ce cas, mettons-nous au moins à l'abri du vent.

Il les conduisit derrière le grand rocher tout en se demandant ce qui l'attendait. La fille voulait-elle épouser un homme peu recommandable, et sa mère refusait-elle de lui donner sa dot ? Il était arrivé quelque chose à l'argent ? Il en doutait. Le vieux Ned Gowan avait rédigé tous les documents, et l'argent était en sécurité dans une banque d'Inverness. En outre, quoi qu'il ait pensé de Laoghaire, il était sûr qu'elle ne ferait jamais rien qui nuise à ses enfants.

Une bourrasque remonta le sentier, faisant gonfler les jupes des femmes et les enveloppant dans un nuage de poussière et de bruyère sèche. Ils coururent les derniers mètres qui les séparaient du rocher puis se tinrent un moment en riant à secouer leurs vêtements.

Avant que leur bonne humeur ne retombe, Jamie prit les devants :

— Donc, dit-il à Joan. Qui veux-tu épouser ?

— Jésus-Christ, répondit-elle de but en blanc.

Il resta un moment interdit.

— Tu veux entrer dans les ordres ? demanda Claire. Vraiment ?

— Oui. Cela fait longtemps que je sais que j'ai la vocation, mais… c'est… compliqué.

— Je veux bien te croire ! dit Jamie. En as-tu parlé à quelqu'un ? Au prêtre ? À ta mère ?

— À tous les deux.

— Et qu'ont-ils dit ? demanda Claire.

Elle paraissait fascinée et, adossée au rocher, ne quittait pas la jeune femme des yeux.

— Ma mère a dit que j'avais perdu la raison à force de lire des livres (elle se tourna vers Jamie) et que c'était ta faute, parce que tu m'en avais donné le goût. Elle veut que j'épouse ce vieux Geordie McCann, mais je préférerais me noyer dans un puits.

— Quel âge à ce Geordie McCann ? demanda Claire.

— Vingt-cinq ans. Quel rapport ?

— Juste par curiosité, murmura Claire, l'air amusé. Il y a donc un jeune Geordie McCann ?

— Oui, son neveu. Il a trois ans. Et je ne l'épouserai pas non plus.

Avant que Claire ne fasse digresser la conversation davantage, Jamie intervint :

— Et le prêtre ?

Joan prit une profonde inspiration, semblant devenir plus grande et plus sévère encore.

— Il dit que mon devoir est de rester à la maison et de m'occuper de ma mère.

— … Qui fornique avec son employé dans la remise du jardin, ajouta Jamie. Tu le sais sans doute.

Du coin de l'œil, il voyait Claire afficher une expression si comique qu'il fut contraint de se tourner pour ne pas se mettre à rire. Il lui fit signe dans son dos qu'il lui raconterait plus tard.

— Pas quand je suis à la maison, répliqua sèchement Joan. Ce qui est précisément la seule raison pour laquelle j'y suis encore. Tu crois que ma conscience me laissera partir en sachant ce qu'ils manigancent ? C'est la première fois depuis trois mois que je vais plus loin que le potager et, si parier n'était pas un péché, je parierais ma meilleure chemise qu'ils sont à la besogne en ce moment même dans sa chambre, vouant leurs âmes à la damnation éternelle.

Jamie essaya, vainement, de ne pas imaginer Joey et Laoghaire enlacés dans une étreinte passionnée sur le lit avec la courtepointe à carreaux bleus et gris.

Il pouvait sentir le regard de Claire lui transpercer la nuque.

— Hum… Résumons : tu veux être nonne, mais le prêtre est contre, ta mère ne veut pas te donner ta dot et ta conscience refuse de te laisser partir. J'ai bien compris la situation ?

Joan parut satisfaite de ce bref compte rendu.

— Oui.

Claire contourna Jamie et se planta à ses côtés, demandant :

— Mais qu'attends-tu de Jamie, au juste ? Qu'il tue Joey ?

Elle lança à Jamie un regard de biais. Elle paraissait prendre un malin plaisir à assister à sa déconfiture.

— Bien sûr que non ! s'écria Joan. Je veux qu'ils se marient. Ainsi, ils ne seront plus en état de péché mortel chaque fois que je tourne le dos, *et* le prêtre ne pourra plus dire que je dois rester à la maison, puisque ma mère aura un mari pour veiller sur elle.

Jamie se passa lentement l'index le long de l'arête de son nez, se demandant comment il était censé convaincre deux dépravés d'âge mûr de se marier. Par la force ? Les contraignant sous la menace d'un fusil ? C'était une possibilité… D'ailleurs, plus il y pensait, plus il trouvait l'idée séduisante.

Claire le surprit en posant la question à laquelle il n'avait pas songé :

— Ce Joey, a-t-il seulement envie de l'épouser ?

— Oui, répondit Joan. Il est toujours là à me bassiner à ce sujet, me bêlant à quel point il l'aiiiiiiiime. (Elle leva les yeux au ciel.) Je comprends qu'il soit amoureux de ma mère, mais a-t-il besoin de m'en parler ?

— Euh… non, répondit Jamie, légèrement étourdi.

Le sifflement du vent contre le rocher pénétrait dans ses oreilles, lui donnant l'impression d'être de retour dans sa grotte, rongé par la solitude, avec comme interlocuteur aucun autre bruit que celui du vent pendant des semaines. Il s'efforça de se concentrer sur le visage de Joan. Celle-ci était en train d'expliquer :

— Elle en a envie aussi, je crois. Elle ne m'en parle pas, Dieu merci. Mais elle est très attachée à lui ; elle lui donne toujours les meilleurs morceaux aux repas, ce genre de choses.

Il écarta une mèche de cheveux qui lui entrait dans la bouche puis demanda :

— Dans ce cas… pourquoi ne se marient-ils pas ?

— À cause de toi, répondit Claire. Et je suppose que c'est là que j'interviens ?

— À cause de…

— De l'accord que tu as conclu avec Laoghaire quand je suis revenue.

L'attention de Claire était concentrée sur Joan, mais elle se rapprocha de lui et effleura sa main sans le regarder. Elle poursuivit :

— Tu t'es engagé à subvenir à ses besoins et à fournir des dots à Marsali et à Joan, mais vous avez convenu que ce soutien cesserait si elle se remariait. C'est bien là le problème, n'est-ce pas ?

Joan acquiesça.

— Joey et elle pourraient se débrouiller pour vivoter. Il fait ce qu'il peut mais… tu l'as vu. Si tu cessais d'envoyer de l'argent, elle serait probablement contrainte de vendre Balriggan, et cela lui briserait le cœur.

Elle baissa pudiquement les yeux pour la première fois.

Il ressentit un étrange malaise, d'autant plus étrange qu'il n'était pas le sien, mais il le reconnaissait. Cela s'était passé au cours des premières semaines de leur mariage, alors qu'il retournait la terre pour agrandir le potager. Laoghaire lui avait apporté un broc de bière fraîche et s'était tenue à ses côtés pendant qu'il buvait. Puis elle l'avait remercié. Il s'en était étonné et, en riant, lui avait demandé pourquoi.

— Parce que tu prends soin de ma terre mais n'essaie pas de te l'accaparer.

Puis elle avait repris le broc et était rentrée dans la maison.

Une autre fois, alors qu'ils étaient au lit (il eut honte d'y penser avec Claire se tenant à ses côtés), il lui avait demandé pourquoi elle tenait tant à Balriggan. C'était une maison de famille, mais elle n'avait rien de remarquable. Elle avait remonté la couverture jusque sous son menton et répondu :

— C'est le premier endroit où je me sente en sécurité.

Quand il avait voulu en savoir plus, elle s'était retournée et avait fait semblant de s'endormir.

Joan était en train de dire à Claire :

— Elle préférerait perdre Joey plutôt que Balriggan. Mais elle ne veut pas se séparer de lui non plus. Vous comprenez le problème ?

— Oui.

Claire compatissait mais lança à Jamie un regard lui indiquant clairement que c'était *son* problème. Comme s'il ne le savait pas déjà !

— Je... trouverai une solution.

Il n'avait pas la moindre idée de ce qu'elle serait, mais comment pouvait-il refuser ? En outre, si son propre sentiment de culpabilité ne l'achevait pas, Dieu le foudroierait sûrement pour avoir entravé la vocation de Joan.

— Oh, père, merci !

Le visage de Joan s'illumina d'un sourire radieux, et elle se jeta dans ses bras. Il eut à peine le temps de lever les siens pour la recevoir. C'était une jeune femme très solide. Il la serra contre lui dans l'étreinte qu'il avait voulu lui donner plus tôt et sentit son malaise s'atténuer tandis que cette étrange fille se nichait douillettement dans un petit espace vide dans son cœur dont il avait ignoré l'existence jusqu'alors.

Claire les regardait en souriant. Le vent soufflait toujours, et c'était peut-être une particule de poussière qui la faisait larmoyer.

Quand Joan le libéra et s'écarta, il déclara sur un ton sévère :

— J'y mets toutefois une condition.

— Tout ce que tu voudras !

— Tu prieras pour moi, quand tu seras nonne ?

— Tous les jours, promit-elle. Et deux fois le dimanche.

*

Le soleil commençait à descendre, mais il restait un peu de temps avant le dîner. J'aurais dû aller proposer mon aide en cuisine. Avec tant de gens allant et venant, la préparation des repas était longue et laborieuse, et Lallybroch n'avait plus les moyens de s'offrir une cuisinière. Néanmoins, même si Jenny était occupée par les soins de Ian père, Maggie, ses filles et les deux servantes s'en sortaient très bien. Je n'aurais fait que me mettre dans leurs pattes. Du moins, c'était ce dont je me convainquis, tout en étant consciente qu'une paire de mains supplémentaire serait toujours bienvenue.

Aussi, en descendant de la colline rocailleuse derrière Jamie, je ne bronchai pas en le voyant s'écarter du chemin menant à la maison. Nous nous dirigeâmes vers le petit loch.

Au bout d'un moment, Jamie déclara :

— C'est peut-être vrai, j'ai pu influencer les petites avec mes livres. Je leur faisais la lecture parfois, le soir. Elles s'asseyaient avec moi, une de chaque côté, leur tête contre mes épaules, et je…

Il s'interrompit et me lança un regard. Il craignait de me faire de la peine à l'idée qu'il ait pu vivre un moment heureux dans la maison de Laoghaire. Je souris et lui pris le bras.

— Je suis sûre qu'elles adoraient ça. Mais je doute que tu aies lu à Joan quelque chose qui lui ait donné l'envie d'entrer dans les ordres.

Il fit une moue dubitative.

— Je leur ai lu *La Vie des saints*. Ah, et aussi *Le Livre des martyrs* de John Foxe. Sauf que celui-ci traite en grande partie de protestants, et que Laoghaire affirmait qu'un protestant ne pouvait être un martyr puisque tous les protestants étaient des hérétiques. Je lui avais répondu qu'on pouvait être martyr *et* protestant et que...

Il s'interrompit et sourit.

— Je crois bien que c'est la seule vraie discussion qu'on ait jamais eue.

— Pauvre Laoghaire ! Mais, indépendamment d'elle, que penses-tu du dilemme de Joan ?

— Je pourrais éventuellement soudoyer sa mère pour qu'elle épouse son petit infirme, mais cela demandera beaucoup d'argent, car elle voudra plus que ce que je lui donne déjà. Il ne nous reste plus beaucoup d'or, si bien qu'il faudrait attendre qu'on rentre à Fraser's Ridge pour en prélever encore, le mettre dans une banque, organiser un transfert... Cela signifie que Joan devrait rester encore au moins une année à Balriggan, à s'interposer entre ces deux belettes libidineuses.

— Ces « belettes libidineuses » ? Tu les as vus à l'œuvre ?

— Pas vraiment. Mais l'attirance entre eux crevait les yeux. Viens, longeons le rivage. J'ai vu un nid de courlis l'autre jour.

Le vent était retombé, et le soleil était chaud et brillant. J'apercevais des nuages au loin, il pleuvrait sûrement pendant la nuit. Pour le moment toutefois, c'était un beau jour de printemps, et nous tenions à en profiter. Par consentement tacite, nous écartâmes tous les sujets désagréables et papotâmes de tout et de rien, goûtant simplement la compagnie l'un de l'autre. Puis nous arrivâmes sur un petit monticule tapissé d'herbes sur lequel nous pouvions nous étendre pour savourer le soleil.

Les pensées de Jamie le ramenaient régulièrement à Laoghaire. C'était plus fort que lui, et je ne pouvais pas m'y opposer. Les comparaisons qu'il faisait étaient toutes à mon avantage. Songeur, il déclara :

— Si elle avait été ma première femme, je pense que mon opinion des femmes en général aurait été très différente.

J'objectai :

— Tu ne peux pas définir toutes les femmes en te basant sur la manière dont elles, ou l'une d'entre elles, se comportent au lit. J'ai connu des hommes qui…

— Des hommes ? m'interrompit-il surpris. Frank n'était pas ton premier ?

Je glissai une main sous ma nuque et le dévisageai.

— Pourquoi ? C'est important ?

— Eh bien… je suppose que…

Incapable de trouver une réponse, il esquissa un petit sourire contrit puis avoua :

— Je ne sais pas.

Je ne le savais pas moi-même. D'un côté, j'étais plutôt amusée qu'il soit choqué. À mon âge, il n'était pas désagréable de se sentir légèrement débauchée, ne serait-ce que rétrospectivement. De l'autre…

— Qui es-tu pour me jeter la pierre ?

— Tu étais *ma* première, souligna-t-il avec une certaine véhémence.

— C'est ce que tu dis, le taquinai-je.

Il rosit.

— Tu ne me crois pas ?

— Tu m'as paru plutôt bien informé pour un puceau. Et très… imaginatif.

— Enfin, *Sassenach* ! J'ai grandi dans une ferme ! Après tout, ça n'a rien de bien compliqué.

Son regard se promena sur mon corps, s'attardant sur des parties stratégiques.

— Pour ce qui est d'imaginer… j'ai passé des mois, que dis-je, des années, à m'imaginer des choses.

À la lueur dans son regard, j'eus la nette impression qu'il n'avait cessé de faire travailler son imagination depuis.

— À quoi penses-tu ? demandai-je, intriguée.

— Je pense que l'eau du loch est un peu froide, mais que, si elle ne ratatine pas ma queue jusqu'à la faire disparaître complètement, la sensation de chaleur en la plongeant en toi…

Il me jaugea comme s'il évaluait l'effort que lui demanderait de me jeter dans le loch.

— Naturellement, ajouta-t-il, l'idéal serait de le faire dans l'eau. Si tu préfères, je pourrais juste te tremper une ou deux fois, te traîner sur la berge et... c'est que ton cul serait magnifique sous ta chemise mouillée collant à la peau. Je verrais tes fesses sous le linge transparent, comme deux beaux melons bien lisses...

— Je retire ce que j'ai dit. Je ne veux pas savoir ce que tu penses.

— Trop tard, tu me l'as demandé. J'imagine la jolie raie sombre entre tes meules rebondies... Une fois que je t'aurais coincée sous moi, tu ne pourrais plus m'échapper. Tu préfères que je te prenne couchée sur le dos, *Sassenach* ? Ou à quatre pattes avec moi derrière ? Comme ça, j'aurais une bonne prise et...

— Tu ne crois tout de même pas que je vais entrer dans ce loch glacé pour satisfaire tes lubies perverses !

— Soit.

Il s'étira près de moi, glissa une main sous mes reins et m'agrippa fermement une fesse.

— Mais tu peux les satisfaire ici si tu veux, là où il fait chaud.

80

L'œnomancie

Lallybroch était une exploitation agricole. Dans une ferme, rien ne peut s'arrêter bien longtemps, même en cas de grand chagrin. C'est ainsi que je me trouvais seule au rez-de-chaussée de la maison quand la porte d'entrée s'ouvrit, vers le milieu de l'après-midi.

Je sortis la tête du bureau de Ian pour voir qui venait d'entrer. Un jeune homme se tenait dans le vestibule, inspectant la pièce autour de lui. Il m'entendit, se tourna vers moi et nous demandâmes en même temps :

— Qui êtes-vous ?

Nous nous mîmes à rire.

— Je suis Michael, déclara-t-il.

Il avait une voix douce, légèrement rauque, avec une trace d'accent français.

— Vous devez être la fée d'oncle Jamie.

Il m'examinait sans cacher sa curiosité, et je ne me gênai pas pour en faire autant.

— C'est ainsi qu'on m'appelle, dans la famille ?

Il était plutôt petit, n'ayant ni la force brute du jeune Jamie ni la hauteur noueuse du jeune Ian. Il était le jumeau de Janet mais ne lui ressemblait en rien. C'était le fils parti en France pour s'associer au cousin Jared Fraser dans son commerce de vins, Fraser et cie. Lorsqu'il se débarrassa de sa houppelande de voyage, je remarquai qu'il était vêtu très élégamment pour un homme des Highlands, même si son costume était d'une coupe et d'une couleur sobres. Il portait un brassard en crêpe noir autour du bras.

— Ça, ou « la sorcière », répondit-il avec un sourire. Cela dépend qui parle de vous, papa ou maman.

— Je vois.

Je ne pus m'empêcher de sourire. C'était un jeune homme réservé mais charmant. Enfin... relativement jeune ; il devait approcher de la trentaine. Je fis un signe de tête vers son brassard.

— Je suis désolée. Puis-je vous demander...

— Ma femme, répondit-il simplement. Elle est morte il y a deux semaines. Autrement, je serais venu plus tôt.

Je restai interloquée.

— Oh... je comprends. Mais... vos parents, vos frères et sœurs... ils ne le savent pas encore ?

Il fit non de la tête et s'avança légèrement. À la lumière de l'imposte en demi-lune au-dessus de la porte, je remarquai ses cernes profonds et les traces de fatigue sur son visage.

— Je suis profondément navrée.

Prise d'une impulsion soudaine, je le serrai dans mes bras. Il se laissa faire et, l'espace d'un instant extraordinaire, je sentis en lui un profond engourdissement, la lutte silencieuse entre la reconnaissance et le déni. Il savait ce qui était arrivé, ce qui était en train de se passer, mais il ne le ressentait pas. Pas encore.

Après cette brève étreinte, je reculai d'un pas et lui effleurai la joue. Il me dévisageait d'un air stupéfait.

— Je veux bien être damné, dit-il doucement. Ils disaient vrai.

*

À l'étage, une porte s'ouvrit puis se referma. J'entendis des pas dans l'escalier et, quelques instants plus tard, tout Lallybroch accourut pour accueillir le dernier enfant à rentrer au bercail.

Un tourbillon de femmes et d'enfants nous entraîna dans la cuisine, puis les hommes apparurent, seuls ou par deux, pour étreindre Michael ou lui donner une tape sur l'épaule.

Chacun lui exposa ses regrets, posant les mêmes questions encore et encore. Comment Lillie, sa femme, était-elle morte ? Elle avait été emportée par la grippe, tout comme sa grand-mère. Non, lui-même ne l'avait pas contractée ; son père leur envoyait ses prières pour Ian père. Puis les préparatifs pour la toilette des enfants et le dîner commencèrent, et Michael parvint à s'extirper du maelström.

En sortant de la cuisine à mon tour pour aller chercher mon châle dans le bureau, je vis Michael au pied de l'escalier avec Jenny. Ils discutaient à voix basse. Elle lui caressa la joue, comme je l'avais fait plus tôt, puis lui chuchota une question. Il esquissa un sourire, fit non de la tête, puis, redressant les épaules, monta voir son père trop mal en point pour descendre dîner avec nous.

⁕

Michael était le seul parmi les Murray à avoir hérité du gène fugitif de la rousseur. Placé au milieu de ses frères et sœurs, il rougeoyait comme un charbon ardent. En revanche, il avait exactement les mêmes yeux doux et marron que son père. Jenny m'avait glissé :

— Heureusement ! Autrement, Ian m'aurait accusée d'avoir fauté avec le gardien des chèvres car, il faut bien le reconnaître, il ne ressemble à personne d'autre dans la famille.

J'en avais parlé à Jamie, qui m'avait dit :

— Forcément, elle ne le sait pas parce qu'elle n'a jamais rencontré Colum MacKenzie face à face.

— Colum ? Tu es sûr ?

— Oui. Ils n'ont pas tout à fait le même teint, mais si tu imagines Colum jeune et en bonne santé… Il y avait un portrait de lui à Leoch, peint quand il avait une quinzaine d'années, avant sa première chute. Tu t'en souviens ? Il était accroché sur le palier du deuxième étage.

Je fermai les yeux et plissai le front, tentant de visualiser le plan du château.

— Guide-moi, lui demandai-je.

Amusé, il me prit la main et traça délicatement un dessin sur ma paume.

— Ici, c'est la grande entrée avec les doubles portes. Tu traverses la cour, tu entres dans le hall, puis…

Il me conduisit à l'endroit précis et, effectivement, je me souvins d'un tableau représentant un jeune homme au visage fin et intelligent et au regard qui semblait voir très loin.

— Oui, tu as raison, dis-je en rouvrant les yeux. S'il est aussi intelligent que Colum… il faut que je le prévienne.

Jamie scruta mon visage puis me mit en garde :

— Nous n'avons pas pu changer le cours des choses autrefois. Tu ne pourras pas modifier ce qui va se passer en France.

— Peut-être pas. Toutefois, quand je t'ai prévenu au sujet de Culloden… ça n'a pas arrêté Charles Édouard Stuart, mais tu as survécu.

— Je ne l'ai pas fait exprès, dit-il, acerbe.

— Non, mais si tu as pu protéger tes hommes, c'est aussi parce que tu savais. Alors peut-être, je dis bien peut-être, que je peux l'aider lui aussi. S'il lui arrivait quelque chose alors que j'aurais pu l'empêcher, je l'aurais toute ma vie sur la conscience.

Il acquiesça, l'air grave.

— D'accord. Je vais les réunir.

*

Le bouchon sortit avec un *pop*, et le visage de Michael se détendit. Il le huma d'un air concentré, puis passa le goulot de la bouteille sous son nez, les paupières mi-closes.

— Alors, qu'en dis-tu, mon garçon ? demanda son père. Serons-nous empoisonnés ou pas ?

Michael lui lança un regard torve.

— Tu as bien dit que l'occasion était importante, non ? Alors j'ai choisi un negroamaro. C'est un vin des Pouilles.

Il se tourna vers moi.

— Cela vous ira, ma tante ?

— Mais euh… certainement. Pourquoi me le demander à moi ? C'est toi, l'expert en vins.

Michael parut surpris.

— C'est que Ian m'a dit…

Il s'interrompit et me sourit.

— Toutes mes excuses, ma tante. J'ai dû mal comprendre.

Tout le monde se tourna vers Ian fils, qui rougit.

— Que lui as-tu raconté, exactement ? demanda le jeune Jamie.

Il semblait trouver la situation très drôle, et Ian le fusilla du regard. Puis il bomba le torse et répondit sur un ton de défi :

— Je lui ai expliqué que tante Claire avait quelque chose d'important à lui dire et qu'il devait l'écouter attentivement parce qu'elle était une… une…

— Une *ban-sidhe*… acheva Michael.

Il se tourna vers moi avec une lueur d'humour au fond des yeux. Pour la première fois, je compris pourquoi Jamie l'avait comparé à Colum MacKenzie.

— Je ne sais pas trop ce qu'il a voulu dire par là, ma tante, si ce n'est que vous êtes une sorte de conjuratrice ou de sorcière.

Jenny tressaillit, et même Ian père tiqua. Ils se tournèrent vers Ian fils, qui voûta les épaules.

— Ben… je ne sais pas exactement ce qu'elle est, se défendit-il. Mais elle fait partie des Anciens, n'est-ce pas, oncle Jamie ?

Au même instant, un courant d'air s'engouffra en gémissant dans le conduit de cheminée, faisant voler des étincelles et rouler des braises hors de l'âtre. Jenny poussa un petit cri puis se précipita pour les écraser avec un balai.

Jamie était assis à mes côtés. Il me prit la main et se tourna vers Michael avec fermeté.

— Il n'existe pas de terme pour décrire ce qu'elle est. Mais elle a la connaissance des événements à venir. Écoute-la…

Cela les calma tous, et ils devinrent attentifs. Je m'éclaircis la gorge, profondément embarrassée par mon rôle de sibylle mais ne pouvant plus reculer. Pour la première fois, je ressentis une affinité avec les prophètes malgré eux de l'*Ancien Testament*. Je crus comprendre ce qu'avait ressenti Jérémie lorsqu'il avait reçu l'ordre d'annoncer la destruction de Jérusalem. J'espérais seulement que ma prophétie serait mieux accueillie. Il me semblait me souvenir que les habitants l'avaient jeté dans un puits.

Je me tournai vers Michael et m'adressai directement à lui :

— Tu es beaucoup plus familier que moi avec la politique en France. Je ne peux rien te dire sur des événements précis qui surviendront dans les prochains dix ou quinze ans mais… après cela, la situation va rapidement dégénérer. Il y aura une révolution, inspirée de celle qui a lieu en ce moment dans les colonies d'Amérique, mais différente. Le roi et la reine seront emprisonnés avec leur famille, et tous deux seront exécutés.

Il y eut un murmure horrifié autour de la table.

— Viendra ensuite une période appelée la « Terreur ». Des gens seront arrachés à leur foyer et dénoncés. Tous les aristocrates seront tués ou devront fuir le pays. En règle générale, les riches passeront un sale moment. Jared sera peut-être mort d'ici là, mais pas toi. Si tu es aussi doué que je le pense, tu seras riche.

Michael émit un petit rire gêné, et tout le monde sourit. Je poursuivis :

— Ils construiront une machine appelée « guillotine », peut-être même existe-t-elle déjà. Initialement conçue comme un moyen de décapitation plus humain, elle sera tellement utilisée qu'elle deviendra le symbole de la Terreur et de la Révolution en général. Crois-moi, il vaut mieux que tu ne sois pas en France quand tout cela se passera.

— Je… Comment savez-vous tout ça ? demanda Michael.

Il était pâle et légèrement agressif. Aïe ! C'était là que l'affaire allait se corser. Je serrai fermement la main de Jamie sous la table et le leur expliquai.

Un silence de mort s'abattit sur la pièce. Seul Ian fils ne paraissait pas abasourdi, mais il savait déjà et me croyait plus ou moins. Il était clair que la plupart de ceux qui étaient assis autour de la table ne me croyaient pas. D'un autre coté, ils ne pouvaient pas me traiter de menteuse.

— Voilà ce que je sais, dis-je à Michael. Et voilà comment je le sais. Il te reste quelques années pour te préparer. Déplace ton commerce en Espagne ou au Portugal. Vends tout et émigre en Amérique. Fais ce que tu voudras, mais ne reste pas en France au-delà d'une dizaine d'années. C'est tout.

Là-dessus, je quittai la pièce, laissant un profond silence dans mon sillage.

*

Je n'aurais pas dû être surprise mais le fus néanmoins. Je me trouvais dans le poulailler, ramassant des œufs, quand les volailles se mirent à glousser et à battre des ailes, m'annonçant que quelqu'un venait d'entrer dans leur enclos. Je fixai la dernière poule d'un regard d'acier, la défiant de me donner un coup de bec, puis attrapai l'œuf sous elle et sortis voir qui c'était.

Jenny se tenait là avec son tablier rempli de blé. C'était étrange. Les poules avaient déjà été nourries ; j'avais vu l'une des filles de Maggie s'en charger une heure plus tôt.

Elle m'adressa un petit salut de la tête puis lança des poignées de graines autour d'elle. Je compris qu'elle voulait me parler et avait choisi ce prétexte pour le faire en privé. J'eus un sombre pressentiment.

Il était justifié, car elle jeta sa dernière poignée et, avec elle, les faux-semblants.

— Je veux te demander un service, annonça-t-elle.

Elle évitait mon regard, et je pouvais voir le pouls dans sa tempe battre comme un métronome.

J'étais impuissante, autant à l'arrêter qu'à lui répondre :
— Jenny… Je sais.
Elle releva les yeux vers moi.
— Sauveras-tu Ian ?
J'avais vu juste quant à sa requête, mais pas quant à ses émotions. Il y avait de l'angoisse et de la peur dans son visage, mais aucune timidité ni gêne. Elle avait un regard de faucon, et je savais qu'elle m'arracherait les yeux avec ses serres si je lui refusais ce service.
— Jenny… je ne peux pas.
— Tu ne peux pas ou tu ne *veux* pas ?
— Je ne peux pas, nom de nom ! Tu crois que je ne l'aurais pas déjà fait si j'en avais le pouvoir ?
— Peut-être pas, pour te venger de moi. J'ai déjà demandé ton pardon et j'étais sincère, même si j'ai agi en pensant faire le bien.
— Tu pensais… quoi ?
J'étais sincèrement déboussolée, ce qui la mit en colère.
— Ne fais pas semblant de ne pas comprendre ! Je parle de quand tu es revenue et que j'ai envoyé chercher Laoghaire !
— Ah.
Je ne l'avais certainement pas oublié, mais cela paraissait secondaire au vu du reste.
— Ce… ce n'est pas grave. Je ne t'en veux pas. Cela dit, pourquoi l'as-tu envoyé chercher ?
Cela m'intriguait, mais j'espérais surtout diluer un peu l'intensité de ses émotions. Elle me paraissait au bord du gouffre de l'épuisement, du chagrin et de la terreur.
Elle fit un geste impatient, et je crus qu'elle allait partir, mais elle n'en fit rien.
— Jamie ne t'avait pas parlé d'elle et ne lui avait pas parlé de toi. Je pouvais comprendre pourquoi, mais j'ai pensé qu'en l'amenant ici, je l'obligerais à prendre le taureau par les cornes et à mettre les choses à plat.
Je commençais à m'échauffer à mon tour.
— C'est elle qui a bien failli le mettre à plat ! Elle lui a tiré dessus !

— Ce n'est pas moi qui lui ai donné le pistolet. Je ne pouvais pas prévoir ce qu'il lui dirait ni qu'elle essaierait de le tuer.

— Non, mais tu m'as demandé de partir !

— Et alors ? Tu lui avais déjà brisé le cœur une fois, et j'étais sûre que tu le ferais à nouveau. Tu as eu le culot de revenir parader ici, épanouie, alors que nous avions… nous avions… C'est ça qui a donné la toux à Ian !

— Quoi ?

— Quand ils l'ont arrêté et jeté dans la prison de Tolbooth. Mais bien sûr, tu n'étais pas là quand c'est arrivé ! Tu n'étais pas là quand nous crevions de faim et étions mortes de peur pour nos maris et nos enfants ! Tu n'as rien vécu de tout ça ! Tu étais en France, au chaud et en sécurité !

— J'étais à Boston, à deux cents ans d'ici, persuadée que Jamie était mort ! Et je ne peux *pas* aider Ian !

Je luttais pour retrouver mon calme, déstabilisée par ce déferlement d'émotions anciennes, ces écorchures d'autrefois encore à vif. Puis je la regardai et ressentis de la peine. Ses traits fins étaient émaciés et ravagés par l'angoisse. Elle serrait tant les poings que ses ongles s'enfonçaient dans sa chair.

— Jenny, dis-je plus doucement. Je t'en prie, crois-moi. Si je pouvais faire quoi que ce soit pour Ian… je le ferais. Mais je ne suis pas magique. Je n'ai aucun pouvoir. Je n'ai que quelques connaissances, et encore, pas assez. Je donnerais mon âme pour l'aider… mais je ne peux rien faire. Jenny, je ne peux pas.

Elle me dévisagea en silence. Un silence qui s'éternisa au point de devenir insoutenable. Enfin, je la contournai et me dirigeai vers la maison. Elle ne bougea pas et ne se retourna pas, mais je l'entendis murmurer dans mon dos :

— Tu n'as pas d'âme.

81

Purgatoire II

Quand Ian s'en sentait la force, il sortait marcher avec Jamie. Parfois, ils n'allaient pas plus loin que l'autre bout de la cour ou la grange. Là, accoudés à la barrière, ils échangeaient des observations sur les moutons de Jenny. Parfois, il se sentait assez robuste pour parcourir des kilomètres, ce qui stupéfiait – et alarmait – Jamie. Néanmoins, il était agréable de marcher côte à côte dans la lande, la forêt, le long du loch, parlant peu mais goûtant la compagnie l'un de l'autre. Peu importait qu'ils marchassent lentement. Il en avait toujours été ainsi depuis que Ian était rentré de France avec une jambe en moins.

Un jour qu'ils étaient assis à l'abri du grand rocher où Fergus avait perdu sa main, contemplant le petit torrent qui courait au pied de la colline et guettant l'éclat d'argent d'une truite bondissant hors de l'eau, Ian observa sur un ton détaché :

— Je serais content de retrouver ma jambe.

— Oui, je te comprends, répondit Jamie avec un sourire. Il se souvenait de s'être réveillé après Culloden croyant avoir perdu sa propre jambe. Il avait tenté de se consoler en se disant qu'il la récupérerait un jour s'il parvenait à sortir du purgatoire et à entrer au paradis. Naturellement, il avait également cru qu'il était mort, mais cela lui avait paru moins grave que d'être unijambiste.

— J'imagine que tu ne devras pas attendre longtemps.

Ian le regarda sans comprendre.

— Attendre quoi ?

— Ta jambe.

Il se rendit compte que Ian n'avait aucune idée de ce dont il parlait et se hâta de le lui expliquer.

— Je me disais que tu ne passeras sans doute pas beaucoup de temps au purgatoire, voire pas du tout, et que tu la retrouveras rapidement.

Ian se mit à rire.

— Qu'est-ce qui te fait croire que je ne passerai pas mille ans au purgatoire ? Et si j'étais un terrible pécheur ?

— Moui… peut-être, admit Jamie. Mais, dans ce cas, tu dois avoir eu un nombre incalculable de mauvaises pensées car, si tu avais commis de mauvaises actions, ça se saurait.

— Ah oui ? dit Ian, amusé. Tu ne m'as pas vu depuis des années. J'aurais bien pu faire n'importe quoi, tu n'en saurais rien.

— Oh que si ! Jenny me l'aurait dit. Et ne t'imagine pas qu'elle ne le saurait pas si tu avais une maîtresse et six enfants illégitimes, ou si tu t'étais mis à dévaliser les gens sur la grand-route derrière un masque en soie noire.

— Ça, oui, elle le saurait. Quoique, soyons sérieux, il n'y ait rien qu'on puisse qualifier de « grand-route » à une centaine de milles à la ronde. Et je serais mort de froid depuis longtemps avant que passe quelqu'un digne d'être dévalisé dans un de nos cols.

Il s'interrompit, regardant au loin en imaginant les débouchés criminels qui s'ouvraient à lui.

— J'aurais pu voler du bétail, supposa-t-il. Mais il n'y en a plus beaucoup, de nos jours. Si une bête venait à disparaître, toute la paroisse serait au courant, et je pourrais difficilement la cacher parmi les moutons de Jenny.

Il réfléchit encore, le menton posé sur une main, puis secoua la tête.

— La triste réalité, Jamie, c'est que plus personne dans les Highlands ne possède quoi que ce soit qui mérite d'être volé, et ce, depuis une vingtaine d'années. Non, le vol est exclu, j'en ai bien peur. La fornication aussi, car Jenny m'aurait déjà tué. Qu'est-ce qu'il me reste ? Il n'y a vraiment rien à convoiter. Il n'y a plus que le mensonge et le meurtre. Je t'avouerais qu'il m'est arrivé de rencontrer des hommes que j'aurais bien tués, mais je ne suis jamais passé à l'acte.

Jamie se mit à rire.

— Tu m'as pourtant dit que tu avais tué des hommes en France.

— Oui, mais c'était la guerre. On me payait pour tuer ; je ne le faisais pas par méchanceté.

— Dans ce cas, j'avais raison. Tu traverseras le purgatoire comme un petit nuage, car je ne me souviens pas que tu m'aies raconté un seul mensonge.

Ian lui adressa un regard affectueux.

— C'est vrai. Il m'est arrivé de mentir de temps à autre, mais jamais à toi, Jamie.

Il baissa les yeux vers sa vieille jambe de bois usée et se gratta le genou.

— Je me demande si la sensation sera la même.

— Pourquoi serait-elle différente ?

Ian tourna son pied valide d'un côté puis de l'autre.

— C'est que… je peux encore sentir le pied qui me manque. J'ai toujours pu depuis que je l'ai perdu. Pas tout le temps, mais je le sens. C'est très étrange. Et toi, tu sens encore ton doigt ?

Il indiqua du menton la main droite de Jamie.

— Oui. De temps en temps, et le pire, c'est que, bien qu'il ne soit plus là, il me fait encore un mal de chien, ce qui me paraît profondément injuste.

Il aurait pu se mordre la langue d'avoir dit ça. Son ami se mourait, et lui se plaignait d'avoir perdu un doigt ; voilà qui était injuste. Ian sourit et s'adossa au rocher.

— Depuis quand la vie est-elle juste ?

Ils restèrent assis en silence un long moment, contemplant le vent jouer dans les pins sur la colline opposée. Puis Jamie ouvrit son *sporran* et en sortit un petit paquet blanc. Il était un peu sale mais minutieusement enveloppé.

Ian regarda l'objet dans sa paume.

— Qu'est-ce que c'est que ça ?

— Mon doigt, répondit Jamie. Je… euh… je me demandais si ça t'ennuierait qu'il soit enterré avec toi.

Ian le dévisagea un moment, interloqué, puis ses épaules commencèrent à trembler.

— Mon Dieu, non ! Ne ris pas ! s'alarma Jamie. Je ne voulais pas te faire rire ! Jenny me tuera si tu craches un poumon et meurs ici au milieu de nulle part !

Ian se mit à tousser, sa quinte entrecoupée de gloussements incontrôlables. Il pleurait de rire. Il pressa ses deux poings contre son torse pour calmer sa respiration. Quand enfin la crise fut passée, il se redressa lentement, soufflant comme un bœuf. Il renifla puis cracha une glaire écarlate sur les cailloux.

— Je préférerais mille fois mourir en riant ici avec toi que dans mon lit entouré de six prêtres récitant des prières, mais je n'aurai probablement pas cette chance.

Il tendit la main.

— J'accepte. Donne.

Jamie déposa le petit cylindre enveloppé de tissu blanc dans sa paume, et Ian le laissa tomber dans son propre *sporran*.

— Je te le garderai à l'abri jusqu'à ce que tu me rejoignes.

⁎

Il descendit entre les arbres et marcha jusqu'à la lisière de la lande qui s'étendait sous la grotte. Il faisait un froid mordant qu'accentuait la brise. La lumière changeait sur le paysage avec la rapidité d'un battement d'ailes tandis que les nuages, longs et épars, filaient dans le ciel. Il avait repéré un sentier de cerf dans la bruyère au cours de la matinée, mais il avait disparu dans un éboulis de cailloux. À présent, il revenait vers la maison. Il se trouvait derrière la colline au sommet de laquelle se dressait le broch, ses versants couverts d'un petit bois de hêtres et de pins. Il n'avait pas vu un chevreuil, ni même un lapin, de la journée. Avec tant de monde dans la maison, un peu de gibier aurait été bienvenu mais, en réalité, il avait surtout eu envie de sortir à l'air libre ; peu importait qu'il rentrât bredouille.

Il ne pouvait être avec Ian sans avoir envie de le fixer des yeux, de le graver dans sa mémoire, d'imprimer les moindres fragments de son beau-frère dans son esprit comme tous les moments importants de sa vie, afin de pouvoir les ressortir et les revivre à loisir. En revanche, il ne voulait pas se souvenir de Ian tel qu'il était à présent. Mieux valait conserver de lui ce qu'il avait déjà : la lueur d'un feu jouant sur un côté de son visage alors qu'il riait aux éclats tandis qu'il le battait dans une partie de bras de fer, sa propre force les surprenant tous les deux ; ses longues mains noueuses tenant un couteau à dépecer, l'odeur chaude et métallique du sang sur ses doigts ; ses cheveux châtains ébouriffés par le vent venant du loch ; son dos étroit et musclé penché en avant tandis qu'il soulevait un de ses enfants ou petits-enfants et le faisait sauter en l'air.

Nous avons bien fait de venir, pensa-t-il. Surtout, ils avaient bien fait d'amener le garçon à temps pour qu'il puisse parler à son père d'homme à homme, apaiser son esprit et lui faire ses adieux dignement. Mais de vivre dans cette maison avec cet homme qu'il aimait comme un frère et de le voir mourir à petit feu était insoutenable.

Avec autant de femmes sous un même toit, les chamailleries étaient inévitables. Avec autant de femmes Fraser, c'était comme de se promener dans une poudrière en tenant une chandelle allumée. Chacune faisait de son mieux et mettait de l'eau dans son vin… mais cela ne faisait qu'empirer les choses quand une étincelle mettait enfin le feu aux poudres.

Il eut une pensée compatissante pour Claire. Après le dernier incident dans le poulailler avec Jenny, elle s'était retranchée dans le bureau de Ian. (Il l'avait invitée à s'en servir, ce qui devait agacer Jenny plus que tout.) Elle y passait ses journées à écrire, rédigeant le livre qu'Andy Bell lui avait mis en tête. Elle avait une grande force de concentration et pouvait rester cloîtrée dans son esprit durant des heures, mais il fallait bien qu'elle en sorte pour se nourrir. Et puis il y avait toujours la conscience que Ian se mourait, grinçant comme un moulin à bras, lentement mais inexorablement, usant les nerfs.

Les nerfs de Ian également.

Deux jours plus tôt, ils étaient allés marcher le long du loch. Soudain, Ian s'était arrêté et recroquevillé comme une feuille d'automne. Jamie s'était précipité pour le retenir par le bras avant qu'il ne tombe puis l'avait assis sur le sol, adossé à un rocher. Il avait resserré le châle autour de ses épaules maigres.

Accroupi devant son ami, il avait demandé :

— Que se passe-t-il, *a charaid* ? Que puis-je faire ?

Ian toussait presque en silence, tout son corps tremblant à chaque quinte. Enfin les spasmes cessèrent et il put inspirer à nouveau. Ses joues revêtaient une roseur phtisique, cette terrible illusion de santé.

— Ça fait mal, Jamie.

Il avait prononcé ce simple aveu en fermant les yeux, comme s'il ne pouvait regarder Jamie en face.

— Nous allons rentrer à la maison. Je vais te porter. Tu prendras un peu de laudanum et…

Ian interrompit ces promesses anxieuses d'un geste de la main. Il haleta quelques instants avant de pouvoir parler.

— C'est vrai que j'ai l'impression qu'on m'enfonce un couteau dans la poitrine mais ce n'est pas de ça que je parlais. La mort ne m'inquiète pas trop mais, bon sang ! Ce qui me tue, c'est qu'elle tarde tant à venir.

Il rouvrit les yeux et émit un petit rire chuintant.

Cette agonie est insupportable, Dougal, je veux en finir. Jamie se souvint soudain de ces paroles aussi clairement que si elles venaient d'être prononcées. Pourtant, elles avaient été dites trente ans plus tôt, dans une église sombre ravagée par le feu des canons. Rupert avait imploré Dougal : « Tu es mon chef. C'est à toi de le faire. » Et Dougal MacKenzie avait fait ce que l'amour et le devoir lui dictaient de faire.

Il serrait la main de Ian, s'efforçant inconsciemment de lui transmettre un peu de sa force et de sa vitalité. Son pouce glissa vers le haut, pressant l'endroit sur le poignet où Claire cherchait toujours la vérité sur la santé d'un patient.

Il sentit la peau glisser sur les os du poignet frêle de Ian. Il songea soudain au serment du sang qu'il avait échangé lors de son mariage, la morsure cuisante de la lame et le poignet froid de Claire pressé contre le sien, un sang poisseux coulant entre leurs peaux. Le poignet de Ian était froid lui aussi, mais ce n'était pas à cause de la peur.

Il baissa les yeux vers son propre poignet. Il n'y avait plus de traces de serments ni de fers. Ces plaies-là étaient éphémères, cicatrisées depuis longtemps.

Ian sourit.

— Tu te souviens quand nous avons échangé nos sangs ?

Jamie exerça une légère pression sur le poignet de Ian, pas vraiment surpris que son ami ait pénétré dans son esprit et surpris l'écho de ses pensées.

Il esquissa un petit sourire douloureux.

— Oui, bien sûr.

Ils avaient tous les deux huit ans. La mère de Jamie était morte en couches la veille. La maison était remplie de parents venus présenter leurs condoléances. Son père était plongé dans un état d'hébétude. Les deux enfants s'étaient éclipsés et avaient grimpé sur la colline derrière la maison, s'efforçant de ne pas regarder vers la tombe fraîchement creusée près du broch.

Ils avaient marché dans la forêt, protégés par les arbres, puis s'étaient enfin arrêtés au sommet de la colline la plus haute, là où un vieux bâtiment en pierres appelé « le fort » s'était effondré il y avait longtemps. Ils s'étaient assis sur les ruines, drapant leur plaid autour d'eux pour se protéger du vent, parlant peu. Puis Jamie avait subitement déclaré :

— Je croyais que j'allais avoir un nouveau petit frère, mais ça n'arrivera pas. Il n'y aura que Jenny et moi.

Il avait espéré que ce nouveau venu lui rendrait un peu de son amour pour Willie, son frère aîné mort de la variole, et sentait qu'il devait nourrir ce regret le plus longtemps possible tel un bouclier fragile contre l'énormité de savoir sa mère partie à jamais.

Ian s'était tu un long moment, puis avait sorti de son *sporran* le petit couteau offert par son père pour son dernier anniversaire. Le plus naturellement du monde, il s'était entaillé le pouce en déclarant :

— Je serai ton frère.

Il avait tendu le couteau à Jamie, qui en avait fait autant, surpris que l'entaille fasse si mal. Ils avaient serré leurs pouces l'un contre l'autre et avaient juré d'être frères pour toujours. Promesse tenue.

Il rassembla ses forces, se préparant à la proximité de la mort, à l'irrévocabilité noire.

— Ian, veux-tu que je…

En entendant l'hésitation dans sa voix, Ian rouvrit les paupières. Jamie voulut détourner le regard pour ne pas voir ses yeux doux et interrogateurs mais se retint, sentant que ce serait lâche.

— Veux-tu que je hâte ta fin ?

Tout en parlant, la partie froide de son cerveau cherchait déjà un moyen. Pas avec un couteau, non. Ce serait rapide et propre, un départ digne, mais cela choquerait sa sœur et les enfants. Ni Ian ni lui n'avaient le droit de laisser un dernier souvenir souillé de sang.

Il baissa la tête pour cacher les larmes qui lui montaient aux yeux.

Claire… Elle saurait comment faire, mais il ne pouvait pas le lui demander. Cela irait à l'encontre de son serment de médecin.

— Non, répondit Ian. En tout cas, pas encore. Mais je suis heureux de savoir que je peux compter sur toi, *mo brathair*.

Un mouvement furtif l'arracha à ses pensées, et il s'arrêta net.

Le chevreuil ne l'avait pas vu, bien qu'il fût proche. Le vent était contre lui, mais l'animal était occupé à fouiller parmi les bruyères desséchées des morceaux d'herbes et des plantes plus molles. Il attendit, écoutant le vent. Seules la tête et les épaules du cerf étaient visibles derrière un ajonc.

Il se concentra, laissant l'esprit de la chasse le pénétrer à nouveau. La chasse au gros gibier dans les Highlands était très différente de la chasse dans les forêts de Caroline du Nord. Le rythme était plus lent. Le chevreuil avança de quelques pas, sortant de derrière l'ajonc, toujours broutant. Jamie commença, centimètre par centimètre, à lever son fusil. Il avait fait redresser son canon par un armurier à Édimbourg mais ne l'avait pas utilisé depuis. Il espérait que le guidon était juste.

La dernière fois qu'il s'en était servi, c'était pour assommer le Hessien dans la redoute à Saratoga. Il revit soudain Claire laissant tomber dans une soucoupe la balle qui avait mortellement blessé Simon Fraser. Il sentit le cliquetis métallique et le roulement résonner dans son sang.

Encore un pas, puis deux. L'animal avait trouvé une plante savoureuse et mastiquait avec grande application. La ligne de mire se posa lentement sur sa cible. C'était un beau brocard, se tenant à moins d'une centaine de mètres. Il sentait le gros cœur solide battant sous ses propres côtes, palpitant au bout de ses doigts posés sur le métal. La crosse était confortablement nichée dans le creux de son épaule.

Il entendit les cris dans le bois derrière lui au moment même où il pressait la gâchette. Le coup partit, ratant sa cible. Le chevreuil bondit et disparut dans un craquement de branches sèches.

Jamie pivota sur ses talons et courut vers la forêt. Qui avait crié ? C'était une voix de femme, mais laquelle ?

Il trouva Jenny sans grande difficulté. Elle se tenait dans une clairière où ils étaient souvent venus enfants, elle, Ian et lui, pour échanger des secrets et jouer aux chevaliers et aux soldats.

Elle avait été un bon soldat.

Peut-être l'attendait-elle après l'avoir entendu tirer, à moins qu'elle ne fût simplement incapable de bouger. Elle se tenait le dos droit mais avait le regard vide ; son châle était enroulé autour d'elle telle une armure rouillée.

Il posa son arme près du grand pin sous lequel elle leur avait fait la lecture, à Ian et à lui, durant les longs soirs d'été où le soleil effleurait à peine la ligne d'horizon avant de se relever.

— Tout va bien, Jenny ?

— Oui, répondit-elle d'une voix monocorde.

Il s'approcha et lui tendit la main. Elle ne lui donna pas la sienne mais ne résista pas quand il la prit quand même.

— Je t'ai entendue crier.

— Je ne l'ai pas fait exprès.

Il hésita. Il savait très bien pourquoi elle ressentait le besoin de venir crier dans la forêt, là où personne ne l'entendrait. Il aurait été stupide d'insister et de lui demander ce qui n'allait pas.

— Tu préfères que je te laisse ?

— Non, qu'est-ce que ça peut faire ? Rien n'a plus d'importance.

Il pouvait entendre l'hystérie dans sa voix. Ne sachant pas quoi dire, il déclara :

— Au moins, nous avons pu amener le petit à temps.

— Oui, c'est vrai. Et tu as ramené ta femme aussi.

— Tu me le reproches ? Mais pourquoi ? Tu devrais être contente de la revoir. À moins que…

Il ravala ses paroles. Il avait été sur le point de lui demander si elle lui reprochait d'avoir une femme alors qu'elle était sur le point de perdre son mari.

Mais ce n'était pas du tout ce qu'elle avait voulu dire.

— Oui, elle est revenue, mais à quoi bon ? s'écria-t-elle. À quoi sert une sorcière qui a le cœur dur comme pierre et ne lèvera pas le petit doigt pour sauver Ian ?

Il était tellement abasourdi qu'il ne put que répéter sottement :

— Un cœur de pierre ? Claire ?

— Je le lui ai demandé, et elle a refusé.

Les yeux de sa sœur étaient secs, remplis de souffrance et d'urgence.

— Tu ne peux pas lui demander de m'aider, Jamie ?

L'énergie vitale de sa sœur, toujours chargée et palpitante, crépitait au bout de ses doigts comme des éclairs en zigzag. Il valait mieux qu'elle se défoule sur lui ; elle ne pouvait pas le blesser.

— *Mo piuthar*, elle l'aurait déjà guéri si elle le pouvait, dit-il le plus doucement possible. Elle m'a dit que tu le lui avais demandé. Elle pleurait… elle aime Ian comme…

Elle retira sa main de la sienne avec une telle violence qu'il crut qu'elle allait le frapper. Elle hurla :

— Surtout ne t'avise pas de me dire qu'elle aime Ian autant que moi !

Puis elle le gifla effectivement, si fort qu'elle le fit larmoyer. Tout en se tenant la joue, il reprit, s'efforçant de garder son calme :

— Ce n'est pas ce que j'allais dire. J'allais dire qu'elle l'aimait autant…

Il s'apprêtait à dire « autant qu'elle m'aime », mais elle ne lui en laissa pas le temps. Elle lui envoya un coup de pied dans le tibia qui lui fit plier le genou et perdre l'équilibre. Puis elle tourna les talons et dévala la colline telle une sorcière sur son balai, ses jupes et son châle claquant autour d'elle comme un orage.

82

La répartition des richesses

J'écrivis soigneusement *Nettoyage des plaies* puis m'arrêtai, rassemblant mes pensées. Eau bouillie, linges propres, extraction de corps étrangers, application de vers blancs sur la chair morte (avec une mise en garde contre la mouche à viande et la lucilie bouchère ? Inutile, personne ne pourrait les distinguer des autres larves sans une loupe). Suture des plaies (stérilisation de l'aiguille et du fil). Onguents utiles. Devais-je ajouter un chapitre sur la production et les utilisations de la pénicilline ?

Je tapotai la pointe de ma plume sur le buvard, créant de minuscules étoiles d'encre noire, puis décidai de ne pas l'inclure. Il s'agissait d'un guide pour M. Tout-le-monde. Or, M. Tout-le-monde n'était pas outillé pour le processus laborieux de la fabrication de pénicilline et ne disposait probablement pas d'instrument d'injection. Je souris en me rappelant de la seringue pour pénis que m'avait montrée le docteur Fentiman.

Du coup, je revis en pensée le jugum pénien du docteur Rawlings. L'utilisait-il sur lui-même ? Je chassai aussitôt les images mentales que cette question faisait défiler dans ma tête et revins en arrière de quelques pages, cherchant ma liste de chapitres.

J'y ajoutai *Masturbation*. Si certains médecins la présentaient sous un jour négatif (ce qui était en fait invariablement le cas), je ne voyais pas pourquoi je ne pouvais pas en offrir discrètement une vision plus positive.

Je me remis à faire de petits pâtés d'encre, distraite par la difficulté de présenter discrètement les bienfaits de la masturbation. Seigneur, que se passerait-il si je déclarais, noir sur blanc, que les femmes s'y adonnaient elles aussi ?

— Ils brûleraient mon livre, et sans doute l'imprimerie d'Andy Bell dans la foulée, me répondis-je à voix haute.

Quelqu'un émit un petit son étranglé, et je relevai les yeux. Une femme se tenait sur le seuil du bureau.

— Vous cherchez Ian Murray ? dis-je me levant. Je vais aller…

— Non, c'est vous que je suis venue voir, me coupa-t-elle.

Je perçus une note étrange dans sa voix et me sentis aussitôt sur la défensive sans savoir pourquoi.

— Et vous êtes… ?

Elle s'avança dans la lumière.

— Vous ne me reconnaissez pas ?

Elle esquissa un demi-sourire vexé.

— Laoghaire MacKenzie… Fraser.

— Oh.

J'aurais dû la reconnaître sur-le-champ, mais c'était bien le dernier endroit où je me serais attendue à la voir. Me souvenant de sa dernière visite à Lallybroch, je saisis discrètement le coupe-papier sur le bureau.

— Vous me cherchiez ? répétai-je. Vous ne vouliez pas plutôt voir Jamie ?

Elle écarta cette suggestion d'un geste dédaigneux puis ouvrit la poche attachée à sa ceinture et en sortit une lettre.

— Je suis venue vous demander une faveur. Si vous voulez bien lire ceci…

Pour la première fois, j'entendis un tremblement dans sa voix.

Je lançai un regard méfiant vers sa poche, mais celle-ci semblait plate. Si elle avait apporté un pistolet, elle le gardait ailleurs. Je pris la lettre et lui fis signe de s'asseoir sur la chaise de l'autre côté du bureau. S'il lui prenait soudain l'envie de m'attaquer, cela me laisserait un peu de temps pour réagir.

Pourtant, elle ne me faisait pas vraiment peur. Elle était visiblement bouleversée bien que maîtresse d'elle-même.

J'ouvris la lettre et commençai à lire, lui lançant de brefs regards pour m'assurer qu'elle ne bougeait pas.

15 février 1778, Philadelphie

— Philadelphie ? m'exclamai-je malgré moi.

Laoghaire hocha la tête.

— Ils s'y sont installés l'été dernier. Son cher époux a pensé qu'ils y seraient plus en sécurité. Deux mois plus tard, l'armée britannique a envahi la ville, et elle l'occupe toujours.

Je notai au passage qu'elle semblait s'être réconciliée avec le mari de sa fille aînée, car elle avait prononcé « son cher époux » sans aucune trace d'ironie.

Ma chère maman,

Pour l'amour que tu me portes ainsi qu'à mes enfants, je dois te demander une immense faveur. Il s'agit d'Henri-Christian. Du fait de sa difformité, il a toujours eu du mal à respirer, surtout quand il souffre du catarrhe. En outre, il ronfle comme un sonneur depuis sa naissance. Voici qu'à présent il s'est mis à cesser de respirer pendant son sommeil, à moins d'être calé dans une position particulière à l'aide de coussins. Mère Claire l'a examiné lorsque père et elle étaient à New Bern. Elle a déclaré que ses végétations adénoïdes (cela se trouve dans sa gorge) étaient trop grosses et qu'elles pourraient lui causer du souci à l'avenir. (Germain a le même problème et respire la bouche ouverte la plupart du temps, mais cela ne met pas sa vie en danger.)

Je vis dans la terreur qu'Henri-Christian cesse de respirer une nuit et que personne ne soit présent pour le sauver. Nous nous relayons à ses côtés pour veiller à ce que sa tête soit toujours dans la bonne position pendant qu'il dort, mais je ne sais pas combien de temps encore nous pourrons tenir. Fergus est épuisé par son travail à l'atelier et moi, par les travaux de la maison. (J'aide également à l'imprimerie, tout comme Germain. Les filles me sont d'un grand secours à la maison, les saintes chéries, et s'occupent à merveille de leur petit frère, mais on ne peut les laisser veiller seules à son chevet toute la nuit.)

J'ai conduit Henri-Christian chez un autre médecin, qui a confirmé que le gonflement dans sa gorge obstruait sa respiration. Il l'a saigné et lui a prescrit des remèdes, mais ils n'ont servi qu'à le faire pleurer et vomir. Mère Claire (pardonne-moi de te parler d'elle ; je connais tes sentiments) m'a dit qu'il serait sans doute nécessaire un jour ou l'autre de lui extraire ses amygdales et ses végétations, et je crains fort que ce moment soit arrivé. Elle l'a déjà fait pour les jumeaux Beardsley à Fraser's Ridge, et je n'ai confiance qu'en elle pour pratiquer cette opération.

Veux-tu bien aller la voir, maman ? Elle doit désormais se trouver à Lallybroch, où je lui écrirai pour la supplier de venir vite à Philadelphie. Mais je crains de ne pas savoir lui communiquer l'horreur de notre situation.

Si tu m'aimes, maman, je t'implore d'aller la trouver et de lui demander de rentrer le plus rapidement possible.

Ta fille affectionnée,
Marsali

Je reposai la lettre. *Je crains de ne pas savoir lui communiquer l'horreur de notre situation.* Non, elle y était fort bien parvenue.

On appelait cela l'« apnée du sommeil ». C'était un trouble assez fréquent, surtout chez des sujets atteints de certaines formes de nanisme, où les voies aériennes étaient comprimées par des anomalies du squelette. La plupart des gens qui en souffraient se réveillaient en sursaut, se débattant et grognant lorsqu'ils inspiraient à nouveau. Dans le cas d'Henri-Christian, l'hypertrophie des végétations et des amygdales avait sans doute une origine héréditaire (je l'avais également observée chez Germain et, dans une moindre mesure, chez les filles). Cet état pouvait aggraver son problème car, même si un manque d'oxygène déclenchait un réveil réflexe, Henri-Christian risquait de ne pas pouvoir prendre une inspiration suffisamment profonde pour le réveiller à temps.

J'imaginais Marsali et Fergus (ainsi que Germain, probablement) se relayant au chevet de l'enfant dans la maison obscure, l'observant dormir, s'assoupissant parfois et se réveillant en sursaut, terrifiés à l'idée qu'il ait bougé et cessé de respirer. En lisant la lettre, j'avais senti un nœud d'angoisse se former sous mes côtes.

Laoghaire m'observait sous son bonnet. Pour une fois, je ne voyais dans ses yeux bleus aucune trace de la colère, de l'hystérie et de la suspicion avec lesquelles elle m'avait toujours traitée.

Elle rassembla son courage pour déclarer :

— Si vous y allez, je renoncerai à l'argent.

— Quoi, vous croyez que je le ferais par…

Je m'interrompis. Bien sûr, elle s'imaginait qu'il faudrait me soudoyer. Elle croyait que j'avais abandonné Jamie après Culloden, ne revenant auprès de lui qu'après qu'il fut redevenu prospère. Je fus tentée de lui expliquer… mais c'était inutile et cela n'avait rien à voir avec la question. La situation était limpide.

Elle se pencha soudain vers moi, pressant les deux mains sur le bureau avec une telle force que ses ongles blanchirent.

— Je vous en prie, dit-elle. Je vous en prie.

J'étais tiraillée entre deux pulsions contradictoires : l'envie de la gifler et celle de poser une main sur la sienne pour la tranquilliser. Je refoulai les deux et m'efforçai de réfléchir calmement.

Je devais y aller. Cela n'avait rien à voir avec Laoghaire ni avec le différend entre nous. Si je ne me rendais pas à Philadelphie et qu'Henri-Christian mourait, je ne pourrais vivre avec cela sur la conscience. En arrivant à temps, je pourrais le sauver. Personne d'autre que moi ne le pouvait. C'était aussi simple que ça.

Mon cœur se serra à l'idée de quitter Lallybroch à présent. Cela signifiait dire définitivement adieu à Ian, ainsi peut-être qu'à tous les autres et au domaine lui-même. Cependant, une partie de mon cerveau était déjà convaincue de la nécessité de partir et réfléchissait au moyen le plus rapide de rejoindre Philadelphie. La chirurgienne en moi évaluait ce dont j'aurais besoin une fois là-bas, les éventuelles complications de l'intervention... analysant comment procéder au mieux.

Tandis que je réfléchissais à ces questions pratiques, une logique impitoyable l'emportant sur le choc et l'émotion, il me vint à l'esprit que ce nouveau désastre présentait d'autres aspects.

Laoghaire attendait, me fixant du regard en pinçant les lèvres, m'adjurant intérieurement d'accepter.

Je m'enfonçai dans ma chaise et la regardai dans le blanc des yeux.

— Soit, déclarai-je. Si nous discutions de mes conditions ?

*

Tout en observant un héron gris survolant le loch, j'expliquai à Jamie :

— Donc, j'irai à Philadelphie le plus rapidement possible pour opérer Henri-Christian. De son côté, elle épousera Joey, renoncera à sa pension alimentaire et autorisera Joan à entrer dans les ordres. Cela dit, il vaudrait peut-être mieux lui faire signer un papier, au cas où.

Jamie me dévisageait, bouche bée. Nous étions assis dans l'herbe au bord du loch, où je l'avais entraîné pour lui raconter ce qui s'était passé et ce que je comptais faire. Je poursuivis :

— Laoghaire n'a pas touché à la dot de Joan. Elle la lui donnera afin qu'elle puisse voyager et entrer au couvent.

Je pris une grande inspiration, espérant que ma voix ne tremblait pas.

— J'ai pensé que... Michael repartira dans quelques jours. Joan et moi pourrions l'accompagner en France. Je pourrais embarquer là-bas à bord d'un navire français, et il l'escortera jusqu'à son couvent.

— Tu...

Il s'interrompit. Je lui pris la main et la serrai :

— Tu ne peux pas partir maintenant, Jamie. Je le sais.

Il fit la grimace et exerça une forte pression sur mes doigts, niant instinctivement l'évidence. Je m'accrochai à sa main autant que je le pouvais, bien que ce fût la mutilée. L'idée d'être séparée de lui me remplissait de désolation et de terreur, d'autant plus si je songeais que nous aurions l'océan Atlantique entre nous et qu'il faudrait sans doute attendre des mois avant de nous revoir.

Je savais que, si je le lui demandais, il viendrait avec moi. Si je lui laissais ne fût-ce que l'ombre d'un doute sur ce qu'il devait faire… Il ne fallait pas.

Il avait tant besoin d'être à Lallybroch, de vivre le peu de temps qui lui restait avec Ian, et plus encore d'être présent aux côtés de Jenny quand ce dernier partirait. Personne, même pas ses enfants, ne pourrait lui apporter un meilleur soutien. S'il avait ressenti le besoin de voir Laoghaire pour expier sa responsabilité dans l'échec de leur mariage, combien plus puissant serait son sentiment de culpabilité s'il abandonnait à nouveau sa sœur au moment où elle avait le plus désespérément besoin de lui.

— Tu ne peux pas partir, répétai-je dans un chuchotement. Je le sais, Jamie.

Il me dévisagea, le regard chargé d'angoisse.

— Je ne peux pas te laisser partir. Pas sans moi.

— Ce… ce ne sera pas long. Après tout, je suis déjà partie plus loin toute seule.

J'avais du mal à parler tant ma gorge était nouée. Il remua les lèvres pour me répondre mais ne parvint pas à prononcer un mot. Je levai sa main à mes lèvres et l'embrassai, puis pressai ma joue contre elle, détournant le visage. Il dut sentir mes larmes couler sur ses doigts car il m'attira à lui ; nous restâmes blottis l'un contre l'autre un long moment, écoutant le vent qui agitait les herbes et la surface de l'eau. Le héron s'était posé de l'autre côté du loch et se tenait sur une patte, attendant patiemment.

— Il nous faut un avocat, dis-je soudain. Ned Gowan vit toujours ?

*

À ma stupéfaction, il était effectivement toujours de ce monde. Quel âge pouvait-il avoir ? Quatre-vingt-cinq ans ? Quatre-vingt-dix ? Il n'avait plus de dents et était ridé comme un sac en papier froissé, mais il était toujours aussi guilleret qu'un grillon, et son esprit carnassier d'avocat était toujours aiguisé.

Il avait rédigé le contrat d'annulation de mariage entre Laoghaire et Jamie, organisant joyeusement les versements annuels à Laoghaire ainsi que les dots de Marsali et de Joan. Il s'attelait à présent, tout aussi joyeusement, à le résilier.

Tout en suçant la pointe de sa plume, il déclara :

— Venons-en à la question de la dot de la demoiselle Joan. Dans le document original, vous avez spécifié, monsieur, que cette somme, que dis-je, cette somme *très* généreuse, devait être remise à la jeune dame à l'occasion de son mariage et rester ensuite sa propriété à elle seule, ne pouvant être transmise à son époux.

— En effet, répondit Jamie sur un ton assez sec.

Il m'avait dit plus tôt qu'il préférait être ligoté nu sur une fourmilière plutôt que de devoir supporter un avocat plus de cinq minutes. Nous discutions des complications de ce contrat depuis plus d'une heure.

— Et alors ?

Maître Gowan le dévisagea avec l'indulgence due à une personne qui n'était pas très maligne mais néanmoins digne de respect parce qu'elle payait ses honoraires.

— Alors elle ne se marie pas, expliqua-t-il patiemment. Dans ce cas, la question se pose de savoir si elle peut toucher sa dot.

— Mais si, elle se marie avec le Christ, bougre d'ignorant protestant !

Je lançai un regard surpris vers Ned Gowan, n'ayant jamais entendu dire qu'il était protestant. Toujours aussi vif, il remarqua ma surprise et me sourit, les yeux pétillants.

— Je n'ai d'autre religion que la loi, chère madame. Que l'on observe un rite ou un autre m'importe peu. Pour moi, Dieu est la Justice personnifiée, et c'est ainsi que je le sers.

Jamie émit un bruit de dédain.

— Peuh ! J'aimerais bien voir la tête de vos clients s'ils apprenaient que vous n'êtes pas papiste !

Les petits yeux noirs de Ned Gowan se tournèrent vers lui.

— Je suis sûr que vous ne vous abaisseriez pas à un acte aussi vil que le chantage, cher monsieur. J'ose à peine mentionner cette honorable institution écossaise, connaissant la noblesse de votre tempérament. Sans parler du fait que vous ne parviendrez jamais à conclure ce maudit accord sans son aide.

Jamie poussa un profond soupir.

— C'est bon, c'est bon. Finissons-en. Que peut-on faire au sujet de cette dot ?

— Ah !

Maître Gowan se replongea aussitôt dans ses dossiers.

— J'ai interrogé la jeune dame concernée sur ses propres souhaits en la matière. En tant que premier contractant, vous pouvez, avec le consentement de l'autre signataire qui, si j'ai bien compris, l'a déjà donné (il toussota dans son poing après cette petite allusion oblique à Laoghaire), modifier les termes du document original. Dans la mesure où, comme je l'ai déjà dit, Mlle Joan n'a pas l'intention de se marier, souhaitez-vous annuler la dot, conserver les termes existants ou les modifier ?

— Je veux que l'argent revienne à Joan, déclara Jamie.

— De manière inconditionnelle ? J'attire votre attention sur le terme « inconditionnel » qui, en droit, signifie…

— Vous avez dit avoir interrogé Joan. Que désire-t-elle ?

Maître Gowan parut satisfait, comme toujours quand il percevait une nouvelle complication.

— Elle souhaite n'accepter qu'une petite portion de la somme, celle qui lui sera nécessaire pour son entrée au couvent. J'ai cru comprendre qu'une telle donation était coutumière.

Jamie arqua un sourcil suspicieux.

— Vraiment ? Et le reste ?

— Elle aimerait qu'il soit versé à sa mère, Laoghaire MacKenzie Fraser, mais pas de manière inconditionnelle, si vous comprenez ce que je veux dire. Autrement dit, elle y met certaines conditions.

Jamie et moi échangeâmes un regard.

— Quelles conditions ? demanda Jamie.

Maître Gowan leva sa petite main flétrie et fléchit les doigts un à un en énumérant :

— Premièrement, que l'argent ne soit pas débloqué avant qu'un contrat de mariage en bonne et due forme entre Laoghaire MacKenzie Fraser et Joseph Boswell Murray soit inscrit dans le registre de la paroisse de Broch Mordha et attesté par un prêtre. Deuxièmement, qu'un contrat soit signé, réservant et garantissant le domaine de Balriggan, tous ses biens et ses produits au seul nom de Laoghaire MacKenzie Fraser jusqu'à sa mort, après quoi ils seront légués conformément aux souhaits de la susmentionnée Laoghaire MacKenzie Fraser tel qu'elle l'aura stipulé dans un testament. Troisièmement, que l'argent ne soit pas donné de manière inconditionnelle mais confié à un fidéicommissaire et versé en acomptes de vingt livres annuelles aux susmentionnés Laoghaire MacKenzie Fraser et Joseph Boswell Murray. Quatrièmement, que ces versements annuels ne doivent servir qu'à l'entretien et à l'amélioration du domaine de Balriggan. Cinquièmement, que le versement de chaque acompte annuel soit subordonné au reçu d'un livre de comptes détaillant l'utilisation de l'acompte de l'année précédente.

Il replia son pouce, abaissa son poing puis leva l'index de l'autre main.

— Sixièmement et finalement : que le fidéicommissaire de ces fonds soit M. James Alexander Gordon Fraser Murray, de Lallybroch. Ces conditions vous conviennent-elles, monsieur ?

— Très bien, dit Jamie en se levant. Vous pouvez mettre tout cela au propre. Et, à présent, si personne n'y voit d'objection, je m'en vais boire un petit verre, peut-être même deux.

Maître Gowan referma son encrier, rassembla ses notes en une liasse bien ordonnée et se leva à son tour, quoique plus lentement.

— Je vous accompagne prendre ce petit verre, Jamie. Je meurs d'envie d'entendre parler de votre guerre en Amérique. Cela me paraît être une aventure merveilleuse !

83

En comptant les moutons

À mesure que le temps passait, Ian dormait de moins en moins. Le besoin de partir pour retrouver Rachel le consumait au point qu'il avait l'impression d'avoir sans cesse des charbons ardents dans le creux du ventre. Sa tante Claire appelait cela des brûlures d'estomac et affirmait que c'était parce qu'il mangeait trop vite. Mais ce n'était pas ça, il pouvait à peine avaler quoi que ce soit.

Il passait le plus de temps possible avec son père. Assis dans un coin de son bureau, il l'observait régler les affaires de Lallybroch avec son frère aîné. Il ne comprenait pas comment il serait possible de se lever et de partir, laissant son père à jamais derrière lui.

Pendant la journée, il y avait des choses à faire, des gens à aller voir, à qui parler ; et, quand ses sentiments écorchés devenaient insupportables, il pouvait toujours marcher dans la lande, trouvant un apaisement dans sa beauté austère. En revanche, la nuit, la maison redevenait silencieuse ; les craquements du bois étaient ponctués par les quintes de toux de son père et le souffle bruyant de ses deux jeunes neveux, dont il partageait la chambre. Il lui semblait alors que la maison tout entière respirait autour de lui, une expiration rauque après l'autre. Il sentait son poids sur sa poitrine, au point qu'il se redressait dans son lit, inspirant à grandes goulées rien que pour se prouver qu'il était toujours vivant. Puis, n'y tenant plus, il descendait à pas de loup, ses bottes à la main, sortait par la porte de la cuisine et marchait sous les nuages ou les étoiles, le vent frais ravivant les flammes dans son ventre jusqu'à ce qu'il trouvât enfin les larmes pour les calmer.

Une nuit, il trouva la porte déjà déverrouillée. Il sortit, regarda prudemment autour de lui mais ne vit personne. Peut-être le jeune Jamie était-il dans l'étable. L'une des deux vaches allait vêler d'un jour à l'autre. Il aurait sans doute dû aller proposer son aide mais… la brûlure sous ses côtes était douloureuse, et il avait besoin de marcher un peu avant toute chose. De toute manière, s'il avait eu besoin d'aide, son frère la lui aurait demandée.

Il s'éloigna de la maison et des dépendances et passa devant l'enclos aux moutons. Ces derniers formaient des monticules clairs, somnolant sous la lune, émettant de temps à autre un *bêêê* surpris comme s'ils s'extirpaient brusquement d'un rêve de mouton.

Un de ces rêves prit soudain forme devant lui : une silhouette sombre se détacha de la clôture. Il poussa un petit cri de surprise, réveillant les moutons les plus proches, qui entamèrent aussitôt un concert de bêlements graves.

— Chut, *a bhailach* ! lui dit doucement sa mère. Si tu effraies tout le troupeau, ils vont réveiller les morts.

Il pouvait la distinguer à présent, menue et fine, ses cheveux dénoués formant une masse sombre sur sa chemise de nuit claire. Il rétorqua :

— En parlant de morts… je t'ai prise pour un fantôme. Que fais-tu ici, maman ?

— Je compte les moutons. N'est-ce pas ce qu'on est censé faire quand on ne parvient pas à s'endormir ?

— Si.

Il vint se poster à ses côtés, s'accouda à la barrière, puis demanda :

— Et ça marche ?

— Parfois.

Ils restèrent en silence un moment, observant les moutons, qui retrouvaient leur quiétude et se rendormaient. Ils dégageaient une odeur légèrement fétide d'herbes mâchées, de crottin et de laine grasse que Ian trouvait étrangement réconfortante. Au bout d'un moment, il demanda :

— Cela sert à quelque chose de les compter quand on connaît déjà leur nombre ?

— Non. En réalité, je répète leurs noms. C'est comme de réciter le rosaire, sauf que tu ne demandes rien. Demander, ça te mine.

Surtout quand tu sais déjà que la réponse sera non. Ian glissa un bras autour des épaules de sa mère. Elle eut un petit mouvement de surprise, puis se détendit et posa sa tête sur son épaule. Il sentait ses petits os, aussi fragiles que ceux d'un oiseau.

Puis elle se détacha doucement de lui.

— Tu n'as toujours pas sommeil ?

— Non.

— Alors, viens avec moi.

Sans attendre sa réponse, elle s'enfonça dans la nuit, s'éloignant de la maison.

Ses yeux s'étaient accoutumés à l'obscurité et, avec la demi-lune, il n'eut aucun mal à la suivre, même dans les hautes herbes, les cailloux et les bruyères.

Où l'emmenait-elle ? Ou plutôt, pour quoi faire ? Ils grimpaient la colline en direction du vieux broch et du cimetière. Il sentit un frisson l'envahir. Voulait-elle lui montrer la future tombe de son père ?

Elle s'arrêta et se baissa si brusquement qu'il faillit lui rentrer dedans. Elle se redressa et déposa un caillou dans sa main.

— Par-là, dit-elle.

Elle le guida vers une petite pierre carrée posée sur le sol. Il pensa d'abord qu'il s'agissait de la tombe de Caitlin, l'enfant née avant la jeune Jenny et qui n'avait vécu qu'un jour, puis il aperçut sa stèle à quelques pas. Celle-ci avait la même forme et la même taille mais… Il s'accroupit et, passant les doigts sur l'inscription gravée, devina le nom.

Yeksa'a.

— Maman…

Il reconnut à peine sa propre voix dans la nuit.

— C'est bien ainsi ? demanda-t-elle d'une voix anxieuse. Ton père m'a dit qu'il ne savait pas trop comment s'écrivait son nom indien. J'ai demandé au marbrier de mettre les deux, cela m'a paru plus juste.

— Les deux ?

Ses doigts cherchaient déjà sur la pierre et trouvèrent rapidement le second nom.

Iseabaìl.

— Oui, c'est juste, murmura-t-il.

Il posa les mains à plat sur la pierre froide.

Elle s'accroupit à ses côtés et déposa son propre caillou sur la tombe. C'était l'usage quand on venait se recueillir sur la tombe d'un mort, pour signifier que l'on était venu, que l'on n'avait pas oublié.

Il tenait toujours l'autre caillou, ne pouvant se résoudre à le déposer. Les larmes coulaient sur son visage. Sa mère posa une main sur son bras.

— Ce n'est rien, *mo dhuine*, dit-elle doucement. Va retrouver cette jeune femme. Tu seras toujours ici avec nous.

La vapeur de ses larmes s'élevait comme une fumée d'encens dans son cœur. Il déposa doucement la pierre sur la tombe de sa fille. Elle était à l'abri au sein de sa famille.

Ce ne fut que des jours plus tard, au milieu de l'océan, qu'il se rendit compte que sa mère l'avait appelé comme on appelle un homme.

84

L'ami à ma droite

Ian mourut juste après l'aube. La nuit avait été épouvantable. Il avait manqué de se noyer dans son propre sang à de nombreuses reprises, s'étranglant, les yeux exorbités. Puis il avait été pris de convulsions, recrachant des lambeaux de ses poumons. Le lit ressemblait au lieu d'un carnage, et la pièce empestait la sueur d'un combat désespéré et futile, l'odeur de la mort.

À la fin, il retrouva le calme, sa poitrine maigre se soulevant à peine, son râle pas plus fort que les grattements de l'églantier contre la vitre.

Jamie s'était tenu en retrait, laissant au jeune Jamie la place au chevet du mourant en tant que fils aîné. Jenny était restée assise toute la nuit de l'autre côté du lit, essuyant le sang, la transpiration et les liquides nauséabonds qui suintaient du corps de son mari, ce dernier se dissolvant sous leurs yeux. Près de la fin, Ian avait levé la main droite et appelé dans un souffle : « Jamie. » Il n'avait pas rouvert les yeux, mais tout le monde sut de quel Jamie il s'agissait. Le jeune Jamie s'était effacé, cédant sa place à son oncle.

Jamie avait saisi la main tendue, dont les doigts osseux s'étaient refermés autour des siens avec une force surprenante. Ian lui avait murmuré quelque chose, trop bas pour que les autres puissent l'entendre, puis l'avait lâché, non pas dans la décrispation de la mort, mais simplement parce qu'il avait fait ce qu'il avait à faire. Sa main était retombée sur les draps, ouverte à sa famille.

Il ne parla plus. Il paraissait apaisé. Quand vint son dernier souffle, ils attendirent tous le prochain. Au bout d'une longue minute de silence, ils échangèrent de brefs regards incertains avant de fixer à nouveau le lit ravagé, les traits immobiles de Ian, comprenant que c'était enfin terminé.

*

Jenny lui en voulait-elle parce que les dernières paroles de Ian avaient été pour lui ? Il ne le pensait pas. Le seul avantage de cette lente agonie était qu'elle vous laissait le temps de faire vos adieux. Ian avait pris le temps de parler seul à seul avec chacun de ses enfants. Il les avait consolés de son mieux, leur offrant peut-être quelques conseils, au moins l'assurance qu'il les aimait.

Jamie s'était tenu près de Jenny lorsque Ian était mort. Elle avait soupiré et semblé s'affaisser, comme si la tige d'acier qui lui avait maintenu le dos raide durant tous ces derniers mois avait été brusquement extirpée par son crâne. Son visage n'avait exprimé aucun chagrin, mais il savait qu'il était bien là. Sur le moment, elle avait simplement ressenti un profond soulagement que ce soit terminé, pour Ian, pour eux tous.

Ian et elle avaient su ce qui allait se passer depuis des mois. Ils avaient sûrement trouvé le temps de se dire ce qu'ils avaient à se dire.

Qu'aurait-il dit à Claire dans les mêmes circonstances ? Probablement ce qu'il lui avait dit au moment de leur séparation : « Je t'aime. Je te reverrai. » Il ne voyait pas ce qu'il pourrait lui dire de mieux.

Il ne parvenait pas à rester dans la maison. Les femmes avaient lavé et installé Ian dans le salon. À présent, elles étaient prises d'une frénésie de ménage et de cuisine. La nouvelle s'était répandue, et les gens commençaient déjà à arriver pour la veillée.

Le jour s'était levé avec un crachin, mais il avait cessé de pleuvoir. Jamie traversa la cour et monta le petit versant vers la tonnelle. Jenny y était assise. Il hésita un instant puis alla s'asseoir auprès d'elle. Si elle voulait être seule, elle pouvait toujours le renvoyer.

Elle n'en fit rien. Elle tendit la main et saisit la sienne. Il la serra, la trouvant soudain tellement frêle.

— Je veux partir ailleurs, déclara-t-elle calmement.

— Je te comprends.

Il lança un regard vers la maison.

La tonnelle était couverte de jeunes feuilles que la pluie avait rendues fraîches et brillantes. Toutefois, elles ne les cachaient pas, et on finirait bien par les apercevoir tôt ou tard.

— Tu veux qu'on descende marcher au bord du loch ? proposa-t-il.

— Non, je veux dire partir d'ici. De Lallybroch. Définitivement.

Il resta interdit un long moment. Puis il déclara prudemment :

— Tu ne le penses pas vraiment. Tu es encore sous le choc. Tu ne devrais pas…

Elle l'interrompit et posa une main sur son cœur.

— Quelque chose s'est brisé en moi. Ce qui me retenait ici, quoi que ce soit, ne me retient plus.

Il ne savait pas quoi dire. Il tourna la tête vers le broch et le cimetière à ses pieds, où l'on apercevait un monticule de terre retournée.

— Tu quitterais Ian ?

— Ian est avec moi, dit-elle sur un ton de défi. Il ne me quittera jamais, et je ne le quitterai pas non plus.

Elle se tourna vers lui. Ses yeux étaient rouges mais secs.

Il sentit ses propres larmes monter et détourna la tête.

— Je sais, marmonna-t-il.

En réalité, il n'était pas certain de le savoir. Pour le moment, l'espace en lui où il avait l'habitude de trouver Ian était vide, creux, résonnant comme un *bodhran*. Reviendrait-il l'occuper ? À moins que Ian se soit simplement déplacé un peu, s'installant dans un autre recoin de son cœur où il n'avait pas encore regardé ? Il l'espérait, mais il n'irait pas le chercher tout de suite, de peur de ne rien trouver.

Il aurait aimé changer de sujet, lui donner le temps et l'espace pour réfléchir, mais il était difficile de parler de quelque chose qui ne fût pas lié à la mort de Ian. Ou à la mort en général. Toute perte vous ramenait à celle d'un être cher, et la perte d'un être cher vous ramenait à celles de tous les autres, chaque mort était la clef de la porte qui verrouillait la mémoire.

Il demanda soudain, se surprenant lui-même :

— Raconte-moi ce qui s'est passé quand père est mort.

Elle se tourna vers lui, mais il garda les yeux fixés sur ses mains, ses doigts gauches caressant lentement l'épaisse cicatrice rouge sur le dos de sa main droite. Elle répondit enfin :

— Ils l'ont amené à la maison couché dans une carriole. Dougal MacKenzie était avec eux. Il m'a expliqué que père assistait à ton châtiment, le jour où tu as été fouetté, quand il s'est soudain effondré. Quand ils l'ont relevé, un côté de son visage était tout crispé et l'autre, tout mou. Il ne pouvait ni parler ni marcher.

Elle marqua une pause, le regard fixé sur le broch et le cimetière.

— J'ai fait venir un médecin. Il a saigné père plusieurs fois, puis a fait brûler des herbes dans une petite cassolette et lui a fait inspirer la fumée. Il a tenté de lui faire prendre des remèdes, mais père ne pouvait pas avaler. Alors, il s'est contenté de déposer des gouttes d'eau sur sa langue. C'est tout. Le lendemain, vers midi, père est mort.

— Il… n'a rien dit ?

— Il ne pouvait pas parler. Il remuait les lèvres de temps à autre, mais il n'en sortait qu'un gargouillis. Vers la fin, je pouvais voir qu'il essayait de dire quelque chose. Sa bouche cherchait à former des mots, et il me regardait fixement pour me faire comprendre. Je suis presque sûre qu'à un moment il a dit « Jamie ». J'ai pensé qu'il s'inquiétait pour toi et lui ai dit que Dougal m'avait assuré que tu étais en vie et que tu allais bien. Il a paru rassuré et il est mort peu après.

Jamie tenta de déloger le nœud dans sa gorge. Il s'était remis à pleuvoir doucement, les gouttes s'écrasant sur les feuilles au-dessus d'eux.

— *Taing*, dit-il doucement. J'aurais aimé lui demander pardon.

— Tu n'en avais pas besoin. Il savait.

Il hocha la tête, trop ému pour parler. Quand il se fut ressaisi, il lui prit à nouveau la main et se tourna vers elle.

— Mais à toi, *a pìuthar*, je peux encore demander pardon.

— Pour quoi ?

— Pour avoir cru Dougal quand il m'a dit… euh… quand il m'a dit que tu étais devenue la putain d'un soldat anglais. J'étais un pauvre idiot.

Elle posa sa main sur la sienne. Elle était aussi fraîche que les feuilles autour d'eux.

— Tu avais besoin de lui. Pas moi.

Ils se turent un long moment, se tenant paisiblement la main.

— Où crois-tu qu'il est en ce moment ? demanda soudain Jenny. Je veux parler de Ian.

Il lança un regard vers la maison, puis vers la fosse dans le cimetière mais, bien sûr, cela n'était plus Ian. Il fut pris de panique un instant, sentant le vide revenir, puis il se souvint de ce que son beau-frère lui avait dit.

« Sur ta droite, l'ami. » Toujours sur sa droite, protégeant son point faible.

Il tapota le banc entre eux.

— Il est ici. À sa place.

Septième partie

QUI SÈME LE VENT

85

Fils de sorcière

Amanda se précipita pour accueillir Roger et Buccleigh, qui venaient de se garer devant la maison. Elle revint quelques instants plus tard vers sa mère en brandissant un virevent bleu.

— Maman ! Maman ! Regarde ce que j'ai eu ! Regarde ce que j'ai eu !

— Que c'est joli !

Brianna se pencha pour l'admirer et souffla sur les volants pour les faire tourner au bout de leur tige.

— Laisse-moi ! Laisse-moi !

Amanda reprit son jouet et, gonflant ses joues, souffla avec une grande détermination mais peu d'effets.

— Sur le côté, *a leannan*, lui expliqua Buccleigh. Tu dois souffler sur le côté.

Il la souleva et, la tenant dans ses bras, fit doucement tourner la tige dans la main de l'enfant.

— Vas-y, souffle maintenant.

Il approcha son visage du sien et souffla avec elle. Le moulinet tournoya en bruissant comme un hanneton.

— À présent, essaie toute seule.

Il adressa un petit sourire penaud à Brianna et porta Amanda sur le sentier menant à la maison tandis que la petite soufflait avec application. Ils passèrent devant Jem, qui se haussa sur la pointe des pieds pour admirer le jouet. Roger sortit des sacs de courses du coffre de la voiture et s'arrêta près de Brianna pour échanger quelques mots en privé.

Elle indiqua d'un signe de tête leur invité plongé dans une conversation animée avec les deux enfants.

— Tu crois que, si on avait un chien, il l'aimerait, lui aussi ? murmura-t-elle.

— *Un homme peut sourire, sourire, et n'être qu'un scélérat*, cita Roger. En outre, on peut dire ce qu'on voudra de l'instinct, je ne crois pas que les enfants et les chiens soient de fins psychologues.

— Mmm... Il t'a appris quelque chose d'utile aujourd'hui ?

Roger avait conduit Buccleigh à Inverness pour renouveler sa garde-robe. En effet, à son arrivée, il ne possédait que le jean, le t-shirt et la veste que lui avait donnés l'association caritative.

— Un peu. Je lui ai demandé ce qu'il était venu faire ici à Lallybroch et pourquoi il rôdait dans le coin. Il m'a répondu qu'il m'avait reconnu dans la rue à Inverness mais que, le temps qu'il se décide à m'aborder, j'étais déjà grimpé dans ma voiture. Il m'a revu à plusieurs reprises et, en posant prudemment quelques questions à la ronde, il a fini par apprendre où j'habitais. Il a...

Il s'interrompit et la dévisagea avec un petit sourire en coin.

— N'oublie pas qui il est et d'où il vient. Je ne crois pas qu'il m'ait raconté des histoires, mais il en a déduit que je devais être un Ancien.

— Vraiment ?

Il fit une grimace ironique.

— Il faut dire que j'ai quand même survécu à une pendaison, ce qui n'est pas donné à n'importe qui. Et puis, je... Enfin, nous avons voyagé à plusieurs reprises à travers les pierres. Sa réaction est compréhensible.

Malgré son inquiétude, elle fut amusée.

— Tu veux dire qu'il a peur de toi ?

Roger haussa les épaules.

— En tout cas, je l'ai impressionné au début. Mais si c'est toujours le cas, il le cache bien.

— Tu montrerais ta peur face à un puissant être surnaturel ? Tu ne te la jouerais pas plutôt cool ? Maman appellerait ça « faire le mâle » ; papa, lui, dirait plutôt que c'est réagir comme un homme digne. Papa et toi vous comportez toujours comme John Wayne dès que vous êtes confrontés à quelque chose de louche. Or, cet homme vous est apparenté à tous les deux.

Roger sourit à la mention du « puissant être surnaturel ». *À moins*, songea Brianna, *que ce ne soit en raison de l'allusion à John Wayne.*

— Il a reconnu qu'il était totalement déboussolé par ce qui lui arrivait. Ça, je peux le comprendre.

— Sans parler que nous, au moins, nous savions ce que nous faisions. Il m'a raconté son passage à travers les pierres. Il t'en a parlé aussi ?

Ils avaient marché lentement mais étaient à présent tout près du pas de la porte. Du couloir, elle pouvait entendre Annie posant une question, les exclamations des enfants et la voix plus grave de Buccleigh leur répondant.

— Oui, répondit Roger. Il veut rentrer chez lui de tout son cœur. Devinant que je savais comment m'y prendre, il voulait me parler. Mais il aurait fallu qu'il soit fou pour frapper à la porte d'un inconnu et lui poser ce genre de question, surtout un inconnu qu'il avait bien failli tuer, et d'autant plus un inconnu capable de le foudroyer sur place ou de le transformer en corbeau. Il a donc quitté son travail et nous a épiés. Il voulait peut-être vérifier que nous ne jetions pas des os humains dans la poubelle, ce genre de choses. Un jour, il est tombé sur Jem près du broch et lui a dit qu'il était le Nuckelavee, en partie pour lui faire peur, mais aussi parce que, s'il me le rapportait, je monterais peut-être là-haut pour faire quelque chose de magique. Auquel cas…

Elle acheva à sa place :

— Auquel cas, il saurait que tu es dangereux, mais aussi que tu avais le pouvoir de le renvoyer chez lui, comme le magicien d'Oz.

Il hocha la tête.

— Pourtant, il ne ressemble vraiment pas à la petite Dorothée…

Il fut interrompu par Annie MacDonald, qui exigeait de savoir pourquoi ils traînaient devant la porte à se faire dévorer par les moucherons alors que le dîner était servi. Se confondant en excuses, ils entrèrent.

*

Brianna dîna sans vraiment remarquer ce qu'il y avait dans son assiette. Jem devait de nouveau passer la nuit chez Bobby et aller pêcher le lendemain avec Rob sur le domaine Rothiemurchus. Elle eut un petit pincement au cœur en y songeant. Elle revoyait son père enseigner patiemment à son petit-fils la pêche à la mouche avec leur canne de fortune et du fil à coudre. Jem s'en souviendrait-il ?

Au moins, il ne serait pas dans leurs pattes ce samedi. Roger et elle devaient avoir une conversation sérieuse avec Buccleigh et décider de la meilleure manière de le renvoyer dans le passé. Autant que Jem ne soit pas là pour écouter aux portes. Elle se demanda soudain si elle devait consulter Fiona.

Fiona Graham était la petite-fille de la vieille Mme Graham, la gouvernante du père adoptif de Roger, le révérend Wakefield. La très convenable vieille dame était également une « grande prêtresse », la détentrice d'une tradition très ancienne. Lors de la fête du Feu de Beltane, les femmes qui avaient hérité cette tradition de leur famille se réunissaient à l'aube, vêtues de blanc, et dansaient ce qui, selon Roger, passait pour une ancienne ronde nordique. Au terme de celle-ci, la grande prêtresse chantait des paroles dans une langue que personne ne comprenait plus, faisant se lever le soleil. Lorsque celui-ci s'élevait au-dessus de l'horizon, un rayon passait droit à travers la brèche de la pierre fendue.

Mme Graham était morte paisiblement dans son sommeil des années plus tôt, mais pas avant d'avoir transmis son savoir et son rôle à sa petite-fille Fiona.

Cette dernière avait aidé Roger lorsqu'il avait traversé les pierres pour retrouver Brianna, lui donnant même sa bague de fiançailles en diamant. C'était après son premier essai désastreux, celui qui s'était soldé comme ce qu'avait décrit William Buccleigh : au centre du cercle de menhirs et en feu.

Trouver une pierre précieuse ne présentera pas trop de difficultés, pensa-t-elle en tendant machinalement le saladier à Roger. D'après ce qu'ils savaient, il n'était pas nécessaire que ce soit une gemme de grande valeur, ni même de grosse taille. Lors de sa première tentative avortée, les grenats du médaillon de sa mère lui avaient évité d'être tuée.

Elle songea soudain aux traces de brûlure sur la poitrine de Buccleigh et se rendit compte qu'elle était en train de le fixer du regard. Il la dévisageait lui aussi. Elle en avala son morceau de concombre de travers et, dans le tohu-bohu qui s'ensuivit, entre la toux, les tapes dans le dos et l'ingestion d'eau, parvint à masquer sa gêne.

Quand le calme fut revenu et que chacun se remit à manger, elle surprit le regard interrogateur de Roger. Elle lui répondit discrètement d'un battement de cils et d'une légère inclinaison de la tête qui signifiait : « Plus tard, sur l'oreiller. » Il se détendit et se replongea dans sa conversation avec Buccleigh et Jem à propos des meilleurs appâts pour attraper une truite.

Elle voulait lui rapporter ce que lui avait dit Buccleigh et discuter de ce qu'ils allaient faire de lui le plus tôt possible. Elle ne comptait certainement pas lui raconter ce que Buccleigh avait dit au sujet de Rob Cameron, toutefois.

Couché dans leur lit, Roger observait le clair de lune sur le visage de Brianna. Il était très tard, mais il ne trouvait pas le sommeil. C'était inhabituel. D'ordinaire, quand ils faisaient l'amour, il s'endormait dans les secondes qui suivaient. Fort heureusement, Brianna aussi. Elle s'était lovée contre lui comme une grosse crevette affectueuse puis s'était endormie, nue, chaude et inerte dans ses bras.

Cela avait été merveilleux, quoique légèrement différent. Elle était presque toujours bien disposée, voire enthousiaste.

Cette fois-ci n'avait pas fait exception, même si elle avait insisté pour verrouiller la porte de la chambre. Ils avaient fait installer un verrou de sûreté quand Jem avait appris à crocheter les serrures, à l'âge de sept ans. D'ailleurs, elle était toujours verrouillée, et il se leva précautionneusement pour la rouvrir. Jem dormait chez son nouveau meilleur ami mais, si Mandy avait besoin d'eux pendant la nuit, il tenait à ce qu'elle puisse entrer.

Il faisait frais dans la chambre, mais ce n'était pas désagréable. Ils avaient installé des plinthes électriques dont la portée était largement insuffisante pour affronter les froideurs de l'hiver des Highlands mais convenait parfaitement pour l'automne.

La nuit, Bree était une vraie bouillotte. Il aurait juré que sa température augmentait de deux ou trois degrés quand elle dormait. De ce fait, elle repoussait souvent les couvertures. Comme à présent. Elle était nue jusqu'à la taille, les bras relevés au-dessus de sa tête et ronflant légèrement. Il glissa une main sous ses bourses, se demandant s'ils pourraient remettre ça. Elle n'y verrait sans doute pas d'inconvénient mais…

Ce n'était peut-être pas une bonne idée. Quand il lui faisait l'amour, il aimait prendre son temps. Quand venait le moment crucial, il était rempli d'une joie barbare quand elle lui cédait sa vulve rousse, de bon gré, certes, mais toujours après un instant d'hésitation, dernier frisson de quelque chose qui n'était pas tout à fait de la résistance. Il l'interprétait comme une manière de s'assurer à elle-même (ainsi qu'à lui) qu'elle pouvait toujours refuser. Une place forte dont les remparts avaient été percés puis réparés possédait des défenses plus solides. Elle ne se rendait sans doute pas compte de ce qu'elle faisait ; il avait toujours évité de lui en parler, de crainte de faire surgir un fantôme entre eux.

Cette nuit, cela avait été légèrement différent. Elle avait d'abord rechigné un peu, avant de céder avec fougue, le tirant en elle, lui griffant le dos.

Il avait d'abord été pris de court puis, une fois dans l'action, avait été pris d'une impulsion folle de la mettre à sac, de se montrer (ainsi qu'à elle) qu'elle n'appartenait qu'à lui ; sa propre forteresse inviolée.

Et elle l'avait encouragé.

Il remarqua qu'il se tenait toujours les bourses et qu'il contemplait sa femme comme un soldat romain jaugerait une Sabine, évaluant son poids et la difficulté de la transporter sous le bras. Le terme latin était *raptio*, souvent traduit à tort par « viol », mais signifiant « enlèvement » ou « rapt ». *Raptio*, le raptor, le rapace qui enlevait ses proies. On pouvait le comprendre dans un sens comme dans l'autre. À ce stade, il se touchait toujours le sexe et décida unilatéralement que non, elle n'y verrait pas d'inconvénient.

Son cortex cérébral, rapidement submergé par une force beaucoup plus ancienne et située nettement plus bas, se hasarda à suggérer que cela avait peut-être à voir avec la présence d'un étranger dans la maison, notamment un certain William Buccleigh MacKenzie.

— Il sera parti à Samhain, marmonna-t-il en s'approchant du lit.

À cette date, la porte de pierre serait grande ouverte et, en lui mettant une pierre quelconque dans la main, ils pourraient renvoyer l'importun à sa famille.

Il se glissa sous les draps, posa une main ferme sur la fesse brûlante de sa femme et lui susurra à l'oreille :

— Je t'aurai, ma jolie, et ton petit chien aussi[5].

Elle fut agitée d'un petit tremblement de rire souterrain et, sans rouvrir les yeux, glissa une main derrière elle et effleura sa chair devenue très sensible.

— Mmm, je fooooooonds[6] ! murmura-t-elle.

Cette fois, il s'endormit, mais pour se réveiller à nouveau un peu plus tard, désespérément alerte.

---

5. Réplique du film musical *Le Magicien d'Oz* (1939) *(N.d.T.)*.
6. *Idem*.

Ce doit être à cause de lui, pensa-t-il en se glissant à nouveau hors du lit. *Je ne parviendrai pas à dormir tranquillement tant qu'il sera chez nous*. Il ne se donna pas la peine d'être discret ; au léger son qu'émettait Brianna, il était clair qu'elle dormait comme un loir. Il enfila son pyjama et sortit dans le couloir, aux aguets.

Lallybroch se parlait à elle-même pendant la nuit, comme toutes les vieilles maisons. Il s'était habitué aux craquements soudains des poutres et des planchers – notamment celui du deuxième étage, qui donnait l'impression que quelqu'un marchait rapidement au-dessus de votre tête –, ainsi qu'au cliquetis des fenêtres quand le vent soufflait de l'ouest. Ce soir, la maison était particulièrement calme, enveloppée dans la somnolence d'une nuit profonde.

Ils avaient installé William Buccleigh dans la chambre au bout du couloir, ayant décidé sans même se concerter qu'ils ne voulaient pas de lui à l'étage supérieur, où dormaient les enfants. Mieux valait l'avoir à l'œil.

Roger s'avança lentement dans le couloir et tendit l'oreille. Aucune lueur ne filtrait de la fente sous la porte de Buccleigh. À l'intérieur, il entendit un ronflement profond et régulier, qui s'interrompit un instant quand le dormeur se retourna dans son lit, marmonnant des paroles inintelligibles, puis reprit.

Roger rebroussa chemin. Son cortex cérébral, muselé un peu plus tôt, reprenait patiemment le dessus. Bien sûr que cela avait à voir avec la présence d'un étranger dans la maison, et pas n'importe quel étranger. Pour des raisons obscures, Brianna et lui se sentaient menacés.

Dans le cas de Roger, il y avait un solide substrat de colère sous la méfiance, ainsi que de la confusion. Par nécessité et par conviction religieuse, il avait pardonné à Buccleigh pour son rôle dans la pendaison qui lui avait volé sa voix. Après tout, il n'avait pas tenté de le tuer de ses propres mains et ne pouvait avoir prévu ce qui allait se passer.

Mais il était nettement plus facile de pardonner à quelqu'un mort depuis deux cents ans qu'à l'ordure qui vivait sous votre toit, mangeait votre nourriture et faisait du charme à votre femme et à vos enfants.

Et n'oublions pas que c'est un bâtard, pensa-t-il cyniquement en descendant l'escalier. L'arbre généalogique qu'ils lui avaient montré le plaçait là où il était censé être, soigneusement encadré par des parents et un fils. Mais cet arbre était un mensonge. William Buccleigh MacKenzie était un *changeling*, le fils illégitime de Dougal MacKenzie, chef de guerre du clan MacKenzie, et de Geillis Duncan, sorcière. Lui-même ne le savait probablement pas.

Une fois au pied de l'escalier, il alluma et se rendit dans la cuisine pour vérifier que la porte était bien fermée.

Quand ils en avaient discuté, Brianna et lui, ils n'avaient pu se mettre d'accord. Lui était pour ne pas réveiller le chien qui dort. En quoi le fait de révéler à Buccleigh la vérité sur ses origines l'aiderait-il ? Les Highlands qui avaient engendré ces deux créatures infernales n'existaient plus, ni dans le présent ni même à l'époque de Buccleigh.

Bree soutenait que Buccleigh avait le droit de savoir même si, interrogée, elle ne pouvait expliquer ce qu'était ce droit au juste. Finalement, frustrée de ne pas parvenir à se faire comprendre, elle avait rétorqué :

— Tu es ce que tu crois être et tu l'as toujours été. Pas moi. Tu penses qu'il aurait mieux valu que je ne sache jamais qui était mon vrai père ?

En toute sincérité, il le pensait. Le fait d'apprendre la vérité avait bouleversé leurs vies et les avait exposés à de terribles dangers. Cela lui avait coûté sa voix. Cela avait bien failli lui coûter sa vie. Quant à elle, elle avait frôlé la mort, avait été violée, avait tué un homme. Il ne lui avait jamais parlé de ce dernier point, mais il le devrait ; il pouvait parfois voir le poids de cette culpabilité dans ses yeux. Il la reconnaissait parce qu'il la partageait.

Et pourtant… aurait-il choisi de ne pas savoir ce qu'il savait désormais ? De n'avoir jamais vécu dans le passé, de ne pas avoir rencontré Jamie Fraser ni connu cet aspect de Claire qui n'existait que lorsqu'elle était avec lui ?

Après tout, l'arbre du jardin d'Éden n'était pas celui du bien et du mal, mais bien celui de la *connaissance* du bien et du mal. La connaissance était peut-être un cadeau empoisonné, mais c'était un cadeau quand même, et peu de gens l'auraient rendu de leur plein gré. Ce qui était aussi bien puisqu'on ne pouvait *pas* le rendre. C'était l'argument qu'il avait utilisé dans leur discussion.

— On ne sait pas quel malheur pourrait advenir, mais on ne peut être *sûrs* qu'il ne se passera rien de malheureux. Voire de très malheureux. À quoi cela lui servirait-il de savoir que sa mère était une folle, une sorcière, ou les deux ? En tout cas, un triple assassin. Quant à son père, outre son infidélité, il a tenté de commettre un meurtre au moins une fois. Ça m'a déjà suffisamment troublé quand ta mère m'a appris que Geillis Duncan était mon ancêtre éloignée. Et, avant que tu me le demandes, oui, j'aurais pu vivre sans le savoir.

Elle s'était mordu la lèvre et avait acquiescé à contrecœur avant d'avouer :

— C'est que… je pense à Willie. Pas à William Buccleigh mais à William, mon frère. (Elle semblait toujours un peu gênée quand elle prononçait ce mot.) J'aurais tellement aimé qu'il *sache*. Mais papa et lord John étaient formellement contre. Ils avaient peut-être raison. Il a sa vie, et c'est plutôt une bonne vie. D'après eux, lui dire la vérité la ferait voler en éclats.

— Ils ont raison ! S'il l'apprenait, il serait contraint de vivre avec un mensonge qui le rongerait en permanence ou d'admettre ouvertement qu'il est le fils bâtard d'un criminel écossais. Ce qui, dans la culture du XVIIIe siècle, est tout bonnement IN-AC-CEP-TABLE.

— Ils ne lui enlèveraient pas son titre, s'était-elle défendue. Papa a dit que, selon la loi anglaise, un enfant né d'une femme mariée est considéré comme l'enfant légitime de son mari, que ce dernier soit le père biologique ou pas.

— Imagine-toi vivre avec un titre en sachant que tu n'y as pas droit, que le sang qui coule dans tes veines n'est pas aussi bleu que tu le croyais. D'avoir des gens autour de toi te faisant des courbettes et t'appelant « milord ceci, milord cela » en sachant comment ils te traiteraient s'ils savaient… Dans un cas comme dans l'autre, cela détruirait sa vie aussi sûrement que si tu l'asseyais sur un baril de poudre et allumais la mèche. L'explosion ne se produirait peut-être pas tout de suite, mais l'explosion aurait lieu tôt ou tard.

— Mouais…

Ce n'était pas l'expression d'un assentiment. Même s'ils étaient passés à autre chose, Roger savait que cette discussion n'était pas terminée.

Il avait pratiquement vérifié toutes les portes du rez-de-chaussée et termina par son bureau.

Il alluma la lumière et entra dans la pièce. Il était totalement réveillé, les nerfs à vif. Pourquoi ? La maison essayait-elle de lui dire quelque chose ? Il ricana dans sa barbe. Il était difficile de ne pas s'imaginer des choses en pleine nuit dans une vieille maison. Pourtant, il se sentait toujours très à son aise dans son bureau. Qu'est-ce qui clochait ?

Il contempla sa table de travail, le profond rebord de la fenêtre avec le bouquet de chrysanthèmes jaunes de Bree, les étagères…

Il se figea, le cœur dans les talons. Le serpent avait disparu. Ah non ! Il était toujours là, mais pas à la bonne place. Il ne se trouvait pas devant le coffret contenant les lettres de Claire et de Jamie, mais devant des livres deux étagères plus bas.

Il le prit, caressant machinalement du pouce le bois de rose poli par les ans. Annie MacDonald l'avait-elle bougé ? Non. Elle dépoussiérait et balayait le bureau mais ne déplaçait jamais rien. Il l'avait vue un jour soulever une paire de sabots en caoutchouc crottés de boue et abandonnés dans le vestibule, balayer soigneusement dessous, puis les reposer à la même place. Elle n'aurait jamais touché le serpent.

Brianna encore moins. Il tenait pour certain, sans savoir pourquoi, qu'elle considérait comme lui que le serpent de Willie Fraser gardait le trésor de son frère.

Au moment où il soulevait le coffret, son raisonnement aboutit à une conclusion logique. Une alarme retentit en lui. On avait touché le contenu du coffret. Les petits livres se trouvaient sur la liasse de papiers au lieu d'être en dessous. Il sortit les lettres, se maudissant de n'avoir jamais pensé à les compter. Comment saurait-il s'il en manquait une ?

Il les parcourut rapidement. Il lui sembla que la pile de lettres non lues était intacte. Quiconque avait fouillé dans le coffret ne les avait pas ouvertes. D'un autre côté, le quiconque en question n'avait sans doute pas voulu se faire repérer.

Il feuilleta rapidement les lettres déjà ouvertes et se rendit aussitôt compte qu'il en manquait une. Celle qui avait été écrite sur le papier fabriqué par Brianna avec des fleurs noyées dans la pâte. La première. Mince, que disait-elle ? *Nous sommes en vie.* C'était celle où Claire leur racontait l'incendie de la Grande Maison. Y avait-elle mentionné qu'ils comptaient partir pour l'Écosse ? Peut-être. Mais pourquoi diable quelqu'un irait la…

Deux étages plus haut, Mandy se redressa dans son lit et se mit à hurler comme une *banshee*.

*

Il arriva dans la chambre d'Amanda une fraction de seconde avant Brianna et sortit l'enfant du lit, la serrant contre son cœur battant.

— Jemmy ! Jemmy ! sanglota-t-elle. Il est parti, parti ! Il est PARTIIII !

Elle se raidit dans les bras de son père et lui envoya ses talons dans le ventre.

Stoïque, il lui caressa les cheveux en la berçant.

— Doucement, doucement. Tout va bien. Jemmy va bien. Il est simplement parti dormir chez Bobby. Il rentrera à la maison demain.

— Il est PARTI !

Elle se tortillait comme une anguille, non pas pour s'échapper mais en proie à une angoisse frénétique.

— Il est pas là ! Il est pas là !

— Oui, je viens de te dire qu'il était chez Bobby, il…

— Pas *là* ! insista-t-elle en se frappant le front du plat de la main. Pas là avec moi !

— Viens voir ici, ma chérie.

Brianna récupéra la petite en larmes.

— Maman ! Maman ! Jemmy est PARTI ! Il est pas avec moi !

Elle s'accrocha à sa mère sans cesser de se frapper le front. Perplexe, Brianna fronça les sourcils et la palpa, vérifiant si elle faisait de la fièvre, avait des ganglions enflés ou le ventre sensible…

Parlant doucement pour tenter de calmer sa fille, Brianna répéta :

— « Pas avec toi » ? Explique à maman ce que tu veux dire, ma chérie.

— Pas *là* !

Au comble de la frustration, la petite baissa la tête et frappa la poitrine de sa mère avec son front.

— Ouuuuf !

Des bruits de pas précipités retentirent dans l'escalier, et William Buccleigh apparut, portant la robe de chambre en laine de Roger.

— Par tous les saints de l'enfer, qu'est-ce que c'est que ce raffut ? demanda-t-il.

— Il l'a pris ! Il l'a pris ! hurla Amanda avant d'enfouir son visage dans le creux de l'épaule de Brianna.

Malgré lui, Roger se sentait contaminé par la terreur de l'enfant, percevant irrationnellement que quelque chose de grave s'était passé. Il se tourna vers Buccleigh et aboya :

— Vous savez où est Jem ?

— Non, répondit Buccleigh, perplexe. Il n'est pas dans son lit ?

— Bien sûr que non ! s'énerva Brianna à son tour. Vous l'avez vu partir !

Elle se fraya un passage entre les deux hommes.

— Roger, prends Mandy. Je vais téléphoner à Martina Hurragh.

Elle lui planta Mandy dans les bras et dévala l'escalier, sa chemise de nuit bruissant comme le vent dans les feuilles.

Roger berça l'enfant, distrait et alarmé. Elle émettait la peur et le chagrin comme une tour hertzienne. Il respirait avec peine, et ses mains étaient moites contre le petit pyjama orné d'imprimés de Winnie l'ourson.

— Tout doux, *a chuisle*. Tout va s'arranger. Dis à papa ce qui t'a réveillée et je vais arranger ça, je te le promets.

Elle tenta docilement d'étouffer ses sanglots et se frotta les yeux avec ses petits poings.

— Jemmy ! gémit-elle. Je veux Jemmy.

— Nous allons le retrouver tout de suite. Raconte-moi, qu'est-ce qui t'a réveillée ? Tu as fait un vilain cauchemar ?

— Ouiiii…

Elle se blottit contre lui.

— Y avait des grosses pierres. Très *grosses*. Et elles me criaient dessus.

Il sentit un frisson glacé lui parcourir l'échine. Seigneur, peut-être se souvenait-elle vraiment de son passage à travers les pierres.

— Ce n'est rien.

Il lui tapota doucement le dos, essayant d'apaiser par la même occasion l'angoisse sourde dans sa poitrine. Dans son souvenir, il voyait vraiment les pierres ; il les sentait et les entendait. Se tournant légèrement, il aperçut le visage blême de Buccleigh et comprit qu'il avait reconnu lui aussi le son de la vérité dans la voix de Mandy.

— Que s'est-il passé ensuite, *a leannan* ? Tu t'es approchée des grosses pierres ?

— Pas moi, Jem ! Le monsieur l'a pris et les pierres l'ont *mangé* !

Elle s'effondra à nouveau en larmes.

— Le monsieur ?

Roger se tourna encore un peu afin que Buccleigh entre dans le champ de vision de la petite.

— Tu veux parler de ce monsieur-ci, ma chérie ? D'oncle Buck ?

— Non, nooon, un autre !

Elle se redressa, le fixant de ses grands yeux remplis de larmes, le visage tout froissé par l'effort de se faire comprendre.

— Le tonton de Bobby !

Il entendit Brianna revenir. Ses pas dans l'escalier étaient rapides mais irréguliers, comme si elle titubait et se cognait contre les murs. Quand elle apparut sur le palier et qu'il vit ses traits livides et ses yeux exorbités, il sentit tous les poils de son corps se hérisser.

— Il a disparu, haleta-t-elle. Martina dit qu'il n'est pas avec Bobby et qu'il n'a jamais été prévu qu'il dorme chez eux. Je lui ai demandé de sortir regarder dans la rue. Rob habite trois portes plus loin. Elle dit que sa camionnette n'est plus là.

*

En dépit du froid, les mains moites de Roger glissaient sur le volant. Il sortit de la nationale en prenant son virage sur les chapeaux de roues. La voiture pencha dangereusement au point que William Buccleigh se cogna la tête contre la vitre.

— Pardon, dit Roger automatiquement.

Buccleigh se frotta la tempe en grommelant :

— Ralentis un peu, tu vas nous envoyer dans le fossé, et on sera bien avancé !

Roger s'efforça de lever le pied de l'accélérateur. Le pâle quartier de lune était peu lumineux, et il faisait un noir d'encre autour d'eux. Les phares de la petite Morris perçaient à peine les ténèbres devant eux, et leurs faisceaux se balançaient d'un côté et de l'autre tandis que la voiture rebondissait sur la route en terre cahoteuse qui menait à Craigh na Dun.

Buccleigh abaissa la vitre et sortit la tête, essayant vainement de voir un peu plus loin que ce que lui permettait le pare-brise couvert de boue.

— Mais pourquoi ce *trusdair* a-t-il enlevé ton fils ? Et pourquoi, par la barbe de saint George, l'amènerait-il *ici* ?

Roger répondit sans desserrer les dents :

— Je n'en sais foutre rien ! Il croit peut-être qu'il a besoin de sang pour ouvrir la porte des pierres. Merde ! Qu'est-ce qui m'a pris d'écrire ça ?

Il frappa son volant de frustration. Buccleigh tiqua puis le regarda fixement.

— Alors c'est ça ? C'est comme ça que vous faites ? Avec du sang ?

— Mais non, idiot ! C'est la période de l'année et des pierres précieuses. Enfin, nous le croyons.

— Pourtant, tu as écrit « sang », avec un point d'interrogation.

— C'est vrai, mais… comment ça ? Toi aussi, tu as lu mon cahier, espèce de fumier ?

Les traits de Buccleigh se durcirent, mais il garda son calme.

— Surveille ton langage, fiston. Bien sûr que je l'ai lu, comme tout ce sur quoi j'ai pu mettre la main dans ton bureau. Tu en aurais fait autant à ma place.

Roger s'efforça de refouler la panique qui menaçait de l'étrangler.

— Oui, bon, peut-être. Et si c'était toi qui avais pris Jem, je t'étriperais, mais je pourrais comprendre pourquoi. Mais ce *connard* ! Qu'est-ce qu'il a bien pu se mettre en tête, nom de Dieu ?

— Calme-toi. Ce n'est pas en perdant la tête qu'on aidera le petit. Ce Cameron… il est comme nous ?

— Je ne sais pas. Je n'en sais rien !

— Mais il y en a d'autres, n'est-ce pas ? Ce n'est pas que dans notre famille… ?

— Je ne sais pas. Oui, je crois, mais je n'en suis pas sûr.

Tout en essayant de réfléchir, Roger négociait les nombreux virages de la route, qui était envahie par les ajoncs. Il voulait prier, mais son cerveau terrifié ne parvenait qu'à répéter intérieurement : *Seigneur, je vous en supplie !* Il aurait aimé que Brianna soit avec lui, mais il n'était pas question que Mandy approche des pierres. S'ils arrivaient à temps pour arrêter Cameron… si Cameron était vraiment venu ici… il était raisonnablement sûr que Buccleigh l'aiderait.

Quelque part au fond de son esprit persistait le mince espoir que Cameron s'était trompé de date et que, s'en étant rendu compte, il était en train de ramener Jem à la maison, au moment même ou ils fonçaient à toute allure sur une lande rocailleuse, son bougre d'ancêtre et lui, se dirigeant droit vers la chose la plus terrifiante qu'ils aient jamais connue.

Incapable de supporter ses propres pensées, il balbutia :

— Cameron… il a lu le cahier, lui aussi. C'était par accident. Il a fait semblant de croire que c'était un roman, un texte que j'avais écrit comme ça, pour rire. Mon Dieu, qu'est-ce que j'ai fait ?

Buccleigh couvrit soudain son visage de ses bras en hurlant :

— Attention !

Roger freina sec, dérapa et percuta un rocher, manquant d'un cheveu la camionnette bleue arrêtée au milieu de la route, éteinte et vide.

*

Il grimpa la colline à toute vitesse, cherchant des prises à l'aveuglette, sentant les cailloux rouler sous ses pieds. Les piquants des ajoncs lui écorchaient les mains et lui rentraient sous les ongles. Il entendait William Buccleigh derrière lui, le suivant lentement mais sûrement.

Il commença à les entendre avant d'atteindre le sommet. Il restait trois jours avant Samhain, et les pierres le savaient. Le son qui n'en était pas un vibrait dans la moelle de ses os, faisant résonner son crâne et ses mâchoires. Il serra les dents et continua. Lorsqu'il arriva en vue des pierres, il avançait presque à quatre pattes.

Mon Dieu, protégez-moi ! Gardez-moi en vie assez longtemps pour le retrouver !

Il parvenait à peine à formuler ses pensées mais se souvint de la lampe de poche. Il l'avait prise dans la voiture. Il l'extirpa de sa poche, la fit tomber, fouilla frénétiquement dans les herbes du cercle, la trouva enfin et dut s'y reprendre à quatre fois pour presser le bon bouton de ses doigts glissants.

Le faisceau lumineux jaillit, et il entendit un juron étouffé derrière lui. Naturellement, William Buccleigh n'avait encore jamais vu une torche électrique. Le faisceau balaya lentement le cercle de pierres, d'un côté puis de l'autre. Que cherchait-il ? Des empreintes de pas ? Quelque chose que Jem aurait laissé tomber ?

Il n'y avait rien.

Rien que les pierres. Le son empirait. Il laissa tomber la lampe et se saisit la tête entre les deux mains. Il devait bouger… aller… aller chercher Jem.

Il rampait dans l'herbe, aveuglé par la douleur et incapable de penser. Puis des mains puissantes lui agrippèrent les chevilles et le traînèrent en arrière sur le sol. Il crut entendre une voix, mais elle se perdit dans le hurlement strident à l'intérieur de sa tête, de son âme. Il cria le nom de son fils de toutes ses forces pour tenter de couvrir ce bruit infernal mais, bien qu'il sentît sa gorge se déchirer sous l'effort, il ne s'entendit pas.

Puis la terre remua sous lui, et le monde bascula.

*

Quand il revint à lui un peu plus tard, il était aux côtés de William Buccleigh dans une petite dépression sur le flanc de la colline, à une dizaine de mètres du cercle. Ils étaient tombés et avaient roulé jusque-là. Il le devinait à ses douleurs et à l'allure de Buccleigh. L'aurore approchait, et son parent, couvert de terre et zébré d'égratignures, était assis, le dos voûté, recroquevillé sur lui-même comme s'il avait mal au ventre.

— Qu'est-ce… commença-t-il.

Il se racla la gorge et fit un nouvel essai mais ne parvint qu'à émettre un murmure qui lui brûlait la gorge.

William Buccleigh marmonna quelque chose dans sa barbe, et Roger comprit qu'il priait. Il s'assit péniblement, la tête lui tournant. Il parvint néanmoins à demander dans un râle rauque :

— Tu m'as traîné jusqu'ici ?

Buccleigh garda les yeux fermés jusqu'à ce qu'il ait achevé sa prière. Puis il les rouvrit, et son regard alla de Roger au sommet de la colline. Les pierres invisibles émettaient toujours leur chant épouvantable mais, Dieu merci, de là où ils étaient, ils ne percevaient qu'un gémissement sinistre qui lui hérissait les poils.

— Oui, répondit Buccleigh. J'ai pensé que tu ne parviendrais pas à t'extirper du cercle tout seul.

— C'est vrai, je n'aurais jamais pu.

Roger se laissa retomber en arrière, étourdi, puis ajouta quelques instants plus tard :

— Merci.

Il sentait un grand vide en lui, aussi vaste que le ciel mauve.

— Ce n'est rien. Ça compensera peut-être pour t'avoir fait pendre. Et maintenant, que faisons-nous ?

Roger fixa le ciel qui tournoyait lentement au-dessus de lui. Cela acheva de l'étourdir, et il ferma les yeux.

— Maintenant, on rentre à la maison et on réfléchit. Aide-moi à me relever, veux-tu ?

86

Valley Forge

William avait revêtu son uniforme. Il expliqua à son père que c'était nécessaire.

— Denzell Hunter est un homme de principe. Il est d'une grande intégrité. Je ne peux espérer le faire sortir du camp américain sans une autorisation en bonne et due forme de son officier ; autrement, il ne me suivra pas.

Toutefois, pour obtenir une permission pour un médecin de l'armée continentale, il fallait y mettre les formes. Ce qui signifiait de se rendre dans les nouveaux quartiers d'hiver de Washington à Valley Forge vêtu de sa redingote rouge d'officier britannique.

Lord John ferma les yeux, imaginant tous les risques que cela impliquait. Puis il déclara :

— Soit. Tu emmènes un valet avec toi ?

— Non, répondit William, surpris. Pour quoi faire ?

— Pour s'occuper des chevaux, surveiller tes affaires et être les yeux dans ton dos.

Il lui lança un regard indiquant qu'il devrait déjà le savoir. William évita donc de répéter sottement « Des chevaux ? », « Quelles affaires ? » et se contenta de hocher la tête.

— Tu veux bien me trouver quelqu'un de compétent ? demanda-t-il docilement.

Le quelqu'un en question s'appelait Colenso Baragwanath. C'était un jeune Cornouaillais chétif arrivé en Amérique avec les troupes du général Howe en tant que garçon d'écurie.

Au moins, William devait lui accorder qu'il s'y connaissait en chevaux.

Il y en avait quatre, plus un mulet. Ce dernier était chargé de quartiers de porc, de cinq dindes bien grasses, d'un sac de pommes de terre, d'un autre de navets et d'un tonnelet de bière.

Tout en surveillant le chargement, lord John expliqua :

— Si les conditions de leur armée sont aussi mauvaises que je le pense, le commandant te prêtera volontiers un demi-bataillon en échange de toutes ces victuailles.

— Merci, papa.

William grimpa en selle. Son nouveau gorgerin de capitaine brillait sous son menton, et un drapeau blanc était soigneusement plié dans sa sacoche.

Valley Forge ressemblait à un gigantesque camp de bûcherons maudits. L'endroit avait accueilli une forêt avant que les soldats de Washington ne se mettent à abattre tout ce qui y poussait. Il y avait des souches déchiquetées partout, et le sol était jonché de branches brisées. D'énormes feux brûlaient ici et là. Des piles de troncs élagués parsemaient le paysage désolé. Des cabanes étaient construites à la hâte. Ce n'était pas trop tôt, car il s'était mis à neiger quelques heures plus tôt, et le camp était déjà recouvert d'un manteau blanc.

William espérait qu'ils verraient son drapeau.

Il tendit à Colenso le long bâton au bout duquel il avait attaché le drapeau.

— Passe devant moi et brandis-le bien haut.

Le jeune homme écarquilla les yeux.

— Qui ça, moi ?

— Oui, toi, s'impatienta William. Dépêche-toi, ou je te botte les fesses.

William sentit un picotement entre ses omoplates tandis qu'ils pénétraient à l'intérieur du camp. Colenso était recroquevillé sur sa selle comme un ouistiti et agitait timidement le drapeau en marmonnant d'étranges imprécations en cornique. La main gauche de William le démangeait, prête à saisir la garde de son épée ou la crosse de son pistolet. Sauf qu'il était venu sans armes, voulant montrer sa bonne foi. Si l'envie leur en prenait, ils le tueraient, qu'il fût armé ou pas. En dépit de la neige, il rejeta sa cape en arrière afin de montrer sa ceinture vide et s'avança lentement dans la tempête.

*

Les préliminaires furent plutôt positifs. Personne ne lui tira dessus, et on l'envoya à un colonel nommé Preston. Ce dernier, un grand homme dépenaillé portant les vestiges d'un uniforme continental, le regarda d'un air suspicieux mais écouta sa requête avec une étonnante courtoisie. La permission fut accordée. Cependant, comme il s'agissait de l'armée *américaine*, cela signifiait qu'il n'avait pas le droit d'emmener le médecin avec lui d'emblée, mais qu'il était autorisé à lui demander s'il voulait bien l'accompagner.

Willie laissa Colenso auprès des chevaux et du mulet, avec l'ordre strict de garder l'œil ouvert, puis se dirigea vers la petite colline où on lui avait dit qu'il trouverait peut-être Denzell Hunter. Son cœur battait vite, et ce n'était pas uniquement à cause de l'effort. À Philadelphie, il n'avait pas douté un instant que Hunter accéderait à sa requête. À présent, il en était moins sûr.

Il avait combattu des Américains et en connaissait un grand nombre. La plupart n'étaient en rien différents des Anglais qu'ils avaient été deux ans plus tôt. Toutefois, c'était la première fois qu'il traversait un camp américain.

À première vue, il paraissait chaotique, mais comme tous les camps dans les premières phases de leur installation. Il pouvait discerner une forme d'ordre parmi les tas de débris et les souches. Pourtant, l'atmosphère était différente de celle des autres camps, plus exubérante. Les hommes devant lesquels ils passaient étaient en haillons ; en dépit du temps, moins d'un sur dix portait des souliers. Ils s'agglutinaient telles des bandes de gueux autour des feux, enveloppés dans des couvertures, des châles, des morceaux de toile de tente et de sacs de jute. Néanmoins, ils n'étaient pas prostrés dans un silence misérable. Ils parlaient.

Ils discutaient amicalement, échangeaient des plaisanteries, s'interrompaient un instant pour aller uriner dans la neige, débattaient tout en piétinant en rond pour activer la circulation dans leurs jambes. Il avait déjà vu des armées démoralisées. Celle-ci n'en était pas une. Compte tenu des circonstances, c'était stupéfiant. Denzell Hunter devait partager leur euphorie. Accepterait-il de quitter ses compagnons ?

Il n'y avait pas de porte à laquelle toquer. Il arriva devant un groupe de jeunes chênes effeuillés qui avaient échappé jusqu'ici à la hache. Denzell Hunter se trouvait derrière, accroupi, recousant une entaille dans la jambe d'un homme étendu sur une couverture. Rachel tenait les épaules de ce dernier, la tête baissée vers lui et lui prodiguait des encouragements.

— Ne t'avais-je pas dit qu'il était rapide ? J'avais dit : « pas plus de trente secondes », et j'avais raison. Tu m'as entendu les compter.

Le médecin saisit ses ciseaux et trancha son fil en souriant :

— Tu comptes bien lentement, ma sœur. Un homme aurait le temps de faire trois fois le tour de la cathédrale Saint-Paul en une de tes minutes.

— Bah, en tout cas, c'est fini. Redresse-toi et bois un peu d'eau. Tu ne dois pas…

Elle se tourna vers le seau d'eau posé près d'elle et aperçut William. Elle ouvrit une bouche stupéfaite puis se leva d'un bond et courut vers lui pour se jeter dans ses bras.

Il ne s'y était pas attendu. Ravi, il lui retourna son étreinte avec d'autant plus d'ardeur. Il reconnut son odeur, à laquelle s'ajoutait celle de la fumée.

Elle recula d'un pas, le visage empourpré, et le regarda de haut en bas.

— Ami William ! Je pensais qu'on ne te reverrait jamais. Que fais-tu ici ? Ne me dis pas que tu es venu t'enrôler !

— Non, je suis venu implorer votre frère de me rendre un immense service.

— Il a presque terminé. Alors comme ça, tu es vraiment un soldat britannique ? Nous nous en doutions mais craignions que tu n'aies déserté. Je suis contente de voir que ce n'est pas le cas.

— Je suis heureux de ne pas vous avoir déçue, même si je suppose que vous auriez préféré que j'abjure ma profession et que je me consacre à la paix.

Elle riposta du tac au tac :

— Évidemment, mais l'essentiel est de trouver la paix intérieure. Or, on ne la trouve pas en brisant ses serments et en prenant la fuite, car l'âme baigne alors dans la tromperie, et l'on craint trop pour sa vie pour accéder à la sérénité. Denny, regarde qui est là !

Le docteur Hunter aida son patient fraîchement bandé à se relever et s'approcha de William avec un large sourire.

— Ami William, quelle bonne surprise ! Ai-je bien entendu : tu as un service à me demander ? Parle, j'exaucerai ton souhait s'il est en mon pouvoir de le faire.

William sentit un nœud se desserrer dans sa poitrine.

— Je ne vous prendrai pas au mot, dit-il en riant. Mais écoutez ce que j'ai à dire, et j'espère que vous accepterez de venir.

Comme il s'y était attendu, Hunter se montra d'abord réticent à quitter le camp. Les médecins étaient peu nombreux et, avec toutes les maladies dues au froid et à la promiscuité… Il devrait sans doute s'absenter plus d'une semaine… William eut la sagesse de ne rien dire. Il se contenta de lancer un bref regard vers Rachel puis de regarder le médecin droit dans les yeux.

Souhaitez-vous vraiment qu'elle passe ici tout l'hiver ?

Hunter comprit instantanément.

— Tu souhaites que Rachel nous accompagne ?

La jeune femme intervint aussitôt :

— Je viendrai avec toi qu'il le souhaite ou pas, vous le savez tous les deux !

— Certes, soupira Denzell, mais il m'a semblé plus courtois de le lui demander. En outre, il y a…

William n'entendit pas la fin de sa phrase. Un gros objet fut soudain projeté dans ses jambes par-derrière. Il poussa un cri aigu peu viril, chancela en avant puis fit volte-face pour voir qui l'avait attaqué aussi lâchement.

— Ah, j'oubliais le chien, dit Rachel comme si de rien n'était. Il peut marcher désormais, mais je doute qu'il puisse aller jusqu'à Philadelphie à pied. Tu penses qu'il serait possible de lui organiser un moyen de transport ?

Il reconnut aussitôt le chien. Il ne pouvait y en avoir deux pareils. Il tendit précautionneusement un poing pour que l'animal le renifle.

— C'est la créature de Ian Murray ? Où est son maître ?

Les Hunter échangèrent un bref regard, puis Rachel répondit d'une voix ferme :

— En Écosse. Il s'y est rendu avec son oncle James Fraser pour une affaire de famille. Connais-tu M. Fraser ?

William trouvait que les Hunter le dévisageaient un peu trop fixement.

— Oui, je l'ai rencontré une fois, il y a des années de cela. Pourquoi le chien n'est-il pas parti en Écosse avec son maître ?

De nouveau, cet échange de regard. Que cachaient-ils donc au sujet de Murray ? Rachel répondit sans ciller :

— Le chien a été blessé peu avant qu'ils n'embarquent. L'ami Ian a eu la bonté de me confier son compagnon. Te serait-il possible de te procurer une carriole ? Ton cheval risque de rechigner à porter Rollo sur son dos.

*

Lord John enfonça la sangle en cuir entre les dents d'Henry. Le jeune homme avait été sérieusement sonné par une bonne dose de laudanum, mais il était encore conscient et essaya de sourire à son oncle. Grey sentait la peur qui courait dans les veines de son neveu… et dans les siennes. Il avait un nœud de serpents venimeux dans le ventre, une sensation d'ondulation constante ponctuée de vives morsures de panique.

Hunter avait insisté pour qu'on attache les bras et les jambes du patient au lit afin qu'il ne bouge pas durant l'opération. C'était une journée splendide ; le soleil faisait briller les bords de fenêtres couverts de neige. Le lit avait été déplacé afin qu'on profitât au mieux de la profusion de lumière blanche.

Ayant appris le travail du sourcier, Hunter avait poliment refusé qu'on le fasse venir, déclarant que son activité tenait de la divination. Il ne pouvait en son âme et conscience invoquer l'aide de Dieu si sa procédure était entachée par des agissements qui ressemblaient à de la sorcellerie. Cela avait quelque peu offusqué Mercy Woodcock, qui avait bougonné un moment dans son coin, mais elle n'avait pas insisté, trop soulagée (et angoissée) que l'opération ait enfin lieu.

Grey n'était pas superstitieux mais, ayant l'esprit pratique, avait soigneusement noté l'emplacement de la balle trouvée par le sorcier. Avec l'assentiment peu enthousiaste du médecin, il sortit une petite règle et triangula minutieusement l'endroit sur le ventre creux d'Henry, traçant une petite croix sur le point exact avec la mèche carbonisée d'une chandelle.

— Je crois que nous sommes prêts, annonça Denzell Hunter.

Il s'approcha du lit, posa les mains sur le front d'Henry et implora brièvement le Seigneur de le guider, de le soutenir, et de donner à Henry de l'endurance et la guérison. Il conclut en reconnaissant la présence de Dieu parmi eux. En dépit de son indécrottable rationalisme, Grey ressentit un léger relâchement de la tension dans la pièce, et les serpents dans son ventre se calmèrent un moment.

Il prit la main molle de son neveu et lui dit calmement :

— Tiens bon, Henry. Je ne te lâcherai pas.

Ce fut rapide. Grey avait déjà vu des chirurgiens militaires à l'œuvre et connaissait leur promptitude mais, même comparé à eux, Denzell Hunter montrait une rapidité et une dextérité remarquables. Grey avait perdu toute notion du temps ; il était totalement absorbé par les crispations des doigts d'Henry autour ses siens, ses cris étouffés sous son bâillon de cuir et les mouvements du médecin, tantôt vifs et secs, tantôt méticuleux tandis qu'il pinçait, épongeait et recousait.

Lorsque le dernier point de suture fut noué, Grey recommença enfin à respirer. Il lança un regard vers la pendule sur la cheminée et constata avec stupeur que le tout n'avait duré qu'un quart d'heure. Il remarqua au passage que William et Rachel Hunter, debout près de la cheminée, se tenaient la main, leurs phalanges aussi blêmes que leur visage.

Hunter vérifia la respiration d'Henry, souleva ses paupières pour examiner ses pupilles, essuya la sueur et la morve sur son visage, pressa deux doigts sous sa mâchoire pour vérifier le pouls. Grey pouvait voir celui-ci, faible et irrégulier mais néanmoins là, un minuscule fil bleu sous la peau cireuse.

— Très bien, très bien, murmura Hunter. Merci à Dieu, qui m'a donné la force. Rachel, pourrais-tu m'apporter les bandages ?

Rachel se détacha aussitôt de William et alla chercher une pile ordonnée de compresses de gaze et de bandes de linge déchiré, ainsi qu'une poche contenant une masse visqueuse et verdâtre.

Grey pointa un doigt vers la chose suspecte.

— Qu'est-ce que c'est que ça ?

— Un onguent que m'a recommandé une collègue, Mme Fraser. Je l'ai vue faire des miracles sur toutes sortes de plaies, l'assura le médecin.

— Mme Fraser ? Mme *James* Fraser ? Où dia… Pardon, où avez-vous rencontré cette dame ?

— Au fort Ticonderoga. Son époux et elle accompagnaient l'armée continentale lors des batailles de Saratoga.

Les serpents dans le ventre de Grey se réveillèrent soudainement.

— Vous voulez dire que Mme Fraser se trouve actuellement à Valley Forge ?

Concentré sur son bandage, Hunter secoua la tête.

— Oh non. Veux-tu bien le soulever un petit peu, ami Grey ? Il faut que je passe ce bandage sous lui. Voilà, comme ça. Merci.

Il se redressa, s'essuya le front du revers de la main (il faisait très chaud dans la chambre, entre le feu dans la cheminée et les nombreuses personnes présentes), puis reprit :

— Non, les Fraser sont partis pour l'Écosse...

Rollo choisit ce moment pour se lever du coin où il s'était blotti et, attiré par le sang, vint passer le museau sous le coude de Grey. Hunter ajouta :

— Le neveu de M. Fraser a eu la gentillesse de nous laisser son fidèle ami.

Rollo renifla, avec un air intéressé, les draps souillés puis le corps nu d'Henry. Il fut pris d'un éternuement explosif, secoua la tête, puis retourna dans son coin, où il roula aussitôt sur le dos et se détendit, les pattes en l'air.

Hunter s'essuya les mains sur un linge tout en expliquant :

— Quelqu'un doit rester à son chevet pendant un jour ou deux. En aucun cas il ne doit rester seul : il pourrait cesser de respirer. Ami William, serait-il possible de trouver un endroit où nous loger ? Il faudrait que ce ne soit pas trop loin, pour que je puisse venir régulièrement constater sa progression.

William l'assura qu'il s'était déjà occupé de tout et leur avait trouvé une auberge tout à fait respectable. Elle était à deux pas. Voulait-il qu'il les y accompagne ? Ou peut-être pouvait-il y conduire Mlle Rachel si lui-même n'avait pas tout à fait terminé ?

Grey comprit que Willie ne demandait pas mieux que de se promener dans la ville étincelante de neige seul avec la jolie quaker, mais Mme Woodcock lui mit des bâtons dans les roues en rappelant à tout le monde que c'était Noël. Elle n'avait pas eu le temps de préparer un repas digne de ce nom, mais ces messieurs et la demoiselle voulaient-ils lui faire l'honneur de prendre un verre de vin et de boire à la santé bientôt recouvrée du lieutenant Grey ?

Tout le monde convint que c'était là une idée formidable. Grey se porta volontaire pour veiller sur son neveu pendant que les autres se rassemblaient dans le salon et préparaient la collation.

Quand tout le monde fut sorti, la chambre lui parut brusquement fraîche. Presque froide, même. Il remonta délicatement les draps et la courtepointe sur le ventre bandé de son neveu et murmura :

— Tout ira bien, Henry.

Il le croyait endormi, mais celui-ci ouvrit lentement les yeux. Ses pupilles trahissaient l'effet de l'opium et ses paupières crispées, celui de la douleur que l'opium ne pouvait atténuer. Il déclara d'une voix faible mais claire :

— Ce n'est pas vrai. Il n'en a extrait qu'une. La seconde balle me tuera.

Il referma les yeux tandis que la clameur de Noël résonnait dans l'escalier.

Le chien soupira.

*

Rachel Hunter posa une main sur son ventre, l'autre sur ses lèvres et réprima un petit rot.

— La gourmandise est un péché, déclara-t-elle. Mais il porte en lui son propre châtiment. Je crois que je vais vomir.

Son frère plongea sa plume dans l'encrier et répondit distraitement :

— C'est le cas de tous les péchés, mais tu n'as rien d'une gourmande. Je t'ai vue, tu as picoré comme un oiseau.

— Mais je suis sur le point d'exploser ! protesta-t-elle. En outre, je ne peux m'empêcher de comparer le pauvre Noël de ceux que nous avons laissés à Valley Forge à la… la… *décadence* de notre festin de ce soir.

— Dans ce cas, c'est de la culpabilité, pas de la gourmandise. De plus, c'est de la culpabilité mal placée. Tu n'as mangé qu'un repas normal. C'est juste que tu n'en avais pas eu un depuis des mois. Je ne pense pas qu'une oie rôtie soit le comble de la décadence, même si elle était farcie d'huîtres et de châtaignes. Si encore cela avait été un faisan farci aux truffes ou un sanglier tenant une pomme dorée dans son groin...

Il releva les yeux de ses papiers et lui sourit.

— Tu as déjà vu des choses semblables ? demanda-t-elle, intriguée.

— Oui, quand je travaillais à Londres avec John Hunter. Il était très mondain. Parfois, il m'invitait à l'accompagner avec son épouse à quelque grande occasion, ce qui était très généreux de sa part. Comme tu le sais, il ne faut pas juger sur les apparences. Même une personne qui semble frivole, dépensière ou licencieuse possède une âme et est donc précieuse aux yeux de Dieu.

— Oui, répondit-elle sans vraiment l'écouter.

Elle écarta le rideau et regarda dans la rue. Celle-ci n'était qu'un flou blanc. Une lanterne au-dessus de la porte de l'auberge projetait un petit halo de lumière, mais la neige tombait toujours. Son propre visage flottait sur la vitre, mince avec de grands yeux sombres. Elle se contempla en fronçant les sourcils puis repoussa une mèche de cheveux sous son bonnet.

— Tu crois qu'il sait ? demanda-t-elle soudain. L'ami William ?

— S'il sait quoi ?

Elle laissa retomber le rideau.

— À quel point il ressemble à James Fraser. Tu ne crois quand même pas que ce soit une pure coïncidence !

— Je crois surtout que cela ne nous regarde pas, répondit-il sans cesser d'écrire.

Elle poussa un soupir exaspéré. Il avait raison, mais cela ne signifiait pas qu'elle ne pouvait pas observer et se poser des questions. Elle avait été heureuse – très heureuse – de revoir William, et si le fait qu'il soit un soldat britannique n'était pas une surprise, elle avait été stupéfaite d'apprendre qu'il était un officier de haut rang. Et plus encore quand son valet aux allures de petit brigand lui avait confié qu'il était aristocrate, même si le Cornouaillais n'avait pu dire quel genre de lord exactement.

Deux hommes ne pouvaient se ressembler à ce point sans partager un lien de parenté, aussi éloigné fût-il. Elle avait souvent vu James Fraser et l'admirait pour sa haute taille, son air digne et droit. Elle n'était pas insensible à la beauté un peu barbare de son visage, qui lui rappelait toujours vaguement quelque chose. Ce n'était qu'en revoyant William quelques jours plus tôt à Valley Forge qu'elle avait fait le rapprochement. Mais comment un lord anglais pouvait-il être apparenté à un jacobite écossais, ancien criminel de surcroît ? En effet, Ian lui avait brièvement raconté l'histoire de sa famille. Très brièvement, la laissant sur sa faim.

Sans relever les yeux de son travail, son frère observa sur un ton résigné :

— Tu penses encore à Ian Murray.

— Je croyais que tu avais abandonné la sorcellerie, riposta-t-elle. À moins que tu ne considères pas le fait de lire dans les pensées comme relevant des arts de la divination ?

— Je remarque que tu ne nies pas.

Il redressa la tête et repoussa d'un doigt les lunettes sur son nez. Elle releva dignement le menton.

— C'est vrai, je ne le nie pas. Mais comment l'as-tu su ?

— Tu as regardé le chien et tu as poussé un soupir exprimant un sentiment comme une femme en éprouve rarement pour un chien.

— Peuh ! fit-elle, déconcertée. Et alors ? Je n'ai pas le droit de penser à lui ? Tu vas me dire que ça aussi, ça ne me regarde pas ? Je n'ai pas le droit de me demander comment il va, comment sa famille l'a reçu, s'il considère être rentré chez lui ?

— S'il reviendra… acheva-t-il.

Il ôta ses lunettes et se passa une main sur le visage. Rachel pouvait voir qu'il était fatigué. Il portait tout le travail de la journée sur ses traits.

— Il reviendra, affirma-t-elle. Il n'abandonnerait pas son chien.

Cela fit rire son frère, ce qui acheva de l'horripiler.

— En effet, il reviendra sans doute, convint-il. Et s'il revient avec une épouse, petite sœur ?

Il avait retrouvé une voix douce, et elle se tourna à nouveau vers la fenêtre pour ne pas lui montrer son trouble.

— Si c'était le cas, cela vaudrait peut-être mieux pour toi comme pour lui, Rachel. Tu sais qu'il a du sang sur les mains.

— Et que voudrais-tu que je fasse ? Que j'épouse William ?

Il y eut un bref silence, puis Denny demanda sur un ton légèrement perplexe :

— William ? Tu as des sentiments pour lui ?

— Je… oui, bien sûr, je ressens de l'amitié pour lui. Et de la gratitude.

— Moi aussi, pourtant l'idée de l'épouser ne m'avait jamais traversé l'esprit.

Elle pivota sur ses talons et le fusilla du regard.

— Tu es vraiment très agaçant. Ne pourrais-tu pas te retenir de te moquer de moi ne serait-ce qu'un seul jour ?

Il allait répondre quand un bruit à l'extérieur attira l'attention de sa sœur, qui se tourna à nouveau vers la fenêtre et écarta le lourd rideau. Son souffle se condensa sur la vitre, et elle l'essuya avec sa manche d'un geste impatient juste à temps pour voir une chaise à porteurs s'arrêter devant l'auberge dans des volutes de neige. La portière s'ouvrit et une femme en sortit. Elle portait une fourrure et semblait pressée. Elle tendit une bourse à l'un des porteurs et courut vers l'entrée de l'auberge.

— Voilà qui est étrange, murmura Rachel.

Elle se tourna vers son frère, puis vers la petite pendule de leur chambre.

— Qui rend des visites à neuf heures du soir la nuit de Noël ? Ce ne peut pas être une amie, tout de même…

En effet, les quakers ne célébrant pas Noël, ils n'hésitaient pas à circuler en ce jour sacré, mais les Hunter n'avaient encore aucune relation avec la Société des Amis de Philadelphie.

Un bruit de course dans l'escalier empêcha Denzell de répondre et, l'instant suivant, la porte de la chambre s'ouvrit d'un coup. La femme se tenait sur le seuil, aussi blanche que sa fourrure.

— Denny ? dit-elle d'une voix étranglée.

Denzell se leva d'un bond comme si on avait glissé une braise dans ses culottes, renversant l'encrier.

— Dorothea !

Il traversa la chambre en une seule grande enjambée et étreignit fougueusement la nouvelle venue.

Rachel resta pétrifiée. L'encre coulait de la table sur le tapis en toile peinte. Elle pensa vaguement qu'elle devrait faire quelque chose mais ne bougea pas. Elle se rendit compte que sa bouche était grande ouverte et la ferma.

Soudain, elle comprit l'impulsion qui poussait certains hommes à blasphémer à voix haute.

*

Rachel ramassa les lunettes de son frère et attendit qu'il se désenchevêtre de la femme en fourrure. *Dorothea*, pensa-t-elle. *La voici donc… Mais n'est-elle pas aussi la cousine de William ?* William lui avait parlé d'elle sur la route qui les ramenait de Valley Forge. Elle s'était trouvée dans la maison quand Denny avait pratiqué l'opération… Mais, dans ce cas, Henry Grey était le frère de cette femme ! Lorsqu'ils s'étaient rendus dans la maison cet après-midi, elle s'était cachée dans la cuisine. Contrairement à ce qu'avait cru Rachel, ce n'était donc pas par sensiblerie ni par peur, mais pour ne pas se retrouver face à face avec Denny alors que celui-ci s'apprêtait à réaliser une intervention très délicate.

Cela la mit en de meilleures dispositions à l'égard de la nouvelle venue, bien qu'elle ne fût pas encore prête à la serrer dans ses bras et à l'appeler « ma sœur ». La femme non plus d'ailleurs, qui ne semblait pas avoir encore remarqué sa présence.

Denny la lâcha enfin et recula d'un pas même si, à son visage rayonnant, il était clair qu'il se retenait de ne pas se jeter à nouveau sur elle.

— Dorothea, que fais-tu ici ?

Il n'eut pas le temps d'en dire plus. La jeune femme (elle était très belle, Rachel devait le reconnaître) ouvrit son élégant manteau d'hermine et le laissa tomber au sol, où il s'affala dans un soupir. Rachel écarquilla les yeux. Dessous, elle était vêtue d'un sac à patates. Il n'y avait pas d'autre mot pour le décrire, même s'il avait des manches. Il était coupé dans un drap gris grossier et pendait mollement sur ses épaules, touchant à peine le reste de son corps.

Elle leva haut le menton et déclara fièrement :

— Je deviendrai quaker, Denny. C'est décidé.

Rachel vit le visage de son frère se décomposer, mais elle n'aurait su dire s'il se retenait de rire, de pleurer ou de couvrir immédiatement sa bien-aimée avec sa fourrure. N'aimant pas voir un vêtement aussi beau traîner par terre, Rachel le ramassa elle-même.

— Mais… Dorothea, tu en es sûre ? Tu ne connais rien à la Société des Amis.

— Mais pas du tout ! Vous… enfin tu… non, vous voyez Dieu dans tous les hommes, cherchez la paix en Dieu, abjurez la violence et portez des vêtements difformes afin de ne pas distraire vos esprits avec les vanités de ce monde. Ce n'est pas ça ?

Dorothea l'interrogeait d'un regard anxieux. *Lady* Dorothea, corrigea mentalement Rachel. William lui avait dit que son oncle était duc. Cela expliquait également les difficultés de la jeune femme avec le tutoiement, de rigueur chez les quakers, une familiarité à laquelle l'aristocrate était peu habituée.

— Euh… oui, plus ou moins, admit Denny.

Les lèvres tremblantes, il la regarda de haut en bas.

— Tu as confectionné toi-même cette… tenue ?

— Oui, bien sûr. Pourquoi, elle n'est pas bien ?

— Non, non, ce n'est pas ce que je voulais dire, répondit-il d'une voix étranglée.

Dorothea se tourna vers Rachel, qu'elle sembla soudain remarquer.

— Quoi, quelque chose ne va pas avec ma robe ?

Rachel se retenait elle aussi de rire.

— Non, mais les Amis ont le droit de porter des vêtements qui leur vont. Il n'est pas nécessaire de s'enlaidir.

— Ah, je vois.

Lady Dorothea examina d'un air songeur la jupe plissée et la veste de Rachel. Elles étaient taillées dans un simple homespun orange mais fort bien confectionnées et à sa taille.

— Tant mieux, conclut Dorothea. Je n'aurai qu'à la reprendre ici et là.

Cette question réglée, elle s'avança à nouveau et prit les mains de Denny.

— Oh, Denny, Denny, dit-elle d'une voix douce. J'ai bien cru ne jamais vous revoir.

— Moi aussi.

Rachel pouvait voir les traits de son frère tiraillés entre le devoir et le désir. Elle eut de la peine pour lui.

— Dorothea, reprit-il. Tu ne peux pas rester ici, ton oncle…

— Il ne sait pas que je suis sortie. J'y retournai une fois que nous aurons pris les décisions qui s'imposent.

— Les… décisions ?

Avec un effort visible, il retira ses mains des siennes.

— Tu veux dire…

Rachel vint à son secours et saisit la carafe que la servante avait déposée dans leur chambre.

— Tu prendras bien un verre de vin, proposa-t-elle à Dorothea.

Cette dernière lui sourit.

— Volontiers, merci. Il en prendra un peu aussi.

— En effet, je crois qu'il en aura besoin, murmura Rachel.

Denny, désemparé, se passa une main dans les cheveux.

— Dorothea… Je comprends ce que tu veux dire, mais il ne s'agit pas uniquement de devenir une quaker, dans la mesure où cela soit possible…

Elle se redressa, fière comme une duchesse.

— Vous doutez de ma détermination, Denzell Hunter ?

— Euh… non, loin de là. Mais peut-être n'y as-tu pas suffisamment réfléchi.

Les joues de lady Dorothea s'empourprèrent, et elle le regarda de haut.

— C'est ce que vous croyez ! Sachez… pardon, *saches* que je n'ai fait que cela, réfléchir, depuis que vous êtes parti de Londres. Et comment diantre croyez-vous… crois-tu… que je sois arrivée jusqu'ici ?

— Tu as conspiré pour que ton frère reçoive deux balles en plein ventre ? Cela paraît radical, et même un peu hasardeux.

Lady Dorothea expira par les narines, faisant un effort manifeste pour conserver son calme, puis répondit sur un ton conciliant :

— Vous voyez, Denny, si je n'étais pas une parfaite quaker, je vous aurais giflé… je *t*'aurais giflé. Mais je ne l'ai pas fait, n'est-ce pas ?

Elle se tourna vers Rachel, acceptant le verre de vin.

— Merci, ma chère. Vous êtes sa sœur, je présume.

Retrouvant un peu de son aplomb, Denny coupa court à ces présentations.

— Soyons raisonnables, Dorothea. En admettant que Dieu t'ait vraiment parlé et t'ait demandé de nous rejoindre, il reste la question non négligeable de ta famille.

Elle rétorqua aussi sec :

— Il n'y a rien dans les principes de votre foi qui m'oblige à demander la permission de mon père pour me marier. Je me suis renseignée.

Denny écarquilla les yeux.

— Auprès de qui ?

— De Priscilla Unwin. C'est une quaker que je connais à Londres. Vous la connaissez aussi. *Tu*. Elle m'a dit que vous… que tu… bigre ! je m'emmêle les pédales… que tu avais percé un furoncle sur les fesses de son petit frère.

À ce stade, Denny voulut remonter ses lunettes sur son nez et se rendit compte qu'il ne les avait plus. Il avait sans doute été trop occupé à dévorer sa belle des yeux. Avec un soupir, Rachel les lui tendit. Puis elle prit le second verre de vin et le lui donna.

— Elle a raison, dit-elle. Tu vas en avoir besoin.

*

— De toute évidence, nous tournons en rond, déclara lady Dorothea.

Elle n'a pourtant pas l'air d'une femme habituée à tourner en rond, pensa Rachel. D'un autre côté, Denny avait beau l'implorer de rentrer chez son oncle, elle n'était pas prête de céder.

— Il n'en est pas question. Si je pars, je sais que vous filerez en douce rejoindre l'armée continentale à Valley Forge, où vous vous imaginez que je ne vous suivrai pas.

— Tu ne ferais pas ça ! s'alarma Denny.

Rachel crut déceler un soupçon d'espoir dans sa voix, sans savoir ce qu'il espérait au juste.

Lady Dorothea le fixa de son regard bleu acier.

— J'ai traversé un maudit océan pour te rejoindre. Vous… Tu crois que c'est une petite armée qui va m'arrêter ?

— Non, soupira Denny. Mais je ne veux pas que tu me suives.

Lady Dorothea marqua un temps d'arrêt, ravalant sa dignité mais gardant le front haut.

— Pourquoi ? demanda-t-elle d'une voix qui tremblait à peine.

— Dorothea, dit-il le plus doucement possible. En mettant de côté le fait que cela te mettrait en conflit avec ta famille, il s'agit d'une armée. Qui plus est, d'une armée très pauvre, sans le moindre confort. Il n'y a ni vêtements, ni lits, ni chaussures, ni nourriture. En outre, c'est une armée au bord du désastre et de la défaite. Ce n'est pas un endroit pour toi.

— Mais c'est un endroit pour ta sœur ?

— Pas du tout, mais…

Il s'interrompit, se rendant compte qu'il était sur le point de se laisser piéger. Émue, Rachel vola à nouveau à son secours :

— Mais il ne peut pas m'empêcher de venir avec lui.

Elle n'était pas sûre de vouloir aider la jeune femme, mais elle ne pouvait s'empêcher d'admirer sa force de caractère.

— Et tu ne peux pas m'en empêcher non plus, affirma lady Dorothea.

Denny se passa deux doigts entre les sourcils, se massant comme s'il souffrait d'une migraine.

— Dorothea… Je fais ce que je fais parce que c'est ma vocation. C'est une histoire entre Dieu et moi. Rachel m'accompagne non seulement parce qu'elle a une tête de cochon, mais aussi parce qu'elle est sous ma responsabilité. Elle n'a aucun autre endroit où aller.

— C'est faux, se défendit Rachel. Tu as dit toi-même que, si je le voulais, tu pourrais trouver des amis qui m'hébergeraient. C'est juste que je ne le veux pas.

Avant que Denny ait pu répartir, lady Dorothea leva une main dans un geste théâtral, l'arrêtant net dans son élan.

— J'ai une idée !

— Je crains le pire, gémit-il.

— Pas moi, déclara Rachel. Laquelle ?

Dorothea les dévisagea l'un après l'autre.

— Je me suis rendue à une assemblée quaker. À deux assemblées, même. Je sais comment on fait. Tenons un culte et demandons à Dieu de nous guider.

Denny en resta pantois, pour le plus grand amusement de Rachel. Elle était rarement capable de désarçonner son frère et commençait à trouver Dorothea décidément très forte.

— Mais… commença Denny.

Rachel approchait déjà un troisième tabouret du feu.

— C'est une excellente idée !

Denny pouvait difficilement refuser. Il s'assit, l'air parfaitement déboussolé, mais Rachel remarqua tout de même qu'il l'avait placée entre Dorothea et lui. Peut-être avait-il peur d'être trop près de sa dulcinée et d'être bouleversé par sa présence. À moins qu'il n'ait simplement voulu être placé stratégiquement pour mieux la contempler.

Ils se concentrèrent longuement, en silence, remuant un peu jusqu'à trouver une position confortable. Rachel ferma les yeux, regardant la lueur rouge du feu à travers ses paupières, le sentant lui réchauffer les orteils et les mains. Elle remercia en silence le Seigneur pour ces bienfaits, se souvenant du froid mordant du camp qui lui brûlait le bout des doigts en permanence, la faisant grelotter même quand elle se blottissait sous les couvertures la nuit, laissant ses muscles endoloris et épuisés. Il n'y avait rien d'étonnant à ce que Denny ne veuille pas que Dorothea les y suive. Elle-même n'avait aucune envie d'y retourner. Elle aurait volontiers tout donné pour rester ici, au chaud, s'il n'y avait eu la conscience de Denny. Elle détestait avoir faim et froid, mais ce serait pire d'être au chaud et bien nourrie en sachant son frère seul là-bas.

Lady Dorothea avait-elle la moindre idée de ce qui l'attendait ? Rachel rouvrit les yeux. Dorothea était assise le dos droit, ses belles et longues mains posées sur ses genoux. Rachel devina que Denny imaginait, comme elle, ces mains rougies et déformées par les engelures, ce ravissant visage émacié par la faim, couvert de crasse.

Les paupières de Dorothea étaient baissées, mais Rachel était certaine qu'elle était en train d'observer Denny. Elle prenait un risque considérable. Si le Seigneur parlait à Denny et lui ordonnait de la renvoyer chez elle ? *Et si le Seigneur parlait à Dorothea ?* pensa-t-elle soudain. Peut-être l'avait-il déjà fait… Cette perspective prit Rachel de court. Ce n'était pas que les Amis considéraient que Dieu ne s'adressait qu'à eux, mais les autres l'écoutaient-ils très souvent ?

Elle-même, écoutait-elle ? En toute sincérité, elle devait reconnaître qu'elle n'avait pas été très attentive, ces derniers temps. Elle savait pourquoi… Elle ne voulait pas entendre ce qu'elle redoutait qu'Il lui dirait : de se détourner de Ian Murray et d'abandonner ces pensées qui lui réchauffaient le corps la nuit dans la forêt glacée. Elle faisait parfois des rêves si torrides qu'en se réveillant, elle avait l'impression que, si elle touchait la neige, celle-ci fondrait entre ses doigts en sifflant.

Elle rassembla son courage, referma les yeux et se concentra, s'efforçant de s'ouvrir à la Vérité.

Elle n'entendit rien d'autre qu'un halètement régulier. L'instant suivant, la truffe humide de Rollo lui poussa la main. Déconcertée, elle gratta le crâne de la bête. Cela ne se faisait sans doute pas pendant la prière mais, autrement, il ne la lâcherait pas. Il posa sa lourde tête sur ses genoux et ferma ses grands yeux jaunes, savourant son plaisir.

Tout en passant les doigts dans son épaisse fourrure rêche, elle pensait : *Ce chien l'aime. Ce ne peut donc pas être un homme mauvais, n'est-ce pas ?* Ce ne fut pas la voix de Dieu qui lui répondit, mais celle de son frère, qui n'aurait pas manqué de rétorquer : *Les chiens sont des créatures admirables mais ne sont sans doute pas les mieux placés pour juger du tempérament d'un homme.*

Mais moi, si, se défendit-elle. *Je sais ce qu'il est et ce qu'il pourrait devenir.* Elle lança un regard vers Dorothea, assise immobile dans son sac à patates. Pour Denny, elle était prête à abandonner son ancienne vie, très probablement aussi sa famille, et à devenir une Amie. Pourquoi Ian Murray serait-il incapable de se détourner de la violence pour elle ?

Péché d'orgueil ! se tança-t-elle. *Pour qui te prends-tu, Rachel Hunter ? Personne n'a ce pouvoir, hormis Dieu.*

Mais Dieu pouvait. Et s'il était bien disposé, tout était possible. Rollo remua la queue, frappant le plancher par trois fois.

Denzell Hunter se redressa légèrement sur son tabouret. C'était un mouvement à peine perceptible mais, dans le silence et l'immobilité absolue de la pièce, il fit sursauter les deux femmes.

Il parla très doucement, mais ses yeux doux étaient incandescents derrière ses lunettes.

— Je t'aime, Dorothea. Veux-tu bien être ma femme ?

87

Séparation et réunion

20 avril 1778

En termes de voyages transatlantiques (et, après nos aventures avec les capitaines Roberts, Hickman et Stebbings, je pouvais me considérer comme une experte en désastres maritimes), la traversée fut plutôt morne. Nous eûmes bien une escarmouche avec un navire de guerre britannique mais, fort heureusement, parvînmes à le distancer. Nous essuyâmes également deux petites tempêtes et une grosse sans sombrer. La nourriture était exécrable, mais j'avais trop l'esprit ailleurs pour m'en formaliser et me contentais de chasser les charançons d'une chiquenaude avant de manger mes galettes.

Une moitié de mon cerveau était concentrée sur l'avenir : la situation précaire de Marsali et de Fergus, l'état de santé d'Henri-Christian et la manière d'y remédier. L'autre moitié (pour être honnête, les quatre-vingts pour cent) était encore à Lallybroch avec Jamie.

Je me sentais contusionnée et écorchée ; amputée d'une partie vitale de moi-même comme chaque fois que j'étais séparée de Jamie pour une longue période, mais j'avais également la sensation d'avoir été expulsée de chez moi comme une bernache arrachée à son rocher et jetée dans une casserole d'eau bouillante.

C'était dû en grande partie à la mort imminente de Ian père. Il faisait tellement partie du domaine, et sa présence constante avait été un tel réconfort pour Jamie durant toutes ces années, que de le perdre était un peu perdre Lallybroch. Étrangement, les paroles de Jenny, aussi blessantes soient-elles, ne m'avaient pas vraiment troublée. Je ne connaissais que trop cette souffrance frénétique, ce désespoir qui se transformait en rage lorsque c'était le seul moyen de survivre. En vérité, je la comprenais parce que je partageais ses sentiments : que ce soit irrationnel ou pas, j'avais l'impression que j'aurais dû pouvoir l'aider. À quoi me servaient toutes mes connaissances, mes compétences, si j'étais impuissante quand on avait vraiment besoin de mon aide ?

Il y avait aussi une autre facette à cette douleur, et une autre culpabilité lancinante : de ne pas être là quand Ian mourrait, de l'avoir quitté en sachant que je ne le reverrais pas, d'être incapable de lui apporter un réconfort, de ne pas être aux côtés de Jamie et de sa famille quand le couperet tomberait, ou simplement de ne pas pouvoir l'accompagner dans son départ…

Ian fils en souffrait aussi, encore plus que moi. Je le voyais souvent assis en poupe, fixant le sillage du navire d'un regard sombre.

Un jour où je m'étais assise à ses côtés, il me demanda soudain :

— Vous pensez qu'il est déjà parti ?

— Ton père ? Je l'ignore. C'est probable, compte tenu de son état quand nous avons quitté Lallybroch. Mais certaines personnes ont une résistance remarquable. Tu connais sa date d'anniversaire ?

Il se tourna vers moi perplexe.

— C'est quelque part en mai, pas loin de celle d'oncle Jamie. Pourquoi ?

Je resserrai mon châle autour de mon cou pour me protéger du vent frisquet.

— Il arrive que des gens très malades mais dont l'anniversaire approche attendent que la date soit passée pour mourir. J'ai lu une étude sur ce sujet un jour. Pour une raison obscure, c'est plus souvent le cas de personnes illustres.

Il émit un petit rire.

— Ce n'est pas le cas de papa. Je regrette de ne pas être resté avec lui, même s'il m'a dit de partir et que j'en avais envie. À présent, je m'en veux.

— Moi aussi, soupirai-je.

— Mais vous n'aviez pas le choix, protesta-t-il. Vous ne pouviez pas laisser le pauvre petit Henri-Christian étouffer. Papa l'a très bien compris.

Je souris devant cette tentative sincère de me consoler.

— Il a aussi compris pourquoi tu devais retourner en Amérique.

— Oui, je sais.

Il se tut un long moment. Le vent était fort, et le navire allait bon train, mais la mer était agitée, les vagues parsemées de moutons.

— J'aurais aimé... reprit-il soudain sur un ton hésitant. J'aurais aimé que papa rencontre Rachel. Et qu'elle le connaisse.

Je hochai la tête. Je me souvins de toutes ces années où j'avais observé Brianna grandir, souffrant du fait qu'elle ne connaîtrait jamais son père. Puis un miracle était arrivé. Cela n'arriverait pas à Ian.

— Ton père m'a dit que tu lui avais parlé d'elle. Ça l'a rendu très heureux. Tu as parlé à Rachel de ton père ? De ta famille.

— Non, jamais.

— Il faudra que... Qu'est-ce qui ne va pas ?

Il plissait le front et parut soudain affligé.

— C'est... rien. Juste que... en fait, je ne lui ai jamais rien dit. Bien sûr, il nous est arrivé de discuter un peu de temps à autre, mais nous avons parlé de tout et de rien. Et puis... je l'ai embrassée... et puis, c'est tout.

Il fit un geste d'impuissance.

— Je ne lui ai jamais demandé. J'étais tellement sûr.

— Et à présent, tu doutes ?

— Oh non, ma tante. Je suis aussi sûr de ce qu'il y a entre de nous que de... que de...

Il regarda autour de lui, cherchant un symbole de solidité sur le pont qui tanguait, puis capitula.

— … que du fait que le soleil se lèvera demain.

— Je suis convaincue qu'elle en est consciente.

— Moi aussi, dit-il d'une voix plus calme. Je le sais.

Nous restâmes assis en silence un moment, puis je me levai.

— Dans ce cas, Ian, tu devrais dire une prière pour ton père puis aller t'asseoir en proue, pour changer.

J'étais déjà allée à Philadelphie une ou deux fois au XXe siècle pour des congrès médicaux. Je n'avais pas aimé la ville, la trouvant sale et inhospitalière. Elle était différente en cette fin de XVIIIe siècle, mais guère plus attirante. Les rues qui n'étaient pas pavées étaient des ruisseaux de boue, et celles qui seraient plus tard bordées de pavillons délabrés avec des jardins remplis de détritus, de jouets en plastique cassés et de pièces détachées de motocyclettes étaient à présent bordées de taudis avec des cours remplies d'ordures, de coquilles d'huîtres éparses et de chèvres attachées. Certes, il n'y avait pas de policiers patibulaires en uniforme noir rôdant, mais les petits voyous étaient déjà les mêmes et déjà aussi visibles en dépit de la présence criante de l'armée britannique. Les tavernes regorgeaient d'uniformes rouges, et notre carriole croisait des colonnes de soldats marchant au pas, le mousquet sur l'épaule.

C'était le printemps, ce qui était déjà ça. Il y avait des arbres partout, conformément au principe de William Penn selon lequel un arpent sur cinq devait rester boisé. Même les politiciens cupides du XXe siècle n'étaient pas parvenus à raser toute la végétation, probablement parce qu'ils n'avaient pas trouvé le moyen de le faire en s'en mettant plein les poches sans se faire prendre. Bon nombre des arbres étaient en fleur, et une pluie de pétales blancs s'amoncelait sur le dos des chevaux tandis que nous entrions dans la ville.

Une patrouille barrait la route principale. Elle arrêta notre voiture, demanda les laissez-passer au cocher et aux deux hommes qui l'accompagnaient. Pour une fois, j'avais coiffé un bonnet convenable. J'évitai de croiser les regards et répondis dans un murmure que je venais de la campagne pour assister ma fille sur le point d'accoucher. Les soldats lancèrent un bref regard vers le grand panier rempli de provisions sur mes genoux mais ne me dévisagèrent même pas avant de faire signe à la carriole de poursuivre son chemin. La respectabilité avait du bon. Je me demandai combien de chefs des services secrets avaient eu l'idée d'employer de vieilles dames dignes. On n'entendait jamais parler d'une vieille arrêtée pour espionnage, mais cela pouvait signifier simplement qu'elles faisaient bien leur métier.

L'imprimerie de Fergus ne se trouvait pas dans le quartier le plus chic mais n'en était pas loin. Nous n'avions pas écrit pour les prévenir de ma venue, car la lettre serait arrivée en même temps que moi. Je fus ravie de constater que l'imprimerie occupait une solide bâtisse en brique rouge encastrée dans une rangée de maisons tout aussi solides et agréables. Ce fut donc le cœur plus léger que je poussai la porte.

Marsali se tenait derrière le comptoir, occupée à trier des piles de papier. Elle releva le nez en entendant la cloche tinter et resta interdite.

— Ma chérie, c'est moi ! dis-je en posant mon panier.

Je me précipitai, soulevai le rabat du comptoir et la serrai contre moi. Le soulagement de me voir illumina ses traits, sans pour autant cacher sa mine épouvantable. Elle s'effondra dans mes bras et se mit à sangloter. Alarmée, je lui tapotai le dos, murmurant des paroles de réconfort. Elle semblait n'avoir plus que la peau sur les, os et ses cheveux sentaient le rance. Elle n'avait pas dû les laver depuis des lustres.

— Tout va bien se passer, lui répétai-je pour la énième fois.

Elle cessa enfin de sangloter et recula d'un pas, sortant un mouchoir crasseux de sa poche. Consternée, je constatai qu'elle était à nouveau enceinte.

— Où est Fergus ? demandai-je.

— Je ne sais pas.

— Il t'a quittée ? m'exclamai-je, horrifiée. Le petit sal…

— Non, non… m'interrompit-elle précipitamment, riant presque à travers ses larmes. Il se cache. Il change de lieu tous les quelques jours, et je ne sais plus où il est aujourd'hui. Les enfants le trouveront.

— Pourquoi se cache-t-il ? Question idiote, je suppose.

Je lançai un regard vers la petite presse trapue et noire derrière le comptoir et rectifiai :

— À cause d'un pamphlet en particulier ?

— Oui, celui de M. Paine. Il lui a fait imprimer une série d'articles intitulée *La Crise américaine*.

— Thomas Paine ? Celui du *Sens commun* ?

— Oui, lui-même. C'est un homme charmant mais, selon Fergus, mieux vaut éviter de boire avec lui. Vous savez comment certains hommes deviennent doux et affectueux quand ils ont bu, alors que d'autres deviennent grossiers ou se mettent à chanter à tue-tête *Bonnie Dundee* alors qu'ils ne sont même pas Écossais ?

— Oui, je vois le genre. Dis-moi, tu en es à quel mois ? Tu ne devrais pas plutôt être assise ? Il ne faut pas rester debout trop longtemps.

Elle me regarda sans comprendre puis suivit mon regard vers son ventre légèrement rebondi.

— Ah ça ?

Elle se mit à rire et, glissant une main sous son tablier, en extirpa une grosse sacoche en cuir qui avait été attachée autour de sa taille.

— C'est en cas de départ précipité. S'ils mettent le feu à l'imprimerie et que je dois m'enfuir avec les enfants.

Quand je lui pris la sacoche, je fus surprise de la trouver si lourde. J'entendis un cliquetis métallique dans le fond, sous les couches de papier et de petits jouets d'enfant.

— Le Caslon Italic vingt-quatre points ? lui demandai-je.

Elle sourit, paraissant aussitôt avoir dix ans de moins.

— Elles y sont toutes, sauf le « X ». J'ai dû le troquer avec un orfèvre contre de l'argent pour acheter des provisions quand Fergus est parti. J'ai remis un autre « X » dans la sacoche, mais il est en vrai plomb.

— Vous avez déjà utilisé le Goudy Bold dix points ?

Jamie et Fergus avaient moulé deux jeux complets de caractères en or, avant de les frotter dans de la suie et de les tremper dans de l'encre jusqu'à ce qu'on ne puisse plus les distinguer des nombreuses polices en plomb qu'on trouvait dans une imprimerie.

Marsali reprit la sacoche en secouant la tête.

— Non. Celle-là, Fergus l'a emportée avec lui. Il comptait l'enterrer quelque part pour la mettre à l'abri. Le voyage a dû vous épuiser, mère Claire. Voulez-vous que j'envoie Joanie à l'estaminet vous chercher une cruche de cidre ?

Encore un peu étourdie par toutes les révélations de ces dernières minutes, je soupirai :

— Oh, volontiers ! Mais où est Henri-Christian ? Ici avec toi ?

— Dans le jardin derrière, avec un ami. Je vais l'appeler. Il est un peu fatigué à force de si mal dormir, le pauvre chou, et avec sa gorge enflée il souffle comme un crapaud constipé. Malheureusement, cela ne tempère pas son énergie, croyez-moi !

Elle sourit en dépit de sa fatigue et franchit la porte menant à leur logement en criant : « Henri-Christian ! »

S'ils mettent le feu à l'imprimerie, avait-elle dit. Qui ? L'armée britannique ? Les loyalistes ? Et comment faisait-elle pour tenir seule l'imprimerie et s'occuper du ménage avec un mari en cavale et un gamin malade qui ne pouvait rester seul pendant la nuit ? *L'horreur de notre situation*, avait-elle écrit à Laoghaire. Et encore, elle avait décrit leurs conditions des mois plus tôt, quand Fergus était encore à ses côtés.

Au moins, elle ne serait plus seule, désormais. Pour la première fois depuis que j'avais quitté Jamie, je ressentais davantage que la triste nécessité d'accomplir mon devoir. Je décidai de lui écrire le soir même. Il serait peut-être parti avant que ma lettre ne lui parvienne (je l'espérais) mais, dans ce cas, Jenny et le reste de la famille seraient heureux de savoir ce qui se passait ici. Et si, par chance, Ian était toujours parmi eux… Je ne voulais même pas y penser. Le fait que sa mort signifiait que Jamie était libre de me rejoindre me faisait me sentir comme un monstre, comme si j'avais hâte qu'il meure. Cela dit, Ian le souhaitait probablement aussi.

Ces pensées morbides furent interrompues par le retour de Marsali, Henri-Christian sur ses talons.

— Grand-mère !

Il bondit dans mes bras, manquant de me renverser. C'était un petit garçon très compact. Il m'embrassa avec effusion, et je le serrai contre moi, sentant une grande vague d'affection m'envahir. Le trou béant laissé par le départ de Jem et de Mandy se combla un peu. Pendant que j'étais en Écosse, loin de Fergus et de Marsali, j'avais presque oublié qu'il me restait quatre adorables petits-enfants.

— Tu veux que je te montre un tour, grand-mère ? croassa Henri-Christian.

Marsali avait raison, on aurait vraiment dit un crapaud constipé. Il sauta de mes genoux, sortit de ses poches trois petites balles en cuir remplies de son et se mit à jongler avec une dextérité hallucinante.

— C'est son père qui lui a appris à faire ça, commenta fièrement Marsali.

— Quand je serai grand comme Germain, papa m'apprendra aussi à faire les poches !

Marsali écarquilla des yeux horrifiés et lui plaqua aussitôt une main sur la bouche.

— Henri-Christian, ne reparle plus jamais de ça ! À personne, tu m'entends ?

L'enfant me dévisagea, perplexe, mais acquiesça néanmoins.

Je lançai un regard angoissé à sa mère. Germain était-il devenu un voleur à la tire ? Elle fit non de la tête. Il faudrait néanmoins que nous en reparlions plus tard.

— Ouvre grand la bouche et tire la langue, mon chéri, demandai-je à Henri-Christian. Montre à grand-mère ta gorge qui te fait si mal.

Il s'exécuta docilement. Une légère odeur fétide s'éleva de sa bouche béante. Même sans stylo lumineux, je pouvais voir ses amygdales enflées qui obstruaient presque totalement sa gorge. Je lui tournai la tête d'un côté puis de l'autre.

— Grands dieux ! C'est un miracle qu'il puisse encore manger.

— Il ne peut pas toujours, répondit Marsali. Souvent, il ne fait qu'avaler un peu de lait et, même dans ce cas, c'est comme d'avoir une pelote d'épingles dans la gorge, le pauvre chou.

Elle s'accroupit près de moi et lissa en arrière les cheveux noirs et fins de son fils.

— Vous pouvez faire quelque chose, mère Claire ?

— Absolument, répondis-je avec un peu plus de conviction que je n'en avais réellement.

Je sentis la tension fondre en elle, et les larmes se mirent à couler lentement sur son visage. Elle attira Henri-Christian contre elle et lui enfouit le nez dans ses seins pour qu'il ne la voie pas pleurer. Je les serrai tout les deux contre moi, posant ma joue contre le bonnet de Marsali, sentant l'odeur musquée et âcre de la peur et de l'épuisement.

— Tout ira bien à présent, murmurai-je. Je suis là, tu vas pouvoir dormir.

*

Marsali dormit en effet le restant de la journée et jusqu'au lendemain. Fatiguée par le voyage, je parvins à m'assoupir un peu dans le grand fauteuil près de la cheminée de la cuisine, Henri-Christian ronflant bruyamment sur mes genoux. Il cessa de respirer à deux reprises durant la nuit et, si je parvins à le faire inspirer à nouveau sans difficulté, il était clair qu'il fallait agir vite. Par conséquent, après une brève sieste le lendemain matin, je me débarbouillai, avalai un morceau et sortis acheter de quoi l'opérer.

J'avais apporté avec moi des instruments chirurgicaux très rudimentaires, l'ablation des amygdales et des végétations adénoïdes ne nécessitant rien de complexe.

J'aurais aimé que Ian m'accompagne. Son aide m'aurait été précieuse, ainsi qu'à Marsali. Toutefois, Philadelphie était trop dangereuse pour un jeune homme comme lui. Il ne pouvait s'aventurer en ville sans se faire arrêter et interroger par les patrouilles britanniques. Il n'aurait pas manqué de paraître suspect, ce qu'il était. En outre, il aurait été trop impatient de retrouver Rachel Hunter.

La tâche de localiser deux personnes (et un chien) pouvant se trouver n'importe où entre Charleston et le Canada, sans autre moyen de communication que ses pieds et l'usage de la parole, aurait découragé n'importe qui de moins entêté qu'un membre de la famille Fraser. Ian partageait avec Jamie cette faculté de pouvoir poursuivre un objectif contre vents, marées et tout appel à la raison.

Comme il me l'avait souligné, il avait un avantage : Denny Hunter était probablement toujours médecin militaire. Dans ce cas, il devait se trouver avec des troupes de l'armée continentale. Son idée était donc de découvrir où se trouvait le camp d'Américains le plus proche de Philadelphie et de commencer ses recherches par là, traînant dans les tavernes et les débits de boisson clandestins, écoutant les potins locaux.

J'étais quand même parvenue à lui arracher la promesse qu'il ferait parvenir un message à l'imprimerie de Fergus une fois qu'il aurait une destination en tête.

En attendant, je ne pouvais qu'adresser une brève prière à son ange gardien (un être surchargé de travail) ainsi qu'au mien (que j'imaginais comme une grand-mère à la mine anxieuse).

Je marchais dans les rues boueuses, réfléchissant à l'opération. Je n'avais pratiqué une amygdalectomie qu'une seule fois (enfin, deux fois, si l'on comptait les jumeaux Beardsley comme deux entités distinctes) depuis dix ans. En général, c'était une intervention plutôt simple et rapide, mais elle était rarement pratiquée dans une imprimerie sombre sur un nain aux voix aériennes obstruées et souffrant d'une infection des sinus et de phlegmons péritonsillaires.

En revanche, je n'étais pas obligée de l'opérer dans l'imprimerie. Je pouvais trouver un lieu mieux éclairé. Où ? Chez des riches, par exemple ; dans une demeure où l'on n'hésitait pas à gaspiller des chandelles. J'avais déjà visité de nombreuses maisons cossues, notamment lors de notre séjour à Paris, mais ne connaissais personne à Philadelphie qui ait ne serait-ce qu'un peu de moyens. Marsali non plus ; je le lui avais demandé.

Chaque chose en son temps. Avant de m'inquiéter de mon bloc opératoire, il me fallait trouver un forgeron capable de me confectionner une boucle en métal. Je pouvais sectionner les amygdales d'une simple incision du bout de mon scalpel, mais il me serait alors très difficile d'extraire les végétations situées au-dessus du voile du palais. Je ne tenais pas à devoir fouiller la gorge très enflammée d'Henri-Christian dans la pénombre avec un instrument tranchant. La boucle serait coupante, mais elle risquait moins d'endommager les tissus qu'elle rencontrerait sur son chemin. Après avoir dégagé la zone à extraire en la tirant d'un petit coup sec, je sectionnerais proprement l'amygdale ou la végétation à l'aide de la boucle.

Je me demandais si Henri-Christian souffrait également d'une vilaine inflammation. Sa gorge était rouge vif, mais cela pouvait être dû à bien des choses… Dès mon arrivée, j'avais préparé plusieurs bouillons de culture afin de faire de la pénicilline ; j'ignorais si celle-ci serait déjà active d'ici quelques jours, mais ce serait toujours mieux que rien.

Sur le plan positif, ma quête en ville pourrait peut-être m'apporter un élément des plus utiles. Cinq ans plus tôt, lord John m'avait fait parvenir un grand flacon de vitriol ainsi qu'une cornue en verre afin que je puisse produire de l'éther. Il les avait trouvés chez un apothicaire de Philadelphie dont je ne me souvenais pas du nom. Cependant, il ne devait pas y avoir trente-six apothicaires en ville, et je me proposais d'aller tous les voir jusqu'à trouver mon bonheur. Selon Marsali, il n'y avait que deux bonnes enseignes en ville susceptibles de posséder ce que je cherchais.

Je me rendis à la première adresse et y trouvai quelques articles utiles, donc un bocal de sangsues. Néanmoins, j'hésitais à en mettre une dans la bouche d'Henri-Christian. S'il l'avalait ?

C'était un garçon de quatre ans doté d'un frère aîné qui ne manquait pas d'imagination. Il avait sans doute ingurgité bien pire qu'une sangsue. Avec un peu de chance, je n'en aurais pas besoin. J'achetai également deux petits cautères. C'était un moyen primitif et douloureux mais néanmoins très efficace de faire cesser les saignements.

L'apothicaire ne possédait pas de vitriol. Il s'en excusa, expliquant que ce genre d'article était importé d'Angleterre et, « avec la guerre... ». Je le remerciai et me rendis à la seconde adresse. Là, l'homme derrière le comptoir m'informa qu'il avait bien eu du vitriol, mais qu'il avait vendu tout son stock quelque temps plus tôt à un lord anglais. Il ajouta qu'il se demandait toujours pourquoi quiconque achèterait ce genre de chose.

— Un lord anglais ? répétai-je, surprise.

Ce ne pouvait être lord John. Quoique... l'aristocratie anglaise ne se bousculât pas à Philadelphie par ces temps périlleux, à part les nobles militaires. En outre, l'homme avait bien dit « un lord », et non un major ou un capitaine.

À tout hasard, je posais la question. L'apothicaire me répondit aimablement que l'acquéreur s'appelait lord John Grey et qu'il avait demandé qu'on lui livre le vitriol à son domicile sur Chestnut Street.

Me sentant un peu comme Alice dégringolant dans le terrier du lapin blanc (j'étais encore un peu abrutie par le manque de sommeil et le long voyage), je demandai le chemin jusqu'à Chestnut Street.

La porte fut ouverte par une jeune femme d'une beauté stupéfiante. À sa robe élégante, il était clair qu'elle n'était pas une domestique. Après un instant de surprise réciproque, je lui expliquai que j'étais une vieille connaissance de lord John. Elle m'invita aussitôt à entrer, me répondant que son oncle reviendrait très bientôt. Il était parti faire ferrer un cheval. Après s'être présentée comme lady Dorothea Grey, elle déclara sur un ton navré :

— On pourrait croire qu'il enverrait le palefrenier, ou mon cousin. Mais oncle John est très pointilleux dès qu'il s'agit de ses chevaux.

Mon cerveau ralenti établit les éventuels liens de parenté.

— Votre cousin ? Il ne s'agirait pas de William Ransom, par hasard ?

— Mais oui, Ellesmere. Vous le connaissez ?

— Nous nous sommes déjà rencontrés une ou deux fois. Si je puis me permettre… que fait-il à Philadelphie ? J'avais cru comprendre que les soldats de Burgoyne avaient été graciés sur parole et s'étaient rendus à Boston pour embarquer pour l'Angleterre ?

— Oui, il l'est ; je veux dire, gracié sur parole. Mais il est d'abord venu ici pour voir son père, c'est-à-dire oncle John, et mon frère.

Ses grands yeux bleus s'embrumèrent.

— Henry est gravement malade, hélas !

— J'en suis navrée.

Je l'étais sincèrement, mais j'étais nettement plus intéressée par la présence de William. Avant que j'aie pu en apprendre davantage, un pas léger retentit sous le porche, et la porte d'entrée s'ouvrit.

— Dottie ? lança une voix familière. As-tu vu où… Oh, je vous demande pardon.

Il s'arrêta sur le seuil du salon en m'apercevant. Il marqua un temps d'arrêt puis, me reconnaissant enfin, ouvrit de grands yeux ronds. Le voyant décontenancé, je pris les devants en déclarant :

— Quel plaisir de vous revoir ! Mais je suis désolée d'apprendre que votre neveu est souffrant.

— Merci.

Il se pencha en avant et me baisa la main.

— Tout le plaisir est pour moi, madame.

Il hésita un instant mais, naturellement, ne put s'empêcher de demander :

— Votre mari ?

— Il est en Écosse.

Une ombre traversa son visage mais disparut aussitôt. C'était un gentleman et un soldat. D'ailleurs, j'étais surprise de le voir en uniforme.

— Vous avez repris du service ? lui demandai-je.

— Pas tout à fait. Dottie, tu n'as pas encore appelé Mme Figg ? Je suis sûr que Mme Fraser aimerait un rafraîchissement.

— Je viens juste d'arriver, dis-je précipitamment tandis que Dottie bondissait déjà et sortait.

— Je suis vraiment ravi de vous voir, répéta-t-il. Je vous prie de m'excuser si je vous parais trop direct mais… quel est l'objet de votre visite ? Vous m'apportez un message de votre mari, peut-être ?

Je perçus une étincelle d'espoir dans son regard et fus presque navrée de devoir le décevoir.

— En réalité, je suis venue vous demander une faveur. Ce n'est pas pour moi mais pour mon petit-fils.

Il tiqua.

— Votre petit-fils ? Mais je croyais que votre fille… Ah, mais bien sûr ! J'avais oublié que votre mari avait un fils adoptif. Sa famille est ici ? Il s'agit de l'un de ses enfants ?

Sans attendre davantage, je lui expliquai la situation, lui décrivant l'état d'Henri-Christian et lui rappelant sa générosité quand il m'avait envoyé du vitriol et des ballons de distillerie des années plus tôt.

— M. Sholto, l'apothicaire dont l'échoppe se trouve sur Walnut Street, m'a dit vous avoir vendu un grand flacon de vitriol il y a quelques mois. Je me demandais si vous l'aviez toujours.

Je ne faisais aucun effort pour cacher l'espoir dans ma voix. À ma surprise, son visage s'illumina comme un soleil, et il m'adressa un sourire radieux.

— Mais absolument, madame Fraser, puisque je l'ai acheté pour vous.

*

Nous conclûmes aussitôt un accord. Il me donnerait le vitriol et m'achèterait toutes les fournitures médicales dont j'aurais besoin en échange de quoi j'opérerais son neveu.

— Le docteur Hunter a extirpé une des balles à Noël, ce qui a considérablement amélioré l'état d'Henry. Malheureusement, il en reste toujours une et...

— Le docteur Hunter ? l'interrompis-je. Vous parlez de Denzell Hunter ?

— Lui-même, répondit-il avec un sourire. Il m'a dit vous connaître.

— En effet, nous avons souvent travaillé ensemble au fort Ticonderoga et à Saratoga dans l'armée de Gates. Que fait-il donc à Philadelphie ?

— Il...

Il fut interrompu par des pas dans l'escalier. J'avais vaguement eu conscience qu'on marchait au-dessus de nos têtes sans y prêter attention. Lorsque je me tournai vers la porte, mon cœur fit un bond. Rachel Hunter se tenait sur le seuil, sa bouche dessinant un « O » de stupéfaction.

L'instant suivant, elle était dans mes bras, me serrant avec un enthousiasme qui manqua de me briser quelques côtes.

— Amie Claire ! Je craignais de ne plus jamais te revoir ! Je suis tellement contente. Et Ian, il est rentré avec vous ?

Ses traits frémissaient d'impatience et d'angoisse, l'espoir et la méfiance se pourchassant comme des nuages sur son visage.

— Oui, l'assurai-je. Mais il n'est pas avec moi.

— Ah, fit-elle d'une petite voix. Où...

— Il est à votre recherche.

La joie l'emporta.

— Ah ! fit-elle à nouveau d'une voix toute différente. Ah !

Lord John toussota poliment dans son poing.

— Il ne serait sans doute pas judicieux que j'apprenne où se trouve votre neveu exactement, madame Fraser, car je présume qu'il partage les principes de votre mari... Si vous voulez bien m'excuser, je vais prévenir Henry de votre arrivée. Je suppose que vous voudrez l'examiner ?

— Oui, bien sûr. Si cela ne vous ennuie pas…

Il lança un regard ému vers Rachel, qui était cramoisie d'excitation.

— Pas le moins du monde. La chambre d'Henry est à l'étage. Prenez votre temps, madame Fraser. Je vous y attends.

88

Du sang sur les murs

Brianna me manquait en permanence, plus ou moins cruellement selon les circonstances. Elle me manquait particulièrement en ce moment, car elle aurait sûrement pu résoudre le problème de l'éclairage de la gorge d'Henri-Christian.

Je l'avais étendu sur une table devant la vitrine de l'imprimerie afin de profiter de la lumière naturelle. Cependant, nous étions à Philadelphie, et non à New Bern. Quand le ciel n'était pas couvert de nuages, il était caché par la fumée des cheminées. En outre, la rue était étroite, et les bâtiments d'en face me cachaient le peu de soleil qu'il y avait.

Cela ne changeait pas grand-chose. La pièce aurait pu être inondée de soleil, je n'aurais toujours rien vu au fond de la gorge d'Henri-Christian. Marsali avait apporté un petit miroir afin de réfléchir la lumière. Cela m'aiderait pour les amygdales mais, pour ce qui était des végétations, il me faudrait procéder au toucher.

Je sentis le bord mou et spongieux d'une végétation juste derrière la voûte du palais. Je visualisai sa forme dans mon esprit et glissai la boucle métallique autour, procédant très délicatement afin de n'entailler ni mon doigt ni les tissus enflammés. Il y aurait un jet de sang lorsque j'inciserais.

J'avais positionné le corps inerte d'Henri-Christian sur le flanc, et Marsali le tenait fermement. Denzell Hunter lui maintenait la tête et tenait le tampon imbibé d'éther sous son nez. Je n'avais aucun instrument d'aspiration. Il faudrait que je retourne rapidement l'enfant dès que j'aurais pratiqué l'incision afin que le sang s'écoule hors de sa bouche et non dans sa gorge. Le petit cautère était en train de chauffer, sa pointe élancée plongée dans un petit pot de braises. Ce serait sans doute la partie la plus difficile. Je ne voulais pas lui brûler la langue ni l'intérieur de la bouche… Je me concentrai puis fis un léger signe de tête à Marsali.

Je tordis la poignée d'un coup vif, et le petit corps tressaillit sous ma main.

— Tiens-le bien, dis-je à Marsali. Encore un peu plus d'éther, Denzell, s'il vous plaît.

Marsali respirait bruyamment par le nez, et les articulations de ses doigts étaient aussi blêmes que son visage. Je sentis la végétation se détacher facilement, la tirai vers moi puis la cueillis du bout des doigts, l'extirpant avant qu'elle ne glisse dans l'œsophage. Je tournai rapidement la tête d'Henri-Christian, sentant l'odeur métallique du sang chaud. Je laissai tomber le fragment de tissu sectionné dans un petit plat et fis signe à Rachel. Elle sortit le cautère du pot de braises et le déposa précautionneusement dans ma main.

J'avais toujours l'autre main dans la bouche d'Henri-Christian, maintenant sa langue et sa luette hors du chemin, un doigt marquant l'emplacement de la végétation extraite pour ne pas le perdre. Je me mordis l'intérieur de la joue quand le cautère me brûla le doigt en passant, mais je ne l'ôtai pas. Une odeur de chair brûlée s'éleva. Marsali poussa un petit gémissement de panique mais ne lâcha pas son fils.

— Tout va bien, amie Marsali, la rassura Rachel. Le petit respire bien ; il n'a pas mal. Il est dans la lumière de Dieu ; il sera guéri.

— Parfaitement, confirmai-je. Rachel, vous pouvez reprendre le cautère ? Plongez la boucle dans le whisky puis repassez-la-moi. Une ablation réussie ! Encore trois et nous y serons.

*

— Je n'ai jamais rien vu de pareil, répéta Denzell Hunter pour la cinquième fois.

Son regard allait du tampon dans sa main à Henri-Christian, qui commençait à se réveiller et à gémir dans les bras de sa mère.

— Je ne l'aurais jamais cru, amie Claire, si je ne l'avais vu de mes propres yeux !

J'essuyai la sueur sur mon front avec un mouchoir.

— Oui, j'ai pensé que cela vous intéresserait. Je vous montrerai comment faire, si vous voulez.

Une profonde sensation de bien-être m'avait envahie. L'opération avait été rapide, ne durant pas plus que cinq minutes, et Henri-Christian toussait déjà, sortant des vapeurs d'éther. Germain, Joanie et Félicité nous avaient observés depuis le seuil de la cuisine, le grand frère tenant fermement la main de ses deux sœurs.

Le visage de Hunter, déjà épanoui par la réussite de l'intervention, s'illumina encore.

— Oh, Claire ! C'est un tel présent ! Pouvoir entailler la chair sans provoquer la douleur ! Pouvoir immobiliser son patient sans devoir l'attacher ! C'est… c'est inimaginable !

— C'est encore loin d'être parfait, le mis-je en garde. Et très dangereux, tant à administrer qu'à fabriquer.

J'avais distillé l'éther la veille dans le bûcher au fond du jardin. C'était un composé très volatil, et il y avait un grand risque qu'il explose, faisant voler le bûcher et moi-même en éclats. Tout s'était bien passé, mais l'idée de devoir recommencer le processus me nouait déjà le ventre.

Je soulevai le flacon équipé d'un compte-gouttes. Il était aux trois quarts plein, et j'en avais un autre légèrement plus grand.

Devinant mes pensées, Denny me demanda :

— Vous pensez que ce sera assez ?

— Tout dépendra de ce que nous trouverons.

En dépit des difficultés techniques, l'opération d'Henri-Christian avait été très simple. Ce ne serait pas le cas de celle d'Henry. Je l'avais ausculté, Denny à mes côtés m'expliquant comment il avait extrait la première balle, qui se trouvait juste sous le pancréas. Son intervention avait provoqué une irritation locale et une scarification mais n'avait endommagé aucun organe vital. Il n'avait pu trouver la seconde balle, logée profondément quelque part sous le foie. Craignant qu'elle ne soit près de la veine porte, je n'avais pas osé le palper trop profondément ; une hémorragie lui aurait été fatale.

J'étais raisonnablement sûre que la balle n'avait pas endommagé la vésicule ni le conduit biliaires et, compte tenu de la symptomatologie du patient, la soupçonnais d'avoir perforé l'intestin grêle en cautérisant le point d'entrée dans son sillage. Autrement, il serait mort d'une péritonite depuis longtemps.

Elle était peut-être enkystée dans la paroi de l'intestin, ce qui serait l'emplacement idéal. Elle pouvait également s'être logée dans l'intestin lui-même, ce qui serait nettement moins bien. Je ne connaîtrais l'étendue des dégâts qu'une fois dans les lieux.

Au moins, nous avions de l'éther et les scalpels les plus affûtés que l'argent de lord John avait pu nous offrir.

*

Après une discussion entre les deux médecins qui parut interminable à John Grey, la fenêtre fut entrouverte. Le docteur Hunter insistait sur les bienfaits de l'air frais ; Mme Fraser était d'accord sur ce point en raison des vapeurs d'éther mais ne cessait de parler de choses qu'elle appelait des « microbes », s'inquiétant qu'ils ne pénètrent par la fenêtre et ne contaminent son « champ d'opération ». *Elle en parle comme d'un champ de bataille*, pensa-t-il.

Malgré son inquiétude pour Henry, il ne pouvait s'empêcher de l'observer, fasciné. Elle avait noué sa scandaleuse chevelure en arrière et enveloppé sa tête dans un linge à la manière d'une esclave noire. Son visage ainsi dénudé faisait ressortir ses os délicats et son regard intense, ses yeux jeunes se posant ici et là comme ceux d'un faucon à l'affût. Il n'avait jamais vu une femme aussi peu féminine. On aurait dit un général rassemblant ses troupes. Le nœud de serpents dans son ventre se relâcha légèrement.

Elle sait ce qu'elle fait, pensa-t-il.

Elle se tourna soudain vers lui, et il redressa aussitôt le dos, attendant instinctivement les ordres, se stupéfiant lui-même.

— Vous voulez rester ? demanda-t-elle.

— Oui, bien sûr.

Elle lui avait annoncé franchement son pronostic. Il n'était pas optimiste, mais Henry avait une chance de s'en sortir. Il était d'autant plus résolu à rester à ses côtés, quoi qu'il arrive. Si Henry mourait, il aurait au moins une personne qui l'aimait à son chevet. De toute manière, il était déterminé à ce qu'il ne meure pas ; il ne le laisserait pas.

— Dans ce cas, asseyez-vous ici.

Elle lui indiqua un tabouret de l'autre côté du lit. Il s'y assit en adressant à Henry un sourire rassurant. Son neveu paraissait terrifié mais résolu.

« Je ne peux plus vivre ainsi », lui avait-il dit la veille au soir en acceptant enfin l'idée de l'opération. « Je n'en peux plus. »

Mme Woodcock avait insisté pour être présente elle aussi. Après un long sermon, Mme Fraser avait déclaré qu'elle administrerait l'éther. Cette mystérieuse substance se trouvait dans un flacon équipé d'un compte-gouttes posé sur le bureau. Il s'en dégageait une odeur vague et écœurante.

Mme Fraser tendit au docteur Hunter un linge qui ressemblait à un mouchoir puis en appliqua un autre sur son visage. *C'était* un mouchoir, mais sur les bords duquel des lacets avaient été cousus. Elle noua ces derniers derrière sa tête de sorte que le tissu couvre sa bouche et son nez. Hunter l'imita docilement.

Comparés aux procédures expéditives des chirurgiens militaires, les préparatifs de Mme Fraser paraissaient extrêmement laborieux. Elle badigeonna plusieurs fois le ventre d'Henry avec une solution alcoolique qu'elle avait concoctée, lui parlant d'une voix douce et apaisante à travers son masque de bandit des grands chemins. Elle se rinça les mains, demandant à Hunter et à Mme Woodcock d'en faire autant ; puis elle lava ses instruments. La pièce empestait comme une mauvaise distillerie.

En réalité, ses mouvements étaient assez secs, mais ses mains se déplaçaient avec une incroyable assurance et… oui, de la grâce ; il ne trouvait pas d'autre mot. Elles donnaient l'illusion de planer tel un couple de mouettes dans les airs. Ce n'était pas des battements d'ailes frénétiques, mais un mouvement fluide, serein, presque mystique. Rien qu'à les observer, il sentit un étrange calme l'envahir, entrant dans une sorte de transe qui lui fit presque oublier l'objectif ultime de ce ballet de mains silencieux.

Elle s'approcha de la tête du lit et se pencha pour parler à Henry, écartant les cheveux sur son front. Grey vit les yeux de faucon s'adoucir momentanément en une coulée d'or. Le corps d'Henry se détendit, et ses poings serrés se relâchèrent. Elle sortit alors un nouveau masque, celui-ci ressemblant à une cage en brins d'osier contenant des couches de tissu ouaté. Elle l'installa délicatement sur le visage d'Henry tout en lui disant quelque chose d'inaudible. Puis elle saisit son flacon d'éther.

Une forte odeur piquante se répandit aussitôt dans la pièce, s'accrochant au fond de la gorge de Grey et lui faisant légèrement tourner la tête. Il cligna des yeux, s'ébroua puis se rendit compte que Mme Fraser était en train de lui parler. Il releva les yeux vers elle, un grand oiseau blanc avec des yeux jaunes et une serre étincelante qui venait soudain d'apparaître à la place de sa main.

— Je vous demande pardon ?

Elle répéta calmement à travers le masque :

— J'ai dit que vous devriez peut-être reculer votre tabouret. Il risque d'y avoir des éclaboussures.

William, Rachel et Dorothea étaient assis sur le bord de la balustrade comme trois oiseaux sur une clôture. Rollo était étendu dans l'allée en briques à leurs pieds, savourant le soleil printanier.

William lança un regard inquiet vers la fenêtre de la chambre d'Henry à l'étage.

— C'est bigrement long. Vous pensez qu'ils ont commencé ?

Il s'était attendu à entendre Henry pousser des hurlements, en dépit de la description que leur avait faite Denny Hunter des merveilles de l'éther de Mme Fraser. Un homme tranquillement endormi pendant qu'on lui ouvrait le ventre avec un couteau ? Il aurait été tenté de prendre cela pour des fadaises, mais Denzell Hunter n'était pas un homme qui se laissait embobiner facilement, hormis par Dottie. Il lança un regard de biais à sa cousine.

— As-tu déjà écrit à oncle Hal au sujet de Denny et toi ?

C'était une question de pure forme pour la distraire, car il savait déjà qu'elle ne l'avait pas fait. Elle avait été bien obligée de le dire à lord John, mais l'avait convaincu de la laisser l'annoncer elle-même à son père. Elle était pâle et tripotait nerveusement sa jupe au point que le tissu sur ses genoux n'était plus qu'un nid de plis. Il ne s'était pas encore habitué à la voir vêtue de gris et de beige au lieu de ses tenues éclatantes habituelles. Il devait reconnaître que les tons neutres lui allaient bien, surtout depuis que Rachel lui avait assuré qu'elle avait le droit de porter de la soie et de la mousseline plutôt que de la toile à sac.

Elle lui lança un regard reconnaissant, comprenant ce qu'il cherchait à faire.

— Non. Ou plutôt, si, mais je ne lui ai pas encore envoyé la lettre. Si l'opération d'Henry réussit, je lui en écrirai une autre avec la bonne nouvelle, puis j'ajouterai un mot au sujet de Denny et de moi tout en bas, en post-scriptum. Il sera tellement heureux pour Henry qu'il ne le remarquera peut-être pas ou, du moins, n'en fera pas tout un plat.

— Je serais très étonné qu'il ne le remarque pas, déclara William songeur. Cela n'a pas échappé à papa.

Lorsqu'il l'avait appris, lord John était devenu dangereusement silencieux et avait lancé à Denzell Hunter un regard suggérant une convocation à un duel à l'aube. Il était vrai que Denny avait déjà sauvé la vie d'Henry une fois et aidait à présent à la sauver à nouveau. Lord John était avant tout un homme d'honneur. En outre, William le soupçonnait d'être en partie soulagé de savoir enfin ce que Dottie avait manigancé. Il ne lui avait pas encore parlé de son propre rôle dans ce complot, mais cela ne saurait tarder.

— Que le Seigneur protège ton frère, ainsi que le mien et Mme Fraser, déclara Rachel. Mais si tout ne se passait pas comme nous l'espérons ? Tu devras quand même en informer tes parents, et la nouvelle de ton prochain mariage risque de mettre du sel sur leur plaie.

Voyant Dottie pâlir encore un peu plus, William rétorqua :

— Rachel, j'ai rarement rencontré une personne manquant autant de tact ! Henry s'en sortira, je le sais. Denny est un grand médecin et Mme Fraser est… est…

En réalité, il n'était pas certain de savoir ce qu'était Mme Fraser. Elle lui faisait un peu peur. Il acheva maladroitement :

— Denny dit qu'elle sait ce qu'elle fait.

Au même instant, Rollo redressa la tête tout en émettant un grondement sourd, et le pelage de son cou se hérissa. William suivit machinalement son regard et tressaillit. S'efforçant de prendre un ton détaché, il demanda à Rachel :

— Mlle Hunter, connaissez-vous cet homme, là-bas, au bout de la rue ? Celui qui discute avec la marchande d'œufs ?

Rachel mit sa main en visière puis répondit :

— Non, pourquoi ? Vous pensez que c'est à cause de lui que le chien s'agite ?

Elle caressa Rollo du bout de son soulier.

— Que t'arrive-t-il, ami Rollo ?

— Je ne sais pas, répondit William. C'était peut-être à cause du chat qui vient de traverser la rue derrière la marchande. Mais j'ai déjà vu cet homme, j'en suis sûr. Il se tenait sur le bord de la route, quelque part dans le New Jersey. Il m'a demandé si je connaissais Ian Murray et savais où le trouver.

Rachel poussa un petit cri de surprise, et il se tourna vers elle.

— Quoi, vous savez où il est, vous ?

— Non, répondit-elle sèchement. Je ne l'ai pas vu depuis l'automne dernier à Saratoga. Êtes-vous sûr qu'il s'agit du même homme ? Et connaissez-vous son nom ?

L'homme en question venait de disparaître dans une ruelle.

— Non, admit William. Mais je suis convaincu qu'il s'agit bien du même. Il portait une canne, tout comme lui. Et puis il avait la même façon de se tenir, légèrement voûté. L'homme que j'ai vu dans le New Jersey était très vieux et marchait comme celui-ci.

Il ne parla pas des doigts manquants. De toute manière, l'inconnu avait été trop loin pour qu'il pût voir ses mains.

Rollo avait cessé de grogner et s'était à nouveau couché, mais ses yeux jaunes étaient toujours alertes. Une étrange odeur leur parvenait depuis la fenêtre au-dessus d'eux. Elle était malsaine et légèrement entêtante, mêlée à des remugles de sang et d'excréments. C'était une odeur de champ de bataille, ce qui acheva de mettre William mal à l'aise.

Afin de penser à autre chose, il demanda à sa cousine :

— Quand comptez-vous vous marier ?

— Je voudrais que ce soit avant que les combats ne reprennent, répondit-elle. Ainsi, je pourrais partir avec Denny et Rachel.

Elle sourit à sa future belle-sœur, qui lui retourna brièvement son sourire avant de regarder William d'un air grave et troublé :

— Comme c'est étrange ! Bientôt nous serons à nouveau ennemis.

— Je ne serai jamais votre ennemi, mademoiselle Hunter. Vous pourrez toujours me compter parmi vos amis.

Elle esquissa un sourire triste.

— Vous savez très bien ce que je veux dire.

Son regard glissa de William à Dottie. Pour la première fois, il prit conscience qu'elle s'apprêtait à épouser un rebelle… et à en devenir une elle aussi. Bientôt, il se retrouverait en guerre contre une partie de sa famille. Le fait que Denny refusât de prendre les armes ne le protégerait pas, pas plus que Dottie ni Rachel. Ils étaient tous trois coupables de trahison. Ils risquaient d'être tués, ou capturés et emprisonnés. Consterné, il se demanda ce qu'il ferait si Denny était condamné à la pendaison. Ou même Dottie.

— Oui, je sais ce que vous voulez dire, répondit-il doucement.

Il saisit la main de Rachel, et ils restèrent tous les trois assis en silence, soudés, attendant le verdict du destin.

89

Un misérable couvert d'encre

Je repris le chemin de l'imprimerie ivre de fatigue, euphorique et titubante. En toute sincérité, j'étais également un peu ivre d'alcool. Lord John avait tenu à nous faire goûter son meilleur cognac et, compte tenu de notre état après l'opération, Denzell et moi-même ne nous étions pas fait prier.

Cela avait été l'intervention chirurgicale la plus angoissante que j'avais pratiquée au XVIIIe siècle. Je n'avais effectué jusque-là que deux opérations abdominales : l'appendicectomie (réussie) d'Aidan McCallum (ce dernier endormi à l'éther) et la césarienne (totalement ratée) réalisée avec un couteau de cuisine sur le cadavre de Malva Christie. Ce souvenir, qui me plongeait habituellement dans le regret et la tristesse, était étrangement tempéré. Tout en marchant dans la fraîcheur du soir, l'image qui me revenait en tête était celle du moment où j'avais tenu la vie dans mes mains, si brève, si fugace, mais néanmoins là, telle une petite flamme bleue.

Je venais de tenir la vie d'Henry entre mes mains durant deux heures et sentais à nouveau ce feu. Une fois de plus, j'avais concentré toute mon énergie sur la préservation de cette petite flamme mais, cette fois, je l'avais sentie se stabiliser et grandir dans le creux de mes paumes.

La balle avait pénétré l'intestin mais ne s'était pas enkystée. Elle était restée piégée mais mobile, ne pouvant quitter le corps mais se déplaçant en irritant la tunique interne de l'intestin, qui était grièvement ulcérée. Denzell Hunter avait été tellement fasciné par la nouvelle possibilité de pouvoir examiner les entrailles d'une personne alors que celle-ci était inconsciente qu'il avait eu du mal à se concentrer sur sa tâche, s'extasiant plutôt sans cesse devant les couleurs et les palpitations des organes vivants. Après une brève discussion avec lui, j'avais décidé que l'ulcération était trop étendue. Une excision aurait rétréci l'intestin grêle et laissé une scarification, risquant de l'obstruer totalement.

Nous avions donc opté pour une modeste résection. Je fus prise d'une envie de rire au souvenir du visage de lord John quand j'avais extrait le segment d'intestin ulcéré et l'avais laissé tomber avec un *sploutch* sur le parquet à ses pieds. Je ne l'avais pas fait exprès mais avais eu besoin de mes deux mains ainsi que de celles de Denzell pour maîtriser le saignement, et nous n'avions pas d'infirmière pour nous assister.

Le jeune homme n'était pas encore tiré d'affaire, loin de là. J'ignorais si ma pénicilline serait efficace ; même si c'était le cas, il pouvait toujours développer une quelconque infection hideuse. Toutefois, il était réveillé, et ses signes vitaux étaient étonnamment bons. Peut-être était-ce dû à la présence de Mme Woodcock, qui lui avait tenu la main et essuyé le visage, l'implorant de rouvrir les yeux avec une tendre insistance qui ne laissait planer aucun doute sur la nature de ses sentiments.

Je me demandai ce que l'avenir réservait à cette femme. Ayant reconnu son nom, je l'avais prudemment interrogée sur son mari. J'étais presque certaine qu'il s'agissait de l'homme amputé d'une jambe que j'avais soigné lors de la retraite du fort Ticonderoga. Il y avait de fortes chances qu'il soit mort. Dans ce cas, qu'arriverait-il à Mercy Woodcock et à Henry Grey ? C'était une femme libre, et non une esclave. Un mariage n'était pas inconcevable (pas plus qu'il ne le serait aux États-Unis deux cents ans plus tard). Dans les Caraïbes, les unions entre des femmes noires ou mulâtresses de bonne famille et des hommes blancs n'étaient pas fréquentes mais ne faisaient pas scandale. Toutefois, Philadelphie n'était pas dans les Caraïbes et, d'après ce que Dottie m'avait dit de son père…

J'étais trop épuisée pour y réfléchir, et cela ne me regardait pas. Denny Hunter s'était porté volontaire pour rester au chevet d'Henry toute la nuit. Je chassai ce couple de mon esprit et poursuivis mon chemin, fredonnant et oscillant légèrement. Je n'avais rien mangé depuis le petit déjeuner, et il faisait presque nuit. Le cognac s'était diffusé directement à travers les parois de mon estomac vide et déversé dans mon sang. C'était cette heure du crépuscule où tout semblait flotter dans l'air, où les pavés courbes paraissaient sans substance et où les feuilles d'un vert luisant pendaient lourdement aux branches telles des émeraudes.

J'aurais dû me dépêcher de rentrer en raison du couvre-feu. Mais qui m'arrêterait ? J'étais trop vieille pour que les patrouilles me harcèlent, comme elles le faisaient avec les jeunes filles, et pas du bon sexe pour paraître suspecte. Si je rencontrais des soldats, ils se contenteraient de me houspiller et de m'ordonner de rentrer chez moi.

Il me vint soudain à l'esprit que je pourrais acheminer ce que Marsali appelait prudemment « le travail de M. Smith » : les messages écrits des Fils de la liberté qui circulaient de villages en villages, de villes en villes, balayant les colonies telles des feuilles portées par une bourrasque de printemps. Ils étaient recopiés et retransmis ; parfois même imprimés sur du papier et distribués dans les villes, quand on trouvait un imprimeur assez intrépide pour s'en charger.

Il existait un vague réseau s'occupant de les faire circuler, mais il risquait sans cesse d'être découvert, ses membres étant fréquemment arrêtés et emprisonnés. Germain en acheminait souvent, pour ma plus grande angoisse. Un gamin agile était moins repérable qu'un jeune homme ou un marchand, mais les Britanniques n'étaient pas idiots et l'arrêteraient certainement s'il commettait un faux pas. Moi, en revanche…

Tout en réfléchissant aux divers aspects de la question, j'arrivai devant l'imprimerie. Je fus accueillie par l'odeur d'un savoureux dîner, les cris excités des enfants et une nouvelle qui me fit aussitôt oublier ma potentielle carrière d'espionne : j'avais reçu deux lettres de Jamie.

*

20 mars 1778, Lallybroch

Ma très chère épouse,

Ian est mort. C'est arrivé il y a dix jours, et je pensais être prêt à présent à t'écrire dans le calme. Pourtant, de voir ces mots couchés sur le papier me remplit d'un profond chagrin. Les larmes coulent le long de mon nez, et j'ai dû m'interrompre pour m'essuyer le visage. Ce ne fut pas une mort douce. Je devrais être soulagé qu'il soit enfin en paix, et heureux qu'il ait désormais trouvé sa place au paradis. C'est le cas, mais je suis également plus triste que je ne l'ai jamais été. Mon seul réconfort est de pouvoir me confier à toi, mon âme.

Le jeune Jamie est désormais maître de Lallybroch, comme il se doit. Le testament de Ian a été lu, et Ned Gowan veillera à son exécution. Il n'y a pas grand-chose à part la terre et les bâtiments ; uniquement de petits legs, la plupart de nature personnelle, à chacun des enfants. Ma sœur a été confiée à mes bons soins. (Avant de mourir, Ian m'a demandé mon accord. Je lui ai répondu qu'il n'avait pas besoin de me le demander. Il m'a rétorqué qu'il le savait mais voulait surtout s'assurer que je me sentais à la hauteur de la situation, puis il s'est mis à ricaner comme une hyène. Mon Dieu, comme il va me manquer !)

Il y avait quelques petites dettes à régler. Je m'en suis chargé comme nous en avions convenu.

Jenny me préoccupe. Je sais qu'elle est profondément affligée par le départ de Ian, mais elle pleure rarement. Elle reste assise durant des heures, contemplant quelque chose qu'elle est seule à voir. Elle est d'un calme inquiétant, comme si son âme s'était envolée avec Ian, ne laissant qu'une coquille vide derrière elle. En parlant de coquille, elle me rappelle le nautilus que Lawrence Sterne nous avait montré un jour aux Antilles. Un grand et beau coquillage comprenant de nombreux compartiments mais tous vides, hormis celui le plus au centre où se terre le petit animal.

Puisque je parle d'elle, elle me demande de t'exprimer ses remords pour les choses qu'elle t'a dites. Je lui ai expliqué que nous en avions parlé ensemble et que tu ne lui reprochais rien, car tu es consciente des conditions désespérées dans lesquelles elle les a prononcées.

Le matin de la mort de Ian, elle m'a déclaré qu'elle souhaitait quitter Lallybroch, car plus rien ne la retenait ici. Tu peux imaginer ma stupeur. Je n'ai toutefois pas discuté, pensant que le manque de sommeil et le chagrin avaient perturbé son esprit.

Elle m'a répété ce sentiment depuis, tout en m'assurant fermement qu'elle possède toute sa raison. Je dois me rendre en France pour quelque temps, tant pour effectuer des transactions privées que je ne décrirai pas ici que pour m'assurer que Michael et Joan sont bien installés. Ils sont partis le lendemain de l'enterrement de Ian. J'ai demandé à Jenny de réfléchir durant mon absence. Si elle est vraiment convaincue que c'est là ce qu'elle veut, je l'emmènerai en Amérique.

Pas pour vivre avec nous (je souris en imaginant ta mine, qui est transparente même dans mon esprit). Elle s'installerait avec Fergus et Marsali, auprès de qui elle pourrait se rendre utile sans que tout autour d'elle ne lui rappelle quotidiennement l'absence de Ian. Elle serait également en mesure d'aider le petit Ian si ce dernier nécessitait son soutien (s'il n'en veut pas, elle saurait au moins ce qu'il fait).

En outre, il ne lui a pas échappé que l'épouse du jeune Jamie sera désormais la dame de Lallybroch, et qu'il n'y a pas de place pour deux d'entre elles. Elle est suffisamment avisée pour savoir quelles difficultés une telle situation ferait naître et assez bonne pour vouloir les éviter à son fils et à sa femme.

Quoi qu'il en soit, je pense embarquer pour l'Amérique à la fin de ce mois ou le plus tôt possible. La perspective d'être avec toi illumine mon cœur, et je reste à jamais…

… ton époux dévoué,

Jamie

Paris, 1er avril

Ma très chère épouse,

Cette nuit, je suis rentré tard à mon nouveau logis parisien. J'ai trouvé la porte de la rue verrouillée et ai dû crier pour réveiller ma logeuse, qui est descendue m'ouvrir de fort méchante humeur. La mienne ne fut guère mieux quand je découvris qu'elle n'avait rien gardé pour mon dîner, qu'il n'y avait pas de feu dans ma chambre et que, en guise de lit, il n'y avait qu'un vieux sommier recouvert d'une toile moisie et d'une couverture élimée dont même un gueux n'aurait pas voulu.

Mes protestations ne m'ont valu en retour que des insultes (proférées lâchement derrière une porte solidement fermée). Ma fierté m'interdisant de tenter de la soudoyer, même si j'en ai les moyens, me voici donc dans ma mansarde nue et glacée, la faim au ventre. (Je peins ce tableau sordide dans le but indigne d'attirer ta compassion et de te montrer quel être pitoyable je fais quand tu n'es pas avec moi.)

Je suis résolu à quitter cet endroit dès les premières lueurs de l'aube et à me trouver des quartiers plus convenables sans que ma bourse n'en pâtisse trop. En entendant, je tente d'oublier le froid et la faim en me plongeant dans une agréable conversation avec toi, espérant que l'effort d'écrire invoquera ton image et me donnera l'illusion de ta compagnie. (Je me suis équipé en éclairage adéquat en descendant sur la pointe de mes pieds nus et en volant dans le salon deux chandeliers en argent dont la fausse magnificence m'avait leurré et conduit à prendre résidence ici. Je les remettrai à leur place demain quand la logeuse m'aura restitué la somme exorbitante qu'elle m'a extorquée pour sa misérable chambre.)

Venons-en à des sujets plus plaisants : j'ai vu Joan, qui est à présent retirée dans son couvent et apparemment satisfaite (et non, puisque tu le demandes, je n'ai pas assisté au mariage de sa mère et de Joseph Murray, qui se trouve être un cousin germain de Ian. J'ai envoyé un présent conséquent et mes meilleurs vœux, qui sont sincères). Je rendrai visite demain à Michael. J'ai hâte de revoir Jared, et je lui transmettrai tes amitiés.

Ce matin, alors que je cherchais un café à Saint-Germain-des-Prés, j'ai eu la chance de tomber sur M. Lyle, que j'avais rencontré à Édimbourg. Il m'a salué avec effusion, s'est enquis de ma santé puis, après avoir discuté de tout et de rien, m'a invité à le rejoindre à la réunion d'un cercle dont les membres incluent Voltaire, Diderot et d'autres dont les opinions sont écoutées dans les milieux que je souhaite infiltrer.

Je me suis donc rendu à quatorze heures à l'adresse indiquée et me suis trouvé dans une demeure grandiose qui n'était autre que la résidence parisienne de M. Beaumarchais.

La compagnie qui était rassemblée était on ne peut plus bigarrée: on y trouvait aussi bien le plus miteux des philosophes de comptoir que les plus beaux ornements de la haute société, le point commun entre tous les convives étant l'amour des beaux discours. Quelques prétentions à la raison et à l'intellect furent exprimées mais sans insistance. Je n'aurais pu souhaiter un vent meilleur pour mon voyage inaugural de provocateur politique. Le vent, comme tu le verras, est une métaphore appropriée aux événements de la journée.

Après quelques bavardages inconséquents devant les buffets (si j'avais su que je devrais me passer de dîner, je me serais rempli les poches d'amuse-gueules comme j'ai vu faire d'autres invités), les convives se rassemblèrent dans un grand salon où ils s'assirent pour assister à un débat formel entre deux partis.

La joute oratoire avait pour thème: « La plume est-elle plus puissante que l'épée ? » M. Lyle et ses amis répondaient par l'affirmative; M. Beaumarchais et sa clique défendaient le contraire. Le débat fut animé, avec de nombreuses allusions aux œuvres de Rousseau et de Montaigne (non sans quelques attaques personnelles contre le premier du fait de ses opinions amorales concernant le mariage). Finalement, ce fut M. Lyle qui l'emporta. J'envisageai de montrer ma main droite à l'assistance afin de soutenir les arguments de la contre-proposition (un échantillon de ma calligraphie aurait sans doute achevé de les convaincre) mais m'en abstins, n'étant présent qu'en tant qu'observateur.

Je trouvai l'occasion plus tard d'aborder M. Beaumarchais et, en guise de plaisanterie, lui fis cette observation. Il fut très impressionné par mon doigt manquant et quand, à sa demande, je lui racontai comme cela m'était arrivé (ou ce que je choisis de lui raconter), il parut aux anges. Il insista pour que je les accompagne, lui et plusieurs de ses amis, chez la duchesse de Chaulnes, où il était attendu pour le souper. En effet, le duc se passionne pour tout ce qui a trait aux habitants aborigènes des colonies.

Tu te demanderas sûrement quel est le rapport entre des sauvages aborigènes et ta chirurgie des plus raffinées. Patiente encore quelques lignes.

La résidence des ducs était bordée d'une grande allée sur laquelle j'aperçus plusieurs voitures de qualité. Imagine mon bonheur quand je vis descendre de celle qui se trouvait juste devant la nôtre M. Vergennes, le ministre des Affaires étrangères en personne !

Je me réjouis intérieurement de la grande chance qui m'était ainsi offerte de rencontrer bon nombre de personnes pouvant servir mes desseins et fis de mon mieux pour entrer dans leurs bonnes grâces en narrant des aventures de mes voyages en Amérique (en empruntant en passant quelques histoires à notre bon ami Myers).

La compagnie en fut tout ébaubie, se montrant particulièrement réceptive au récit de notre rencontre avec l'ours ainsi qu'avec Nacognaweto et ses acolytes. Je fis grand cas de tes efforts avec le poisson, ce qui amusa considérablement l'assemblée, même si les femmes furent très choquées par ma description de ta tenue d'Indienne. En revanche, M. Lyle était fasciné et m'assaillit de questions sur ton allure dans un pantalon en cuir. J'en conclus que c'était un libertin et un dépravé de la pire espèce, une impression qui se confirma plus tard dans la soirée quand je l'aperçus dans le couloir avec Mlle Erlande, une jeune femme à la conduite des plus déplorables.

Quoi qu'il en soit, cette histoire conduisit M. Beaumarchais à attirer l'attention des convives sur ma main et à m'implorer de leur raconter les circonstances de ma mutilation.

Constatant que mon auditoire avait atteint un haut degré de divertissement (étant copieusement abreuvé de champagne, de gin hollandais et de vin du Rhin) et qu'il était littéralement suspendu à mes lèvres, j'élaborai dans un luxe de détails un conte horrifique destiné à les laisser tremblant de peur le soir dans leur lit.

J'avais été capturé par les terribles Iroquois alors que je me rendais de Trenton à Albany. Je m'étendis à loisir sur l'allure épouvantable et les coutumes sanguinaires de ces sauvages (je n'eus point besoin de trop exagérer) et racontai par le menu les mille tortures que les Iroquois font subir à leurs malheureuses victimes. La comtesse Poutoude fut prise d'un malaise quand je décrivis l'horrible mort du père Alexandre, et le reste de l'assemblée n'en menait pas large.

Je leur parlai de Deux Lances, qui, je l'espère, ne me tiendra pas rigueur d'avoir noirci son caractère pour la bonne cause, d'autant plus qu'il ne le saura jamais. Ce chef, dis-je, déterminé à me torturer, m'avait fait mettre entièrement nu et fouetté de la manière la plus cruelle. Inspiré par notre bon ami Daniel, qui a su retourner une mésaventure similaire à son avantage, je soulevai ma chemise et exhibai mes cicatrices (je dois avouer que je me sentais un peu putassier mais, après tout, les prostituées n'exercent ce métier que par nécessité, et je me consolai en me convainquant que moi aussi). La réaction de l'assistance fut tout ce que je pouvais espérer. Sachant qu'à ce stade elle croirait n'importe quoi, je poursuivis mon récit.

Ensuite (repris-je), deux guerriers indiens m'avaient traîné inconscient devant leur chef et m'avaient attaché à plat sur une large pierre dont la surface portait les traces macabres des nombreux sacrifices qui y avaient été perpétrés.

Un prêtre païen (ou un chaman) s'était approché en poussant des cris hideux et en agitant une pique décorée de nombreux scalps. J'avais craint alors que, par sa couleur inhabituelle, ma propre chevelure n'attire ses convoitises et ne finisse dans sa collection (je n'avais pas poudré mes cheveux, non pas en prévision de ce moment mais simplement parce que je n'avais pas de poudre). Cette peur s'était accrue encore lorsque j'avais vu le chaman sortir un grand couteau et foncer sur moi en roulant de grands yeux brillants de malveillance.

À ce stade, les yeux de mon auditoire brillaient aussi et étaient ronds comme des soucoupes tant ils étaient concentrés sur mon récit. Plusieurs dames, émues par ma situation désespérée, poussèrent des cris tandis que les messieurs exprimaient à haute voix leur exécration des immondes sauvages.

Je leur racontai comment le chaman avait alors planté son couteau dans ma main et comment la peur et la douleur m'avaient fait perdre connaissance. Quand j'étais revenu à moi quelque temps plus tard, mon annulaire droit avait été entièrement sectionné et un flot de sang jaillissait de mon moignon.

Mais plus horrible encore avait été la vision du chef iroquois assis dans le tronc sculpté d'un arbre géant, déchirant la chair de mon doigt tranché avec ses dents comme s'il s'agissait d'un vulgaire pilon de poulet.

Là, la comtesse se sentit mal à nouveau et, pour ne pas être en reste, l'honorable Mlle Elliott *fut prise d'une crise d'hystérie qui m'épargna heureusement de devoir inventer comment j'avais échappé aux sauvages. Me déclarant accablé par le souvenir de mes terribles épreuves, j'acceptai un verre de vin (je transpirais à flots) puis pris congé de ce noble aréopage, étant assailli d'invitations de toutes parts.*

Je suis fort satisfait du résultat de cette première incursion et rassuré en me disant que, si l'âge ou une blessure m'empêchent de gagner ma vie par l'épée, la charrue ou la presse à imprimerie, je pourrais toujours devenir un plumitif de romans d'aventures.

Je suis sûr que Marsali *voudra une description détaillée des tenues des dames présentes à la soirée, mais je l'implore de faire preuve de patience. Je ne feindrai pas de ne pas les avoir observées (j'affirmerais le contraire si je pensais que cela pouvait soulager tes appréhensions concernant ma prétendue vulnérabilité aux artifices de la gent féminine, mais, connaissant ta nature suspicieuse et irrationnelle, ma* Sassenach, *je n'essaierai même pas), mais ma main ne supportera pas l'effort d'entreprendre une telle description pour le moment. Je me contenterai de dire que les robes étaient confectionnées dans les étoffes les plus précieuses et que leur style mettait en valeur les charmes de celles qui les portaient.*

Mes chandelles volées sont presque consumées. Mes yeux et ma main sont tellement épuisés que j'ai autant de mal à former mes mots qu'à les déchiffrer. Je ne peux qu'espérer que tu parviendras à lire la dernière partie de cette épître illisible. Néanmoins, je me retire dans mon lit inhospitalier de fort meilleure humeur, encouragé par les événements d'aujourd'hui.

Je te souhaite bonne nuit, avec l'assurance de mes pensées les plus tendres, dans l'espoir que tu feras preuve de patience et d'affection durable pour…

… ton misérable époux couvert d'encre et entièrement dévoué,
James Fraser

P.S. Encore plus misérable et couvert d'encre que je ne le pensais, car je suis parvenu à parsemer mon papier et ma personne de pâtés noirs. Je me flatte de penser que le papier est le plus défiguré des deux.

*P.P.S. J'ai été tellement absorbé par ma composition que j'en ai oublié le but premier de cette lettre : j'ai réservé une place à bord de l'*Euterpe*, qui quittera Brest dans deux semaines. Si, pour une raison ou une autre, le voyage était annulé, je te l'écrirai.*

P.P.P.S. Je ne rêve que d'être étendu à tes côtés et de jouir de la complicité de ton corps.

90

Armée de diamants et d'acier

Brianna découpa la broche avec les ciseaux de cuisine. Elle était ancienne mais pas précieuse : c'était un bijou victorien en argent assez laid en forme de longue fleur entourée d'un entrelacs de feuilles. Son seul intérêt résidait dans les petits diamants qui parsemaient les feuilles comme des gouttes de rosée.

— J'espère qu'ils sont assez gros.

Elle fut surprise par le calme de sa voix. Elle hurlait dans sa tête depuis trente-six heures, le temps qu'il leur avait fallu pour échafauder leur plan.

— Je pense qu'ils feront l'affaire, répondit Roger.

Sa tension était palpable. Il se tenait derrière elle, une main sur son épaule. Sa chaleur était à la fois un réconfort et une torture. Dans une heure, il serait parti. Peut-être à jamais.

Ils n'avaient pas le choix. Elle poursuivit les préparatifs, les yeux secs, le geste sûr.

Le plus étrange était qu'une fois Roger et William Buccleigh partis aux trousses de Rob Cameron, Amanda s'était rendormie soudainement. Brianna l'avait couchée dans son lit et était restée à ses côtés, la contemplant en se rongeant les sangs jusqu'à ce que les hommes reviennent peu après l'aube avec leur terrible nouvelle. La petite s'était réveillée fraîche comme une rose, ne gardant apparemment aucun souvenir de son cauchemar de la veille. Elle n'avait pas semblé perturbée par l'absence de Jem non plus. Elle avait demandé une fois quand il rentrerait et, quand on lui avait répondu vaguement « bientôt », elle avait poursuivi ses jeux, apparemment satisfaite.

Elle était à présent avec Annie. Celle-ci l'avait emmenée à Inverness faire des courses en lui promettant un nouveau jouet. Elles ne rentreraient pas avant le milieu de l'après-midi. D'ici là, les hommes seraient partis.

William Buccleigh leur avait demandé :

— Pourquoi ? Pourquoi emmènerait-il votre fils ?

C'était la question que Brianna et Roger se posaient encore et encore depuis qu'ils avaient découvert la disparition de Jem.

Roger avait répondu d'une voix éraillée :

— Je ne vois que deux raisons : pour faire un voyage dans le temps ou pour voler l'or.

William Buccleigh avait tourné ses yeux verts vers Brianna.

— L'or ? Quel or ?

Elle avait été trop épuisée pour s'inquiéter de savoir s'il était sûr de le lui dire. De toute manière, plus rien ne l'était.

— La lettre manquante, expliqua-t-elle. Elle incluait un post-scriptum de mon père. Roger m'a dit que vous l'aviez lu. Vous vous souvenez d'une allusion au *bien d'un gentilhomme italien* ?

— Je n'y ai pas fait attention, admit Buccleigh. Il s'agit donc d'or ? Qui est ce gentilhomme italien ?

— Charles Édouard Stuart.

Ils lui avaient alors parlé, d'une manière assez décousue, du trésor en or qui avait été débarqué sur les côtes écossaises au cours des derniers jours du Soulèvement jacobite. À l'époque, Buccleigh devait avoir à peu près l'âge de Mandy. Par mesure de sécurité, le trésor avait été divisé en trois et remis à trois hommes de confiance appartenant à trois clans différents : Dougal MacKenzie, Hector Cameron et Arch Bug, ce dernier représentant le clan des Grant. Brianna observa attentivement Buccleigh lorsqu'ils mentionnèrent le nom de

Dougal MacKenzie, mais il ne tiqua même pas. Non, il ne devait pas savoir. Mais cela n'avait pas d'importance pour le moment.

Personne ne savait ce qu'il était advenu des deux tiers du trésor français confié aux MacKenzie et aux Grant. Hector Cameron, lui, avait fui l'Écosse en emportant sous la banquette de sa voiture un coffre rempli d'or. Il l'avait emporté avec lui dans le Nouveau Monde, où il avait en partie servi à acheter la plantation de River Run. Quant au reste…

Buccleigh fronça ses épais sourcils.

— « L'Espagnol le protège » ? Qu'est-ce que cela signifie ?

— Nous l'ignorons, avoua Roger. Seul Jem le sait.

Il était assis à la table de la cuisine, la tête entre les mains, fixant le bois du regard. Il sursauta soudain et se tourna vers Brianna.

— Les Orcades. Callahan.

— Quoi ?

— À ton avis, quel âge a Rob Cameron ?

— Je n'en sais rien, répondit-elle perplexe. Je dirais une bonne trentaine. Pourquoi ?

— Callahan m'a dit que Cameron avait participé à des fouilles archéologiques avec lui lorsqu'il était jeune. S'il était déjà un mordu d'histoire il y a quinze ou dix-huit ans, tu penses qu'il pourrait avoir rencontré Geillis Duncan ? Ou Gillian Edgars, comme elle s'appelait encore à l'époque ?

— Oh non, gémit Brianna. Non, pas un autre cinglé jacobite !

— J'en doute, répondit Roger avec une moue cynique. Je ne crois pas que cet homme soit fou, ni même idéaliste. Certes, il est membre du parti indépendantiste SNP, mais les membres de ce dernier ne sont pas fous non plus. Tu crois que Gillian Edgars aurait pu en faire partie elle aussi ?

Il était impossible de le savoir sans fouiller dans les relations et l'histoire de Rob Cameron, et ils n'en avaient pas le temps. C'était néanmoins une possibilité. Gillian, qui avait adopté plus tard le nom d'une célèbre sorcière écossaise, se passionnait pour le passé de son pays et la politique écossaise. Elle aurait fort bien pu croiser le chemin de Rob Cameron. Auquel cas…

— … Auquel cas, reprit Roger. Dieu sait ce qu'elle a pu lui dire ou lui donner.

Quelques-uns des cahiers de Geillis se trouvaient dans son bureau. Si Rob l'avait connue, il les aurait repérés.

Roger se massa le front. Il avait une grande ecchymose noirâtre près de la racine de ses cheveux.

— En tout cas, nous savons qu'il a lu le post-scriptum de ton père. (Il soupira.) Cela ne change pas grand-chose, n'est-ce pas ? Tout ce qui compte à présent, c'est Jem.

C'est ainsi qu'elle leur avait donné à chacun un morceau d'argent incrusté de diamants et deux sandwichs au beurre de cacahuète. « Pour la route », avait-elle dit dans une lamentable tentative d'humour. Ils avaient enfilé des vêtements chauds et des chaussures solides. Elle avait donné à Roger son canif suisse ; Buccleigh avait pris un couteau à viande dans la cuisine, admirant sa lame en dents de scie. Ils n'avaient pas eu le temps de faire des préparatifs plus poussés.

Le soleil était encore haut dans le ciel quand la Mustang bleue s'engagea sur la piste en terre menant à Craigh na Dun. Elle devait être rentrée à la maison avant le retour de Mandy. La camionnette de Rob Cameron était toujours là. Elle sentit un frisson la parcourir en l'apercevant.

Quand elle s'arrêta, Roger annonça à Buccleigh :

— Pars devant, j'arrive.

William Buccleigh adressa un bref regard à Brianna, direct et déconcertant ; il lui effleura la main puis descendit de voiture. Roger ne perdit pas de temps ; il avait réfléchi à ce qu'il dirait à sa femme durant le trajet. En outre, il n'y avait qu'une chose à dire.

— Je t'aime.

Il la prit par les épaules, la regardant dans les yeux.

— Je le ramènerai. Crois-moi, Bree. Nous nous reverrons. Dans *ce* monde.

— Je t'aime, tenta-t-elle de dire.

Il ne sortit de sa bouche qu'un souffle déchiqueté, mais Roger n'eut pas besoin de plus. Il la serra si fort qu'elle sentirait encore la marque de ses doigts quand il serait parti, puis sortit à son tour.

Elle les observa, incapable de détacher son regard de leurs dos tandis qu'ils grimpaient sur la colline vers les pierres invisibles. Puis ils disparurent de sa vue. Peut-être était-ce le fruit de son imagination, mais il lui sembla qu'elle pouvait entendre les pierres, ce chant étrange qui vivait dans ses os, un souvenir qui ne la quitterait jamais. Tremblante et aveuglée par les larmes, elle reprit le chemin de Lallybroch, conduisant prudemment, très prudemment parce que, désormais, Mandy n'avait plus qu'elle.

91

Des bruits de pas

Tard cette nuit-là, elle entra dans le bureau de Roger. Elle se sentait groggy et lourde, l'horreur de la journée émoussée par la fatigue. Elle s'assit à son bureau, essayant de sentir sa présence, mais la pièce était vide.

Mandy dormait, pas perturbée le moins de monde par le chaos qui agitait ses parents. Naturellement, elle était habituée aux absences occasionnelles de Roger : celui-ci se rendait régulièrement à Londres, à Oxford, ou assistait à une réunion de sa loge maçonnique. S'il ne revenait pas, se souviendrait-elle de lui ?

Incapable de supporter cette pensée, Brianna se leva et tourna en rond dans la pièce, sans trop savoir ce qu'elle cherchait. Elle n'avait rien pu avaler de la journée et en était légèrement étourdie.

Elle saisit le petit serpent, puisant un confort minimal dans sa sinuosité, sa surface lisse, son visage bonhomme. Elle lança un regard vers le coffret en envisageant de se réfugier dans la compagnie de ses parents, mais de déplier des lettres que Roger ne lirait peut-être jamais avec elle… Elle reposa le serpent et fixa d'un regard absent les rangées de livres sur les étagères.

Près des ouvrages sur la Révolution américaine commandés par Roger se trouvaient les livres de son père, ceux qu'elle avait rapportés de son ancien bureau. Sur leur tranche était écrit *Franklin W. Randall*. Elle en prit un et s'assit, le serrant sur son cœur.

Elle lui avait déjà demandé son aide une fois, le priant de veiller sur la fille de Ian. Il veillait sûrement sur Jem.

Elle feuilleta l'ouvrage, se sentant légèrement apaisée par la friction des pages.

Père, pensa-t-elle. Elle ne trouva pas d'autres mots à ajouter et n'en avait pas besoin. La présence d'une feuille de papier pliée et glissée entre les pages ne la surprit pas.

C'était un brouillon. Cela se voyait d'emblée aux nombreuses ratures, aux notes en marge, aux mots encerclés et accompagnés de points d'interrogation. Comme il s'agissait d'un brouillon de lettre, il n'y avait ni date ni salutation, mais il ne faisait aucun doute qu'il s'adressait à elle.

Tu viens juste de me quitter, ma très chère tireuse d'élite, après notre merveilleux après-midi chez Sherman. (Le tir au pigeon… se souviendra-t-elle du nom ?) Mes oreilles en bourdonnent encore. Chaque fois que nous tirons ensemble, je suis partagé entre une immense fierté devant tes capacités, la jalousie et la peur. J'ignore quand tu liras ceci, et même si tu le liras un jour. Peut-être aurai-je le courage de te le dire avant ma mort (ou je commettrai un acte tellement impardonnable que ta mère te le dira… Non, elle se taira. Malgré tout ce qui s'est passé entre nous, je n'ai jamais rencontré un être aussi honorable que Claire. Elle tiendra parole).

Quel étrange sentiment m'envahit alors que j'écris ceci ! Je sais que tu finiras par apprendre qui tu es, ou ce que tu es. Mais j'ignore comment. Suis-je en train de te révéler à toi-même ou je ne t'apprends rien que tu ne sauras déjà quand tu liras ma lettre ? Je ne peux qu'espérer être parvenu à te sauver la vie. Et que tu connaîtras la vérité, un jour ou l'autre.

Pardonne ce ton si mélodramatique, ma chérie. Pour rien au monde je ne voudrais t'effrayer. J'ai une foi inébranlable en toi, mais je suis ton père, et donc sujet à toutes les angoisses qui affligent les parents, cette peur sourde et omniprésente qu'une chose affreuse et inexorable advienne à son enfant et d'être impuissant à le protéger. Et la vérité est que, sans que tu n'y sois pour rien, tu es…

Ici, il avait changé plusieurs fois d'avis, écrivant d'abord *une personne dangereuse*, qu'il avait remplacé par *toujours en danger.* Insatisfait, il l'avait rayé et écrit *dans une position dangereuse*, qu'il avait biffé à nouveau avant d'encercler *une personne dangereuse* et de le faire suivre d'un point d'interrogation.

— Mais où veux-tu en venir, père ? marmonna-t-elle. Je ne…

Les mots se figèrent dans sa gorge. Il y avait des pas dans le couloir. Lents, assurés. Un homme. Tous les poils de son corps se hérissèrent.

Le couloir était éclairé. La lumière baissa brièvement quand une silhouette s'arrêta sur le seuil du bureau.

Elle le dévisagea abasourdie.

— Qu'est-ce que vous fichez ici ?

Tout en parlant, elle se leva de son fauteuil, cherchant à tâtons un objet pouvant lui servir d'arme. Incapable de percer le brouillard d'horreur, elle hésitait : son esprit réagissait plus lentement que son corps.

— Je suis venu te chercher, ma poule. Toi et l'or.

Rob Cameron posa sur le bureau la première lettre de Claire et de Jamie, puis la tapota du bout de l'index.

— *Dites à Jem que l'Espagnol le protège*, cita-t-il. J'ai pensé qu'il valait mieux que tu en parles à ton fils et que tu lui dises de me montrer où se trouve cet Espagnol. C'est-à-dire… si tu veux le retrouver en vie.

Il lui adressa un sourire avant de conclure :

— À toi de choisir, patronne.

92

Le Jour de l'Indépendance II

Brest

De voir Jenny livrée à elle-même le troublait considérablement. Il sentait sa nervosité tandis qu'elle s'apprêtait à s'adresser pour la première fois en français à un vrai Français. Son pouls palpitait dans le creux de son cou tel un colibri en cage. Toutefois, le *boulanger*[7] la comprit. Brest grouillait d'étrangers, et son accent singulier n'attira même pas son attention. En lisant le ravissement sur son visage quand l'homme accepta son penny et lui tendit une baguette remplie de fromage et d'olives, il fut tiraillé entre l'envie de rire et celle de pleurer.

Elle revint vers lui et lui agrippa le bras.

— Il m'a comprise ! Jamie, il m'a comprise ! Je lui ai parlé en français et il n'a même pas tiqué !

— C'est sûr qu'il aurait eu du mal si tu t'étais adressée à lui en *gàidhlig*, rétorqua-t-il.

Il lui tapota la main en souriant.

— Félicitations, *a nighean*.

Elle ne l'écoutait pas, regardant autour d'elle les nombreuses boutiques et les étals qui remplissaient la petite rue tortueuse, évaluant les nouvelles possibilités qui s'ouvraient à elle.

— Jamie ! Je peux acheter tout ce que je veux ! Toute seule !

---

7. En français dans le texte *(N.d.T.)*.

La joie que lui procurait son indépendance retrouvée était contagieuse, mais il ressentit un petit pincement au cœur. Il avait apprécié la sensation nouvelle de lui être indispensable.

Il lui prit la baguette.

— En effet, mais je te déconseille d'acheter un écureuil savant ou une horloge de grand-père. Cela risque de nous poser des problèmes à bord du navire.

— Le navire…

Elle se rembrunit, le front soucieux.

— Quand devons-nous… devons-nous embarquer ?

— Pas tout de suite, *a nighean,* lui répondit-il sur un ton rassurant. Si nous allions manger quelque chose avant, hein ?

*

L'*Euterpe* devait mettre les voiles avec la marée du soir. Ils descendirent donc sur les quais vers le milieu de l'après-midi afin d'embarquer et de s'installer à bord. Quand ils arrivèrent devant l'emplacement du navire, celui-ci était vide.

Jamie attrapa par le bras un garçon qui passait par là.

— Où est le vaisseau qui était amarré ici ? demanda-t-il.

— Lequel, l'*Euterpe* ? Il a dû partir, je suppose.

— Tu *supposes* ?

Alarmé par son ton menaçant, le garçon libéra son bras et recula d'un pas.

— Comment voulez-vous que je le sache, monsieur ?

En voyant la mine décomposée de Jamie, il ajouta précipitamment :

— J'ai vu son propriétaire entrer dans le quartier des filles il y a quelques heures. Il doit toujours y être.

Jamie vit le menton de sa sœur trembler et se rendit compte qu'elle était au bord de la panique. Il n'en était pas loin lui-même. S'efforçant de retrouver son calme, il déclara :

— Dans le quartier des filles, hein ? Je vais donc devoir aller le chercher moi-même. Quel établissement fréquente-t-il ?

Le garçon haussa des épaules impuissantes.

— Tous, monsieur.

Laissant Jenny sur le quai pour surveiller leurs bagages, il s'enfonça dans les rues adjacentes. Une pièce en cuivre d'un demi-penny lui assura les services de l'un des garnements qui rôdaient autour des étals, à l'affût d'une pomme à moitié pourrie ou d'un porte-monnaie. Il suivit son guide dans les ruelles crasseuses, une main sur sa bourse, l'autre sur le manche de son coutelas.

Brest était une grande ville portuaire grouillante d'activité. Ce qui signifiait qu'une de ses habitantes sur trois était une prostituée. Plusieurs besogneuses indépendantes le hélèrent au passage.

Il lui fallut plus de trois heures et quelques shillings avant de trouver enfin le propriétaire de l'*Euterpe*, ivre mort. Il repoussa sans ménagement la putain qui dormait avec lui et le réveilla brutalement d'une paire de gifles.

— Le navire ? répéta l'homme hagard. Qui s'en soucie ?

— Moi, rétorqua Jamie en serrant les poings. Et vous aussi, misérable sagouin. Où est-il et pourquoi nous ne sommes pas à bord ?

— Le capitaine m'a jeté sur le quai, bougonna l'armateur. On a eu un désaccord. Où il est ? En route pour Boston, sans doute.

Il esquissa un sourire mauvais.

— Si vous nagez assez vite, vous pourrez peut-être le rattraper.

*

Il lui fallut se délester de ses derniers fragments d'or et user d'un mélange de persuasion et de menaces, mais il parvint à trouver un autre navire. Celui-ci se dirigeait plus au sud, à Charleston. Peu importait, du moment qu'il atterrissait sur le bon continent. Une fois en Amérique, il aviserait.

Sa fureur commença enfin à s'atténuer quand le *Philomène* atteignit le grand large. Jenny se tenait à ses côtés, menue et silencieuse, les mains agrippées au bastingage.

Il posa une main dans le creux de ses reins et la massa doucement.

— Que se passe-t-il, *a pìuthar* ? Tu penses à Ian ?

Elle ferma les yeux un instant puis les rouvrit et se tourna vers lui.

— Non, je pense à ta femme. Elle sera furieuse contre moi, à cause de Laoghaire.

Il sourit malgré lui.

— Laoghaire ? Pourquoi ?

— Pour ce que j'ai fait quand tu as ramené Claire d'Édimbourg. Je ne t'ai jamais demandé pardon pour ça.

Elle le dévisageait gravement. Il se mit à rire.

— Et moi, je ne t'ai jamais demandé pardon non plus, n'est-ce pas ? Pour avoir amené Claire à Lallybroch et avoir été trop lâche pour lui parler de Laoghaire avant notre arrivée.

Elle réfléchit un instant, puis une lueur s'alluma au fond de ses yeux.

— C'est vrai, tu ne m'as pas demandé pardon. Alors, on est quittes ?

Il ne l'avait pas entendue prononcer cette expression depuis que, à quatorze ans, il avait quitté la maison pour aller vivre à Leoch.

— Nous sommes quittes.

Il passa un bras autour de ses épaules, et elle glissa le sien autour de sa taille. Ils restèrent ainsi serrés l'un contre l'autre, observant la lointaine côte française sombrer dans l'océan.

93

Une série de chocs brefs et violents

Je me trouvais dans la cuisine de Marsali, tressant les cheveux de Félicité tout en gardant un œil sur la cuisson du porridge, quand retentit la sonnette au-dessus de la porte de l'imprimerie. Je nouai rapidement un ruban au bout de la natte et, ordonnant aux fillettes de surveiller la marmite, sortis recevoir le client.

À ma surprise, c'était lord John. Mais un lord John comme je ne l'avais encore jamais vu. Comme à son habitude, il était impeccable, sans un cheveu de travers, mais ses traits étaient décomposés.

— Que se passe-t-il ? demandai-je, alarmée. C'est Henry ?

— Non, pas Henry, répondit-il d'une voix brisée.

Il s'agrippa au bord du comptoir comme pour se stabiliser.

— J'ai… de mauvaises nouvelles.

— Je m'en doute mais, je vous en prie, asseyez-vous, vous allez tomber.

Il secoua la tête comme un cheval chassant les mouches. Il avait une mine épouvantable, un teint livide et le pourtour des yeux rouges. Mais, si ce n'était pas Henry…

Je plaquai une main sur mon cœur.

— Oh, mon Dieu ! soufflai-je. Dottie. Que lui est-il arrivé ?

— L'*Euterpe*, lâcha-t-il.

Je me figeai.

— Quoi ? murmurai-je. *Quoi* ?

— Perdu. Disparu corps et biens.

— Non, rétorquai-je. Non, ce n'est pas vrai.

Il me regarda enfin droit dans les yeux et me saisit par le bras.

— Écoutez-moi !

La pression de ses doigts me terrifia. Je tentai de me libérer mais n'y parvins pas.

— Écoutez-moi, répéta-t-il. Je l'ai entendu ce matin dans un estaminet. Un capitaine racontait la tragédie. Il l'a vue de ses propres yeux.

Sa voix trembla, et il dut s'interrompre un instant avant de reprendre :

— Il y a eu une tempête. Il traquait l'autre vaisseau dans l'intention de l'aborder. Ils ont été tous les deux surpris par l'ouragan. Son propre navire a tenu bon et a pu rentrer au port, sérieusement endommagé. Mais il a vu une vague géante chavirer l'*Euterpe*. Il a sombré sous ses yeux. Le *Roberts* – c'est le nom de son navire – est resté dans les parages dans l'espoir de repêcher des survivants.

Il déglutit.

— … Il n'y en eut aucun.

— Aucun, répétai-je.

Je l'avais entendu mais ne parvenais pas à comprendre ses mots.

— Il est mort, dit doucement lord John. Il n'est plus.

Il lâcha enfin mon bras.

Une odeur de porridge brûlé nous parvint depuis la cuisine.

*

John Grey, arrivé au bout de la rue, s'arrêta de marcher. Il avait commencé à arpenter State Street de long en large un peu avant l'aube. Le soleil était à présent haut dans le ciel. La sueur encroûtée de poussière lui irritait la nuque, la boue et le crottin éclaboussaient ses bas et, à chaque pas, les clous de ses semelles semblaient s'enfoncer un peu plus dans la plante de ses pieds. Il s'en moquait.

Le Delaware s'écoulait devant lui, boueux et nauséabond. Des gens le bousculaient, se pressant vers les docks afin de ne pas rater le bac, qui avançait lentement vers eux depuis l'autre rive. Des vaguelettes clapotaient contre l'embarcadère avec un bruit agité qui semblait énerver encore plus ceux qui attendaient. Ils commencèrent à se marcher sur les pieds et à se bousculer. Un des soldats sur le quai descendit son mousquet de son épaule et s'en servit pour repousser une femme.

Elle chancela en poussant des cris et son mari, bombant le torse comme un coq, bondit en avant, serrant les poings. Le soldat aboya quelque chose, montra les dents puis lui fit signe de reculer du bout de son mousquet. Attiré par le bruit, son camarade se retourna. Il n'en fallut pas plus pour créer un mouvement de panique, une masse compacte de gens poussant des cris et se mettant à courir en cherchant à fuir la violence tandis que des hommes avançaient à contre-courant pour en découdre. Quelqu'un tomba à l'eau.

Grey recula légèrement, et il observait la scène quand deux gamins surgirent de la mêlée l'air terrifié et remontèrent la rue en courant. Quelque part dans la foule, il entendit une femme affolée crier :

— Ethan ! Johnny ! Jooooohnnyyyyyy !

Une voix au fond de lui lui dit qu'il devait intervenir, hausser la voix, exercer son autorité et calmer ces gens. Il tourna les talons et s'éloigna.

Je ne suis pas en uniforme, se répéta-t-il. Ils ne l'auraient pas écouté, auraient été encore plus désorientés. Il aurait fait plus de mal que de bien. Mais il n'avait pas l'habitude de se mentir et cessa aussitôt de chercher à se convaincre.

Il avait déjà perdu des gens. Des êtres qu'il avait aimés, certains plus que la vie elle-même. À présent, il s'était perdu lui-même.

Il rentra lentement vers sa maison dans un état d'hébétude. Il n'avait pas dormi depuis qu'il avait appris la nouvelle, à part quelques bribes de somnolence dues à un épuisement physique absolu, affalé dans un fauteuil sur la véranda de

Mme Woodcock, se réveillant déboussolé, couvert de la sève poisseuse des sycomores du jardin et de ces minuscules chenilles vertes qui se balançaient sous les feuilles au bout de fils de soie invisibles.

— Lord John !

Il prit conscience d'une voix insistante et se rendit compte qu'on l'appelait depuis un certain temps déjà. Il s'arrêta et, se retournant, découvrit le capitaine Richardson. Son esprit se vida totalement. Son visage aussi, sans doute, car Richardson lui prit le bras d'une manière des plus familières et l'entraîna dans une auberge.

Une fois dans la salle, il le lâcha puis fit un signe de tête vers l'escalier et chuchota :

— Suivez-moi.

Une vague curiosité et de la méfiance percèrent le brouillard dans son cerveau, mais il le suivit, ses pas émettant un bruit creux sur les marches en bois.

Richardson referma la porte de la chambre derrière lui et se mit à parler avant que Grey n'ait eu la présence d'esprit de l'interroger sur les circonstances très singulières que William lui avait racontées.

— Mme Fraser, commença Richardson sans préambule. Vous la connaissez bien ?

Pris de court, Grey répondit machinalement.

— C'est la femme… la veuve d'un bon ami.

— Un bon ami, répéta Richardson.

Cet homme ne pouvait paraître plus insignifiant. Il rappela subitement à Grey le sinistre Hubert Bowles. Les espions les plus dangereux étaient des hommes sur lesquels on ne se retournait jamais dans la rue.

— Oui, un bon ami, insista Grey. Ses opinions politiques ne posent plus de problèmes, je présume…

— Pas s'il est vraiment mort. Vous en êtes sûr ?

— Oui. Que voulez-vous savoir exactement ? Je suis fort occupé.

Richardson esquissa un sourire devant ce mensonge patent.

— Je compte arrêter cette femme pour espionnage, lord John. Avant de procéder, je voulais m'assurer qu'il n'y avait entre vous... aucun attachement personnel.

Grey s'assit, plutôt brusquement, et posa ses mains à plat sur la table.

— Je... Elle... Mais pourquoi diable ?

Richardson s'assit en face de lui.

— Cela fait trois mois, peut-être plus, qu'elle achemine des documents séditieux dans tout Philadelphie. Et avant que vous ne me posiez la question, oui, j'en ai la preuve. Un de mes hommes a intercepté l'un de ces courriers. Vous pouvez le lire si vous le souhaitez.

Il sortit une liasse désordonnée de papiers de sa poche et la déposa devant lui. Les feuilles semblaient avoir été manipulées par de nombreuses mains. Il ne pensait pas que Richardson cherchait à le tester, mais il prit tout son temps pour les examiner. Puis il reposa les papiers, se sentant vidé du peu d'énergie qui lui restait. Richardson reprit en le dévisageant attentivement :

— J'ai entendu dire que la dame en question était reçue chez vous et qu'elle se rendait souvent dans la maison où se trouve votre neveu. Toutefois, ce n'est pas une... amie ?

— C'est un médecin.

Grey eut la maigre satisfaction de le voir écarquiller les yeux.

— Elle nous a été d'un grand secours, tant à mon neveu qu'à moi.

Il lui vint à l'esprit qu'il était préférable que Richardson ignorât à quel point il l'estimait car, s'il flairait un intérêt personnel de sa part, il cesserait aussitôt de lui donner des informations. Il ajouta :

— Mais tout cela est du passé. J'ai du respect pour cette femme, certes, mais il n'y a aucun attachement entre nous.

Là-dessus, il se leva et prit congé. Poser des questions aurait compromis sa feinte indifférence.

Il se remit en route vers Walnut Street d'un pas leste. Son esprit n'était plus engourdi. Il était de nouveau lui-même, solide et déterminé. Finalement, il y avait un dernier service qu'il pouvait rendre à Jamie Fraser.

*

— Vous devez m'épouser, répéta-t-il.

Je l'avais déjà entendu la première fois mais ne comprenais toujours pas. Je glissai un auriculaire dans mon oreille et l'agitai, puis répétai l'opération de l'autre côté.

— Vous n'êtes pas sérieux.

— Je suis on ne peut plus sérieux.

L'engourdissement dû au choc commençait à s'estomper, et une chose horrible semblait sur le point de ramper hors d'un petit trou dans mon cœur. Je ne pouvais pas la regarder en face et préférais concentrer toute mon attention sur lord John.

— Je sais que je suis en état de choc, mais pas au point d'avoir des hallucinations ni d'entendre des voix. Qu'est-ce qu'il vous prend de me demander une chose pareille, nom d'un chien ?

Je me levai brusquement, voulant le frapper. Il le sentit et recula vivement d'un pas.

— Vous allez m'épouser, répéta-t-il, péremptoire. Vous rendez-vous compte que vous êtes sur le point d'être arrêtée pour espionnage ?

— Je… non. Comment… Pourquoi ?

Je me rassis brusquement.

— Vous le savez sans doute mieux que moi.

Effectivement, j'en avais une petite idée. Je refoulai la vague de panique que je sentais monter en moi, songeant à tous les documents que j'avais acheminés d'un point à l'autre cachés dans mon panier, alimentant le réseau secret des Fils de la liberté. M'efforçant de conserver une voix calme, je rétorquai :

— Quand bien même ce serait vrai, pourquoi diable vous épouserais-je ? Et surtout, pourquoi voudriez-vous m'épouser ? Par ailleurs, je ne vous crois pas un instant !

— Oh, croyez-moi. Je le ferai parce que c'est le dernier service que je puisse rendre à Jamie Fraser. Je peux vous protéger. Une fois que vous serez ma femme, personne ne pourra plus vous toucher. Et vous accepterez parce que…

Il s'interrompit et lança un regard sombre derrière moi, m'indiquant quelque chose d'un signe du menton. En me retournant, je découvris les quatre enfants de Fergus blottis sur le pas de la porte. Les filles et Henri-Christian m'observaient avec d'immenses yeux ronds. Germain, lui, fixait lord John, la peur et le défi se lisant sur son beau visage.

— Eux aussi ? demandai-je. Vous pouvez les protéger ?

— Oui.

Je posai les deux mains sur le comptoir comme si cela pouvait me retenir de m'envoler en tournoyant par la fenêtre.

— Je… Alors d'accord. Quand ?

Il s'approcha et me prit le bras.

— Tout de suite. Il n'y a pas de temps à perdre.

Je ne gardais aucun souvenir de la brève cérémonie qui s'était tenue dans le salon de la maison de lord John. De toute cette journée, la seule image que je conservais était celle de William officiant comme témoin aux côtés de son père – de son beau-père. Grand, le dos droit, ses yeux de félin posés sur moi avec une compassion indécise.

Je me souvenais d'avoir pensé avec une lucidité inhabituelle : *Il ne peut pas être mort. Il se tient là devant moi.*

Je répétai ce qu'on me soufflait puis fus escortée à l'étage pour me reposer. Je m'endormis aussitôt et ne me réveillai que le lendemain après-midi.

Hélas, à mon réveil, tout était bien réel.

*

Dorothea ne me quitta pas, veillant sur moi le front soucieux. Elle tentait de me convaincre de manger, me proposait de petits verres de whisky et de cognac. Sa présence n'était pas vraiment un réconfort – rien n'aurait pu me réconforter –, mais elle offrait néanmoins une inoffensive distraction, et je la laissais parler, ses paroles coulant dans mes oreilles comme un bruit de source.

Lord John et William revinrent dans la soirée. Dottie descendit les voir au rez-de-chaussée, et je les entendis parler. Puis il y eut des pas légers et rapides dans l'escalier, et elle réapparut.

— Tante, vous sentez-vous la force de descendre ?

— Euh… oui, je crois.

Légèrement décontenancée de m'entendre appeler « tante », je me levai et commençai à mettre vaguement de l'ordre dans ma toilette. Elle me prit la brosse de la main, me brossa les cheveux, les noua, sortit un bonnet à rubans de nulle part, me le mit sur la tête puis glissa doucement mes boucles dessous. Je me laissai faire, puis la suivis docilement dans l'escalier. Je trouvai lord John et William dans le salon, tous deux l'air excité.

— Mère Claire.

William s'avança et me baisa la main.

— Venez donc voir ce que papa vous a trouvé. Nous pensons que cela vous plaira.

Il m'entraîna doucement vers la table, sur laquelle un grand coffret était posé. Il était confectionné dans un bois précieux et était cerclé d'or. J'avançai une main pour le toucher. On aurait dit une ménagère de couverts, mais en beaucoup plus grand.

Je me tournai vers lord John, qui semblait légèrement intimidé.

— Qu'est-ce que…

— C'est… euh… un présent. Il m'a semblé que votre équipement laissait un peu à désirer. Je ne souhaite pas que vous abandonniez votre profession.

— Ma profession…

Je sentis un frisson remonter le long de ma colonne vertébrale et s'insinuer dans mes mâchoires. Je tentai de soulever le couvercle du coffre, mais mes doigts moites glissèrent, laissant une traînée d'humidité sur le bois brillant.

— Non, non, il s'ouvre ainsi.

Lord John tourna le coffre vers lui, actionna un mécanisme caché, souleva le couvercle, ouvrit grand les deux battants du devant puis recula d'un pas avec un air de magicien.

Mon cuir chevelu me picotait, et des points noirs commencèrent à danser dans les angles de mon champ de vision.

Il y avait deux douzaines de flacons vides ornés d'un liseré d'or alignées au-dessus de deux tiroirs. Et, dessus, étincelant sur son socle en velours, un microscope gainé de laiton. C'était un coffre de médecine.

Mes genoux cédèrent et je m'évanouis, ma dernière sensation étant la fraîcheur du parquet contre ma joue.

94

Les chemins de la mort

Étendue dans l'enchevêtrement de mes draps la nuit, je cherchais une voie vers la mort. Chaque parcelle de mon corps aspirait à quitter cette existence. J'ignorais ce qui m'attendait de l'autre côté de la vie, une gloire inespérée ou l'oubli miséricordieux, mais ce mystère était infiniment préférable à l'inexorable misère du présent.

Je n'aurais su dire ce qui me retenait d'opter pour une fuite simple et violente. Après tout, les moyens étaient à ma portée. J'avais le choix entre une balle de pistolet, une lame aiguisée ou de multiples poisons.

Je fouillai frénétiquement parmi les bocaux et les fioles du coffre de médecine, laissant les tiroirs ouverts, renversant dans ma hâte les flacons, éparpillant les sachets d'herbes et de poudre sur le sol, essayant de me souvenir des propriétés mortifères de chaque substance.

Quand je pensai avoir enfin réuni les plus toxiques, je les alignai devant moi sur la table.

Aconit, arsenic…

Il y avait tant de morts parmi lesquelles choisir. Comment faire ?

L'éther. C'était la plus facile, à défaut d'être la plus sûre. Imbiber généreusement un linge épais du liquide, me coucher, poser le masque sur mon nez et ma bouche, et me laisser partir doucement. Cependant, il y avait toujours le risque que quelqu'un me trouve trop tôt ; qu'en perdant connaissance, ma tête se tourne sur le côté ; que je sois prise de convulsions qui délogent le masque ; ou que je me réveille simplement pour me retrouver toujours dans ce vide douloureux de l'existence.

Je restai immobile un moment puis, comme dans un rêve, saisis le couteau que j'avais oublié sur la table après avoir coupé des mèches de lin. C'était celui que Jamie m'avait offert. Il était affûté, sa lame projetant des éclats argentés.

Ce serait sûr, et ce serait rapide.

Jamie Fraser se tenait sur le pont du *Philomène*, observant l'eau glisser le long des flancs du navire, méditant sur la mort. Au moins, il avait cessé d'y penser d'une manière personnelle depuis que son mal de mer s'était enfin – après trop, *trop* longtemps – apaisé. Ses pensées étaient désormais d'ordre plus abstrait.

Pour Claire, la mort était toujours l'ennemi. Une entité contre laquelle il fallait toujours se battre, et à laquelle il ne fallait jamais céder. Il était aussi familier qu'elle avec la mort mais, par la force des choses, avait fait la paix avec elle. Du moins, il le pensait. Comme le pardon, ce n'était pas une chose que l'on apprenait une fois puis que l'on pouvait laisser de côté, mais plutôt une pratique constante. Accepter l'idée de sa propre mortalité tout en vivant pleinement était un paradoxe digne de Socrate.

Il s'était retrouvé face à face avec la mort suffisamment de fois pour savoir qu'il y avait bien pire. Mieux valait mourir que d'être celui qui restait pour pleurer les disparus.

Il ressentait encore quelque chose de pire que du chagrin chaque fois qu'il regardait sa sœur, menue et esseulée, et entendait le mot « veuve » dans sa tête. Ce n'était pas juste. Ce terme ne pouvait s'appliquer à elle. Elle ne pouvait être coupée aussi brutalement de la vie. C'était comme de la regarder impuissant être mise en pièces.

Il se détourna de ces pensées et se concentra sur Claire, sur son désir de la retrouver. Elle était comme la flamme de sa chandelle dans le noir. Sa caresse était un réconfort et une chaleur au-delà du corps. Il se souvint du dernier soir avant son départ, quand ils s'étaient tenu la main assis sur le banc devant le broch. Il avait senti son cœur battre au bout de ses doigts, une pulsation régulière qui avait apaisé ses propres palpitations.

C'était étrange… La présence de la mort traînait toujours dans son sillage tant de fantômes, des spectres oubliés depuis longtemps qui réapparaissaient brièvement dans la pénombre. En se revoyant jurer à Claire de la protéger la première fois où il l'avait tenue dans ses bras, il avait fait remonter dans son esprit le souvenir de la jeune fille sans nom.

Elle était morte en France. Il n'avait pas pensé à elle depuis des années mais, soudain, elle était de retour. Elle avait hanté son esprit quand il avait embrassé Claire à Leoch, et il avait eu l'impression que son mariage serait une sorte de réparation. Il avait lentement appris à se pardonner pour ce qui n'avait pas été de sa faute, et il espérait que son amour pour Claire avait offert à cette malheureuse inconnue un peu de paix.

Il avait eu l'étrange impression de devoir une vie à Dieu et d'avoir payé cette dette en prenant Claire pour épouse (même si Dieu savait qu'il l'aurait épousée de toute manière). Il lui avait promis « la protection de mon nom, de mon clan et de mon corps ».

« La protection de mon corps », il y avait là une ironie qui le fit frémir, et il aperçut un autre visage parmi les spectres. Étroit, moqueur, avec des yeux gris clair… si jeune.

Geneva. Une autre femme que son désir avait menée à la mort. Ce n'était pas vraiment de sa faute ; il avait lutté contre cette idée au cours des longues nuits qui avaient suivi son décès, seul dans son lit froid au-dessus des écuries, puisant le peu de réconfort qu'il pouvait dans la présence muette mais solide des chevaux remuant et mâchonnant dans les box sous lui. Cependant, s'il n'avait pas partagé sa couche, elle ne serait pas morte. C'était là un fait indiscutable.

Devait-il une autre vie à Dieu ? Il avait pensé que ce serait Willie, cette vie qu'on lui avait donnée à protéger en échange de celle de Geneva. Mais il avait dû confier cette mission à un autre.

À présent, il avait sa sœur. Il avait juré à Ian de veiller sur elle. « Aussi longtemps que je vivrai. » Or, il serait là encore un certain temps. Selon ses calculs, il n'avait usé que cinq des vies qu'une diseuse de bonne aventure lui avait promis à Paris.

Tu mourras neuf fois avant de reposer dans ta tombe, avait-elle dit. Fallait-il autant de coups d'essai pour mourir correctement ?

*

Je retroussai ma manche, dénudant mon poignet, puis plaçai la pointe du couteau au milieu de mon avant-bras. J'avais vu de nombreux suicides ratés, ceux qui avaient tranché leur poignet perpendiculairement, laissant une plaie fine dont les lèvres hurlaient à l'aide. Puis j'avais vu les réussis, ceux qui avaient été réellement déterminés. Il fallait pour cela entailler les veines dans la longueur, avec une incision profonde et sûre qui me viderait de mon sang en quelques minutes et provoquerait l'inconscience en quelques secondes.

La cicatrice était encore visible dans le gras de mon pouce ; le petit « J » blême qu'il m'avait laissé à la veille de Culloden la première fois que nous avions été confrontés à l'horrible réalité de la mort et de la séparation.

Je suivis le tracé de la lettre avec le bout du couteau et sentis le chuintement séducteur de la lame sur ma peau. J'avais alors voulu mourir avec lui, mais il m'avait poussée sur le chemin de la vie d'une main ferme. Je portais son enfant ; je ne pouvais pas mourir.

Je ne la portais plus à présent… mais elle était toujours là. Peut-être accessible. Je restai immobile un long moment, puis soupirai et reposai le couteau sur la table.

Peut-être était-ce l'habitude acquise au fil des ans, une tournure d'esprit qui tenait la vie pour sacrée ou une peur superstitieuse d'éteindre une flamme allumée par une autre main que la mienne. Peut-être était-ce par obligation. Il y avait ceux qui avaient besoin de moi… ou du moins ceux auprès de qui je pouvais me rendre utile. Peut-être était-ce l'entêtement du corps avec son inexorable insistance sur un processus sans fin.

Je pouvais ralentir la circulation de mon sang jusqu'à ce que les battements de mon cœur résonnent lentement dans mes oreilles tels des roulements de tambours lointains.

Il y avait des chemins dans le noir. Je le savais, car j'avais vu des gens mourir. En dépit du délabrement physique, on ne pouvait mourir tant que le bon chemin n'avait pas été trouvé.

Je ne pouvais pas – pas encore – trouver le mien.

95

Nuit d'ivresse

Le nouveau coffre de médecine était posé sur la table de ma chambre, luisant à la lueur des bougies. Près de lui étaient étalés des sacs de gaze remplis d'herbes que j'avais achetés dans la matinée et les nouveaux flacons de teintures que j'avais préparés dans l'après-midi, au grand déplaisir de Mme Figg, qui n'avait guère apprécié de voir sa cuisine immaculée ainsi profanée. Elle me toisait de façon à laisser transparaître qu'elle savait que j'étais une rebelle, et probablement une sorcière. Elle avait battu en retraite sur le seuil de la cuisine pendant que je travaillais mais refusé d'abandonner les lieux, nous surveillant d'un œil suspicieux, moi et mon chaudron.

Une grande carafe d'eau-de-vie de prune me tenait compagnie. Au cours de la semaine passée, j'avais découvert qu'un verre d'alcool fort avant de me coucher m'aidait à m'endormir, du moins pour un temps. Ce soir, cela ne marchait pas. J'entendis la pendule du rez-de-chaussée sonner une heure.

Je ramassai une boîte de camomille séchée qui s'était retournée et balayai les feuilles éparses avec la tranche de ma main, les faisant retomber dans leur réceptacle. Un flacon de sirop de pavot s'était lui aussi renversé et gisait sur le flanc, le liquide aromatique suintant autour du bouchon. Je le redressai, essuyai les gouttelettes dorées sur le goulot avec un mouchoir puis épongeai la petite flaque sur le parquet.

Une racine, un caillou, une feuille. Les uns après les autres, je les ramassai, les redressai, les rangeai ; l'attirail de ma vocation, les fragments épars de ma destinée.

Le verre frais me semblait lointain ; le bois luisant, une illusion. Les battements de mon cœur étaient lents, erratiques. Je posai les mains sur le coffre, essayant de me ressaisir, de me restituer dans l'espace et le temps. Chaque jour, cela devenait un peu plus difficile.

Je me souvins soudain, avec une précision douloureuse, d'un jour durant la retraite de Ticonderoga. Nous avions atteint un petit village et avions trouvé un refuge provisoire dans une grange. J'avais travaillé toute la journée, faisant de mon mieux sans fournitures, médicaments, instruments ni bandages, hormis les vêtements crasseux et incrustés de sueur des blessés. J'avais senti le monde s'effacer toujours plus tandis que je m'affairais, entendant ma voix comme si elle appartenait à une autre, ne voyant plus que les corps devant moi, les membres, les plaies. J'avais perdu le contact avec toute autre réalité.

La nuit était tombée. Quelqu'un approcha, me hissa sur mes pieds, me traîna hors de la grange et dans une petite taverne. Elle était bondée. Quelqu'un (Ian ?) m'annonça que Jamie m'attendait dehors avec de quoi manger.

Il était seul dans le bûcher, à peine éclairé par une lanterne au loin.

Je me tins devant lui, oscillante. À moins que ce ne fût la pièce qui oscillait autour de moi. Je pouvais voir mes doigts crispés autour du chambranle de la porte, mes ongles blêmes.

Il vint vers moi.

— Jamie…

Je fus soulagée d'avoir retrouvé son nom dans le chaos dans ma tête.

Il me prit dans ses bras et m'entraîna à l'intérieur. L'espace d'un instant, je me demandai si je marchais ou s'il me portait. J'entendais le grattement de la terre battue sous mes pieds mais ne sentais plus mon poids.

Il me parlait ; c'était un son réconfortant. Distinguer les mots me paraissait un effort insurmontable. Je devinais néanmoins ce qu'il me disait et articulai péniblement :

— Ça va. Juste… fatiguée.

— Veux-tu dormir, *Sassenach*, ou veux-tu manger un peu avant ?

Il me lâcha pour prendre le pain, et je me retins d'une main contre la cloison en bois, m'étonnant de la trouver solide.

La sensation d'engourdissement était de retour.

— Au lit, dis-je. Avec toi. Maintenant.

Il posa une main sur ma joue, sa paume calleuse me réchauffant. Une grande main. Solide. Surtout solide.

— Tu es sûre, *a nighean* ? Tu tiens à peine sur tes…

Je posai une main sur son bras, m'attendant presque à ce qu'elle le traverse.

— Fort, murmurai-je. Fais-moi mal.

Mon verre était vide. Je le remplis à nouveau, tenant précautionneusement la carafe. J'étais résolue à trouver l'oubli, ne serait-ce que provisoirement.

Pouvais-je me scinder complètement ? Mon âme pouvait-elle quitter mon corps sans que je meure d'abord ? Ne l'avait-elle pas déjà fait ?

Je bus lentement, une gorgée après l'autre… après l'autre.

Un bruit dut me faire relever la tête, mais je n'avais pas conscience d'avoir bougé. John Grey se tenait sur le seuil de ma chambre. Il n'avait pas de cravate, et sa chemise tachée de vin pendait mollement hors de ses culottes. Ses cheveux étaient dénoués et emmêlés, ses yeux aussi rouges que les miens.

Je me levai lentement avec l'impression de me mouvoir sous l'eau.

Il referma la porte derrière lui et marmonna :

— Cette nuit, je ne veux pas le pleurer seul.

*

Je fus surprise de me réveiller. Je ne m'y étais pas attendue et restai allongée sans bouger un moment, laissant la réalité reprendre sa place autour de moi. Je n'avais qu'un léger mal de tête, ce qui était presque aussi surprenant que le fait d'être encore en vie.

Mais tout cela paraissait bien dérisoire comparé à la présence de l'homme couché près de moi dans le lit.

— Si je puis me permettre de le demander, cela faisait combien de temps que vous n'aviez pas couché avec une femme ?

Il ne parut pas offusqué par ma question. Il plissa légèrement le front et se gratta le torse, réfléchissant.

— Mmm… une quinzaine d'années ? Au moins.

Il me lança un regard, l'air soudain inquiet.

— Oh, je vous demande pardon.

— Pardon pour quoi ?

Il hésita.

— Je crains de ne pas m'être conduit… comme un gentleman.

— On peut le dire, rétorquai-je. Mais je vous assure que je ne me suis pas comportée comme une dame non plus.

Ses lèvres remuèrent comme s'il cherchait ce qu'il pourrait répondre à ça, puis il capitula. Je poursuivis :

— En outre, ce n'était pas à moi que vous faisiez l'amour. Nous le savons tous les deux.

Il me lança un regard surpris, ses yeux très bleus. Puis l'ombre d'un sourire traversa son visage.

— C'est vrai, répondit-il. Parce que vous, c'est à moi que vous faisiez l'amour, peut-être ?

— Non.

Le chagrin de la nuit dernière s'était atténué, mais son poids était toujours là. Il nouait ma gorge et rendait ma voix grave et rauque.

John se redressa et saisit une bouteille et un verre sur la table de nuit. Il remplit le verre et me le tendit.

— Merci.

Je le portai à mes lèvres et m'arrêtai.

— Mais… c'est de la bière !

— En effet, et d'excellente qualité.

Lui-même but au goulot, prenant plusieurs grandes gorgées en fermant les yeux. Puis il abaissa la bouteille et poussa un soupir de satisfaction.

— Cela nettoie le palais, rafraîchit l'haleine et prépare l'estomac à la digestion.

Malgré moi, j'étais amusée… et choquée.

— Vous voulez dire que vous prenez de la bière au petit déjeuner tous les matins ?

— Bien sûr que non ! Uniquement pour accompagner mon repas.

— Je m'étonne qu'il vous reste encore des dents !

Je goûtai néanmoins mon verre. Effectivement, c'était de la très bonne bière, capiteuse et fruitée, avec le bon degré d'amertume.

Je remarquai soudain dans sa posture une certaine tension que la teneur de notre conversation ne justifiait pas. Bien que mon cerveau fonctionnât au ralenti, je finis par comprendre l'origine de son malaise.

— Si vous avez envie de péter, ne vous gênez pas pour moi.

Il fut suffisamment estomaqué pour lâcher un vent malgré lui. Il devint cramoisi.

— Je suis atrocement confus, madame.

J'essayai de ne pas rire, mais mes efforts pour me retenir ne parvinrent qu'à faire trembler le lit, ce qui acheva de le mortifier. Pour le mettre à l'aise, je lui demandai :

— Auriez-vous eu autant de scrupules si vous aviez été au lit avec un homme ?

Il se gratta la joue, réfléchissant.

— Cela dépend sans doute de l'homme en question mais, en règle générale, non.

L'homme en question. Je savais qu'il pensait à Jamie, tout comme moi. Il lut lui aussi dans mes pensées.

— Il m'a offert son corps un jour. Vous le saviez ?

— Je suppose que vous l'avez refusé…

Je connaissais déjà la réponse, mais j'étais curieuse de connaître sa version des faits.

— En effet. Ce n'était pas cela que j'attendais de lui. Enfin… pas *uniquement* cela. Je voulais tout. J'étais jeune et suffisamment orgueilleux pour penser que je ne pouvais me satisfaire de rien de moins que son cœur. Et naturellement, il ne pouvait pas me le donner.

Je restai silencieuse un moment. La fenêtre était ouverte, et les longs rideaux en mousseline étaient agités par le courant d'air. Puis je demandai :

— Vous avez regretté de ne pas avoir accepté son offre ?

Il m'adressa un petit sourire.

— Un million de fois, au moins. Parallèlement, la refuser fut l'un des rares gestes nobles dont je puisse m'enorgueillir. C'est vrai, vous savez : l'altruisme est parfois récompensé. Si j'avais accepté, cela aurait détruit à jamais ce qu'il y avait entre nous. En lui donnant plutôt ma compréhension, aussi douloureux cela fût-il pour moi, j'ai gagné son amitié. Entre un regret passager et son amitié, cette dernière m'est infiniment plus précieuse.

Après un autre silence, il se tourna vers moi.

— Oserais-je vous demander… Non, vous allez me trouver pervers.

— Vous l'êtes un peu de toute manière, ce qui ne me dérange pas. De quoi s'agit-il ?

Il me lança un regard indiquant qu'il considérait ne pas être le plus pervers des deux. Son instinct de gentleman l'empêcha toutefois de me le dire.

— J'aimerais vous regarder. Je veux dire… nue.

Je fermai un œil et le fixai de l'autre, perplexe.

— Ce n'est quand même pas la première fois que vous couchez avec une femme – et vous savez ce que j'entends par « coucher » !

Il avait été marié, mais je me souvins qu'il avait passé une bonne partie de sa vie conjugale loin de son épouse. Il pinça les lèvres, essayant de se souvenir.

— Non. Mais il me semble bien que ce soit la première fois que je le fais de mon plein gré.

— Oh, je suis flattée.

— Vous pouvez l'être, rétorqua-t-il très sérieusement.

Cela ne me mettait pas très à l'aise. En revanche, il n'avait probablement pas les mêmes réactions instinctives que la plupart des hommes devant les attraits féminins.

— Pourquoi ? demandai-je.

Il sourit timidement et se redressa légèrement dans le lit, se calant contre les oreillers.

— Je... je n'en suis pas sûr, à dire vrai. Peut-être est-ce un effort pour réconcilier mes souvenirs de la nuit dernière et... euh... la réalité de l'expérience ?

Je reçus un choc comme s'il m'avait frappée en plein ventre. Il ne pouvait connaître mes premières pensées quand je m'étais réveillée et l'avais vu... cet instant désorientant où je l'avais pris pour Jamie, me souvenant si vivement de sa peau, de son poids et de son ardeur, désirant tant que ce soit lui que j'étais parvenue à m'en convaincre, pour être écrasée quelques secondes plus tard en me rendant compte que ce n'était qu'une illusion. Avait-il ressenti la même chose en se réveillant et en m'apercevant à ses côtés ?

Il poursuivit, avec une pointe d'humour dans la voix :

— Ou peut-être n'est-ce qu'une simple curiosité. Cela fait un certain temps que je n'ai pas vu une femme nue, à l'exception des esclaves noires dans le port de Charleston.

— Combien de temps ? Quinze ans, avez-vous dit ?

— Oh, bien plus que cela. Isobel...

Il s'interrompit, et son sourire s'évanouit. Il n'avait encore jamais fait allusion à son épouse décédée.

— Vous ne l'avez jamais vue nue ?

Il détourna les yeux.

— Ah... non. Elle n'était pas... Non.

Il s'éclaircit la gorge puis se tourna à nouveau vers moi, me dévisageant avec une franchise qui me donna envie de détourner les yeux à mon tour.

— Je me tiens nu devant vous.

Il repoussa le drap. Il m'était difficile de ne pas le regarder et, en toute sincérité, j'en avais envie, par simple curiosité. Il était mince et élancé mais musclé et ferme. Il avait un léger bourrelet autour de la taille, mais n'était pas gras. Son torse était couvert d'une vigoureuse toison blonde qui s'obscurcissait au niveau du pubis. C'était un corps de guerrier. Un côté de sa cage thoracique était zébré de cicatrices. Il en portait d'autres : une épaisse au haut d'une cuisse ainsi qu'une plus fine en zigzag sur son avant-bras gauche.

Au moins, mes cicatrices n'étaient pas visibles. Avant de pouvoir hésiter plus longuement, je repoussai le drap à mon tour. Il me contempla avec une profonde curiosité, souriant légèrement.

— Vous êtes ravissante, dit-il enfin.

— Pour une femme de mon âge ?

Son regard se promena lentement sur moi. Ce n'était pas un regard de juge mais plutôt celui d'un homme aux goûts raffinés qui évaluait ce qu'il voyait à la lumière d'années d'expérience.

— Non, répondit-il enfin. Pas pour une femme de votre âge, ni en tant que femme en général.

— En tant que quoi alors ? demandai-je intriguée. En tant qu'objet ? Que sculpture ?

Je pouvais le comprendre. Il me voyait peut-être comme une sculpture dans un musée : une statue érodée par le temps, un fragment d'une culture disparue recelant des vestiges de l'inspiration originale, étrangement magnifiée par l'âge, sanctifiée par l'antiquité. Je ne m'étais jamais regardée sous cet angle, mais je ne voyais pas ce qu'il pouvait vouloir dire d'autre.

— En tant que mon amie, répondit-il enfin.

— Oh, dis-je, émue. Merci.

J'attendis, puis rabattis le drap sur nous. Enhardie par cette nouvelle intimité, je me hasardai :

— Puisque nous sommes amis…

— Oui ?

— Je me demandais… êtes-vous… êtes-vous resté seul toutes ces années ? Depuis la mort de votre femme ?

Il soupira mais sourit pour me montrer que ma question ne le dérangeait pas.

— Si vous voulez vraiment le savoir, j'entretiens depuis de longues années une relation physique avec mon cuisinier.

En voyant mon air perplexe, il précisa :

— Mon cuisinier au mont Josiah, en Virginie. Il s'appelle Manoke.

Je me souvins en effet que Bobby Higgins m'avait dit que lord John employait un Indien nommé Manoke.

— Il ne s'agit pas uniquement de soulager des pulsions primaires, ajouta-t-il. Il existe une véritable affection entre nous.

— Je suis ravie de l'entendre, murmurai-je. Il est… euh…

— J'ignore si ses préférences le portent exclusivement vers les hommes. J'en doute. J'ai d'ailleurs été fort surpris lorsqu'il m'a manifesté son désir, mais je ne suis pas en position de me plaindre, quels que soient ses goûts.

Je me passai un doigt sur les lèvres. Je ne voulais pas paraître d'une curiosité vulgaire, bien que…

— Cela ne vous ennuie pas qu'il… ait d'autres amants ? Ou lui que vous en ayez ?

Je ressentis une soudaine appréhension. Je n'avais pas l'intention que ce qui s'était passé la veille se reproduise un jour. De fait, j'essayais toujours de me convaincre qu'il ne s'était rien passé. Je ne comptais pas non plus l'accompagner en Virginie. Mais s'il le fallait, et que les domestiques de lord John présumaient que… J'imaginai un cuisinier indien jaloux empoisonnant ma soupe ou m'attendant tapi dans un couloir avec un tomahawk.

John semblait être en train de penser à la même chose. Je remarquai qu'il avait une barbe drue. Le chaume blond adoucissait ses traits tout en le faisant paraître différent. Je l'avais toujours vu parfaitement rasé et coiffé.

— Non, reprit-il enfin. La possessivité n'a pas lieu d'être dans notre relation.

Je lui lançai un regard profondément dubitatif.

— Je vous l'assure, dit-il en souriant. Comment vous le faire comprendre ? Laissez-moi vous donner une analogie. Sur ma plantation… En réalité elle appartient à William, naturellement. J'en parle comme si c'était la mienne uniquement parce que j'y habite…

J'émis un petit son poli pour lui faire entendre qu'il pouvait passer outre son souci de précision absolue et aller droit au but.

— Sur la plantation, donc, il y a un grand espace dégagé derrière la maison. Au début, c'était une petite clairière, mais je l'ai fait agrandir au fil des ans et y ai fait planter de la pelouse. Elle est cernée par les arbres. Le soir, les cerfs sortent souvent de la forêt pour venir brouter le gazon. De temps à autre, j'en aperçois un en particulier. Il est blanc, sans doute, mais il semble argenté. J'ignore si c'est parce qu'il ne sort que les nuits de lune ou parce que je ne peux le voir qu'à la lumière de la lune, mais c'est un spectacle d'une rare beauté.

Son regard s'était adouci, et je devinai qu'il ne voyait pas le plafond, mais plutôt le cerf blanc illuminé par la lune.

— Il vient deux ou trois soirs d'affilée, quatre tout au plus, puis il disparaît, et je ne le revois plus pendant des semaines, voire des mois. Mais chaque fois qu'il réapparaît, c'est le même enchantement.

Il roula sur le côté et me regarda.

— Vous comprenez ? Je ne possède pas cette créature, et, même si c'était en mon pouvoir, je ne le souhaiterais pas. Son apparition est un présent que j'accepte avec gratitude mais, quand il repart, je n'ai pas un sentiment d'abandon ni de privation. Je suis simplement heureux d'avoir pu jouir de sa beauté le temps qu'il a bien voulu rester.

— Vous voulez dire qu'il en va de même pour votre relation avec Manoke ? Ressent-il la même chose pour vous ?

Il parut surpris.

— Je n'en ai aucune idée.

— Vous… euh… ne discutez pas au lit ?

— Non.

Nous restâmes silencieux un long moment, examinant le plafond, puis je lui demandai :

— Cela vous est-il déjà arrivé ?

— Quoi donc ?

— D'avoir un amant avec qui vous parliez ?

Il se mit à rire.

— Oui, peut-être pas aussi franchement qu'avec vous, mais cela m'est arrivé.

Il sembla sur le point d'ajouter quelque chose puis se ravisa, pinçant les lèvres et soufflant par le nez.

Je savais (je ne pouvais l'ignorer) qu'il mourait d'envie de savoir comment Jamie était au lit, en dehors de ce que je lui avais montré malgré moi la nuit précédente. Je devais reconnaître que j'étais très tentée de le lui dire, ne fût-ce que pour ramener Jamie à la vie pendant de brefs instants. Mais ce genre de révélations avait un prix : non seulement la sensation de trahir Jamie, mais aussi la honte d'utiliser John, qu'il le souhaitât ou pas. Les souvenirs de ce qui s'était passé entre Jamie et moi dans notre intimité ne seraient plus jamais partagés, mais ils n'appartenaient qu'à nous, et je n'avais pas le droit de les donner à un autre.

Avec un temps de retard, il me vint à l'esprit que, pareillement, les souvenirs intimes de John n'appartenaient qu'à lui.

— Je ne voulais pas être indiscrète, m'excusai-je.

Il fut amusé.

— Je suis flatté, madame, que vous vous intéressiez à ma vie privée. Je connais bien des mariages conventionnels où les époux choisissent sciemment de tout ignorer des pensées et des aventures de leur conjoint.

Je me rendis soudain compte que, sans que ni lui ni moi ne l'ayons voulu, il existait désormais une réelle intimité entre nous. Cela m'intimida. Ce constat en amena un autre : une personne dont les reins fonctionnaient normalement ne pouvait rester indéfiniment allongée en buvant de la bière. Il sentit mon inconfort et se leva du lit. Il enfila sa robe de chambre puis alla chercher mon peignoir. Je constatai avec surprise qu'une âme bienveillante l'avait déposé sur le dossier d'une chaise.

— D'où est-il sorti ? demandai-je en indiquant du menton le long vêtement en soie.

— Mais, de votre chambre, je présume.

Il fronça un instant les sourcils avant de comprendre ce que j'avais voulu dire.

— Ah, ce doit être Mme Figg qui l'a apporté quand elle est venue préparer le feu.

L'idée que Mme Figg m'ait vue dans le lit de lord John, dormant comme un loir, nue, échevelée et ronflant, voire bavant sur l'oreiller, me parut le comble de l'horreur. D'ailleurs, le seul fait que je me sois trouvée dans son lit était terriblement embarrassant, indépendamment de mon allure.

— Nous sommes mariés, me rappela-t-il.

— Euh… oui, c'est vrai.

Une autre idée me vint. Peut-être cela n'avait-il pas été un spectacle aussi inhabituel pour Mme Figg. Recevait-il des femmes dans son lit de temps à autre ?

— Vous dormez avec des femmes ? C'est-à-dire… euh… vous voyez ce que je veux dire ?

Il arrêta un instant de se coiffer et se tourna vers moi.

— Pas de mon plein gré.

Il déposa son peigne en argent et demanda avec une politesse exquise :

— Avez-vous d'autres questions de ce genre à me poser avant que je demande qu'on me monte mes souliers ?

En dépit de la fraîcheur dans la chambre, je sentis le feu me monter aux joues. Je resserrai un peu plus le peignoir en soie autour de moi.

— Puisque vous le proposez, oui. Je sais que Brianna vous a dit ce que nous… étions. Vous le croyez ?

Il me dévisagea un instant sans répondre. Il n'avait pas le don de Jamie de pouvoir cacher ses sentiments, et je sentis l'irritation provoquée par ma question précédente laisser la place à de l'amusement. Il m'adressa une petite courbette.

— Non, mais je vous donne ma parole que je me comporterai en tous points comme si c'était le cas.

Je restai quelques instants sans voix puis acquiesçai.

— D'accord.

L'étrange petite bulle d'intimité dans laquelle nous venions de passer la dernière demi-heure éclata et, bien que j'aie été celle qui posait les questions indiscrètes, je me sentis soudain comme un escargot hors de sa coquille, non seulement nue, mais aussi terriblement vulnérable, tant physiquement qu'émotionnellement. Profondément troublée, je murmurai un au revoir et me dirigeai vers la porte.

— Claire ?

Je m'arrêtai, une main sur la poignée. Il ne m'avait encore jamais appelée par mon prénom. Il me fallut faire un effort pour me tourner vers lui. Il me souriait.

— Pensez au cerf, ma chère.

Je hochai la tête sans répondre puis m'enfuis. Ce ne fut que plus tard, après m'être vigoureusement lavée, habillée et avoir pris une tasse de thé arrosée de cognac, que je compris sa dernière remarque.

Son apparition est un présent que j'accepte avec gratitude, avait-il dit du cerf blanc.

Je humai la vapeur parfumée et contemplai les minuscules feuilles de thé danser au fond de la tasse. Pour la première fois depuis des semaines, je me demandai ce que l'avenir me réservait.

— D'accord, murmurai-je.

Je finis la tasse d'une traite, les fragments de thé laissant un goût puissant et amer sur ma langue.

96

La luciole

Il faisait noir. Il ne s'était jamais trouvé dans un endroit aussi sombre. La nuit n'était jamais aussi noire, même quand le ciel était chargé. Ce lieu était plus sombre que le fond de l'armoire de Mandy où il s'enfermait quand ils jouaient à cache-cache. Il y avait une fente entre les portes. Il la sentait du bout des doigts, mais elle ne laissait filtrer aucune lumière. Il devait encore faire nuit. Peut-être qu'au matin, il verrait quelque chose.

Mais M. Cameron reviendrait peut-être lui aussi le matin. Jem s'éloigna légèrement de la porte. Il ne pensait pas que M. Cameron voulait lui faire du mal – en tout cas, c'était ce qu'il avait dit –, mais il essaierait peut-être de l'entraîner à nouveau vers les pierres, et ça, Jem ne le voulait pour rien au monde.

Le seul fait de penser aux pierres était douloureux. Moins que quand M. Cameron l'avait poussé vers l'une d'elles et qu'elle avait voulu l'avaler, mais cela faisait quand même mal. Il avait une écorchure sur le coude là où il l'avait heurtée en se débattant. Il la frotta à présent, car cette douleur-ci était beaucoup moins désagréable que de penser aux pierres. Non, se rassura-t-il, M. Cameron ne voulait pas lui faire du mal puisqu'il l'avait tiré hors de la pierre quand celle-ci avait tenté de… Il déglutit et s'efforça de penser à autre chose.

Il avait une vague idée d'où il était, car il se souvenait de la fois où maman avait raconté à papa la blague que lui avait faite M. Cameron. Il l'avait enfermée dans un tunnel, et elle avait dit que les gonds de la porte avaient fait un bruit d'os broyés. C'était exactement ce qu'il avait entendu quand M. Cameron l'avait poussé à l'intérieur et refermé la porte.

Il grelottait. Il avait froid là-dedans, même avec son anorak. Pas aussi froid que quand grand-père et lui se levaient avant l'aube et attendaient dans la neige que les cerfs viennent boire dans la mare, mais froid quand même.

L'air était bizarre. Il huma, essayant de flairer quelque chose comme le faisaient grand-père et oncle Ian. Il sentait la pierre, mais c'était de la simple pierre, pas *celles-là*. Il y avait aussi une odeur de métal et d'huile, un peu comme dans une pompe à essence. Une émanation chaude qu'il pensa être de l'électricité. Autre chose flottait dans l'air, mais ce n'était pas une odeur, plutôt un ronronnement. Un moteur électrique ! Ça, il le reconnaissait. Ce n'était pas aussi puissant que dans la grande salle que maman leur avait montrée, à Jimmy Glasscock et lui, là où vivaient les grandes turbines. Des machines donc. Il se sentit légèrement rassuré. Les machines étaient ses amies.

Cela lui rappela que maman avait parlé d'un petit train dans le tunnel. Voilà qui était encore mieux ! S'il y avait un train, ce n'était pas qu'un grand espace noir rempli de rien. Peut-être que ce ronronnement était celui du train.

Il tendit les mains devant lui et avança précautionneusement jusqu'à rencontrer une paroi. Il garda une main sur elle et la longea jusqu'à percuter à nouveau les portes.

— Aïe !

Le son de sa propre voix le fit rire. L'écho se répercuta dans le grand espace derrière lui, et il fit demi-tour, changeant de main.

Où se trouvait M. Cameron en ce moment ? Il ne lui avait rien dit, lui ordonnant simplement d'attendre et déclarant qu'il reviendrait avec de quoi manger.

Sa main rencontra une surface lisse et ronde, et il la retira précipitamment. L'objet ne bougeait pas, et il avança à nouveau les doigts. Des câbles, courant le long de la paroi. Ils étaient gros, et il percevait un faible vrombissement à l'intérieur, comme quand papa mettait le contact dans la voiture. Cela lui fit penser à Mandy. Elle émettait le même genre de ronronnement quand elle dormait, et un autre plus fort quand elle était réveillée.

Il se demanda soudain si M. Cameron n'était pas parti la chercher. Il se remit à avoir peur. M. Cameron voulait savoir comment on traversait les pierres. Jem ne pouvait pas le lui dire, mais Mandy encore moins, puisqu'elle n'était qu'un bébé lors du grand voyage. Néanmoins, il sentit son ventre se nouer et se concentra de toutes ses forces.

Oui, elle était là, une petite lumière chaude dans sa tête. Il poussa un soupir de soulagement. Mandy était en sécurité. Il était étonné de pouvoir le sentir d'aussi loin. Il ne lui était jamais venu à l'esprit d'essayer plus tôt. En général, elle était dans ses pattes, en train de l'enquiquiner. Et, quand il partait seul avec ses amis, il n'y pensait pas.

Son pied heurta quelque chose, et il s'arrêta, tâtonnant le vide devant lui. Il ne trouva rien et, au bout d'une minute, trouva le courage de lâcher la paroi et de s'avancer dans le noir. Son cœur battait à toute allure. Ses doigts rencontrèrent le métal, et il tressaillit de joie. Le petit train !

Il trouva l'ouverture et grimpa à l'intérieur à quatre pattes. Son front percuta le tableau de bord quand il se redressa. Il vit des étoiles de toutes les couleurs et lança « *Ifrinn !* » à voix haute. Sa voix était étrange, l'écho étant étouffé maintenant qu'il était dans la cabine.

Il tripota les commandes. Comme l'avait dit maman, il n'y avait qu'un interrupteur et un petit levier. Il appuya sur le premier, et une petite lumière rouge s'alluma, le faisant sursauter. Néanmoins, de la voir lui réchauffa le cœur. Il sentait l'électricité sous le train, ce qui acheva de le rassurer. Il tira le levier vers lui, juste un peu, et fut aux anges en sentant le train avancer.

Où allait-il ? Il le tira encore un peu et sentit l'air glisser sur son visage. Il le huma mais n'apprit rien de plus. L'essentiel était qu'il s'éloignait de la porte… et de M. Cameron.

Peut-être que M. Cameron irait voir papa et maman pour les interroger au sujet des pierres ? Jem l'espérait. Papa lui réglerait son compte vite fait. Puis ils viendraient le chercher et tout rentrerait dans l'ordre. Il se demanda si Mandy pourrait leur dire où il se trouvait. Elle le sentait comme il la sentait. Il regarda la petite lumière rouge devant lui. Elle luisait comme Mandy, régulière et chaude. Il tira le levier encore davantage, et le train s'enfonça plus vite dans le noir.

97

Connexions

Rachel appuya sur le croûton d'un long pain, l'air suspicieux. La marchande la vit et grogna :

— Hé ! On touche pas à la marchandise ! Si vous le voulez, c'est un penny. Sinon, passez votre chemin !

Rachel ne se laissa pas impressionner.

— Il date de quand, ce pain ? demanda-t-elle. S'il est aussi rance qu'il en a l'air, je ne vous en donne pas plus d'un demi-penny.

— Il est d'hier ! s'indigna la marchande. Il n'y aura pas de pain frais avant mercredi, quand mon patron sera livré en farine. Alors, vous le prenez ou pas ?

— Hmm…

Rachel feignit d'hésiter. Denny piquerait une crise s'il apprenait qu'elle avait essayé de rouler cette femme, mais il y avait une différence entre payer le juste prix et se faire voler, et elle n'était pas disposée à se laisser faire.

Était-ce des miettes qu'elle apercevait sur le plateau où étaient empilés les pains ? Et était-ce des traces de morsures, là, sur le bord de ce quignon ?

— Tu crois que des souris sont passées par là, le chien ? Moi aussi.

Rollo ne semblait pas intéressé. Ne prêtant pas attention à la question de Rachel ni aux cris scandalisés de la marchande, il flairait le sol en émettant un gémissement aigu.

Rachel l'observa, inquiète.

— Que se passe-t-il ?

Elle posa une main sur sa nuque et sentit les vibrations qui parcouraient le grand corps velu. Rollo ne sembla pas la remarquer et se mit à décrire des petits cercles rapides, la truffe au ras du sol.

— Il ne serait pas devenu fou, votre chien ? demanda la marchande.

— Bien sûr que non, répondit Rachel, distraite. Rollo… *Rollo* ?

Le chien venait de bondir hors de la boulangerie et remontait la rue, trottant presque dans son enthousiasme. Rachel s'élança derrière lui, son panier rebondissant contre sa jambe et menaçant de renverser tous ses achats de la matinée.

Que lui prenait-il ? Il ne s'était encore jamais comporté ainsi. Elle accéléra le pas, essayant de ne pas le perdre de vue.

— Vilain chien ! haleta-t-elle. Tu mériterais que je te laisse partir.

Elle continua pourtant à courir derrière lui en l'appelant. Il arrivait souvent à Rollo de sortir de l'auberge et de partir à l'aventure, mais il revenait toujours. Cette fois, ils étaient dans un quartier éloigné, et elle craignait qu'il se perdît. Cela dit, si son flair était aussi aiguisé, il retrouverait sans doute son chemin. Il lui vint soudain une idée, et elle s'arrêta net.

Il était clair qu'il suivait une odeur, mais quel genre d'odeur avait pu le mettre dans cet état ? Certainement pas celle d'un écureuil ou d'un chat…

— Ian, murmura-t-elle. Ian.

Elle remonta ses jupes et se remit à courir tout en tentant de refréner l'espoir fou qui montait en elle. Le chien était toujours en vue, la queue basse et sa truffe reniflant le sol, concentré sur sa piste. Il tourna dans une allée étroite, et elle le suivit sans hésiter, bondissant et sautant sur les côtés pour éviter diverses substances peu ragoûtantes sur son chemin.

Était-il vraiment possible que le chien ait senti son maître ? Le croire était de la folie. Ses espoirs allaient être anéantis et, pourtant, elle ne pouvait faire taire la conviction qui était née dans son sein. La queue de Rollo disparut à un autre coin de rue, et Rachel redoubla d'ardeur.

Si c'était vraiment Ian, que faisait-il là ? La piste les menait vers la périphérie de Philadelphie, non pas le long de la rue principale, mais hors de la partie prospère de la ville, dans une zone de maisons délabrées et de taudis abritant les suiveurs de camps britanniques. Un groupe de poulets s'éparpilla en caquetant à l'approche de Rollo, mais celui-ci ne s'arrêta même pas. À présent, il faisait demi-tour. Il contourna un appentis et s'engagea dans une rue sinueuse en terre battue bordée de bicoques pressées les unes contre les autres.

Rachel avait un point de côté, et la transpiration ruisselait sur son visage, mais elle n'était pas prête à abandonner la course. Toutefois, le chien commençait à la distancer. Elle allait le perdre de vue d'un moment à l'autre. Son soulier droit frottait la peau de son talon, et elle avait l'impression d'avoir le pied en sang. Ce devait être son imagination pour avoir vu tant d'hommes la chaussure remplie de sang…

Rollo disparut à un angle, et elle courut de plus belle. Ses bas retombaient et son jupon pendait tellement sur le devant qu'elle marcha sur l'ourlet et le déchira. Si elle trouvait Ian, elle aurait deux mots à lui dire, à condition d'être encore en état de parler.

Quand elle parvint au bout de la rue, le chien n'était visible nulle part. Elle regarda fébrilement autour d'elle. Elle se trouvait à l'arrière d'une taverne. Elle pouvait sentir le houblon des cuves de bière par-dessus la puanteur des ordures. On entendait des voix de l'autre côté du bâtiment. Même si elle ne distinguait pas les mots, c'étaient indubitablement des soldats. Ils avaient une façon de parler bien particulière.

Ce n'étaient pas des ordres comme s'ils venaient d'arrêter quelqu'un, mais plutôt des conciliabules, comme s'ils se préparaient à entrer en action. Elle entendit le cliquetis des armes, des bruits de bottes sur les pavés…

Une main agrippa son bras, et elle ravala son cri avant qu'il ne fuse de sa gorge, terrifiée à l'idée de trahir Ian. Mais ce n'était pas lui. Des doigts noueux s'enfoncèrent dans sa chair. Un grand vieillard aux cheveux blancs la fixait avec des yeux ardents.

*

Ian était mort de faim. Il n'avait rien avalé depuis vingt-quatre heures, ne voulant pas perdre de temps en chassant ou en cherchant une ferme qui lui donnerait quelques provisions. Il avait parcouru la trentaine de kilomètres depuis Valley Forge sur un petit nuage, sans se rendre compte de la distance.

Rachel était ici, à Philadelphie. Cela tenait du miracle. Il lui avait fallu un certain temps pour venir à bout de la méfiance des soldats de Washington, mais il avait fini par tomber sur un officier allemand, un homme corpulent avec un gros nez ainsi qu'un regard curieux et amical. Il s'était approché, intrigué par son arc. Après une brève démonstration de tir et une conversation en français (l'Allemand ne possédait que quelques rudiments d'anglais), Ian avait pu lui demander s'il connaissait un médecin nommé Hunter.

Ce nom ne disait rien à von Steuben mais, pris de sympathie pour Ian, il avait envoyé quelqu'un se renseigner pendant qu'il lui cherchait un morceau de pain. Quelque temps plus tard, un soldat était arrivé en expliquant qu'il y avait bien un chirurgien de ce nom, mais qu'il était parti à Philadelphie soigner un patient privé. Et la sœur du docteur ? L'homme n'avait rien su lui dire.

Toutefois, Ian connaissait les Hunter. Où que se rendît Denzell, Rachel l'accompagnait. Certes, personne ne savait qui était le patient privé (Ian avait perçu une certaine hostilité à ce sujet, sans parvenir à comprendre pourquoi) mais, au moins, il était à Philadelphie.

À présent, lui aussi. Il s'était glissé dans la ville à l'aube, traversant prudemment les camps qui entouraient les faubourgs, passant devant les feux éteints et les soldats couchés à même le sol, enroulés dans des couvertures.

Il y avait de la nourriture en abondance dans la ville. Il s'arrêta à la lisière d'un marché, salivant à l'avance. Il hésita entre du poisson frit et un chausson à la viande puis, s'avançant vers l'étal de la marchande son argent à la main, il vit la femme regarder un point derrière lui et écarquiller des yeux horrifiés.

Il fit volte-face et se retrouva projeté à terre. Des cris fusèrent de toutes parts, mais ils furent couverts par les coups de langue de Rollo, qui léchait frénétiquement les moindres recoins de son visage, y compris l'intérieur de ses narines.

Ian parvint à s'asseoir en repoussant tant bien que mal son chien extatique.

— *A cù !*

Il le prit dans ses bras et le serra contre lui, ravi. Puis il saisit son épais collier de poils, riant devant sa langue pendante.

— Oui, moi aussi, je suis content de te voir. Mais qu'as-tu fait de Rachel ?

La main manquante de Fergus le démangeait. Ce n'était pas fréquent. Il portait un gant rempli de son agrafé à sa manche plutôt que son crochet, celui-ci attirant trop les regards. Outre le fait qu'il était moins pratique, il présentait l'inconvénient de l'empêcher de gratter son moignon pour se soulager.

S'efforçant de penser à autre chose, il sortit de la grange où il avait dormi et se dirigea vers un feu de camp voisin. Mme Hempstead le salua d'un signe de tête, versa une louche de porridge dans une tasse en métal et la lui tendit. Finalement, le gant avait aussi ses avantages : il ne pouvait saisir la tasse mais pouvait la tenir contre son torse sans se brûler. En outre, il constata avec plaisir que la chaleur faisait disparaître la démangeaison.

Il s'inclina poliment.

— *Bonjour, madame*[8].

---

8. En français dans le texte *(N.d.T.)*.

Mme Hempstead lui sourit en dépit de son immense fatigue. Son mari avait été tué à Paoli et, restée seule avec trois enfants, elle survivait tant bien que mal en lavant le linge des officiers anglais. Fergus l'aidait à joindre les deux bouts en échange de nourriture et d'un abri. À la mort de son mari, sa maison avait été récupérée par son beau-frère, mais il la laissait gracieusement dormir avec ses enfants dans la grange. C'était l'une des trois ou quatre cachettes que Fergus utilisait régulièrement.

En s'approchant pour lui donner une tasse d'eau, elle déclara à voix basse :

— Un homme a demandé après vous.

Il se retint de justesse de regarder autour de lui. Si l'homme en question était toujours dans les parages, elle le lui aurait dit.

— Vous l'avez vu ?

— Non, il a parlé à M. Jessop, qui l'a dit au benjamin de Mme Wilkins, qui est passé par ici et l'a dit à ma Mary. Selon M. Jessop, c'était un très grand Écossais, un bel homme. D'après lui, il pourrait bien être soldat.

Le cœur de Fergus fit un bond.

— Il était roux ?

Mme Hempstead parut surprise.

— Ma foi, je n'en sais rien ! Je vais le demander à Mary.

— Ne vous donnez pas cette peine, madame. Je le lui demanderai moi-même.

Il avala le reste de son porridge d'une traite, se brûlant la gorge, puis rendit la tasse.

Interrogée, la petite Mary ignorait si le grand Écossais avait les cheveux roux. Elle ne l'avait pas vu, n'ayant fait que rapporter les propos de Tommy Wilkins. Toutefois, il lui avait dit que M. Jessop, lui, l'avait vu. Fergus la remercia avec une élégante formule de courtoisie bien française, ce qui la fit rougir, puis il se mit en route vers la ville, frémissant d'excitation.

*

Rachel tenta de libérer son bras, mais le vieil homme l'agrippa de plus belle, enfonçant ses doigts dans les muscles de son avant-bras.

— Laisse-moi partir, ami, dit-elle calmement. Tu m'as prise pour quelqu'un d'autre.

— Je ne crois pas, répliqua-t-il. Ce chien est bien à toi, non ?

À son accent, il était clair qu'il était écossais. Perplexe et de plus en plus inquiète, elle répondit :

— Non. Je veille sur lui pour un ami. Pourquoi ? Il a tué un de tes poulets ? Je serais ravie de te dédommager si…

Elle tendit sa main libre vers sa bourse.

— Ton ami s'appelle Ian Murray.

Cette fois, ce n'était pas une question, ce qui acheva de l'alarmer.

— Lâche-moi, dit-elle d'une voix plus ferme. Tu n'as pas le droit de me retenir.

— Où est-il ?

Ses yeux étaient injectés de sang et légèrement chassieux mais aiguisés comme des couteaux.

— En Écosse.

Il marqua un temps d'arrêt, puis se pencha plus près, la regardant dans le blanc des yeux.

— Tu l'aimes ?

— Lâche-moi !

Elle voulut lui donner un coup de pied dans le tibia, mais il l'esquiva. Sa cape se souleva, et elle aperçut un éclat métallique sous sa ceinture. C'était une petite hache. Repensant soudain à leur terrible mésaventure dans cette bicoque affreuse dans le New Jersey, elle se mit à hurler.

— Tais-toi ! grogna le vieillard. Tu vas venir avec moi.

Il plaqua une large main crasseuse sur sa bouche et tenta de la soulever. Elle se débattit comme une tigresse et parvint à dégager sa bouche juste le temps de hurler à nouveau à pleins poumons.

Il y eut des exclamations de surprise et un bruit de course s'approchant.

— Rachel !

La voix familière fit bondir son cœur.

— William ! Au secours !

William courut vers elle, suivi à quelque distance de quatre autres soldats britanniques le mousquet à la main. Le vieil homme grommela quelque chose en gaélique et la lâcha si soudainement qu'elle chancela, se prit le pied dans l'ourlet déchiré de son jupon et tomba lourdement sur ses fesses.

Le vieil homme battait en retraite, mais William le chargeait déjà, abaissant son épaule, s'apprêtant à le percuter de plein fouet. Le vieillard avait toutefois eu le temps de sortir sa hache. Rachel hurla « William ! », mais ce fut peine perdue. Il y eut un éclat de métal et un bruit sourd. William fit un brusque pas sur le côté, tituba puis s'effondra.

— William, William ! Oh, mon Dieu, mon Dieu !

Elle ne parvint pas à se relever mais le rejoignit à quatre pattes. Les soldats couraient après le vieil homme en criant, mais elle ne leur prêta pas attention. Elle ne voyait que le visage livide de William, ses yeux révulsés et le sang noir qui coulait de son cuir chevelu.

*

Je bordai William malgré lui et lui ordonnai de rester bien sagement au lit. Ses protestations étaient surtout destinées à Rachel car, dès que je fis sortir celle-ci de la chambre, il se rallongea docilement sur son oreiller, ses traits pâles et moites sous le bandage qui ceignait son front.

— Dormez, ordonnai-je. Vous aurez un mal de crâne épouvantable demain matin, mais vous serez toujours vivant.

— Merci, mère Claire, murmura-t-il. Vous avez toujours le mot qu'il faut pour remonter le moral d'un homme. Avant que vous ne partiez…

Il avait beau être mal en point, sa main sur mon bras était solide et ferme.

— Quoi ? demandai-je, sur mes gardes.

— L'homme qui a attaqué Rachel, vous le connaissez ?

— Oui, répondis-je à contrecœur. D'après la description qu'elle m'en a faite, il s'agit d'Arch Bug. Il vivait autrefois près de chez nous, en Caroline du Nord.

— Ah.

La curiosité ranima légèrement ses yeux bleus.

— C'est un fou ?

— Je le crois. Il a perdu sa femme dans des circonstances tragiques, et le chagrin semble lui avoir perturbé l'esprit.

Je songeai aux nombreux mois qui s'étaient écoulés depuis cette sinistre nuit d'hiver, l'imaginant vivant seul dans la forêt, marchant sur des routes sans fin, écoutant l'écho de la voix de son épouse disparue… S'il n'avait pas été fou au début, il l'était probablement devenu depuis. En revanche, je n'étais pas prête à raconter toute l'histoire à William. Pas pour le moment, et si possible jamais.

— J'en parlerai à quelqu'un, dit-il.

Il s'interrompit pour bâiller.

— Désolé, j'ai terriblement sommeil.

— Vous avez une commotion cérébrale, l'informai-je. Je reviendrai toutes les heures pour vous réveiller. À qui voulez-vous en parler ?

Ses paupières se fermaient déjà.

— Un officier… Le faire rechercher. Peux pas le laisser… Rachel.

Il prononça ce nom dans un soupir, et son grand corps se détendit. Je l'observai un moment pour m'assurer qu'il était bien endormi, puis déposai un baiser sur son front. Je ressentis le même serrement de cœur que chaque fois que j'embrassais sa sœur au même âge, songeant : *Mon Dieu, comme tu lui ressembles.*

Rachel m'attendait sur le palier, anxieuse et échevelée.

— Il va s'en sortir ?

— Oui. Il a une légère commotion cérébrale. Vous savez ce que c'est ? Mais oui, bien sûr, suis-je bête ! Il ne sera pas très frais demain matin, mais ce n'était qu'un coup oblique, rien de grave.

Ses frêles épaules se relâchèrent enfin.

— Je remercie le Seigneur ! murmura-t-elle.

Puis elle ajouta :

— Et toi aussi, amie Claire.

— Ce fut un plaisir, répondis-je sur un ton léger. Et vous, vous êtes sûre que ça va ? Vous devriez vous asseoir et prendre un petit remontant.

Elle n'était pas blessée mais était encore sous le choc de l'agression.

— Je vais très, *très* bien.

À présent que son inquiétude pour William était retombée, son visage s'animait.

— Claire, il est ici ! Ian !

— Quoi ? Où ?

— Je ne sais pas.

Elle lança un regard vers la porte de la chambre de William, puis m'entraîna légèrement à l'écart et reprit en baissant la voix :

— C'est Rollo. Il a senti quelque chose et est parti comme une flèche. J'ai tenté de le suivre, et c'est ainsi que je suis tombée sur le vieux fou. Je sais, vous allez me dire qu'il aurait pu flairer n'importe quoi mais, Claire, il n'est pas revenu ! S'il n'avait pas trouvé Ian, il serait déjà de retour.

Son excitation était contagieuse, même si je craignais un faux espoir. Le chien pouvait avoir de nombreuses raisons pour ne pas être revenu, et aucune n'était bonne. L'une d'elles était Arch Bug.

La description qu'elle venait de m'en faire m'avait décontenancée mais je savais qu'elle avait raison. Depuis l'enterrement de Mme Bug, à Fraser's Ridge, je n'avais perçu Arch Bug que comme une menace pour Ian. À présent, à travers les paroles de Rachel, je revoyais la vieille main mutilée tentant maladroitement d'agrafer une broche en or sur le linceul de son épouse adorée. En effet, c'était un pauvre vieux fou.

Et un fou très dangereux.

— Suivez-moi au salon, lui dis-je. Il faut que je vous parle de Mme Bug.

*

Quand j'eus fini mon récit, elle murmura :

— Oh, Ian… Le pauvre homme !

J'ignorais si le pauvre homme qu'elle évoquait était Ian ou M. Bug mais, dans un cas comme dans l'autre, j'abondais en son sens. Elle ne pleurait pas, mais son visage était figé et pâle. Elle reprit soudain :

— Mais alors, c'est pour cela que…

Elle s'interrompit.

— Que quoi ?

Elle grimaça légèrement puis haussa les épaules.

— Il m'a dit qu'il craignait pour ma vie parce que je l'aimais.

— En effet.

Nous nous tûmes un long moment, buvant notre eau de mélisse chaude, chacune plongée dans ses pensées. Puis elle me demanda d'un ton inquiet :

— Tu crois que Ian a l'intention de le tuer ?

— Je… je ne sais pas. En tout cas, ce n'était pas le cas au début. Il était bouleversé par ce qui était arrivé à Mme Bug…

— De l'avoir tuée, vous voulez dire.

Elle me regarda d'un air franc. Rachel Hunter était du genre à appeler un chat un chat.

— En effet. Mais s'il apprend qu'Arch Bug connaît votre existence, qu'il sait ce que vous représentez pour lui et qu'il vous veut du mal – et ne vous faites pas d'illusion, Rachel, il vous veut vraiment du mal – alors oui, je crois qu'il va chercher à le tuer.

Elle resta absolument immobile, la vapeur de sa tasse formant un voile devant son visage.

— Il ne le faut pas, déclara-t-elle.

— Et comment comptez-vous l'en empêcher ?

Elle poussa un long et lent soupir, fixant le fond de sa tasse.

— En priant.

98

Le bal de Mischianza

18 mai 1778, Walnut Grove, Philadelphie

Cela faisait des lustres que je n'avais vu un paon doré rôti, et je ne m'étais pas attendue à en voir un autre de ma vie. En tout cas, certainement pas à Philadelphie. En le regardant de plus près, je constatai qu'il avait des yeux en diamant. Je n'aurais pourtant pas dû être surprise, pas après la régate sur le Delaware, les trois orchestres jouant sur des barges, la salve d'honneur de dix-sept coups de canon tirés par des navires de guerre sur le fleuve. La soirée avait été intitulée la *Mischianza*, un mot italien signifiant « mélange » et qui semblait avoir été choisi comme prétexte pour que les esprits les plus créatifs de l'armée britannique et la communauté loyaliste donnent libre cours à leur imagination afin d'organiser un gala en l'honneur du général Howe. Ce dernier venait de démissionner de son poste de commandant en chef et serait bientôt remplacé par sir Henry Clinton.

— Je suis navré, ma chère, murmura John.

— De quoi ?

— Mais… connaissant vos opinions, j'imagine qu'il doit être douloureux pour vous d'assister à toute cette… cette… (il désigna d'un geste discret l'étalage de mets somptueux)… cette débauche de luxe et cette pompe fastueuse dont le seul but est de…

— Jubiler ? achevai-je pour lui. Cela pourrait l'être, mais non, ça ne me dérange pas. Je sais comment cela va se terminer.

Il cligna des yeux ahuris.

— Et comment cela se terminera-t-il ?

Mon don de prophétie était rarement un cadeau bienvenu. Toutefois, en ce cas précis, je pris un malin plaisir à lui dire la vérité.

— Mal pour vous. Enfin, pas pour vous personnellement, mais pour l'armée britannique. Elle perdra la guerre dans trois ans. Cela vaut bien un paon doré, non ?

Il esquissa un sourire.

— En effet.

— *Fuirich agus chi thu !*

— Pardon ?

— C'est du gaélique, expliquai-je. « Attendez voir ! »

— J'y compte bien, m'assura-t-il. En attendant, permettez-moi de vous présenter le lieutenant-colonel Banastre Tarleton, de la légion britannique.

Il inclina du chef devant un jeune homme petit et noueux qui s'était approché de nous, un officier des dragons en uniforme vert sombre.

— Colonel Tarleton, je vous présente mon épouse.

— Lady John.

Le nouveau venu s'inclina profondément et baisa ma main de ses lèvres rouges et pulpeuses.

— Les festivités vous plaisent-elles, milady ?

— J'attends avec hâte le grand feu d'artifices, répondis-je.

Ses yeux rusés de renard ne perdaient pas une miette de ce qui se passait autour de lui. Sa bouche sensuelle se tordit légèrement, mais il finit par sourire et passa à autre chose, se tournant vers lord John.

— Mon cousin Richard vous envoie ses plus chaleureuses salutations.

John parut sincèrement touché. Il m'expliqua :

— Richard Tarleton était mon porte-étendard à Crefeld.

Concentrant à nouveau son attention sur le jeune officier, il demanda :

— Comment se porte-t-il ?

Ils se lancèrent aussitôt dans une conversation détaillée sur les commissions, les promotions, les campagnes, les mouvements de troupes et la politique du Parlement. Je m'éloignai discrètement. Ce n'était pas par ennui mais par diplomatie. Je n'avais pas promis à John de ne plus transmettre des informations utiles. D'ailleurs, il ne me l'avait pas demandé. Mais la délicatesse et un sentiment d'obligation m'interdisaient de les obtenir de lui, ou directement sous son nez.

Je me frayai un passage dans la salle de bal, admirant les robes de dames. Bon nombre étaient importées d'Europe, le reste était copié sur des modèles européens dans les tissus que l'on pouvait se procurer localement. Les soies brillantes et les broderies étincelantes offraient un tel contraste avec le homespun et la mousseline auxquels j'étais habituée que le spectacle me paraissait quasi irréel. Cette impression de me trouver dans un rêve était encore accentuée par la présence de chevaliers en surcots et tabards, certains tenant un heaume sous le bras (les festivités de l'après-midi avaient inclus un simulacre de joute moyenâgeuse) et de convives portant des masques et des costumes extravagants, et dont je présumais qu'ils participeraient plus tard à une représentation théâtrale.

Mon attention fut de nouveau attirée vers le buffet, où étaient exposés les plats les plus spectaculaires : le paon, sa queue déployée en roue, occupait la place d'honneur, mais il était flanqué d'un sanglier entier posé sur un lit de choux (il dégageait une odeur si délicieuse que mon estomac se manifesta bruyamment) et de trois énormes tourtes au gibier décorées d'oiseaux farcis. Ces derniers me rappelèrent subitement les rossignols farcis du dîner avec le roi de France, et mon appétit disparut aussitôt dans un haut-le-cœur.

Je me tournai à nouveau vers le paon, me demandant s'il me serait difficile de subtiliser les yeux en diamant ou si quelqu'un était chargé de les surveiller. En regardant discrètement autour de moi, je repérai effectivement un soldat en uniforme se tenant dans un recoin entre le buffet et l'immense cheminée, le regard alerte.

De toute manière, je n'avais pas besoin de les voler, j'en possédais déjà. John m'avait offert une paire de boucles d'oreilles en diamant. Quand viendrait le moment de partir…

— Mère Claire !

J'avais eu l'agréable impression d'être invisible et, rappelée à la réalité, me retournai pour voir Willie, sa tête échevelée émergeant du tabard à croix rouge d'un templier. Il me faisait de vigoureux signes de la main.

Je le rejoignis et lui glissai :

— J'aimerais bien que vous trouviez une autre manière de m'appeler. Cela me donne l'impression d'être la mère supérieure d'un couvent.

Il rit, me présenta la jeune femme suspendue à son bras (elle s'appelait Mlle Chew) puis offrit d'aller nous chercher des glaces. Il devait faire plus de trente degrés dans la salle de bal, et la transpiration commençait à traverser les soies éclatantes.

— Quelle jolie toilette, déclara poliment Mlle Chew. Elle vient d'Angleterre ?

— Oh, fis-je, surprise. À vrai dire, je l'ignore, mais je vous remercie.

Je baissai les yeux, n'ayant pas vraiment fait attention à ma robe jusqu'ici, hormis pour l'enfiler. M'habiller n'était qu'une corvée quotidienne, et je me fichais bien de ce que je portais tant que ce n'était ni trop serré ni trop rêche.

John l'avait déposée dans ma chambre le matin en me présentant le coiffeur chargé de me rendre présentable pour la soirée. J'avais fermé les yeux, surprise de constater à quel point il était agréable de se laisser tripoter les cheveux, mais l'avais été plus encore quand il m'avait tendu un miroir. Je portais sur le crâne une architecture vertigineuse de boucles poudrées, le tout couronné d'un petit navire en cristal toutes voiles dehors.

J'avais attendu qu'il parte puis m'étais hâtée de défaire sa pièce montée et de me recoiffer le plus simplement possible.

John m'avait regardée de travers mais n'avait rien dit. Je n'avais pas vraiment eu le temps de me scruter dans la glace et fus agréablement surprise de constater à présent que la robe en soie chocolat m'allait plutôt bien. En outre, elle était suffisamment sombre pour cacher les traces de sueur.

Mlle Chew suivait William du regard comme un chat lorgnant une belle souris bien grasse, mais fronça légèrement les sourcils quand il s'arrêta pour flirter avec deux jeunes dames. Elle me demanda sur un ton innocent :

— Lord Ellesmere restera-t-il longtemps à Philadelphie ? J'ai cru comprendre qu'il n'était pas avec le général Howe.

— En effet. Il s'est rendu avec le général Burgoyne. Tous ses soldats doivent rentrer en Angleterre mais, pour une raison administrative quelconque, ils n'ont toujours pas embarqué.

Je savais que William espérait être échangé afin de pouvoir continuer à se battre mais jugeai inutile de le préciser.

— Vraiment ? Quelle bonne nouvelle ! J'espère qu'il sera toujours avec nous le mois prochain quand se tiendra mon bal. Naturellement, il ne sera pas aussi fastueux que celui-ci.

Elle inclina légèrement la tête vers les musiciens, qui venaient de commencer à jouer à l'autre bout de la salle.

— … Mais le major André a promis d'aider à peindre des toiles de fond afin que nous puissions mettre en scène des tableaux vivants, et ce sera…

— Je vous demande pardon, l'interrompis-je. Vous avez dit le major André ? Le major… John André ?

Elle me lança un regard surpris, légèrement agacée d'avoir été interrompue.

— Bien sûr. C'est lui qui a dessiné les costumes pour la joute de cet après-midi et qui a écrit la pièce que nous jouerons tout à l'heure. Tenez, le voici, en train de discuter avec lady Clinton.

Je suivis la direction qu'elle indiquait avec son éventail, sentant un frisson glacé m'envahir.

Le major André se tenait au milieu d'un groupe d'hommes et de femmes, riant et parlant avec les mains, constituant le centre de l'attention. C'était un beau jeune homme d'une vingtaine d'années ; son uniforme était taillé à la perfection et son visage, luisant de plaisir et de chaleur.

— Il est… charmant, murmurai-je.

Je ne voulais pas le regarder mais ne pouvais en détacher mes yeux.

— Oh oui ! s'extasia Mlle Chew. Avec Peggy Shippen et lui, nous avons pratiquement organisé toute la *Mischianza*. Il est merveilleux. Il a toujours de bonnes idées et joue de la flûte à ravir ! Quel dommage que le père de Peggy ne l'ait pas laissée venir au bal ! C'est trop injuste !

Sa voix trahissait néanmoins une certaine satisfaction. Elle était ravie que son amie ne lui vole pas la vedette.

— Laissez-moi vous le présenter, déclara-t-elle soudain.

Elle replia son éventail d'un coup sec et m'entraîna par le bras. Prise de surprise, je n'eus pas le temps de protester et me retrouvai dans le groupe entourant André. Mlle Chew se lança dans une discussion animée avec le jeune homme, riant aux éclats, une main posée familièrement sur son bras. Il lui sourit puis se tourna vers moi.

— Enchanté, lady John, dit-il d'une voix douce et grave. Votre serviteur…

J'en oubliai les formes et balbutiai :

— Je… oui. Vous… oui. Ravie.

Je retirai ma main avant qu'il n'ait eu le temps de la baiser, le laissant déconcerté. Il cligna des yeux, mais Mlle Chew accapara aussitôt son attention, et je m'éloignai. Je me réfugiai près d'une porte où, grâce à Dieu, il y avait un léger courant d'air. J'étais couverte de sueurs froides.

— Ah, vous voici, mère Claire !

Willie apparut à mes côtés, dégoulinant de sueur et tenant deux glaces à moitié fondues. Je pris celle qu'il me tendait, remarquant au passage que mes doigts étaient aussi glacés que la timbale en argent givrée.

— Merci.

Il se pencha vers moi, l'air inquiet.

— Vous vous sentez bien, mère Claire ? Vous êtes très pâle. On dirait que vous avez vu un fantôme.

Il grimaça, regrettant aussitôt cette allusion à la mort, mais je parvins à esquisser un sourire. Après tout, il avait raison : je venais d'en voir un.

Le major John André était l'officier britannique avec lequel Benedict Arnold, héros de Saratoga et toujours un patriote légendaire, conspirerait bientôt. C'était aussi celui des deux traîtres qui, d'ici trois ans, finirait à la potence.

— Vous ne voulez pas vous asseoir ? demanda Willie.

Je fis un effort pour surmonter mon malaise. Je ne voulais pas qu'il propose de me raccompagner à la maison. Il semblait s'amuser. Je lui souris, sentant à peine mes lèvres engourdies.

— Non, tout va bien, merci. J'ai… juste besoin de sortir un moment pour prendre l'air.

99

Un papillon dans un abattoir

Rollo était couché sous un buisson, dévorant les restes d'un écureuil qu'il avait attrapé. Ian était assis sur un rocher, l'observant.

Philadelphie se trouvait juste hors de vue, mais il pouvait sentir la brume de fumée, la puanteur de milliers de gens vivant les uns sur les autres. Il entendait les claquements de sabots et le cliquetis des carrioles qui s'y rendaient, sur la route qui n'était qu'à une centaine de mètres. Et quelque part, à moins de deux kilomètres de lui, cachée dans cette masse de bâtiments et de populace, se trouvait Rachel Hunter.

Il voulait prendre cette route, pénétrer dans le cœur de la ville et la démonter brique après brique jusqu'à ce qu'il la trouve.

— Par où commence-t-on, *a cú* ? demanda-t-il au chien. Par l'imprimerie, je suppose.

Il n'y était encore jamais allé, mais elle ne devait pas être bien difficile à trouver. Fergus et Marsali lui donneraient un abri… et à manger. Peut-être que Germain et les filles pourraient l'aider dans ses recherches. Et tante Claire… Il savait qu'elle n'était ni une fée ni une sorcière, mais il ne doutait pas de ses pouvoirs.

Il attendit que Rollo ait terminé son repas, puis se leva et sentit une incroyable chaleur l'envahir, en dépit du temps couvert et frais. Pourrait-il la trouver de cette manière ? En marchant dans les rues et en jouant comme les enfants à

« chaud ou froid », se réchauffant progressivement à mesure qu'il se rapprochait d'elle, la retrouvant juste avant de se transformer en torche vivante ?

Il lança un regard de reproche à son chien.

— Tu pourrais m'aider, quand même !

Dès que Rollo l'avait retrouvé, il avait tenté de lui faire rebrousser chemin jusqu'à elle, mais le chien avait été tellement fou de joie qu'il n'avait rien pu en tirer. Pourtant, il tenait là une idée : s'il croisait la trace de Rachel, Rollo pourrait la déceler et la suivre maintenant qu'il s'était calmé.

Il esquissa un sourire retors. Le gros de l'armée britannique était stationné à Germantown, mais des milliers de soldats étaient cantonnés en ville. Autant demander au chien de flairer l'odeur d'un papillon dans un abattoir.

— En tout cas, ce n'est pas en restant assis ici qu'on la retrouvera. Allez, le chien, allons-y.

100

L'attente

J'attendais que la vie reprenne un sens. Plus rien n'en avait. Cela faisait près d'un mois que je vivais dans la maison de John Grey, avec son élégant escalier, ses lustres en cristal, ses tapis turcs et sa belle vaisselle en porcelaine. Pourtant, je me réveillais chaque matin sans savoir où j'étais, cherchant à tâtons Jamie à mes côtés dans le lit.

Je ne pouvais croire qu'il soit mort. C'était impossible. Je fermais les yeux la nuit et l'entendais respirer lentement. Je sentais son regard sur moi, amusé, chargé de désir, agacé, amoureux. Je me retournais une dizaine de fois par jour en entendant ses pas derrière moi. J'ouvrais la bouche pour lui parler et, à plusieurs reprises, je lui avais vraiment parlé, ne comprenant qu'il n'était pas là qu'en entendant ma voix résonner dans le vide.

Chaque fois que je prenais conscience de son absence, j'étais effondrée. Et je ne parvenais toujours pas à me réconcilier avec elle. J'avais tenté d'imaginer sa mort. Comme il avait dû détester se noyer ! De toutes les morts, il avait fallu que ce soit celle-ci ! Je ne pouvais qu'espérer que le chavirage du navire ait été violent et qu'il ait été inconscient au moment de couler à pic. Autrement, il n'aurait pu capituler ; il aurait continué à se battre. Il aurait nagé et nagé, à des milles de tout rivage, seul au milieu de l'océan, nageant obstinément parce qu'il ne pouvait capituler et se laisser aller. Il aurait nagé jusqu'à ce que son grand corps puissant soit épuisé, jusqu'à ce qu'il ne puisse plus soulever une main et puis…

Je me retournai et enfouis mon visage dans l'oreiller, mon cœur se serrant d'horreur.

— Quel putain de gâchis ! hurlai-je dans les plumes, serrant les bords de l'oreiller de toutes mes forces.

S'il était mort au combat, encore… Je me retournai et me mordis la lèvre jusqu'à goûter mon sang.

Quand les battements de mon cœur ralentirent, je rouvris les yeux sur l'obscurité et repris mon attente. L'attente de Jamie.

Quelque temps plus tard, la porte de ma chambre s'ouvrit, et un halo de lumière s'avança dans la pièce. Lord John entra, déposa sa chandelle sur un guéridon et s'approcha du lit. Je ne bougeais pas, mais je savais qu'il me regardait.

Je restai allongée, fixant le plafond. Ou plutôt, regardant le ciel de l'autre côté du plafond. Noir, rempli d'étoiles et de néant. Je ne m'étais pas donné la peine d'allumer une bougie ; l'obscurité ne me dérangeait pas. Je contemplais les ténèbres, attendant.

— Vous êtes très seule, ma chère, dit-il d'une voix douce. J'en suis conscient. Ne voulez-vous pas que je vous tienne compagnie, ne serait-ce qu'un petit moment ?

Je ne répondis pas mais me déplaçai légèrement pour lui laisser de la place. Je ne résistai pas quand il s'allongea près de moi et me prit précautionneusement dans ses bras. Je posai ma tête contre son épaule, appréciant le réconfort d'une simple chaleur humaine, même si elle n'atteignait pas les profondeurs de ma détresse.

Vide-toi la tête. Accepte ce qui est là ; ne pense pas à ce qui n'est plus.

Je restai immobile, écoutant la respiration de John. Elle était différente de celle de Jamie ; plus superficielle et plus rapide. Son souffle était légèrement saccadé.

Je me rendis lentement compte que je n'étais pas seule dans mon affliction et ma solitude. Je ne me souvenais que trop bien de ce qui s'était passé la dernière fois que nous avions mis notre douleur en commun. Certes, cette fois, nous n'étions pas ivres, mais je devinais qu'il ne pouvait s'empêcher d'y penser lui aussi.

— Souhaitez-vous que... que je vous réconforte ? demanda-t-il doucement. Je sais comment m'y prendre, vous savez.

Il avança un doigt et le fit glisser très doucement, dans un tel endroit et avec une telle délicatesse que je tressaillis et l'écartai brusquement.

— Je sais que vous savez. Ne croyez pas que je n'apprécie pas l'attention. Je vous en suis sincèrement reconnaissante, mais...

Il sourit tristement.

— Mais vous auriez l'impression de le tromper ? Je comprends.

Il y eut un long silence au cours duquel s'accrut encore la conscience du corps de l'autre. Puis je demandai :

— Et pas vous ?

Il resta parfaitement immobile, les yeux fermés, puis répondit sans les rouvrir :

— Rien n'est plus aveugle qu'une verge au garde-à-vous, ma chère. En tant que médecin, vous ne pouvez l'ignorer.

— En effet.

Je le pris délicatement mais fermement dans ma main et, dans un silence chargé de tendresse, commençai un va-et-vient, évitant soigneusement de penser à l'image qu'il avait en tête.

*

Colenso Baragwanath courut comme si ses talons étaient en feu. Il fit irruption dans la taverne Fox au début de State Street, traversa le restaurant à fond de train et déboula dans la petite salle de jeu à l'arrière.

— Ils l'ont trouvé ! haleta-t-il. Le vieux avec sa hache.

Le capitaine lord Ellesmere se levait déjà. Aux yeux de Colenso, c'était un géant à l'allure terrifiante. L'endroit où le médecin avait recousu sa tête était hérissé de nouveaux cheveux, mais on voyait toujours les sutures noires. Ses yeux semblaient cracher des flammes, et Colenso avait peur de le regarder trop fixement. Il était encore essoufflé et trop impressionné pour trouver autre chose à dire.

— Où ? demanda le capitaine.

Il avait parlé doucement, mais Colenso recula vers la porte, pointant un doigt vers la rue. Le capitaine saisit les deux pistolets qu'il avait posés sur une table, les glissa sous sa ceinture et avança vers lui.

— Montre-moi le chemin.

*

Rachel était assise sur le haut tabouret derrière le comptoir de l'imprimerie, la tête posée sur une main. Elle s'était réveillée avec la sensation d'avoir le crâne pris dans un étau, sans doute à cause de l'orage. Au fil de la journée, la douleur avait pris la forme d'une vraie migraine. Elle aurait préféré rentrer à la maison de l'ami John pour voir si Claire avait une tisane pouvant la soulager, mais elle avait promis à son amie de surveiller l'atelier pendant qu'elle conduisait les enfants chez le cordonnier pour faire réparer leurs souliers et acheter une nouvelle paire de bottes à Henri-Christian. Ses pieds étaient trop courts et trop larges pour rentrer dans les anciennes chaussures de ses sœurs.

Au moins, l'imprimerie était calme. Deux personnes seulement étaient entrées, et seule une d'entre elles lui avait adressé la parole, pour lui demander le chemin de Slip Alley. Elle massa son cou raide et ferma les yeux. Marsali ne tarderait plus. Elle pourrait ensuite aller s'allonger avec un linge humide sur le visage et…

La sonnette au-dessus de la porte tinta, et elle se redressa, un sourire se formant déjà sur son visage. Quand elle vit le visiteur, il s'effaça aussitôt.

— Sors !

Elle descendit de son tabouret en évaluant la distance jusqu'à la porte du logement.

— Sors tout de suite !

Si elle parvenait à bondir de l'autre côté et à s'enfuir par la cour…

— Ne bouge pas, ordonna Arch Bug.

Sa voix grinçait comme du métal rouillé.

— Je sais ce que tu veux, répondit-elle en reculant d'un pas. Je comprends ton chagrin, ta colère, mais ce que tu comptes faire est mal, le Seigneur ne veut…

Il la dévisagea avec une étrange douceur.

— Tais-toi donc, ma fille. Nous allons rester tranquillement ici et l'attendre.

— L'attendre ?

— Oui, lui.

Il bondit soudain au-dessus du comptoir et lui agrippa le bras. Elle hurla et se débattit mais ne parvint pas à lui faire lâcher prise. Il souleva le rabat et la traîna de l'autre côté, la projetant contre une table en faisant tomber des piles de livres.

— Tu ne peux pas espérer… commença-t-elle.

— Je n'espère rien. Je n'en ai pas besoin.

La hache était glissée sous sa ceinture, nue et étincelante.

Elle n'essaya même pas d'empêcher sa voix de trembler.

— Tu mourras. Les soldats te tueront.

— Oui, sans doute. (Ses traits se radoucirent un peu.) Et je retrouverai ma femme.

— Je ne peux pas te conseiller le suicide mais, si tu cherches à mourir, pourquoi tiens-tu à… souiller ta mort, ton âme, avec la violence ?

— Tu crois que la vengeance est une souillure ? C'est une gloire, ma fille. Ma gloire et mon devoir envers ma femme.

Elle s'écarta légèrement de lui.

— Ce n'est pas la mienne. Je ne t'ai rien fait et je n'ai rien fait aux tiens !

Il ne l'entendit pas. Il avait légèrement tourné la tête et écoutait autre chose, sa main sur le manche de sa hache. Il sourit soudain. Il y avait un bruit de pas de course.

— Ian ! hurla-t-elle. N'entre pas !

Naturellement, il entra. Elle saisit un livre et le lança à la tête du vieillard, qui l'esquiva facilement et lui tordit le poignet, sa hache à la main.

— Lâchez-la, lança Ian.

Il semblait essoufflé et ruisselait de transpiration. Elle pouvait sentir sa sueur par-dessus l'odeur de moisi du vieillard. D'un geste busque, elle parvint à dégager sa main.

— Ne le tue pas ! cria-t-elle aux deux hommes à la fois.

— Je te l'avais bien dit, n'est-ce pas ? rappela Arch à Ian.

Il parlait sur ton raisonnable, comme un professeur démontrant un théorème. CQFD.

— Éloignez-vous d'elle, ordonna Ian.

Sa main était en suspens au-dessus du manche de son couteau. Rachel l'implora d'une voix étranglée :

— Ian ! Ne fais pas ça ! Tu ne dois pas ! Je t'en supplie !

Ian lui lança un regard confus et furieux, mais elle ne sourcilla pas, et il écarta lentement sa main. Il prit une profonde inspiration et fit un pas sur le côté. Arch pivota pour le garder à portée de sa hache, et Ian se glissa rapidement devant Rachel, la protégeant de son corps.

— Dans ce cas, tuez-moi. Allez-y.

— Non ! cria Rachel. Ce n'est pas ce que je voulais dire, non !

Arch tendit une main, lui faisant signe d'approcher.

— Viens ici, ma fille. N'aie pas peur. Ce sera rapide.

Ian la poussa en arrière, la plaquant contre le mur et lui cognant la tête. Puis il se ramassa en position de combat, prêt. Sans arme parce qu'elle le lui avait demandé.

— Vous devrez me tuer d'abord, dit-il lentement.

— Non, répliqua Arch Bug. Tu attendras ton tour.

Ses yeux le mesuraient, froids et malins. Il tourna légèrement sa hache dans sa main.

Rachel ferma les yeux et pria, trop paniquée pour trouver les mots mais priant quand même. Elle entendit un bruit et rouvrit les yeux.

Une longue forme grise fendit l'air et, l'instant suivant, le vieil homme était sur le sol, Rollo sur lui, grondant et faisant claquer ses crocs à quelques centimètres de sa gorge. Il avait beau être vieux, Arch était encore vigoureux. De sa bonne main, il tenait le cou du chien et le repoussait tandis que de l'autre il soulevait sa hache.

— Non ! s'écria Ian.

Il bondit, poussa Rollo et se jeta sur la main tenant la hache. Trop tard. La lame s'abattit avec un bruit sourd. La vision de Rachel se voila de blanc, et Ian hurla.

Elle se jeta en avant, la vision toujours embrouillée, et hurla à son tour quand une main lui attrapa l'épaule et la projeta contre le mur. Elle glissa sur le plancher, le souffle coupé. Il y avait une mêlée confuse de membres, de fourrure et de vêtements sur le sol devant elle. Une chaussure atterrit sur sa cheville, et elle rampa un peu plus loin, ne pouvant détacher son regard de la vision d'horreur devant elle.

Il semblait y avoir du sang partout. Des éclaboussures sur le comptoir et le mur, des traînées sur le parquet, imbibant la chemise de Ian, la collant sur sa peau si bien qu'elle pouvait voir ses muscles bandés sous le tissu. Il était à moitié agenouillé sur Arch Bug, tentant de retenir la main qui brandissait la hache, son autre bras pendant mollement tandis que le vieux griffait son visage avec ses doigts crochus, essayant de l'aveugler. Rollo se tortillait comme une anguille, bondissant de l'un à l'autre, aboyant, tous ses poils hérissés. Absorbée par ce spectacle, Rachel n'avait que vaguement conscience d'une présence à côté d'elle mais releva la tête quand un pied toucha sa fesse.

— Qu'y a-t-il chez vous qui attire les hommes avec des haches ? demanda William sur un ton agacé.

Fermant un œil, il pointa son pistolet, visa et tira.

101

Redivivus

J'étais en train de relever mes cheveux avec des épingles quand on gratta à la porte.

John, occupé à enfiler ses bottes, ordonna :

— Entrez !

La porte s'ouvrit précautionneusement, et l'étrange petit Cornouaillais que William employait parfois comme valet apparut. Il raconta quelque chose à John dans une langue que je présumais être de l'anglais puis lui tendit un billet. John le remercia et le congédia. Pendant qu'il brisait le sceau, je lui demandai, intriguée :

— Vous comprenez ce qu'il dit ?

— Pas un traître mot, répondit-il sur un ton absent.

Il lut le message en pinçant les lèvres.

— De quoi s'agit-il ?

— C'est un mot du colonel Graves. Je me demande si…

On toqua à nouveau à la porte et, tout en repliant le billet, John lança :

— Pas tout de suite, revenez plus tard.

— Ce serait bien volontiers, répondit poliment une voix écossaise, mais il y a urgence.

La porte s'ouvrit, Jamie entra et la referma derrière lui. Il me vit et se figea. L'instant suivant, j'étais dans ses bras, l'incroyable chaleur et la taille de son corps oblitérant le reste du monde.

J'ignorais où mon sang était passé. Il n'en restait plus une goutte dans mon cerveau, et des lumières clignotaient devant mes yeux. Il n'y en avait plus non plus dans mes jambes, qui ne me soutenaient plus.

Jamie me serrait contre lui et m'embrassait, ses doigts s'enfonçant dans ma chevelure. Il sentait la bière. Le chaume de ses joues râpait mon visage. Je sentais un picotement dans mes lèvres et mes seins se gonflaient contre son torse.

— Ah, le voilà, murmurai-je.

Il s'écarta un instant pour demander :

— Quoi donc ?

— Mon sang. Refais-le.

— Oh, j'y compte bien, mais il y a un certain nombre de soldats anglais dans le quartier, et je crois…

On martela soudain contre la porte d'entrée au rez-de-chaussée, et la réalité retomba soudain sur nous comme une chape de béton. Je tombai sur une chaise et le dévisageai, interdite, mon cœur battant si fort que je crus qu'il allait exploser.

— Mais comment se peut-il que tu ne sois pas mort, bon sang ?

Il esquissa un petit haussement d'épaules et sourit. Il était très maigre et affichait un visage bronzé et sale. Je pouvais sentir sa sueur et la crasse de ses vêtements. Ainsi qu'un vague relent de vomi. Il était descendu d'un bateau il n'y avait pas très longtemps.

— Si vous tardez encore quelques secondes, vous risquez fort de mourir à nouveau, monsieur Fraser.

John s'était approché de la fenêtre et regardait dans la rue. Quand il se tourna vers nous, il était pâle mais radieux comme une chandelle.

— Ah, ils sont plus rapides que je ne le pensais, répondit Jamie.

Il lança à son tour un regard par la fenêtre.

— Je suis ravi de vous voir, John, même si ce n'est qu'une visite éclair.

John sourit et lui toucha le bras, très brièvement, comme pour s'assurer qu'il était bien là. Puis il se dirigea vers la porte.

— Venez. Vous pouvez descendre par l'escalier de service. Il y a également une trappe qui donne sur le grenier, si vous pouvez grimper sur le toit…

Jamie se tourna vers moi, les yeux chargés de regret.

— Je reviendrai. Le plus tôt possible.

Il tendit une main vers moi puis se ravisa avec une grimace, tourna les talons et suivit John dans le couloir, le bruit de leurs pas étouffé par le vacarme au rez-de-chaussée. J'entendis la porte s'ouvrir, puis une voix mâle aboya qu'on laisse passer les soldats. Mme Figg, cette chère âme intransigeante, ne voulait pas en entendre parler.

J'étais restée assise pétrifiée telle la femme de Lot, mais le son des interjections outrées et imagées de la cuisinière me galvanisa.

Mon esprit était tellement abasourdi par les événements des cinq dernières minutes qu'il était, paradoxalement, très clair. Il n'y avait pas de place pour la pensée, les hypothèses, le soulagement, la joie ou même l'inquiétude. La seule faculté mentale qu'il me restait était celle de réagir à l'urgence. J'attrapai mon bonnet, l'enfonçai sur ma tête et bondis vers la porte. À nous deux, Mme Figg et moi parviendrons à retarder les soldats le temps que…

Ce plan aurait sûrement fonctionné si, en courant sur le palier, je n'avais pas percuté de plein fouet Willie, qui grimpait l'escalier quatre à quatre.

— Mère Claire ! Où est papa ? Il y a des…

Il m'avait rattrapée par les bras tandis que je partais à la renverse, mais son attention fut presque aussitôt attirée par un bruit quelque part derrière moi. Il releva les yeux et me lâcha, l'air ahuri.

Jamie se tenait au fond du couloir, à trois mètres de lui. John se trouvait à côté de lui, pâle comme un linge et les yeux presque aussi exorbités que ceux de Willie. Cette ressemblance, aussi frappante fût-elle, n'était rien comparée à celle qu'il y avait entre Jamie et le neuvième comte d'Ellesmere. Les traits de Willie s'étaient durcis et avaient mûri, perdant leurs rondeurs enfantines. Des deux côtés du couloir, les mêmes yeux félins bleu nuit des Fraser se fixaient au milieu de visages portant l'ossature saillante des MacKenzie. Willie se rasait tous les jours devant un miroir. Il savait à quoi il ressemblait.

Ses lèvres remuèrent, mais le choc l'avait laissé pantois. Il se tourna vers moi, puis vers Jamie, puis vers moi… et il lut la vérité sur mon visage. Il se tourna à nouveau vers Jamie et demanda d'une voix rauque :

— Qui êtes-vous ?

Je vis Jamie se redresser, ignorant le vacarme plus bas.

— James Fraser.

Il dévisageait William avec une intensité ardente, comme s'il voulait absorber le moindre détail d'un spectacle qu'il ne verrait jamais plus.

— Vous m'avez connu sous le nom d'Alex MacKenzie. À Helwater.

William tiqua, puis son regard se posa sur John.

— Et moi, je suis *qui* ?

Le dernier « I » s'étrangla dans un cri suraigu.

John ouvrit la bouche, mais Jamie répondit à sa place.

— Vous êtes un sale papiste, et votre nom de baptême est James. C'est le seul prénom que j'ai eu le droit de vous donner. Je suis désolé.

La main gauche de Willie frappa sa cuisse, cherchant la garde de son épée. Ne la trouvant pas, il tripota sa chemise. Ses doigts tremblants ne trouvaient pas les boutons, et il finit par les arracher. Il chercha quelque chose sur sa poitrine, passa l'objet par-dessus sa tête et, dans le même mouvement, le lança vers Jamie.

Ce dernier l'attrapa au vol. C'était un chapelet en bois dont les perles se balancèrent entre ses doigts.

— Soyez maudit, monsieur, cracha William d'une voix chevrotante. Allez pourrir en enfer !

Il se tourna puis pivota à nouveau sur ses talons, s'adressant à John.

— Et toi ! Tu *savais*, n'est-ce pas ? Sois maudit, toi aussi !

— William…

John tendit une main vers lui, impuissant, mais avant qu'il ait pu en dire davantage, les cris redoublèrent dans le hall.

— *Sassenach*, retiens-le ! me lança Jamie.

Par réflexe, j'obéis et attrapai le bras de Willie. Il baissa des yeux sidérés vers moi, la bouche ouverte.

— Que…

Sa voix fut couverte par un tonnerre de pas dans l'escalier puis par un cri de triomphe.

— Le voilà !

Soudain, le palier fut envahi de corps se poussant et se rentrant dedans, essayant de passer outre Willie et moi plantés au milieu du couloir. Je m'accrochai à lui de toutes mes forces en dépit de la bousculade et de ses efforts pour se libérer.

Soudain, les cris cessèrent et la mêlée se calma légèrement. Un coup de coude avait fait tomber mon bonnet devant mes yeux. Je lâchai le bras de Willie d'une main pour l'arracher et le jeter. De toute manière, mon statut de femme respectable était déjà sérieusement compromis.

Écartant de l'avant-bras les cheveux devant mon visage, je m'accrochai de nouveau à Willie. Ce n'était plus vraiment nécessaire, car il semblait s'être pétrifié. Les soldats britanniques piétinaient sur place, prêts à charger mais soudain hésitants. Je me tournai légèrement et aperçus Jamie, un bras autour du cou de John Grey et pointant un pistolet sur sa tempe.

Il déclara d'une voix calme mais portante :

— Avancez d'un pas, et je lui grille la cervelle. Vous croyez que j'ai encore quelque chose à perdre ?

Étant donné que Willie et moi nous trouvions juste devant lui, il me semblait que oui, mais les soldats ne pouvaient le deviner. En outre, à en juger par le visage de Willie, il aurait préféré s'arracher la langue plutôt que de leur dire la vérité. Il m'apparut également que, pour le moment, il se fichait éperdument que Jamie tue John et se fasse ensuite cribler de balles. Son bras sous mes doigts semblait être en fonte, et il les aurait probablement abattus tous les deux s'il l'avait pu.

Un grognement menaçant parcourut les rangs derrière moi, mais les hommes ne bougèrent pas.

Jamie me lança un dernier regard indéchiffrable puis recula, entraînant John avec lui. Dès qu'ils eurent disparu, le caporal qui se tenait près de moi bondit, faisant signe à ses hommes dans l'escalier.

— Passez par-derrière, dépêchez-vous !

— Arrêtez !

William était brusquement revenu à la vie. Il se débarrassa de moi d'un geste sec puis se tourna vers le caporal.

— Avez-vous posté des hommes derrière la maison ?

Le caporal, remarquant son uniforme pour la première fois, se redressa aussitôt au garde-à-vous.

— Non, capitaine. Je n'ai pas pensé à…

— Idiot !

— Oui, capitaine, mais nous pouvons encore les rattraper.

Il se balançait sur la pointe des pieds, pressé de s'élancer à la poursuite de Jamie.

Les traits de Willie étaient crispés. Je pouvais voir les pensées défiler à toute allure sur son visage, aussi claires que si elles avaient été imprimées sur un ruban défilant.

Il ne pensait pas que Jamie tirerait sur lord John mais n'en était pas sûr. S'il envoyait les hommes à leurs trousses, il y avait de fortes chances qu'ils parviennent à les rattraper, et donc que l'un ou l'autre soit tué. Et si tous deux survivaient et que Jamie était capturé, il était impossible de savoir ce qu'il raconterait et à qui. Trop risqué.

Avec une vague impression de déjà-vu, je le vis faire tous ces calculs puis déclarer au caporal :

— Retournez auprès de votre commandant. Faites-lui savoir que le colonel Grey a été pris en otage par… les rebelles et demandez-lui d'avertir tous les postes de garde. Je veux être tenu informé en permanence.

Il y eut un murmure de mécontentement dans l'escalier, mais rien qui ressemblât à de l'insubordination, et il fut immédiatement étouffé par le regard d'acier de Willie. Les mâchoires du caporal se crispèrent, mais il inclina du chef.

— Oui, capitaine.

Willie les regarda partir. Puis, comme s'il venait de le découvrir, il ramassa mon bonnet. Il le tordit un moment dans ses mains et me lança un long regard inquisiteur. Les moments qui allaient suivre risquaient d'être un peu tendus.

Peu m'importait. Je savais fort bien que Jamie ne tirerait jamais sur John, mais ils étaient tous les deux en danger. Je le sentais. L'air sur le palier était chargé de l'odeur de la sueur et de la poudre, et la plante de mes pieds vibrait encore du claquement de la porte d'entrée. Tout cela n'avait aucune importance.

Il était en vie.

Et moi aussi.

*

Grey était en bras de chemise, et la pluie avait traversé le tissu, le faisant adhérer à sa peau.

Jamie s'approcha de la cloison de la resserre et colla son œil contre une fente. Il leva un bras, lui faisant signe de ne pas bouger, et John se tint immobile, frissonnant, tandis que passaient des claquements de sabots et des voix. Qui était-ce ? Pas des soldats. Il n'y avait aucun cliquetis métallique d'armes ou d'éperons. Les bruits s'éloignèrent, et Jamie se tourna vers lui. Remarquant pour la première fois que Grey était trempé, il ôta sa cape et la lui drapa autour des épaules.

Elle était humide mais, comme elle était en laine, elle conservait la chaleur du corps de Jamie. Grey ferma les yeux et la serra autour de lui tout en demandant :

— Puis-je vous demander quelle mouche vous a piqué ?

— Quand ? Juste à l'instant ou depuis la dernière fois que nous nous sommes vus ?

— Juste là.

— Ah.

Jamie s'assit sur un tonneau et s'adossa précautionneusement à la cloison. John nota avec intérêt qu'il avait prononcé

« akh » et en déduisit qu'il avait passé beaucoup de temps avec des Écossais. Il remarqua également qu'il pinçait les lèvres, semblant réfléchir intensément.

— Vous êtes sûr de vouloir le savoir ? demanda Jamie. Il est sans doute préférable que vous restiez dans l'ignorance.

— J'ai une foi considérable en votre jugement et en votre discrétion, monsieur Fraser. Mais plus encore en les miens.

Fraser sembla trouver sa remarque drôle. Il acquiesça et sortit un petit paquet enveloppé de toile cirée de sous sa chemise.

— Quelqu'un m'a vu accepter ceci de mon fils adoptif. Ce quelqu'un m'a suivi dans une taverne, puis est allé chercher la compagnie de soldats la plus proche pendant que je buvais une bière. Enfin, je le crois. Quand j'ai les ai vus approcher dans la rue, j'en ai déduit qu'ils en avaient après moi et… me suis enfui.

— Vous connaissez sans doute l'adage qui veut que celui qui n'a rien à se reprocher ne s'enfuit pas devant la justice ? Comment savez-vous que c'est vous qu'ils cherchaient et que ce n'est pas votre départ précipité qui a éveillé leurs soupçons ?

Jamie esquissa un sourire teinté d'amertume.

— Appelez ça l'instinct du chassé.

— Je vois. Je m'étonne que vous vous soyez laissé piéger, compte tenu de votre instinct.

— Que voulez-vous, même les renards vieillissent.

Soudain irritable, Grey demanda :

— Mais pourquoi diable avoir choisi ma maison ? Pourquoi ne pas vous être réfugié plutôt hors de la ville ?

Fraser parut surpris et répondit simplement :

— Ma femme.

Grey comprit avec un pincement de cœur que ce n'était pas par inadvertance ou manque de prudence que Jamie Fraser s'était rendu chez lui, même avec les soldats britanniques sur les talons. Il était venu pour elle. Pour Claire.

Il fut pris d'une soudaine panique. Par tous les saints ! Claire !

Il n'eut pas le temps de parler, quand bien même eût-il trouvé quelque chose à dire. Jamie se leva, sortit le pistolet de sous sa ceinture et lui fit signe de le suivre.

Ils descendirent une ruelle, traversèrent la cour arrière d'une taverne, se faufilèrent derrière une cuve à bière à ciel ouvert dont la surface était bombardée de gouttes de pluie, puis débouchèrent dans une rue et ralentirent. Jamie le tenait par le poignet, et lord John commençait à sentir sa main s'engourdir. Ils croisèrent deux ou trois groupes de soldats, mais il ne broncha pas, marchant à la hauteur de Jamie et regardant droit devant lui. L'idée d'appeler à l'aide ne lui traversa même pas l'esprit. Cela aurait pu se terminer par la mort de Jamie et se serait sûrement soldé par celle d'au moins un soldat.

Jamie gardait son pistolet caché sous sa veste et ne le glissa à nouveau sous sa ceinture que lorsqu'ils arrivèrent devant la maison où il avait laissé son cheval. Il abandonna Grey sous le porche en lui ordonnant : « Ne bougez pas. » Et il entra.

Un puissant instinct de survie enjoignit à lord John de prendre ses jambes à son cou. Il résista et en fut récompensé quelques instants plus tard quand Jamie réapparut avec un léger sourire. Il était clair qu'il n'avait pas été sûr de le retrouver non plus. D'un signe de tête, il lui fit signe de le suivre dans l'écurie, où il sella rapidement un second cheval et lui tendit les rênes avant de grimper en selle.

Il sortit à nouveau son pistolet et le pointa vers Grey en expliquant :

— *Pro forma*, au cas où on vous interrogerait plus tard. Vous venez avec moi, et je vous abats si vous faites quoi que ce soit pouvant me trahir avant que nous soyons hors de la ville. Nous nous sommes bien compris ?

— Parfaitement.

Lord John grimpa en selle à son tour et passa devant lui. Il était conscient d'un petit point chaud entre ses omoplates. Pour la forme ou pas, il avait eu l'air sérieux.

Il se demanda si Jamie l'abattrait en pleine poitrine ou s'il lui briserait la nuque quand il apprendrait la vérité. Plus vraisemblablement, il l'étranglerait à mains nues. Le sexe déclenchait des réactions viscérales.

Il n'envisageait même pas de ne pas le lui dire. Il savait sans l'ombre d'un doute que Claire Fraser était incapable de garder un secret. Et encore moins face à Jamie, à présent revenu d'entre les morts.

Naturellement, Jamie ne pourrait peut-être pas lui parler avant un certain temps, mais il connaissait Fraser infiniment mieux qu'il ne connaissait Claire et, s'il y avait bien une chose dont il était certain, c'était que rien ne pouvait se mettre bien longtemps entre lui et sa femme.

La pluie avait cessé, et le soleil se reflétait dans les flaques au milieu des rues. Il y avait de l'agitation dans l'air et du mouvement partout. L'armée stationnait à Germantown, mais la ville grouillait toujours de soldats. Leur départ imminent et la reprise prochaine des combats infectaient Philadelphie comme la peste, la fièvre se transmettant d'homme à homme.

Une patrouille sur la route sortant de la ville les arrêta mais les laissa passer dès que Grey eut donné son nom et son rang. Il présenta son compagnon comme M. Alexander MacKenzie. Jamie se retint de sourire. Alex MacKenzie était le nom que Jamie avait utilisé à Helwater, à l'époque où il était le prisonnier de Grey.

Oh mon Dieu, William, pensa Grey quand ils eurent laissé la patrouille derrière eux. Entre le choc de la confrontation et leur départ précipité, il n'avait pas eu le temps d'y réfléchir. S'il venait à mourir, que ferait William ?

Ses pensées se bousculaient comme un essaim d'abeilles dans une ruche, se piétinant, formant une masse grouillante. Il était impossible de se concentrer sur l'une d'elle dans le bourdonnement assourdissant. Denys Randall-Isaacs. Richardson. Une fois Grey disparu, il en profiterait pour arrêter Claire. William tenterait de l'en empêcher, s'il savait. Mais il ignorait ce qu'était Richardson… Grey n'était pas certain de le savoir non plus. Henry et sa maîtresse noire. Dottie et son quaker… Si le double choc ne tuait pas Hal, il bondirait sur le premier navire en partance pour l'Amérique, ce qui l'achèverait sûrement. *Percy. Seigneur, Percy !*

Jamie chevauchait devant lui à présent, ouvrant la voie. Ils croisaient de petits groupes de gens, des fermiers pour la plupart, se dirigeant vers la ville avec des carrioles chargées de marchandises destinées aux soldats. Ils lançaient des regards intrigués vers Jamie et plus encore vers Grey, mais personne ne tenta de les arrêter. Une heure plus tard, Jamie s'engagea sur un sentier qui s'écartait de la route principale et s'enfonçait dans un bois. Les arbres gouttaient encore après la dernière pluie. Il y avait un ruisseau. Jamie arrêta sa monture, sauta de selle et la laissa boire. Grey fit de même. Il se sentait étrange, comme si sa peau ne connaissait pas le cuir de la selle et des rênes ; comme si l'air humide et frisquet le traversait au lieu de le contourner.

Jamie s'accroupit au bord de la source, but dans ses mains en coupe, s'aspergea la nuque et le visage puis s'ébroua comme un chien.

— Merci, John, dit-il en se redressant. Je n'ai pas eu le temps de vous le dire plus tôt, mais je vous suis très reconnaissant.

— De quoi ? Je n'ai guère eu le choix, vous me menaciez d'une arme.

— Pas pour ça. Pour avoir pris soin de Claire.

— Claire, répéta-t-il. Ah. Oui. Ça.

— Oui, ça, dit Jamie patiemment.

Il se pencha vers lui, l'air inquiet.

— Vous vous sentez bien, John ? Vous n'avez pas l'air dans votre assiette.

— Dans mon assiette, marmonna Grey.

Son cœur battait de manière erratique. Avec un peu de chance, il s'arrêterait complètement. Il attendit quelques instants, mais il continua de battre joyeusement. Il n'y avait donc pas d'aide à attendre de ce côté-ci. Jamie le regardait toujours d'un air curieux. Mieux valait en finir rapidement.

Il inspira profondément, ferma les yeux et recommanda son âme à Dieu.

— J'ai connu votre femme charnellement, annonça-t-il.

Il s'était attendu à mourir plus ou moins instantanément après cet aveu, mais il ne se passa rien. Les oiseaux continuaient de chanter dans les arbres ; les chevaux broutaient paisiblement l'herbe autour d'eux et la source n'avait pas cessé de gargouiller. Il rouvrit un œil. Jamie Fraser se tenait toujours devant lui, l'observant la tête penchée d'un côté.

— Ah ? fit-il, intrigué. Pour quelle raison ?

102

Chassez le naturel

— Je… euh… si vous voulez bien m'excuser un instant…

Je reculai lentement vers la porte de ma chambre, saisis la poignée derrière moi, me glissai à l'intérieur et la refermai, laissant Willie se recomposer dignement. Et pas seulement lui.

Je me pressai contre la porte comme si j'avais été poursuivie par une meute de loups-garous, le sang battant dans mes tempes.

— Putain de bordel de merde, murmurai-je.

Une sorte de geyser monta en moi et explosa dans ma tête, projetant une écume étincelante de lumière et de diamants. J'étais vaguement consciente qu'il pleuvait au-dehors et qu'une eau grise ruisselait sur la vitre, mais cela ne tempéra pas l'effervescence en moi.

Je restai immobile quelques minutes, les yeux fermés, ne pensant à rien, répétant inlassablement dans un murmure: « Merci, mon Dieu. »

Quelques coups timides contre la porte m'extirpèrent de ma transe. Je me retournai et ouvris. William se tenait sur le seuil.

Sa chemise déchirée pendait mollement, et je pouvais voir son pouls battre dans le creux de son cou. Il tenta maladroitement de sourire et, n'y parvenant pas, abandonna.

— Je ne sais plus très bien comment vous appeler, dit-il. Compte tenu des circonstances…

— Oh, mais… Je ne crois pas… enfin, *j'espère* que cela ne change rien à la relation entre nous.

Je me rendis soudain compte que cela ne coulait pas de source, ce qui atténua quelque peu mon euphorie. J'étais très attachée à lui, tant pour ses qualités propres que pour son père, ou plutôt ses pères.

— Vous pouvez toujours m'appeler « mère Claire », non ? Jusqu'à ce que nous trouvions un terme plus… approprié.

Voyant la réticence dans ses yeux, j'ajoutai :

— Après tout, je reste votre belle-mère, indépendamment de… euh… la situation.

Il y réfléchit un instant, puis acquiesça brièvement.

— Je peux entrer ? J'aimerais vous parler.

— Oui, bien sûr.

Si je n'avais pas connu ses pères, j'aurais été étonnée par sa faculté de réprimer la rage et la confusion qu'il avait si clairement manifestées un quart d'heure plus tôt. Jamie le faisait d'instinct, John grâce à une longue expérience… mais tous les deux avaient une volonté d'acier et, que celle de William fût héréditaire ou acquise, elle n'en était pas moins remarquable.

— Voulez-vous que je fasse monter quelque chose ? Un peu de cognac ? Cela vous fera du bien.

Il fit non de la tête. Il refusa également de s'asseoir et s'adossa au mur.

— Vous le saviez sans doute… hasarda-t-il. La ressemblance n'a pas pu vous échapper.

— Oui, elle est assez frappante, répondis-je prudemment. Et oui, je savais. Mon mari m'a raconté… (je cherchai vainement une manière délicate de présenter les choses)… les… euh… circonstances de votre naissance.

Et comment fichtre allais-je pouvoir lui décrire ces circonstances ?

Il ne m'avait pas échappé que quelques éclaircissements allaient s'imposer mais, entre la réapparition soudaine de Jamie, son départ tout aussi fulgurant et ma propre euphorie, je ne m'étais pas rendu compte que c'était à moi qu'incomberait la mission pénible de les fournir.

J'avais vu le petit autel dans sa chambre, où il conservait un double portrait de ses deux mères, toutes deux terriblement jeunes. J'avais l'avantage de l'âge ; si seulement cela avait pu me donner la sagesse nécessaire pour l'aider !

Comment lui dire qu'il était le fruit du chantage d'une jeune femme impulsive et opiniâtre ? Qu'il avait causé la mort de ses deux parents légaux ? Et si quelqu'un devait lui raconter ce que sa naissance avait représenté pour son père naturel, que ce soit Jamie qui s'en charge !

— Votre mère… commençai-je.

J'hésitai. Jamie aurait assumé toute la responsabilité de l'acte plutôt que de noircir le souvenir de Geneva dans l'esprit de son fils. Il n'était pas question que je l'accable, lui.

William m'observait attentivement.

— Elle était imprudente, dit-il. Je sais, tout le monde le dit. Ce que j'aimerais savoir c'est… était-ce un viol ?

— Grands dieux, non !

— Tant mieux. Vous êtes sûre qu'il ne vous a pas menti ?

— Sûre et certaine.

Son père et lui étaient peut-être capables de cacher leurs sentiments, pas moi. Si je ne pourrais jamais gagner ma vie en jouant aux cartes, avoir un visage de verre avait parfois de bons côtés. Je restai immobile et le laissai lire la vérité sur mes traits.

— Vous pensez que… A-t-il dit si…

Il s'interrompit et déglutit avant de reprendre :

— Ils s'aimaient ?

— Autant qu'ils l'ont pu. Ils n'ont pas eu beaucoup de temps ; juste une nuit.

J'avais de la peine pour lui et aurais aimé le prendre dans mes bras pour le consoler. Mais c'était un homme, jeune, animé par des sentiments violents mais pudique. Il affronterait sa douleur à sa manière, et il se passerait probablement des années avant qu'il ne puisse la partager.

— Oui, dit-il.

Il pinça les lèvres comme s'il avait voulu dire quelque chose et s'était ravisé.

— Oui, oui, je vois.

Il était clair à son ton qu'il ne voyait rien mais, encore sous le choc, ne savait pas quelle autre question poser ni que faire de l'information qu'il venait de recevoir. Son regard se durcit.

— Je suis né exactement neuf mois après le mariage de mes parents. L'ont-ils fait dans le dos de mon père ? Ou ma mère a-t-elle fait la putain avec le palefrenier avant de se marier ?

— Vous êtes un peu sévère… commençai-je.

— Non, je ne le suis pas. Alors ?

— Votre pè… Jamie n'a jamais agi dans le dos d'un homme marié.

À part Frank, pensai-je subitement. Mais, naturellement, il ne l'avait pas su…

— Mon père, demanda-t-il à nouveau. Pa… lord John, il savait ?

— Oui.

Je marchais à nouveau sur un terrain miné. Il ignorait certainement que son père adoptif avait épousé Isobel pour lui, ainsi que pour Jamie, mais je ne voulais en aucun cas l'amener à questionner les motivations de John.

Je repris fermement.

— Tous ; tous les quatre, ils n'ont voulu que ce qu'il y avait de mieux pour vous.

— Le mieux pour moi, répéta-t-il sombrement. C'est ça !

Il serrait à nouveau les poings et me regarda en plissant des yeux. Je reconnus là un spectacle familier : un Fraser sur le point d'exploser. Je savais également qu'il n'y avait aucun moyen d'empêcher la détonation mais fis néanmoins une tentative, tendant la main vers lui.

— William, croyez-moi…

— Je vous crois, riposta-t-il. Et je ne veux pas en savoir davantage. Merde !

Il pivota sur ses talons et envoya dans la boiserie un coup de poing qui ébranla la pièce. Il extirpa sa main du trou qu'il venait de faire et sortit. J'entendis des craquements tandis qu'il arrachait des balustres de la rampe d'escalier, et j'arrivai sur le seuil juste à temps pour le voir balancer un grand morceau de bois par-dessus son épaule et le projeter dans le lustre en cristal suspendu dans la cage d'escalier. Il vola en éclats en projetant une pluie de fragments étincelants. L'espace d'un instant, il se tint en équilibre au bord du vide qu'il venait de créer dans la balustrade et je crus qu'il allait tomber. Puis il recula et lança, tel un javelot, un autre morceau de bois dans ce qui restait du lustre en émettant un son qui pouvait être un grognement d'effort comme un sanglot.

Puis il dévala l'escalier, frappant du poing tout le long du lambris en laissant des traces sanglantes. Il donna un grand coup d'épaule dans la porte d'entrée, rebondit, puis l'ouvrit et sortit comme une locomotive.

Je restai figée sur le palier dévasté. De minuscules libellules multicolores dansaient sur les murs et le plafond, jaillies des éclats de cristal jonchant le sol.

Je perçus un mouvement en contrebas, et une ombre s'avança dans le hall. Une petite silhouette sombre entra lentement par la porte. Repoussant la capuche de sa cape, Jenny Fraser Murray contempla les dégâts autour d'elle, puis leva la tête vers moi, ses yeux pétillant d'humour.

— Tel père tel fils, observa-t-elle. Que Dieu nous aide !

103

L'heure du loup

L'armée britannique quittait Philadelphie. Le Delaware était envahi de navires, et les bacs allaient et venaient sans interruption entre l'embarcadère de State Street et Cooper's Point. Trois mille loyalistes fuyaient également la ville, craignant d'y rester sans la protection des Anglais. Le général Clinton leur avait promis une escorte. Toutefois, c'était surtout leurs montagnes de bagages qui semaient la pagaille. Ils s'entassaient sur les quais, manquaient de faire chavirer les bacs et prenaient trop de place à bords des vaisseaux. Ian et Rachel étaient assis sur la berge, à l'ombre d'un grand sycomore aux branches tombantes, observant le démontage d'un poste d'artillerie à une centaine de mètres.

Les artilleurs travaillaient en bras de chemise, leurs vestes bleues pliées et posées dans l'herbe. Ils retiraient les canons qui avaient protégé la ville et les préparaient à l'embarquement. Ils travaillaient sans hâte et ne prêtaient pas attention aux spectateurs. Cela n'avait plus grande importance à présent.

— Tu sais où ils vont ? demanda Rachel.

— Oui. D'après Fergus, ils partent vers le nord, pour renforcer New York.

— Tu l'as vu ?

Elle se tourna vers lui, l'ombre des feuilles au-dessus de leurs têtes dansant sur son visage.

— Oui, il est rentré chez lui la nuit dernière. Il est en sécurité maintenant que l'armée et les tories s'en vont.

— « En sécurité », répéta-t-elle, sceptique. Qui est en sécurité de nos jours ?

Elle ôta son bonnet en raison de la chaleur et écarta les mèches moites de son visage. Il sourit mais ne répondit pas. Elle savait aussi bien que lui à quel point toute sécurité était illusoire.

— Fergus dit que les Britanniques ont l'intention de couper les colonies en deux, observa-t-il. Ils veulent séparer le nord du sud et les affronter séparément.

— Et comment sait-il tout ça ? demanda-t-elle, surprise.

— C'est un officier britannique qui le lui a dit. Un certain Randall-Isaacs.

— Un espion, tu veux dire ? Pour quel camp travaille-t-il ?

Il remarqua qu'elle pinçait les lèvres. Il ne savait pas trop dans quelle catégorie tombait l'espionnage chez les quakers et préférait ne pas aborder la question. La philosophie quaker était un sujet délicat.

— Il se fait passer pour un agent américain, mais ce pourrait être du pipeau. En temps de guerre, on ne peut faire confiance à personne.

Elle s'adossa au sycomore, les mains derrière le dos.

— Tu ne te fies donc à personne ?

— Si, à toi. Ainsi qu'à ton frère.

— Et à ton chien, ajouta-t-elle.

Rollo était couché sur le dos, se grattant dans l'herbe.

— À ta tante et à ton oncle, aussi. Ainsi qu'à Fergus et à sa femme. Cela fait déjà un bon nombre d'amis.

Elle se pencha en avant, l'air inquiet.

— Ton bras te fait mal ?

— Non, ça va.

Il sourit. Son bras lui faisait un mal de chien, mais l'écharpe le soulageait. Le coup de hache lui avait presque arraché le bras gauche, traversant la chair et brisant l'os. Sa tante avait dit qu'il avait eu de la chance, car les tendons n'avaient pas été sectionnés. « Le corps est malléable, avait-elle expliqué. Les muscles se réparent, tout comme les os. »

Rollo en était l'exemple parfait. Il ne conservait plus aucune raideur de sa blessure. Son museau devenait blanc, mais il se faufilait toujours comme une anguille sous les buissons.

Rachel le dévisageait toujours, le regard direct sous ses sourcils droits.

— Ian, je sais que tu souffres et je préférerais que tu me dises de quoi il s'agit. Il s'est passé quelque chose ?

Il s'était passé beaucoup de choses, il s'en passait toujours autour d'eux et il s'en passerait encore. Comment lui dire ? Pourtant, il le fallait.

— Le monde est sens dessus dessous, lâcha-t-il enfin. Et tu es la seule constante de ma vie. La seule chose qui… me rattache à cette terre.

Le regard de Rachel se radoucit.

— Vraiment ?

— Tu le sais bien, bougonna-t-il.

Il détourna les yeux, le cœur battant. Trop tard. Il avait commencé à parler ; il ne pouvait plus s'arrêter, peu importaient les conséquences.

— Je sais ce que je suis. Je deviendrais un quaker pour toi, Rachel, mais je sais bien dans mon cœur que je n'en suis pas un. Je ne le serai probablement jamais. Je ne crois pas que tu voudrais m'entendre dire des paroles auxquelles je ne crois pas ni que je fasse semblant d'être ce que je ne peux pas être.

— Non, dit-elle doucement. Ce n'est pas ce que je veux.

Il rouvrit la bouche mais ne trouva plus rien à dire. Il se tut ; elle aussi. Le soleil l'avait à nouveau caressée, la pâleur de l'hiver cédant la place à une jolie couleur noisette.

Les artilleurs chargèrent la dernière pièce de canon sur une carriole, posèrent le joug sur les bœufs et s'engagèrent sur la route menant à l'embarcadère en bavardant et en riant bruyamment. Quand ils se furent éloignés, le silence retomba. Il y avait encore des bruits : le clapotis du fleuve, le bruissement dans les branches de sycomore et, au loin, la clameur d'une armée en marche, le grondement de la violence imminente. Mais entre eux, le silence régnait.

J'ai perdu, en conclut-il. Elle était plongée dans ses pensées. Peut-être priait-elle ? À moins qu'elle ne cherchât les mots pour l'éconduire en douceur ?

Soudain, elle redressa la tête puis se leva. Elle pointa un doigt vers Rollo, à présent couché sur le ventre, immobile mais alerte, ses yeux jaunes suivant les moindres mouvements d'un gros rouge-gorge picorant dans l'herbe.

— Ce chien est bien un loup, n'est-ce pas ?

— Oui, enfin... en grande partie.

Un bref éclat de lumière noisette lui indiqua que ce n'était pas le moment de pinailler.

— Pourtant, c'est ton meilleur ami, une créature d'un grand courage et remplie d'affection, un être valeureux ?

— Oui, répondit-il avec plus d'assurance.

— Toi aussi, tu es un loup, je le sais. Mais tu es mon loup, autant que tu le saches.

Il avait senti le feu monter en lui en l'entendant parler, un embrasement aussi rapide et puissant que celui d'une des allumettes de sa cousine. Il tendit la main, la paume en avant, prudemment, au cas où elle s'embraserait à son tour.

— Quand je t'ai dit un jour... que je savais que tu m'aimais...

Elle s'avança et pressa sa paume contre la sienne, ses petits doigts frais entrelaçant les siens.

— ... Je te dis à présent que je t'aime. Et si tu pars chasser la nuit, je sais que tu rentreras auprès de moi.

Sous le sycomore, le chien bâilla et posa son museau entre ses pattes.

— Et je dormirai à tes pieds, murmura Ian.

Il passa son bras valide autour de ses épaules. Ils rayonnaient tous les deux comme un soleil.

Notes de l'auteure

Le brigadier général Simon Fraser
Comme ceux qui lisent mes livres s'en sont probablement déjà rendu compte, il y a *beaucoup* de Simon Fraser en circulation au XVIIIe siècle. Le brigadier général qui combattit vaillamment et fut tué à Saratoga n'appartenait pas aux Fraser de Lovat, mais à ceux de Balnain. Ce n'était donc pas un descendant direct du Vieux Renard bien qu'il lui soit apparenté. Il fit une illustre carrière militaire, participant notamment à la célèbre prise de Québec avec James Wolfe en 1759 (au cas où vous souhaiteriez plus de détails, cette bataille est décrite dans une nouvelle, « The Custom of the Army », une aventure de lord John Grey, qui a été publiée dans sa version originale anglaise dans un collectif intitulé *Warriors*, en mars 2010).

Si je mentionne ici le brigadier général, c'est en raison de l'intéressante histoire de sa tombe. Dans la plupart des récits de la bataille de Saratoga, il est dit qu'à sa requête, il fut enterré le soir même de sa mort dans l'enceinte de la Grande Redoute (pas la redoute de Breymann, celle que Jamie prit d'assaut avec Benedict Arnold, mais une autre, plus vaste, se trouvant sur le champ de bataille). Certains auteurs ajoutent des détails, tels que la présence des rangers de Balcarres, ou le fait qu'en apprenant la tenue de la cérémonie, les Américains auraient tiré des salves en son honneur. D'autres historiens considèrent ces détails comme apocryphes et affirment que seuls les membres proches de son état-major y assistèrent.

Il n'est pas toujours possible de se rendre en personne sur un lieu que l'on décrit, et ce n'est pas toujours indispensable. C'est néanmoins souvent souhaitable et, fort heureusement, Saratoga est facile d'accès. Le champ de bataille est bien préservé et protégé. Je l'ai arpenté à trois reprises après avoir décidé de faire de cette bataille en particulier le thème central d'un livre (même si ce n'était pas celui que j'écrivais alors). À l'une de ces occasions, alors que je me trouvais seule, sans autres touristes, j'ai discuté avec l'un des employés du parc (habillé en costume d'époque et posté devant la ferme de Bemis reconstituée). Après qu'il eut patiemment répondu à de nombreuses questions indiscrètes (entre autres : « Portez-vous des sous-vêtements ? », ce à quoi il a répondu « non ». Quand je lui ai demandé ensuite comment il faisait pour que ses culottes en homespun ne lui irritent pas la peau, il m'a expliqué : « Je porte une chemise longue. »), il m'a laissée manipuler son mousquet Brown Bess, m'a expliqué comment le charger et tirer, puis nous avons discuté de la bataille et de ses personnalités (à ce stade, je commençais à en connaître un rayon).

La tombe du général Fraser était indiquée sur la carte du parc, mais près de la rivière, et non dans la Grande Redoute. Je m'étais déjà rendue sur place, mais il n'y avait aucune plaque. Je demandai alors pourquoi elle n'était pas dans la Grande Redoute. On me répondit que le service du parc avait (je ne sais pas quand, mais relativement récemment) effectué des fouilles dans la structure, y compris là où étaient censées être les tombes. À la surprise générale, Fraser n'y était pas. Personne d'autre non plus, d'ailleurs. Une tombe avait bien été creusée, et on avait trouvé un bouton d'uniforme, mais pas de corps. (Le corps lui-même se serait décomposé depuis longtemps, mais on en aurait quand même trouvé des traces.) D'après un employé, il existe un récit selon lequel la tombe du général Fraser aurait été déplacée près de la rivière, et c'était pour cette raison qu'elle figurait là-bas sur la carte. Toutefois, personne n'en connaissait l'emplacement exact ni ne pouvait assurer que le général s'y trouvait réellement, d'où l'absence de plaque.

Les romanciers sont des gens consciencieux. Ceux d'entre nous qui traitent de l'histoire tendent à respecter tant que faire se peut les faits dûment enregistrés (en ayant toujours à l'esprit que ce n'est pas parce que c'est écrit noir sur blanc que c'est forcément *vrai*). Mais donnez-nous un trou dans lequel nous glisser, une omission dans les archives ou l'une de ces mystérieuses lacunes qui subsistent même dans les biographies les mieux documentées… Je me suis donc dit que le général Fraser avait peut-être été renvoyé en Écosse. (Oui, on envoyait parfois des corps d'un côté et de l'autre de l'Atlantique au XVIIIe siècle. Quelqu'un a exhumé ce pauvre Tom Paine de sa tombe en France dans l'intention de le ramener en Amérique pour qu'il y soit enterré avec tous les honneurs dus à un prophète de la Révolution. La dépouille s'est perdue en cours de route et n'a jamais été retrouvée. En parlant de lacune intéressante…)

Quoi qu'il en soit, il se trouve que je suis allée en Écosse l'année dernière et, en me promenant dans la campagne près de Balnain en quête d'un endroit logique où planter le brigadier général Fraser, je suis tombée (littéralement) sur le grand cairn de Corrimony. Ces sites sont toujours très suggestifs. Il y avait là un panneau expliquant qu'il y avait eu autrefois un corps dans la chambre centrale mais que, naturellement, il s'était totalement décomposé (il y avait effectivement des traces d'os dans la terre, même après plus de mille ans) et qu'en outre la tombe avait été profanée au XIXe siècle (ce qui explique que vous n'y trouverez rien si vous y allez aujourd'hui). Il ne m'en fallait pas plus… (On demande toujours aux romanciers où ils vont pêcher leurs idées. Partout !)

Saratoga

Un livre tel que celui-ci nécessite une quantité colossale de recherches (je reste souvent perplexe en lisant des lettres de lecteurs m'expliquant qu'ils se sont rendus dans un musée, ont vu des objets du XVIIIe siècle et ont été sidérés de découvrir que je n'avais pas tout inventé !). Je n'ai pas la place pour citer ici ne serait-ce qu'une fraction des sources que j'ai utilisées, mais je tiens à mentionner un ouvrage en particulier.

Les deux batailles de Saratoga jouèrent un rôle historique crucial. Elles furent très spectaculaires et extrêmement complexes, qu'il s'agisse de leur logistique, des mouvements de troupes et des manœuvres politiques les ayant entraînées. J'ai eu la chance de découvrir, tôt dans mes recherches, le livre *Saratoga* de Richard M. Ketchum. Celui-ci offre une description incroyablement bien réalisée des batailles, de leur origine et de la foule de personnages pittoresques qui y ont participé. Je tiens à le recommander à tous ceux qui s'intéressent plus particulièrement aux détails de l'histoire, qui ne peuvent être qu'effleurés dans le contexte d'un roman.

Cet ouvrage a été composé en ITC Berkeley Oldstyle 11,25/13,25
et achevé d'imprimer en décembre 2010 sur les presses de
Imprimerie Lebonfon, Val-d'Or, Canada.